《当代中国文学的艺术探险》
福建教育出版社　1998

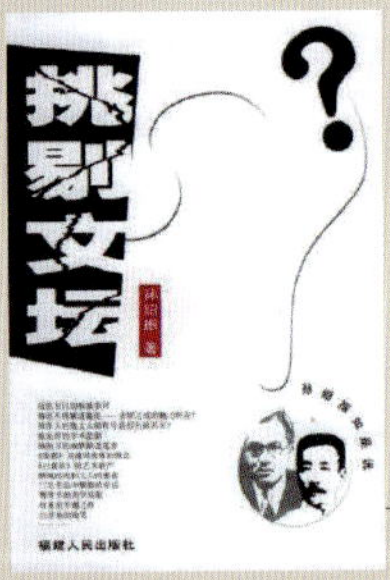

《挑剔文坛——孙绍振如是说》
福建人民出版社　2001

孙绍振文集

当代文艺的艺术探险

海峡出版发行集团 | 海峡文艺出版社

图书在版编目(CIP)数据

当代文艺的艺术探险/孙绍振著. 一福州:海峡文艺出版社,2025.6
(孙绍振文集)
ISBN 978-7-5550-3932-7

Ⅰ. I206.7-53

中国国家版本馆 CIP 数据核字第 2025YC8843 号

当代文艺的艺术探险

孙绍振　著
出 版 人　林　滨
丛书统筹　林可莘
责任编辑　郑咏枫
出版发行　海峡文艺出版社
经　　销　福建新华发行(集团)有限责任公司
社　　址　福州市东水路 76 号 14 层
发 行 部　0591－87536797
印　　刷　上海盛通时代印刷有限公司
厂　　址　上海市金山工业区广业路 568 号
开　　本　787 毫米×1092 毫米　1/16
字　　数　700 千字
印　　张　35　　**插页**　1
版　　次　2025 年 6 月第 1 版
印　　次　2025 年 6 月第 1 次印刷
书　　号　ISBN 978-7-5550-3932-7
定　　价　160.00 元

出版说明

孙绍振先生是我国著名的文艺理论家、文学评论家、语文教育理论家、作家，是“闽派批评”的旗帜性人物。

他学贯中西、思通古今，全面梳理中国传统文艺理论中的重要命题，对当代西方文论进行了系统的分析和批判。他的文学研究贯穿着“实践真理论”的世界观和辩证方法论。他以一个“文学教练”的矫健身手，在“文学创作论”和“文学文本解读学”的坚实理论基础上，进行海量的经典文本分析，洞察小说、诗歌、散文等文类的艺术奥秘。由此，他建构了富有原创性的中国特色文学理论话语体系，在理论和实践结合方面发出中国声音。

他以先锋姿态投入“朦胧诗”大论战，业已留下重要的历史文献；以创新思维和精准表达，体现文学批评的力量与高度。

在语文教育改革中，他以犀利的思想拨乱反正，为语文教育的学科建设做出独特的贡献。其成就不仅深刻影响祖国大陆语文教育学界，还辐射至宝岛台湾，有力助推两岸学术、文化与教育交流。

作为一个作家，他钟情于诗歌、散文创作，产出丰硕的成果。其演讲体散文，卓尔成家。

为了全面展示孙绍振先生的研究成果和学术成就，我社组织出版“孙绍振文集”（20册），汇编其迄今为止的全部代表性学术著述和文学作品，涵盖文学理论建构、文艺评论、演讲、语文教育、文学创作等诸方面内容。希望这套文集能全面展示孙绍振先生的理论成就、评论成果和文学创作的整体风貌，呈现中国学派崛起的绰约风姿及其在世界学术话语体系中日渐突出的自主地位。

海峡文艺出版社

二〇二五年六月

目　录

第一辑　当代中国文学的艺术探险

英雄是人……3

生活的真实和艺术的真实……9

比喻的矛盾

——读诗随记……16

打开灵魂的窗子……20

莫言的幸运与徐怀中的慧眼……23

论张洁对美的探求……25

散文和散文家的自我修养……38

论高晓声与喜剧性自觉……45

刘心武的理性因果律和审美价值取向的搏斗

复合的抒情风格与寻根的主题……70

——读唐敏小说和散文……70

文化废墟上的精神崩溃

——论《废都》……78

什么是艺术的文化价值

——关于《白鹿原》的个案考察……87

《白鹿原》在艺术上的破产……93

文化价值和艺术价值的混淆

——再评《白鹿原》……95

评改一段《白鹿原》

——三评《白鹿原》……97

逃避情节的感觉世界
——读王璞的小说集《女人的故事》……100
只结一个大果子的树
——读陶然的小说《与你同行》……105
壮悲的探索
——读西西的小说《哀悼乳房》……109
从情节中解放出来以后
——从莫言谈到蔡益怀……112
香港作家童年回忆的幽默和诗情
中年世界的精神光谱
——何葆国《土楼梦游》序……116
迷离恍惚的寓言
——读萧春雷的小说……118
余岱宗《被规训的激情》序……121
先锋理论的悖论……124
学院评论和大众文化评论……126
审美历史语境和当代文学史研究……129
突破现成话语……131
文学评论及其话语的腐败……135
悼念秦牧和虚假吹捧……144
当代文学理论学科建设的思考……148
大陆研究台湾文学的真正开始……151
传统理论的当代意义
——评张德林的《审美判断与艺术的假定性》……153
沈泽宜《北大·五月十九》序……158
刘登翰《海峡文化论集》序……160
文学史的写法和文学批评的写法
——谈谈香港文学史的写作……166
王维燊《中国现代文学管窥》序……171

陈仲义充满原创性诗歌评论……175
《福建师范大学百年文学大系》前言……177
在娓娓道来的叙事和宏大叙事魄力
——读卢文丽《大学里的小邮局》等中短篇近作……191

第二辑 古典审美与现代意识的对话

台北现代派画家的突破与风险……197
漫画漫笔与文人诗书之统一
——读丰子恺的漫画……201
红黑境界中的顺道无为
——一个东方艺术家对西方后现代艺术思潮的回应与挑战……206
对重墨轻色的挑战
——读杨启舆的青绿山水……218
试论宋省予花鸟画的民间文化性格……220
在工笔法度中找到自己恬淡娴静的心灵
——读林任菁的画……225
以抽象概括具象，神驰于蓝分七彩之间
——序蔡云程油画展……230
论油画的写实性与表现性……232
沧凉的大自然中精致的花鸟
——序黄莱……238
序黄莱“狼之美”……242
序黄莱：画与论之交融……243
传统水墨汁和现代泡影的遇合
——《曾贤谋国画》序……245
油画家沈克龙二题……247
榕城恢宏的历史在花岗岩中交响
——话说福州历史文化长廊……252
在有限的空间中展示千年时间
——福清城雕《八骏图》……254
序陈云贵人物瓷雕系列……257

梨园戏《董生与李氏》和当代文艺的审美价值观念……259
“西风东渐”关于“第五代”电影变化的评说
——和颜纯钧等的对话……265
想说爱你不容易
——关于中国商业电影的讨论……272
向声言重拍《水浒传》者进一言……276
突破和败笔
——电视剧《大明宫词》的可喜和可叹……281
电视谈话节目的悬念和灵魂的深度……284
主持人：美人出丑和丑人出美……286
赵忠祥和“泡沫明星”现象……288
探索福州城市建筑的文化历史个性……291

第三辑　挑剔文坛

香港三联版《孙绍振如是说》自序……301
《挑剔文坛》自序：关于本书使用的艺术分析方法……304
小说情节的构成：把人物打入第二环境……314
《金瓶梅》的叙事和海明威“电报文体”……319
散文当以非诗的追求为上……321
反抗盲目的权威崇拜……323
解构主义在吃自己的尾巴……325
南帆《隐蔽的成规》中的“历史语境”……327
系统论并不真正系统……328
关于鲁迅的“多疑而易怒”……330
诗人眼光和小说家眼光的错位……332
关于鲁迅内心的“绝望”和“虚无”……334
鲁迅为何不理睬元配朱安……336
周氏兄弟失和的原因……338
窥视许广平的情感生活……340
周作人的散文大师称号是否名副其实……342

鲁迅研究中的两种病态……344
陈衡哲的《一日》能够算是现代文学的“开山之作”吗……346
巴金的祖父并不专制
——读陈思和的《巴金传》……348
关于重写中国文学史……350
在德国大学图书馆读《〈女神〉汇校本》……352
戴望舒为什么不能算是一个浪漫主义者……354
徐志摩的诗和现代作家的包办婚姻……356
丁玲为什么对沈从文那么刻薄……358
美国女权批评家看萧红……360
女权主义者可否宽宏些……362
女作家不是一个性别观念……364
爱情悲剧的根源在社会还是在自己……366
张洁笔下女主角的国籍……368
张毓茂笔下的萧军……370
陈寅恪的学术悲剧……372
人格之神品兼铭文之庄雅
——读陈寅恪《清华大学王观堂先生纪念碑铭》……374
何其芳未尽其才……376
钱锺书不成熟的短篇小说……379
《围城》的厄运与幸运……381
《围城》是男性沙文主义的代表作吗……383
《围城》为何长期未列入经典……385
柏杨和林语堂对中国人的批判……387
张志忠的《莫言论》……389
《笑的历史》：以资料性取胜……391
余光中对朱自清的苛评……393
挑战文坛权威
——从《十作家批判书》谈起……395
《废都》：灵魂对肉体的败北……397

《废都》应把两个女人合并为一个……400
性欲成为情节关键的模式……402
关于朦胧诗和美国意象派的一段历史公案……404
在维也纳争论中国朦胧诗……406
顾城真正的死因是什么……408
真诚的现代派和虚伪的现代派……411
顾城杀妻、自杀的心理学分析……413
顾城的死和文人的堕落……415
搭起了一座似梦非梦的桥梁
——孙玉石在《中国现代诗导读》中解读禅意……417
影视“强奸”文学以后……419
关于夏志清对鲁迅和张爱玲的评价……421
张爱玲：大节有亏，艺术不朽……423
张爱玲独特的嗅觉……425
纪弦的历史污点……427
谈台湾女诗人席慕蓉的诗……429
台湾散文研究的新突破
——读楼肇明的台湾散文研究……431
王蒙有没有希望成为诗人……433
经典小说的败笔……435
曹雪芹的美学局限……437
宋江形象的悲剧性质
——兼论中国古典文学中的四种英雄形象……439
杜甫也有平庸之作……446
白居易的败笔……448
文化差异犹如聋子对话……450
方言文化和政治背景的关系……452
美国人译中国古典诗诸多局限……454
冰心静待解剖……456

为余秋雨一辩……458
余秋雨现象
——从余秋雨的散文和妓女的手提袋谈起……460
诗里的舒婷和散文里的舒婷……463
王力的幽默和钱锺书的幽默……465
从“低俗”到“高雅”的历史进程
——从对金庸的评价分歧读起……475
卫慧现象
——迷途的孩子们……477
无痛之痛是为至痛
——评余华小说《十八岁出门远行》……479
爱情小说模式的演变……481
从小说《伏羲，伏羲》到电影《菊豆》……483
喜剧给人物处处遇到好人的权利……485
年表背后的奥秘……487
读书和读注解的关系……489
谈读书的三种姿势……491
夏志清的《中国古典小说导论》……493
张爱玲《倾城之恋》：奇迹似的大团圆……497
《西厢记》表现女性有什么突破……499
曹雪芹和托尔斯泰对人有什么发现……501
美国人眼里的《林家铺子》……503
东西方文化在自杀问题上的较量……505
外国人笔下张洁的身世……507
历史还梁思成以公正……509
不妨借鉴美国新闻记者的笔法……511
作家要有自己独特的话语……513
恶性欧化及其他……516
抄袭和模仿的历史公案……519

先锋诗歌在冲击……521
宋淇论《红楼梦》环境描写之“逐渐透露法”
——读《香港红学论文选》……523
“冷月葬花魂”和它的论据
——再读《香港红学论文选》……526
探索小说形式的潜在可能性
——序吴励生《声音世界的盲点》……528
顺境中的阿Q
——读《阿Q后传》……530
西安事变与周恩来形象……533
从英雄到罪人
——读《汪精卫传》有感……535
在谈鬼的书中发现哲学……538
中国茶文化的光辉与局限……540
书读一半，剩下一半去猜想……542
当代爱情诗的新态势
——《中国当代爱情诗鉴赏辞典》序……545

第一辑　当代中国文学的艺术探险

英雄是人①

打倒“四人帮”，文艺大解放。压在作家头上的沉重枷锁逐步解除了，作家可以自由挥笔畅吐胸怀了，在短短的时期内，出现了不少为人称道的好作品，文艺创作出现了一种新气象，但是广大读者、观众对我们的创作并不是都很满意的，特别是对我们作品中某些英雄人物形象，有不少议论。人们提出了一些值得深思的问题：为什么一些政治上直接反“四人帮”的作品，在艺术上却带着“四人帮”神化英雄的烙印？

这是因为思想和艺术虽然应该是统一的，但是不能忽视艺术创作规律有它的特殊性。“四人帮”反动思想体系遭到普遍的唾弃，并不意味着他们在艺术上留下的祸害可以轻易地随之消失。一个作家如果单纯出于反“四人帮”的政治热情，忽略了艺术创作的特殊规律，从概念出发，任意把反“四人帮”的英雄拔高，则必然要走向自己愿望的反面。他会惊愕地发现自己的英雄无可挽回地上升到“四人帮”制造的神龛中去了。

英雄是人，不是神。即使是神话中的英雄，他之所以获得人民的喜爱，也是因为在他身上饱含着丰富的历史生活内容，寄寓着人民大众的思想感情。孙悟空是个英雄，固然与他的神通广大分不开，但是神通比他广大的二郎神（他比孙悟空的七十二变还多一变），其艺术感染力无疑比孙悟空差得远，这是因为在孙悟空的神通中渗透着他独特的个性。虽然他有超人的本领，但他的内心世界却和平凡的芸芸众生息息相通。我们在他身上不但可以看到古代劳动人民活跃的奋斗精神，而且可以看到今天我们周围某些人生动的性格心理特点，他正是别林斯基所说的“熟悉的陌生人”。而二郎神，则是太“神”了，神到身上没有什么人味了。没有人味的神化，在艺术上不能掩盖形象的贫血。把英雄写得没有人的局限性，不但不能在艺术上提高英雄，反而只能断送英雄人物的艺术生命。俗话说“戏不够，

① 发表于《福建文艺》1979年第7期。

神仙凑”，这说明神化人物是出现在艺术贫乏的时候。

超人的智慧和勇力只能引起人的惊奇，却很难深深感动人的心灵。真正能激动人心的倒是那些与亿万人民群众息息相通的思想和感情，艺术成就的高低只能与人物内心世界发掘的深度和广度成正比。李逵一口气杀了四只老虎，反而不及武松费了老大力气打死一只老虎来得英雄。武松打死老虎后，作者写他精疲力尽，发现又有老虎向他走来，他感到紧张甚至有点绝望，这并没有损害他的英雄形象。相反如果写他此时仍然若无其事地发出一通豪言壮语，三拳两脚便把老虎收拾了，这样的神化反而可能把活生生的艺术形象糟蹋了。完全靠战绩膨胀起来的英雄，在艺术上往往是没有战斗力的。

满足于以辉煌战绩来表现英雄人物，是我们当前一些作品中英雄形象带上神化色彩的原因之一。我们往往把战果的大小和英雄形象艺术成就的高低混为一谈。在有些反映革命战争的影片中，英雄人物的料敌如神，真是名副其实的“如神”了，而敌人则成为愚蠢的象征，成为比李逵刀下的老虎还容易收拾的豆腐渣。粉碎“四人帮”后，有不少作品在表现革命先烈的英雄行为和内心世界、真实反映历史生活特点方面，都有了许多可喜的进展，但是在个别作品中，作者用主观的想象代替了客观历史环境的深刻研究，就使英雄人物架空。例如有一个舞剧，在塑造杨开慧英雄形象时虽然有不可抹煞的成绩，但是作者不顾历史环境的特点，让她在一个大城市郊区去胜利地领导游击战争，这样虽然给英雄形象添了些表面的光彩，可实际上，其脱离环境的制约，人物真实感人的力量不能不被削弱。同样，让不满十岁的毛岸英用红缨枪轻易地捅死国民党大兵，让他具有这样超年龄限制的体力，也不一定比让他在搏斗时受伤更加动人。

不求诸神的万能，不掩饰人的局限性，并不一定会损害英雄人物的光辉。写英雄，会写到他辉煌的战绩，这是很自然的。问题是在于不应该满足于罗列辉煌的战绩，而应该力求把战绩的辉煌和内心世界的辉煌结合起来。新中国成立以来我们有过许多既写了英雄的辉煌战绩又深刻地揭示了英雄人物内心世界的好作品。在这些作品中英雄人物的光辉事迹对于展示英雄人物内心世界是不可缺少的。很难想象，如果没有舍身炸碉堡的壮烈场面，影片《董存瑞》中的英雄形象将如何达到现在这样的高度。同样，在《保卫延安》中，如果不渲染彭德怀将军在人民和部队中的崇高威望，如果不着力刻画他军事上的卓识远见，以及敌人从骄横狂妄到狼狈溃退的情景，这位无产阶级革命家、军事家的英雄形象则无疑会受到极大损害。对于这一点，新中国成立以来的文学作品有许多成功的经验有待我们去总结。理论研究在这方面无疑还远远落在实践的后面，但是就当前的创作倾向来看，更突出的却是，不少作品满足于描绘辉煌的战绩而忘了人，热衷于战绩的罗列而淹没了人的内心活动过程，当这一切成了惯例，就使得一些作者不敢写英雄走向胜利中的失败，不敢写英雄成长中的缺点错误了。他们不敢肯定，那些在战绩上是零甚至是负数的失败的英雄仍然可能比战果赫赫的没有个性的英雄更高大。英雄并不需要在受刑时仍然站在舞台中央或者比较高的台位上才显出高大，他们也不需要在牺牲时仍然使敌人毫无例外地躬下腰来才显得崇高。在话剧《陈毅出山》中，韩山河是英雄，但这英雄却犯了一个惊险的错误。这种错误，从他的大节上去看，不但没有贬低韩山河，反而恰当地表现了韩山河忠于革命的崇高品质。“四人帮”立下的不许英雄犯错误，不许英雄做昂首以外的动作，不许英雄站在舞台中心以外的地方等等的法规是何等的荒谬啊！从辩证唯物主义的认识论来看，失败之于认识和胜利之于认识同样不可缺少。没有不经失败的胜利，也没有从未经受挫折的英雄。不从正反两方面去总结经验，任何人的认识都可能陷于片面。从胜利和失败两个方面经受考验是任何英雄成长的必由途径。（当然，这是从总体来说，不是说每一个作品都要写这两方面。）轻易地获得胜利，先验地获得真理，这样就违反了生活的逻辑，在艺术上也就必然要出现虚假。既然一切胜利早已命中注定要归于英雄，那他就不必为夺取胜利而付出代价，他在斗争过程中的喜怒哀乐就是多余的装饰了。这样英雄的内心只能是十分贫乏，十分抽象的。

一个作家如果光为英雄的事迹所吸引，不把某种事迹作为进入英雄心灵世界的一个入口，而是满足于对这个入口作虔诚的礼赞，那就可能把英雄神化，因为既然热情多于深刻的发现，便只能求助于虚幻的夸张，再没有比这更保险更省事的了。可叹的是一旦对这种办法从无可奈何地接受到变成习惯以后，要摆脱它就很费时间和周折了。一些受过“四人帮”打击的作家，在粉碎“四人帮”以后，却写出“四人帮”强行推销过的神化英雄，原因就在于此。对于作家来说，惊人的事迹之所以重要，是因为它提供了揭示心灵奇迹的途径。不把主要注意力放在发现人的心灵奇迹上，即使很辉煌的事迹也可能化为英雄的概念。任何辉煌事迹都是英雄性格发展的必然结果，任何事物的本质都是在事物的发展过程中不断显示出来的。结果是过程中一个阶段的重要标志，但是光看到结果，把结果孤立起来，就很难认识事物的内在特点。我们一些作品中的英雄人物往往被表面的、轰轰烈烈的事迹掩盖，原因就在于作者没有从性格的发展过程全面地去理解英雄。在我们革命年代中，出现了不少把身体扑在手榴弹上或枪口上以掩护战友的可歌可泣的英雄人物，他们的事迹是千古不朽的，但是我们笔下写的这一类人物却很少经得起时间的考验。这是因为作者满足于对这些英雄事迹的渲染，而不努力去发现人的心灵深处的奇妙特点。茹志鹃的《百合花》则不同，由于作者对人物心灵有所发现，并给予独特的表现，深深地打动了读者，在读者心灵中久久地留下了美好的、深切的怀念。《百合花》的主人公小通讯员无疑是个英雄，但是茹志鹃对他把身体扑在手榴弹上掩护民工的事迹只用三言两语交代了过去。她没有从英雄的概念出发，去写一出场就要“光彩照人”的人物。小说着力描写的是这个在即将爆炸的手榴弹前无所畏惧的英雄跟女同志打交道时却紧张得满头大汗的情状，连向一个新娘子借一条被子的群众工作任务也完不成，这自然是一种局限性，但这种局限性对于艺术家来说是多么重要啊！只有思想认识和艺术修养达到相当水平的作者才敢用作品的主要篇幅展开这样的描写，因为这正是作者在生活中的一种发现，也是读者在生活中有所感但又是容易忽略了的。狄德罗说：“艺术就是从平凡中发现不平凡的东西，从不平凡中看出平凡的东西。”茹志鹃从无畏的英雄身上，看到的不是神化的超人，而是对妇女十分羞怯的平凡的人。如果不是这样苦心孤诣地追求对人的发现，而是把这位小通讯员写成一个对妇女像对手榴弹一样无所畏惧或无动于衷的人，那么，这个特有的感人至深的形象就消失了。

从神化了的英雄概念出发，往往使我们作者的笔受到束缚，把在斗争的紧要关头表现英雄当成一种公式，把在“风口浪尖”上的表现加以绝对地强调，也可能导致英雄人物概念化。自然，在生死危难关头最能考验人。在艺术上写临难不苟，历来是表现英雄的重要手段，但是把英雄心灵活动的天地局限在这方面，总是在饿了不吃，困了不睡，病了不医上打主意，或者把连安排结婚的时间、关照生病的孩子和爱人都和当英雄有绝对的矛盾来加以强调，这样也可能把英雄写得像六根清净的神化人物。把必须从风口浪尖上表现英雄，作为一种有形、无形的框架规定下来，不能不导致这样的结果。

当然，作者完全可以只写他的英雄在风口浪尖上的表现，而不写其他方面，但是，在写风口浪尖上的表现时，如果作者对于他的英雄在风平浪静中的表现一无所知，那么也可能写不出风口浪尖上的人来。孤立地、静止地写英雄事迹，而不是把英雄的心灵世界当成一个独特的、完整的过程去理解，就不可能对人有什么发现。这时常常出现以某种外在特点的粘贴来代替个性揭示的倾向，例如某个英雄人物粗犷得可怕，另外一个英雄人物又细致得可爱，某个级别高的英雄爱和下级开玩笑，某个女英雄有男性的造型等等，但是这些从外面贴上去的个性的标签，并没有赋予人物以个性的生命，只不过是英雄的神化概念的一种“精巧”的化装演出，而不是对英雄人物独特的个性逻辑的深刻揭示，不是对其内在的对立统一的心灵世界的完整概括。艺术家的洞察力不能为别人已经揭示的东西所局限。莫泊桑这样记述他的老师福楼拜对他的教导：“任何事物里都有未曾被发现的东西，因为人的眼睛看事物的时候，只习惯于回忆起前人对这事物的想法，最细致的事物里也会有一点点未被认识过的东西。”法国著名的雕塑家罗丹说：“所谓大师，就是这样的人，他们用自己的眼睛去看别人看过的东西，在别人司空见惯的东西上能看出美来。”茹志鹃正是在别人司空见惯了的群众主动借东西给部队和有时也有不肯借的现象上看到了别人没有看到的美：那个在战士生前不肯借被子的人正是在战士死后坚决奉献自己被子的人。《牛虻》的作者伏尼契正是这样，从许许多多虔信宗教的革命青年和十分憎恨宗教的革命青年中看到了别人没有看到的更深刻的美：那个极端仇恨宗教的列瓦雷士就是原来无限虔诚的教徒亚瑟。在封建社会中不少人见过逆来顺受的军官和革命立场十分坚定的起义军官，但施耐庵却有了他的美学发现：那个在侮辱他妻子、谋害他生命的仇人面前忍辱负重的林冲，在火烧草料场以后到火并王伦时变得主动出击，义无反顾地反叛到底了。像这样看来对立而又统一的个性逻辑的发现才给作者笔下的人物以真正的艺术生命。托尔斯泰在《复活》中说：“人往往变得不像自己了，其实他仍旧是他原来那个人。”艺术家正是要培养自己具备这种发现运动变化中个性逻辑的能力，否则就永远不能进入艺术的创造。在这里最重要的是，要让人物自己按着自己的个性逻辑去活动。把作家主观愿望去强加给他们，强迫人物匆匆忙忙走向作家设计的终点，说着作家要他说的话，是威胁人物艺术生命的流行病。不消灭（至少是抑制）这种流行病，作家是不能从反复作英雄概念的举例或图解的习惯势力中解放出来的。

在发现人物性格上，不能有形而上学。不能伟大就是绝对伟大，平凡就是绝对平凡。就是写在风口浪尖上，也不能排斥有瞬间的风平浪静。作家的艺术洞察力需要辩证法的引导，在许多时候引导作家、艺术家进入人物内心世界的，往往不限于英雄事迹本身，伟大人物平凡质朴的风格有时也会给艺术家以深刻的启发。在银幕上第一个创造了列宁的生动形象的苏联演员史楚金，起初并没有立即答应扮演列宁；后来使史楚金进入列宁这个角色的契机，不是列宁在中央委员会上作出武装起义的伟大决策的场面，而是在作出这个改变历史潮流的决策之后，睡在一个工人家庭的地板上的场景（请读者回忆那拒绝用反动书籍作枕头的场面）。很显然，伟大的历史决策的英明和平凡的日常生活情趣一旦在列宁身上结合起来，就显出了奇异的个性光辉。对于艺术来说，再没有比这样的发现更重要的了。同样，在列宁与富农在克里姆林宫地下室辩论的场景中，如果不是把个性的发现放在第一位，那个煮牛奶的场面就是多余的了，把列宁在发现牛奶无可挽救地漫溢出来而匆匆逃离的神色，在一个年老女服务员面前表现出来的担心、胆怯和在富农面前的政论式的激情的洪流统一起来，才是有个性的列宁。把喜剧表演因素融入正剧之中正是导演和演员勇于创造的表现。

不从生活出发，对人无所发现，凭主观概念去设想，去塑造英雄，就不能摆脱流行的模式的束缚。我们见过不少作品写到英雄就义时总是昂首挺胸，临刑前总是发表着慷慨激昂的演说，背景总是青松白云，读者和观众也总是看不到艺术家对英雄的灵魂的独特发现。20 世纪 50 年代拍的《渡江侦察记》，爱喝酒的吴老贵牺牲时有一个行军壶中的酒汩汩外流的特写镜头，在“四人帮”统治时期重拍这部影片时就取消了这个很有表现力的镜头。本来这个镜头向读者暗示：这个英雄虽然是那样热爱生活（像热爱酒一样），但为了人民，他牺牲了自己，也牺牲了这种生活趣味。南斯拉夫优秀电影《瓦尔特保卫萨拉热窝》中的那个钟表匠，在得知自己的上级面临遇难的危机，决心牺牲自己以解救这一危机时，他并没有像我们常见的那种架势，也没有发表任何演说，只是把钥匙交代给学徒，下意识地对自己的钟表铺环视一周（表现他多么留恋），叮嘱他的学徒要学好手艺，将来是用得着的（他坚信将来）。这样平常的动作和语言为什么比我们有些电影中的豪言壮语更动人呢？这是因为作者在这里发现了一个独特的个性。他虽然被认为是一个老练的游击队员，但他第一次出场就反对他女儿参加游击活动。（对于"四人帮"的"高起点"来说，这简直有点大逆不道了）他说：人和人是不一样的，有的人应该牺牲，有的人应该等待。后来他的行动为这句话作了注解，他实际上认定了他自己应该不惜牺牲一切，而下一辈，包括他的女儿和学徒，应该享受美好、和平、幸福的生活。最后枪声一响，他倒下了，惊起了一群白鸽。作者正是用这样的手法赞美了这个为和平而英勇献身的英雄。这个英雄自然有他的信念，但他是用自己特有的个性逻辑来表现的，他的整个动作的逻辑却比一篇演说更动人。

英雄是人。努力去发现"这一个"英雄独特的心灵世界，用创造性的手法把它表现出来，这是作家的重要任务。如果不能完成这个任务，则不能进入艺术创造之门。

生活的真实和艺术的真实①

一

生活是艺术唯一的反映对象，艺术除了生活以外，什么也不反映，但是生活又不等于艺术。生活和艺术固然有统一的一面，但又有矛盾的一面。简单地照相式地照搬生活，并不能达到艺术真实的高度，有时反而给人一种既不真实也不艺术的感觉。新中国成立初期进行戏曲改革，有个剧团，片面地迷恋于生活的逼真，在演《牛郎织女》时，让真牛上台，结果那牛并不能理解牛郎的激动心情，使得演员一直处在提心吊胆的尴尬状态。这时，真牛反而不及一条没有实用价值的装饰着彩色流苏的牛鞭子来得真实。生活不经过一番变异是不能变为真实的艺术的。齐白石老人画虾，不止一次地减少了虾腹下节足的数量，米开朗基罗放在佛罗伦萨梅提契的墓上的青年男子的雕像超比例地加长了弯曲的腰身和手臂，二者同样达到更高的艺术真实。齐白石老人论画有过名言："妙在似与不似之间，太似则媚俗，不似则欺世。"苏里可夫在学素描时，他的老师契斯恰可夫对他说："要尽可能地接近实物，可是决不要一模一样，因为要一模一样，结果反而弄得不像。"（见索洛维也夫等著《素描教学》）这和齐白石老人的见解不谋而合。针对有人认为话剧很容易，只要会讲话就行的论调，周总理在广州话剧歌剧创作会议上说：话剧要演得不像人们在台下讲话就好了，就可以请毛主席来看了。艺术的辩证法就是这样奇妙，为了使艺术更像生活，却先要敢使艺术不像生活，这是因为生活虽然是无限丰富的，但它又是粗糙的、分散的。而艺术需要高度集中，这就要求作家、艺术家用感情的火焰，在想象的洪炉中把生活素材加以提炼净

① 发表于《福建文艺》1979年第11期。

化。没有一点想象和虚拟，就不能更深刻地表现生活的真实。没有假就没有真，为了真一些，必须假一些。李瑛在《一月的哀思》中写周总理逝世后北京人民悼念的情景：“多少家庭的多少面窗子，此刻都一齐打开，只为要献给你这由衷的敬意。”有读者写信问：“当时时值深冬，写成‘打开窗子’是否不真实？”李瑛答信：“是的，论季节，当时是深冬，这是生活的真实。但这里却是艺术表现的真实，如果在艺术表现上写成‘门窗紧闭’倒反而是不真实的了。”（引自李瑛给笔者的打字稿）生活中的虚拟之所以成为艺术中的真实，是因为它充分表现了生活的本质，本质的真实比现象的真实更真实。如果本质不是这样，去世的是一个微不足道的人，写家家户户打开了窗子就不真实，而紧闭门窗却可能是真实的了。

绝对地拘泥于生活的真实反而变得不真实，所以艺术家不突破真人、真事、真物的局限，艺术创造就难以进行。敢不敢有条件地突破这种局限关系到艺术水平的高低。苏东坡和他的朋友章质夫都以杨花为题材写了《水龙吟》进行唱和。章质夫全篇把杨花仅仅当作杨花写，刻画杨花的形态可谓曲尽其妙，很使我们惊叹几百年前的词人观察力的精致。可是苏东坡一开头就不一样，他说杨花却是“似花还非花”，到最后则更说：“细看来，不是杨花；点点是，离人泪。”明明是杨花，他偏说不是，而是思念丈夫的妻子的眼泪。这好像故意歪曲生活，但这正是深入了生活。苏东坡在表现哀叹青春随岁月流逝的贵族妇女的心灵方面比章质夫达到了更高的艺术真实。苏东坡把花不当成花写，毛主席把秋天不当成秋天写（“不似春光，胜似春光”），王实甫把霜叶不当成霜叶写（“晓来谁染霜林醉？总是离人泪”），李白把月亮当成自己的朋友（“举杯邀明月，对影成三人”），普希金把大海当成理想的体现（“大海啊，自由的元素”），他们所遵循的是同样的艺术突破真物的规律。

在现实生活中，许多事物外在的局部形式在它自身条件下都是真实的，但在艺术典型中则可能是虚假的。虽然，在艺术典型中有虚构的成分，但进入典型化的整体却是更真实的。托尔斯泰《复活》的女主角的原型，本是女犯人罗萨丽亚接受了忏悔的贵族青年的结婚要求的。托尔斯泰起初也写了一个他们结婚后去英国的结局，但他又觉得这个幸福的尾巴是虚假的，只好舍弃了它。在后来的《复活》中改成了卡秋莎拒绝了聂赫留朵夫结婚的要求，这虽然是虚构，却比真人真事更真实。

艺术的虚拟，不但是为了更真实，而且是为了更艺术。要使艺术形象具有独特的个性，同样需要突破真人、真事和真物。不但从普遍性的要求，而且从独特性的要求来看，生活中现成的典型也几乎是不存在的。艺术形象的特殊个性的表现形式往往好像是生活中找不到的，是艺术家通过虚拟把它们塑造到出奇、异常、惊人的程度。不敢虚拟，就很难出奇，也就很难有鲜明的艺术真实性。不管是唐·吉诃德攻打风车，还是阿 Q 的“精神胜利法”，不管是奥勃洛摩夫连谈恋爱的能力都丧失了的怠惰，还是别里可夫大晴天带着雨伞、耳朵里塞着棉花，从生活的真实来看好像都带着某种假定性，但又是达到了十分真实的艺术境界。这些出奇的、异常的、惊人的文学典型的不朽性不但是艺术家对生活本质深入概括的胜利，而且是敢于虚拟的惊人的艺术气魄的胜利。

艺术的真实是普遍的真实，但不是平庸的真实，从生活出发，也不是从生活的平均数出发。艺术真实是和鲜明的特点联系在一起的，是一种奇妙的、带虚拟性的真实。即使在话剧那样现实性的艺术形式中，演员固然也要进入角色，像剧中人那样感觉，但不管怎么进入角色，到下意识的程度，也不能忘了这是演戏，不能没有自我意识，不能哭起来就声嘶力竭，哭得一塌糊涂。即使是反面人物哭，也要哭得艺术。巴尔扎克并不讳言，他喜欢写种种“例外”人物。他恰恰是善于用看来是虚拟的“例外”，概括普遍的“例内”。资本主义社会那些贪财好色之徒再也没有比在他笔下更畸形，更带虚拟性的了，但是资本主义社会的普遍罪恶再也没有比在他笔下显得更正常更真实的了。

艺术形象的某种奇妙的虚拟性和表现生活本质的严肃性是统一的。如果离开了群众和生活，去追求奇妙的虚拟，把艺术当成纯形式的游戏或者把艺术当作表现自我狂乱直觉的工具，那就是艺术的堕落，资本主义世界那些直觉主义的反理性的艺术流派就是这样。那些把人体和物体歪曲成可怕的形状和难看的色彩的绘画，那些用抽象的直线和曲线凑合起来的连题目也少有的造型艺术，也许在作者看来这是奇妙的虚拟，但这种奇妙只能使群众莫名其妙，它们是既不真实也不艺术的。①

二

艺术的规律也像其他规律一样，有其普遍性和特殊性。艺术的真实也一样。就其普遍性而言，各种艺术形式的真实性是统一的；就其特殊性而言，各种艺术形式的真实性又是矛盾的。在此一艺术形式中是真，在彼一艺术形式中可能转化为假。在戏曲舞台上真牛上台破坏了艺术，而在银幕上，不但真牛，就是真马、真刀、真枪、真火、真水都是必要的。在戏曲舞台上人被水淹死，可以衣衫不湿，用舞蹈动作虚拟一下做个优美的样子不显其假，而在银幕上不把演员泡得湿淋淋的则不显其真。就是同属戏剧艺术，正剧和喜剧的真实性也有不能混淆的一面。如果用正剧的逻辑来推敲卓别林的《城市之光》，那个百万富翁的真实性，就很令人怀疑了，哪有一个人每天夜晚把人家当成生死莫逆的知交，每天白天就忘得光光，白眼相加的道理？可是我们不能否认卓别林喜剧的严肃的艺术真实。我们只能

① 这是当时的观念，我后来有了改变。

说，正剧和喜剧都是真实的，但各有不同的特点。可以说，每一种艺术形式都有它特殊的真实性。艺术有多少种类，其真实性的普遍规律就带上多少特殊的异彩。每一种艺术形式之所以能够存在，就是因为它能在生活的土壤中生长并开出其他艺术形式所不能代替的花朵。艺术形式是人的心灵创造。多一种艺术形式，人类就多一种心灵的财富。丹纳在他的《艺术哲学》中，把各种艺术形式比喻为不同的植物。正如植物学家要研究每一种植物的特殊生理条件一样，艺术家也应该研究各种艺术形式的特殊美学规律。如果我们不能用栽培亚热带凤凰花的方法去培育冰山上的雪莲，那么我们也不能用写散文的方法来写诗。当魏钢焰在《忆铁人》中写铁人谈："没有革命的炉火，我还不是毛矿一块！没有毛泽东思想点卤，我还不是浆水一碗！"这是很精彩的散文，很真实的自白，但是我们并不能把它直接改写成新诗："毛泽东思想是盐卤，我是一碗豆腐浆。"反过来，在诗中是很真实的抒情，在散文中可能变得不真实。例如贺敬之在诗歌《回延安》中写道："手抓黄土我不放，紧紧贴在心窝上。"如果是散文，读者可能担心他的衣服会不会给弄脏。至于接下去："满心话登时说不出来，一头扑在亲人怀。"在散文中能不能这样自由呢？这要看来欢迎他的延安老乡是男同志还是女同志。这是因为，诗和散文在细节的真实上要求是不一样的，散文是现实的，诗正如雪莱所说：诗，可以理解为"想象的表现"[①]。

遵循着每一种艺术形式的特殊规律，就能发挥其优越性，反之，则可能为这种形式的局限性所困。艺术家要善于充分发挥特殊艺术形式的优越性而回避其局限性，甚至努力把它的局限性也变成优越性，才能达到高度的艺术真实境界。把一种艺术形式的作品改编成另一种形式时，尽管原著是很真实、很艺术的，改编也没有照搬的权利。在小说《红岩》中写江姐发现她丈夫牺牲是从城墙上的木笼中看到一个血肉模糊的人头。这在小说，自然是一种艺术的真实，但是在电影《烈火中永生》中，却没有用特写镜头，让观众看到一个血淋淋的人头。解放前有一部进步影片《夜半歌声》，曾经在艺术上留下过教训。导演让一个被恶霸用硝酸腐蚀得不成样子的艺人的脸突然出现在银幕上，给观众，特别是妇女观众和孩子观众以太尖锐的生理刺激。这种自然主义的方法非但没有提高艺术的真实，相反，破坏了艺术，损害了真实。正因为这样，戏曲舞台上杀人都是不见血的。这是因为小说以语言为工具，而语言是声音通过联想和意义建立了稳定的联系的第二信号系统，它不像电影那样主要是诉诸直观的视觉形象，所以在电影中江姐不能像小说中那样直接看到人头，而是看到一张敌人处决她丈夫的布告。镜头一推，观众看到她丈夫一张英气勃勃的照片。把血淋淋的人头改成英气勃勃的照片，正是把小说的真实性改为电影的真实性（当然，在《从奴隶到将军》中，有过木笼中的人头的镜头，但导演故意让其一闪而过）。同样是直

---

① 后来，这个观念发展为诗倾向于形而上，散文则更为形而下。

观的艺术形象，电影和歌剧又有不同。在歌剧《江姐》的舞台上，既没有人头，也没有布告，这是因为人头固然不合适，而布告上的照片，无论多大，后排的观众也无从辨认。在歌剧中江姐干脆对着观众，好像在演员与观众之间有一堵透明的城墙，城墙上挂着的人头，观众是从江姐的眼睛和表情中用想象的眼睛“看”到的。在剧场中，观众的眼睛不像摄影机那样可以自由运动，其视觉范围也不像电影镜头那样可以自由分切。这自然是一种局限性，但歌剧的舞蹈动作却以其奇妙的虚拟性来调动观众的想象力，就把这种局限性变成了优越性，创造了不同于小说也不同于电影的艺术真实。如果不严格遵循艺术形式的特殊规律，即使有真实的生活内容，也可能变成虚假的艺术。如果是写诗，没有直观的视觉形象是一种局限，但有超越时间和空间的想象却是诗的优越性，在诗中，甚至可以写那挂在城墙上的人头在微笑，在倾听远方胜利的号角。当然，按照不同的艺术形式的特殊规律，充分发挥其优越性的目的都是为了达到更高的艺术真实。艺术的种类是如此繁多，它的特殊规律又是如此复杂，以至任何一个天才艺术家都不可能掌握它们的全部秘密，甚至伟大的艺术家也只是在有限的领域中才显得伟大。曹雪芹蔑视“八股文”，宁愿把生命献给当时不登大雅之堂的被当作稗草一样歧视的小说创作，取得伟大的艺术成就。他也许不满足于这一点，所以在《红楼梦》中把当时正统文坛上的诗体、文体（“八股”除外）几乎都展示了一下，似乎想说明对于那些正统文学形式，他不是不能，而是不屑，但是，应该说，他的诗和文并没有他小说那样的富于创造，达到惊人的真实性。就他的诗歌创作而言，他的诗不如词，词不如曲。他写得最没有生气的是排律，尽管他通过人物的嘴给这些诗句以许多的赞词。有的研究者硬说曹雪芹的诗写得很有“天才”，这和一些从事毛主席诗词研究的同志把毛主席的诗和词说得一样好一样，都是忽略文艺形式规律的特殊性的表现。其实毛主席自己说了，他善于长短句，而不善五七言律诗（见给陈毅的信）。

由于忽略了这一点，有时连杰出的文学大师的见解也未免有些偏颇。托尔斯泰曾经这样说：“莎士比亚缺乏主要的，（如果不是唯一的）塑造性格的手段——语言。亦即让每个人都用合乎他性格的语言来说话……莎士比亚笔下所有的人物说的不是他们自己的语言，而常常是千篇一律的莎士比亚式的刻意求工、矫揉造作的语言。这种语言，不但塑造出的剧中人物，（而且）任何活人，在任何时间，在任何地点也不能这样说。”（见《古典文艺理论译丛》1961 年第 2 册）莎士比亚的剧本是诗剧，剧中人自然都用以英语轻重音节交替的五步无韵“素诗”（blank verse）来讲话。自然，在生活中，诚如托尔斯泰所说，没有一个恋人和准备慷慨就义的英雄即兴而又长篇大论地用合乎诗律的华彩语言讲话，但这是诗剧的虚拟，是特殊的艺术真实。它不同于托尔斯泰所熟练地掌握了的小说的艺术真实，它之所以能够存在是因为在那个时代，它在直接表达人物内心激情方面有其他艺术形式所不及的真实性。出于差不多同样的误解，巴尔扎克也偏激地批评过雨果的诗剧《欧那尼》，说雨果笔下的“人物的行为违反常识”。（见《文艺理论译丛》1957 年第 2 册）当然，这里的分歧不仅仅是对形式的特殊规律的不同理解，还有创作方法、风格方面的不同，本文限于篇幅不再论述。任何艺术形式都不能互相混同，互相取代。西洋歌剧连“开门”“请进”都要用宣叙调来唱，而芭蕾舞却非得是哑巴的世界，我们从来不以为假，但是有的时候我们却在实践上和理论上混淆了不同形式的真实的界限。我国宋代赵孟溁说，“画是无声诗，诗是有声画”。希腊诗人西门尼德斯也说过同样意思的话，本来这只有相对的正确性，因为画和诗除了有声和无声（听觉和视觉）之不同，还有相当大的区别。有些研究者却把这种说法绝对地肯定下来，以致把其中相对的真理夸大到荒谬的程度。有的同志引用苏东坡说的王维“诗中有画，画中有诗”，加以发挥说，从王维的诗中可以看出他的画中的“经营位置”的功夫，这自然是说他的诗如画一样逼真可见了。其实王维的诗再高明也表达不出绘画中事物固定的空间比例关系，它的想象性和绘画的直观性是不可能等同的。诗和画的真实性尽管有许多相通之处，它们毕竟是有区别的，我们不能用画的真实性去代替诗的真实性。这当然不是说，形式可以决定内容，但是形式的确可以限制内容，相对地改造内容，给内容的真实性以特异的风貌。这种不可混同的特异风貌，一方面是稳定的，一方面又不是僵死的，是随着历史的发展而发展变化的。例如从西洋画的人体解剖角度来看，中国古代画的人体物体的比例关系显然有不够真实之处，但是又不能因此否定了中国画的写意传统是一种特殊的艺术真实。在肯定了这种写意真实性时又不能墨守成规拒绝吸收西洋画的明暗、透视、人体解剖等方面的优点，发展国画的技法，使之具有更高的艺术水平，达到更高的真实的程度。虽然韩干的马是唐代的艺术珍品，但是我们不能否认吸收西洋焦点透视、明暗技法优点的融汇了中国水墨技法的徐悲鸿的马在艺术上达到了新时代更高的真实境界。

一个有创造性的艺术家总是既要遵循某种特殊艺术形式的特殊规律，同时又善于吸取姐妹艺术形式的优点，对之进行突破，为创造更高度的艺术真实而不断探索。例如在 20 世纪 50 年代现代散文领域中，杨朔、刘白羽、魏巍、魏钢焰、郭风都因把古典诗歌、现代新诗、外国现代诗歌的技巧引入散文领域而有了创造，使散文艺术追求诗的意境成为普遍的倾向。

不管是文学还是艺术，所有这一切继承和创造都是为了更好地表现生活，把生活表现得更真实，更艺术，更丰富多彩。离开了生活去追求形式的特殊规律是徒劳的。如果生活内容是虚假的，也就是在本质上是歪曲了生活的，即使你在艺术形式上也努力遵循其特殊规律，作品仍然是虚假的，我们不能说“四人帮”时期所拍的电影都是违反电影艺术的特殊规律的，应该承认，在有些时候，在有些方面，他们也不能任意违反艺术的特殊规律。

孤立地看，他们拍的有些场面也是有某种真实感的，但是在根本的是非上，它是歪曲了生活的，因而现在它遭到人们的唾弃是理所当然的。

违背了生活的本质的真实，艺术在根本上就不能不是虚假的，但是什么是本质的真实，从不同的立场、不同的观点出发，便有不同的结论。这里就涉及一个作家的世界观问题。

由此可见，要根本解决生活和艺术的关系问题，最终是不能脱离思想的。一切艺术上有创造性的作家总是与他思想上的独创性分不开的。

比喻的矛盾

——读诗随记[1]

任何比喻都是跛脚的，虽然它在表达思想时不可缺少。比喻像一切事物一样，有它的二重性。首先，它与被比喻的事物必须是根本上不相同的；其次，它们在某一点上又是很相同的。整体的不同和局部的相同，是比喻的内在矛盾和他的本质所在。我们可以说“花红似火”，是因为二者整体上不同，才提供了增加对被比喻事物某一特点认识的可能性。如果我们说“花红似花”，二者绝对地相同了，就等于什么也没有说，在逻辑上，这叫同语反复的错误。

一个诗歌作者，如果只注意到比喻和被比喻事物的相同方面，是不够的。这样容易把想象力束缚在人所共知的范围内，很难摆脱陈词滥调。应该牢牢记住，任何比喻，哪怕是很高明的比喻，都是不像与像的统一。先要敢于在整体上不像，然后才可能在局部上像。对艺术的辩证法的坚定信念，可以鼓舞我们打开思路，展开想象翅膀，到不同类的事物中去寻找相同的特点。例如，秋天的枫叶让霜给打红了，许多诗人都写过，但很少有杜牧那样讨巧的。他敢于突破眼前场景和季节的限制，用春天的花来比喻，“霜叶红于二月花”给读者提供的想象是多么绚丽。明确这一点，对我们创作，是很有实用价值的。如果我们面对海浪滔天的景象，要构成好的比喻，首先应该想到海以外的范围中去，才有可能创新。例如把海的波涛比作奔腾的大山，而到了山区，则又可以把起伏的山峦比成凝固的海浪。如果我们要表现看不见的时光的流逝，可以用看得见的大江奔流或花开花落来比喻，相反，如果要表现看得见的风吹高粱的景象之类，又可以说它像我们看不见的心潮一样火红。

比喻，敢不敢向不同领域进军是对作者想象力的第一个考验。

当然，这并不意味着可以漫无边际地胡思乱想，它必须有客观的联想根据。鲁迅说，

① 发表于《福建文艺》1978年第1期。

“燕山雪花大如席”之所以能够成立，是因为燕山的冬天确实有很大的雪，而“广州雪花大如席”之所以不能够成立，是因为广州根本不飞雪。本来，小小的雪花，它的平面面积是容易被人忽略的，但是为了强调雪花之大，就用席子那样不可忽略的面积来形容它。这种比喻之所以在艺术上是真实的，是因为在占有面积这一点上，二者是相同的。至于二者此外有什么不同，例如，温度升高时会不会融化，能不能垫在床上睡人等等，可以不计。一点相同，多点不计，是构成比喻的正常规律。自觉地运用多点不同，可以让我们放心大胆想象；自觉地掌握一点相同，又可以启示我们追求比喻的精确。

有时，为了弥补多点不同对于比喻精确性的某种消极影响，我们还可以对比喻作些补充，例如：

这小脸，像个苹果，

只比苹果多了两个酒窝。

这里“两个酒窝”是对苹果与孩子的脸的不像的方面作了补充，这种补充是比喻追求精确性的表现。在不像中尽可能争取最大限度的像，比喻的艺术特点就表现在这里。

诗歌对比喻精确性的要求是很高的，往往不但要在直接形态上一致而且要求隐含的联想形态上也一致。东晋的谢安和他的侄儿侄女辈讨论如何用比喻形容下雪时，谢奕说，“撒盐空中差可拟”，谢道蕴接着说，“未若柳絮因风起”。不管当时在座的人还是后世的人，都觉得用“柳絮因风起”来形容下雪要比“撒盐”好得多。这是因为虽然从色彩和运动方向上说，二者是一致的，但是，柳絮所隐含的联想形态——那种轻飘飘的质感和量感却是空中撒盐的形象所没有的。能不能细致地辨别比喻中隐含的联想形态是对诗歌作者想象力的又一个考验。有成就的作者在这方面常常给我们很深的启示。例如李瑛在《亮晶晶光闪闪的小河水》中这样写内蒙古草原上新修的河道：

草原牧女又多了一面镜子，

马场小伙又多了一条带子，

乳场师傅又多了一根弦子，

亮晶晶光闪闪的小河水。

一连三个暗喻，分别表现同一对象三方面的特点：“镜子”，表现河水平面反光；“带子”，表现小河的形状，“弦子”，表现流水发出声音，但是形象的全部内容不限于比喻的直接形态，还包含着隐含的联想形态。“带子”，还表现了小河波浪轻柔起伏的特点（如果光表现长度，棍子也是可以的，但棍子的隐含的僵直形态与小河的特点不合）；同样，弦子不仅是像小河那样发出声音，而且隐含着声音悠扬、柔和、悦耳的联想。这一组博喻还带着草原生活特有风貌。“带子”“弦子”都是和草原上生活和娱乐的特点联系在一起的。李瑛的诗接着写道：

你唱着跳着奔向牧场深处，
你摆尾摇头跑向白云里，
你多么天真、多么自豪地向前流去，
亮晶晶光闪闪的小河水。

这里用了一系列表现有生命的事物的词汇（“唱着、跳着”），很明显，这种生命还是幼小的（“天真”），而且，这种幼小的生命带着小动物的特点（“摆尾摇头”），这里其实是暗暗地把新修的小河比作了新生的家畜，而这种小动物又是兴修了水利以后的草原上畜牧业兴旺气象的典型表现。这样的比喻就带上了特定的地方色彩。比喻的地方色彩是比喻追求精确性的另一种表现。

当比喻不是一个，而是一组时，往往能互相联系，显出一贯性，这也是比喻追求高度精确性决定的。《福建文艺》1977 年第 4 期《地下长城颂》中有这样的句子：

你绵延千里像一条时代的弓弦，
愤怒的箭簇扣在公社、厂房、学校。

第二个比喻因为承第一个比喻而来，显得出异常的精确性。而这种精确性是比喻受到限制的结果，把地道比作战争武器（弓），受到战备设施题材的限制，把人民反侵略的力量比作箭簇，受到前面的比喻（弓）的限制。只有受了这些限制，比喻才能获得构成精确形象的自由。认识到比喻的这种局限性，才能发挥比喻的优越性。当我们歌颂延安时，如果要用花作比喻，用山丹丹是恰当的。当我们歌唱天山时，如果再用山丹丹，就不及雪莲来得准确了。比喻的地方色彩、民族风格、时代特点，不但在创作实践中是重要的，在理论上也是不可忽视的。有时一些外国诗歌中的比喻，我们不能理解，往往是由于我们对他们的生活缺乏了解的缘故。契诃夫曾经很欣赏一个青年作家的比喻：“海发出西瓜一样的香味。”我们许多年轻读者看了，可能莫名其妙。这是因为，我们对当时居住在资本主义城市中苦恼的知识分子的闷郁心境还缺乏感受。很明显，这里比喻的差异已不单纯由生活的差异决定，更主要的是思想的差异了。

比喻作为一种艺术手段是离不开思想的制约的。生活给比喻以血肉，思想给比喻以灵魂。在歌颂周总理的诗作中，不少作者把总理比作高山，而《天津文艺》1977 年第 1 期上的《心底的颂歌》则这样写：

您是竖在整个地球上仅次于
珠穆朗玛峰的——又一座高峰。

从诗行来说是显得冗长的，但从思想上说由于它准确地表现了毛主席和周总理的关系，而显出特有光彩。形象的鲜明和思想的准确性达到了统一，这样的比喻是不可多得的。

比喻作为一种形象化的手段是有特殊的内在矛盾和发展规律的。这种手段又是为反映生活、表现思想服务的，因而不能不受到特定的生活和特定的思想制约，显示出复杂的性质。如果可以把比喻本身的规律比作地球按着自己的规律自转的话，那么反映特定生活和特定思想的规律，就像太阳一样吸引着地球沿着自己的轨道公转。文学科学的艰巨任务正是要揭示这种把“自转”和“公转”结合起来的运动规律，对任何一方面的忽视都是形而上学的表现。

打开灵魂的窗子[①]

鲁迅说过，要描写一个人的肖像，最俭省的办法是画他的眼睛，如果去画他的头发，哪怕是再工细也不能讨好的。的确，眼睛是灵魂的窗子，画眼睛可以传神。我国古代著名画家顾恺之强调指出："于妙处传神写照，都在阿睹（阿睹：这里指眼睛）中。"如果不抓住传神的要领，陷于罗列繁琐的细节，不可避免地导致形象的模糊，这种毛病，古代画论称之为"画者谨毛而失貌"。这一点，不能绝对化，不能机械地理解为，凡是画了眼睛的就一定传神。有些作品一写到姑娘就是"水灵灵的大眼睛"，不是引起了广泛的不满吗？而在成功的作品中有不少是写到头发的。就拿鲁迅的《祝福》为例吧，祥林嫂是这样出场的：

> 我这回在鲁镇所见的人们中，改变之大，可以说无过于她的了：五年前的花白的头发，即今已经全白，全不像四十上下的人；脸上瘦削不堪，黄中带黑，而且消尽了先前悲哀的神色，仿佛是木刻似的；只有那眼珠间或一轮，还可以表示她是个活物。

这里既写了眼睛，又写了头发，是不是违背了鲁迅自己的主张呢？当然不是。鲁迅在这里是把眼睛、头发和她精神状态的特点统一起来描写的。先写她的脸像木刻似的，不但没有喜悦，而且连悲哀也没有了。这似乎是哀莫大于心死，祥林嫂对生活绝望了，但是从眼睛里看来，"眼珠间或一轮"表明她还有生命，精神没有完全在迫害下死亡。她对灵魂的有无，对在地狱中是否对她施以酷刑仍然有所怀疑。当她向作品中的"我"说出她的疑问时，"她那没有精采的眼睛忽然发光了"。也就是说，她残余的生命最后发光了。我们说，这样的眼睛，写出了祥林嫂灵魂深处隐秘的顽强抗争，这的确是灵魂的窗子。

画眼睛，在鲁迅笔下是一种手段，目的是揭示人物内心世界隐秘的特点。从这个意义上讲，画眼睛不过是抓特点的一种形象化的说法。抓特点往往要画眼睛，但抓特点并不排斥画眼睛以外的细节，例如头发。可头发可画，却不可没有特点。在《祝福》中祥林嫂的

① 发表于《福建文艺》1978年第8期。

头发是有特点的。四十岁左右，头发就全部白了，这是一种异常的情况，却正是祥林嫂精神灾难和物质困苦的严重性的外在表现。

理解了这一点，我们才能理解鲁迅为什么在《风波》和《阿Q正传》中，花了许多笔墨去写由于辫子而引起的精神动荡，而且在《呐喊》里还收了一篇《头发的故事》。对于七斤、阿Q和N先生，鲁迅并没有特意去写他们的眼睛如何，因为在这里对辫子（头发）的态度已经足够揭示人物内心世界的特点，它就和眼睛起着同样的作用。从这个意义上讲，画头发也就是画眼睛。事实上头发在一定条件下也可成为不可缺少的细节：我们不能想象，如果白毛女的那一头白发被取消，作品的形象该受到多大损失。

我们有些不成功的作品把人物的眼睛、头发、鼻子、衣着，写了许多行，可仍然没有给读者深刻的印象，主要原因是没有抓住特点。许多出色的作家特别是鲁迅以及契诃夫、欧·亨利等人，描写人物肖像的文字都是很节约的。在一般情况下，诚如萨克莱所说：次要人物是不用描写肖像的。有时，在契诃夫的许多短篇小说中，连主要人物也没有肖像。在《红楼梦》中作者这样写一个吝啬女人：

> 贾芸听了唠叨的不堪，便起身告辞。卜世仁道："怎么这么忙？你吃了饭去吧——"一句话尚未说完，只见他娘子说道："你又糊涂了！说着没有米，这里买了半斤面来下给你吃，这会子还来装胖子呢，留下外甥挨饿不成？"卜世仁道："再买半斤添上就是了。"他娘子便叫女儿："银姐，往对门王奶奶家去问，'有钱借几十个，明儿就送了来的'。"夫妻两个说话，那贾芸早说了几个"不用费事"去的无影无踪了。

这里虽然没有肖像描写，这个刻薄吝啬而又虚伪的女人的形象却生动地浮现在读者面前了。虽然作者没有直接点明她是在装假哭穷，但读者却从这个香料铺老板娘那样熟练地编出一个又一个谎言的伎俩中，看到了她刻薄的内心和强装慷慨的外表的统一。在这里，完全靠了对话的功力。这里的对话就和前面所说的眼睛一样成为人物灵魂的窗子。

在生活中，人物的个性特点是从多方面显示出来的，因而人物灵魂的窗子也可以说是多方面的，当贾政接待客人时，贾宝玉坐椅子只坐一个角落，这是抓住了深刻特点的行动描写。一贯公开侮辱其穷秀才女婿范进的胡屠户，当范进中了举人发了疯，为了治他的疯病打了他一个耳光，觉得手心发麻，就心中暗想：天上的文曲星是打不得的，菩萨在怪罪他了。这种描写也是打开了人物灵魂的窗子。

一个小说作者要揭示人物灵魂的深处世界，平时就要深入地观察研究生活，熟悉自己所要描写的对象，要打开思路，从人物的外表、对话、行动、心理等各个方面去捕捉特点，而只要捉住了特点，就可能打开人物灵魂的窗子。

应该注意的是，当我们研究问题时，可以分别从肖像、对话、心理、行动等方面去看作家怎样抓住人物的特点，但是作家在描写时，却往往是多方面综合运用的。契诃夫说过：“五张描写得很详细的脸，会使读者的注意力疲劳。”可是在《复活》中，托尔斯泰写聂赫留朵夫来到监狱的会客室里的场面，一口气就用了不下五百字的篇幅写了十一个人的外貌，而且每一个人都栩栩如生。托尔斯泰以艺术家惊人的魄力捕捉了这个亲人朋友相见的场面的特殊气氛，那就是所有的人都沉浸在自己独特的感情的激动中，因为这是期待了良久才获得的短暂相见。托尔斯泰特地让聂赫留朵夫走进去，没有引起任何人注意来强调这种紧张激动的气氛，但是这十一个人社会身份、性格、气质是不同的，同样是在激动，有的滔滔不绝地讲话，有的却什么也说不出来，有的穿着十分入时，谈情正谈得入迷，有的却在为悲惨的命运默默地流泪，当典狱长宣布时限已到时，那两位谈情说爱的革命青年“就伸出手去，手拉着手，快活地笑着，在房间跳起华尔兹舞来”。这是多么感人的、独特的精神状态啊！在这里，托尔斯泰通过对人物的肖像、心理、对话、行动特色的综合描写，强有力地打开了人物灵魂的窗子。

莫言的幸运与徐怀中的慧眼[1]

从莫言引起中国当代文坛惊异到今天，不过五六年。在这期间莫言的多产，莫言的花样翻新，不时地给中国当代小说制造一点小小的骚乱。这位至今才三十二岁的年轻作家，几乎每一篇作品都引来了许多评论。

莫言可能是属于文学史上最幸运的那类作家之列，对于他作品的评论远远超过了他作品的篇幅，而且，在我看来，即使有朝一日莫言与这个世界告别了，对他作品的评论仍然要继续下去。像许多有成就的作家一样，人们对其评论的热潮往往在其身后。

从这一点来说，幸运的作家中最走运的是生前就引起了注意并且得到崇高的评价，这类作家不在少数，大多数经典作家都是这样的，但是历史有时也往往和杰出的天才开一个不大不小的玩笑，它让那些杰出的大作家在他们才华横溢之时，受尽世人的白眼，而到他们的肉体已死化为青烟之时，才遍享后人的赞颂。

在那些生前就得到社会充分肯定的作家中，命运也不尽相同，有些是历尽艰辛，才在文坛上站稳了脚跟，有的则一举成名，立即成为文坛的宠儿。

而莫言正是属于一夜之间就成为文坛的宠儿者之列，这是由于他碰上了好运气。

在他才写出两三篇并不怎么特别出色、也不能代表他的潜在创造力的作品之时，他有幸能进入北京的解放军艺术学院。这个还没有受完小学正规教育，全靠自学的青年来报名时，期限已过。他背着一只挎包，风尘仆仆地赶来，带着他两篇不起眼的小说，来叩文学系办公室的大门。

值得一提的是，这是中国唯一一所培养作家的大学中文系。20 世纪 50 年代由于受到苏联的影响，在大学院系调整时，中文系的培养目标被确定为文学研究工作者和文学教师，许多怀着作家梦的青年学生在进入大学中文系以后，都免不了经受幻灭的痛苦。在北京大

---

① 发表于香港《新晚报》1994 年春。

学，连写作课都取消了，许多坚持创作的青年常常受到 20 世纪 60 年代“左”的压力，有的甚至不得不转入“地下”。

然而就在这个时期，解放军艺术学院的中文系却出现了，然而并未引起注视，直到 1984 年它恢复招生之时，才一举震惊文坛。这是因为，它的学生太有出息了。

第一届学生不过 35 人，获得全国文学奖的就有李存葆、宋学武、钱钢等。本来，莫言是很难进入这样高的门槛的，何况又超过了报名期限。可是，莫言太幸运了，他碰上了好人。该系主任是著名作家徐怀中。他的中篇小说《西线轶事》不久前获得全国大奖，他很有艺术眼光，又很有识人的慧眼。他一看莫言的几个小短篇，就说，这个学生我们肯定是要取的，并让他进行文化补考。所幸莫言在部队自学的文化功底甚深，考试成绩堪称优秀，于是就被录取了。

连中学门都没有进过的莫言进入这所大学，可谓历史的幸运。当时的文学系几乎没有自己的教师，课程的讲授者一律都来自北京和全国各地的名家。可以说，这是学生水平最高，教师水平最高的大学文学系。中国文坛上最受欢迎的作家，中国大学里最富创见的专家都在这里展示他们的智慧，他们的口才，他们的锦心绣口，他们思维的火花如乱坠的天花，使莫言如痴如醉。不到一年的工夫莫言就写出了他的成名作《透明的红萝卜》。这部作品和当时已经名满海外的李存葆的《山中，那十九座坟茔》，一起送到了系主任徐怀中的桌上。徐先生慧眼识金，亲自撰文推荐，莫言的大名遂成为文坛上议论的对象。

到了 1990 年一本二十多万字的《莫言论》，居然在北京出版了。作者是解放军艺术学院文学系的教师张志忠，而为这本赞赏之情溢于言表的鸿篇巨制作序的又是徐怀中先生，虽然他当时已经不当系主任了。徐先生指出，莫言可能为他没有经历过战争而遗憾，但是没有战争的直接经验却有利于他把“战争生活奇想化”“许多奇想构成了一种战争生活的诗意”。徐先生并不是理论家，但是他有一切优秀作家所具有的那种理论直觉，一旦这种直觉被充分自由地表述出来，哪怕是三言两语，也比许多皓首穷经的书呆子理论家的长篇大论要精彩得多，警辟得多。

论张洁对美的探求①

一、为猴子似的精神丑陋而羞耻

也许他们（按：指老作家）并不知道，他们辛勤的劳动为我们开拓了精神上那片不毛之地，它使我看到，我虽然具有人的形体，而在精神上却还是一只需要向人、向一切美好的人进化的、无知而丑陋的猴子。

有时我也会偶然地生出无限的感慨，假如我不读那些书，我的生活也许会轻松一些？我何必去苦苦地向往比现实生活更高的东西呢？但是细想起来，我并不觉得后悔，人类不正是这样才得以前进的吗？

——《耕耘播种的人们》

从这些坦率的自白中，我们难道仅仅听到了张洁对自己往昔的解剖吗？难道其中就含着她今天解剖生活的种种感慨吗？经历了“十年浩劫”，精神世界变成了不毛之地，有待于辛勤的耕耘，难道只是张洁一个人的自谦之词吗？花了 20 多年时间不厌其烦地、毫不分心地讨伐“人性”，结果不是让人普遍向无产阶级的高度上升，而是人性的下降，徒具人形的猴子反倒日见其多了。面对这样的现实，多少人忍受了一次又一次的失望，心灵逐渐变得麻木起来。当人们的正义感受到了践踏的时候，人们对美的爱好也遭到摧残，在许多场合的生理的需要过分地膨胀了。我们在慨叹之余无可奈何地习惯了。可是这时却有一个人不断在你耳边提醒你：应该为此感到羞耻。是的，羞耻，没有荣誉感、尊严感固然不成其

① 发表于《当代文学研究丛刊》第 2 期（1981 年 10 月）。本文创作于 1980 年 5 月，当时张洁的作品只有一本小说散文合集和散见于文学刊物和报纸的几个短篇小说，张洁后来许多中篇和长篇还未出版。

为生活，没有羞耻感则更可悲。我们不能成为庸俗的进化论者，应该争取高度的精神文明，而不光是物质文明。批判丑陋的野蛮的猴子，向一切现实更高的精神境界进军，就是张洁的美学纲领。

自然，张洁所厌恶的“猴子”不是动物学意义上的猴子，也不是某些引起争议的作品中那些道德堕落分子或犯罪分子。这些猴子的特点，往往不表现在政治上的反动。在张洁笔下，写了许多“四人帮”时期造成的不可挽回的损失，但她却没有写过一个“四人帮”的爪牙：青面獠牙的反面人物，不是她的表现对象；再现显而易见的丑，也不是她为自己确定的使命。她好像把精力和才华放在我们看不出丑的地方，她时常为自己对丑的麻木，也是为我们的麻木而感到可羞、可怜。

正是因为这样，她的笔锋所向的消极人物，和我们在其他作品中常见的反面人物不同，他们外貌并不丑陋。相反，那个遭到她空前严厉批判的吴欢（《谁生活得更美好》）是一个相当漂亮的小伙子，至于在《爱，是不能忘记的》中，那个思想贫困的乔林的体魄，则是希腊著名雕塑《掷铁饼者》的翻版。外貌和内心的矛盾，只不过说明，张洁作为丑的追击者，她特别注意揭开丑的伪装，对于被种种新的和旧的习惯势力所掩盖的丑，她特别有揭发的耐性。自然，这种丑在她笔下主要不是物质的不文明，而是精神的低下。她没有去写物质生活的拮据导致对她心爱的人物健康的损害，造成了悲剧的威胁。她更多地看到了物质与精神的矛盾，在她的作品中，物质生活的变化，似乎不像在我们另一些作品中，对人起那样决定性的作用。她倒是从那生活享受相当现代化了的吴欢身上看到了野蛮和愚昧。她对他没有停留在经济特权的批判上，她也没有具体去写他的“门第”如何高贵，生活如何优裕，而是从精神的角度提出问题：由于“生活……对他应许了比别人更多的权利”而养成了一种精神的特权，一种精神恶霸的心理和精神征服欲，正是这种霸道心理和精神征服欲使吴欢肆无忌惮地侵犯别人的尊严，因而显得精神低下，心灵丑陋。这种心灵丑陋的特点是绝对的利己和极端的蒙昧，毫无高尚的责任感：“别管我们这个纷纭的地球上发生了什么，也休想他愤怒地慷慨陈词，或是改变一下他那有板有眼的生活秩序，让他夜不成寐、茶饭无味，或是惹得他洒下一滴同情的泪。”

这就是张洁所厌恶的“丑陋的猴子”。张洁通过吴欢的朋友施亚南的口宣判这样丑陋的精神“太可耻了”。不用描写卑污猥陋的具体行为就能叫人对丑愤激，这是张洁追求的特殊效果。

二、心理感觉比物质有更大的重要性

在张洁所创造的世界中，精神的灾难往往比物质的灾难更能引起她的痛苦。虽然，她不可能不知道精神是由物质决定的，是物质的反映，但是她显然比许多作家更深切地体会到精神比物质有更多的变幻和更丰富的表现。从 20 世纪 40 年代起，我们的文学就有一种倾向，就是往往拘泥于精神与物质的统一，而忽略了它们之间的矛盾。张洁似乎在力矫此弊，她用她女作家特别细致的心灵感受到了这种有时微妙有时强烈区别，她用很大的热情来强调这种被我们文学的习惯势力漠视了的区别，因而在写到旧社会的苦难时，她的笔没有停在经济生活的贫困上。在《挖荠菜》中，那个饥饿的小女孩，偷掰了财主家的棒子，被赶到了河里，这时引起她痛苦的就不仅是没顶的河水和死亡的威胁，而且还有那管家“残酷的笑声”。如果说张洁已经或者将要对我国当代文学美学境界的扩展有什么贡献的话，那么这种“残酷的笑声”就是一种信号。多少年来我们已经熟悉了阶级剥削和绝对贫困造成的饥饿的可怕，但是我们很少感觉到，还有一种“残酷的笑声”更可怕。在张洁所创造的境界中，心理感觉往往比物质有更大的重要性，无论是在《拣麦穗》中，还是在《哪里去了，放风筝的姑娘》中，都是这样。那些拣了麦穗，积了钱缝了嫁衣藏起来的姑娘，她们关于嫁衣的幻想是要比嫁衣本身更重要的，那个为了吃灶糖而想嫁给卖灶糖的老头的小女孩子，她的幻想和那陌生的老头疼爱她的感情比吃灶糖的功利目的更美丽，更动人。那挖荠菜时坦然的心境也是比荠菜的实用价值更值得回忆的。往往在这些关节点上，张洁的笔显出了她特殊的、动人的力量，也许，就是在这些地方艺术在透露着它的秘密。不要光看到精神和物质的一致，艺术家的眼睛恰恰是应该多多在二者的矛盾中扫描。对于艺术来说，用物来代替人是再有害不过的了，真正的艺术家的起码尝试是心灵价值[①]和物质价值的不一致，不能用简单的忆苦思甜来取代艺术家塑造人的灵魂的任务，因为二者有不尽相同的规律。罗列旧社会物质生活的贫困也可能遮盖了真正的心灵的惨案，而物质生活的丰富也往往不能决定精神生活的优裕。把忆苦思甜用到艺术作品中来很可能削弱艺术家对心灵生活的敏感。对于社会学来说是微不足道的东西，对于艺术来说常常是像生命一样重要的因素。艺术家的才能不表现在他看到我们普通人一眼也能看到的事实，而表现在他能像托尔斯泰讲到他自己时所说的那样，用一百只眼睛来观察，不观察别的而是观察心灵的秘密，其中也包括那些被司空见惯、视而不见，一经艺术家描写就起了揭示秘密作用的那些东西。

---

① 这里的“心灵价值”，到了 20 世纪 80 年代中期，我才意识到，准确地说是：审美价值。

30 年来，我们已经看过不少表现旧社会婚姻不自由的作品，很多买卖婚姻的悲剧我们已经很熟悉了。如果张洁在这方面没有观察到什么新的秘密，那么她的《哪里去了，放风筝的姑娘》也许就不值得写了。如果她停留在“姑娘越好，卖的价钱越大”的描写上，也许只能写出一篇平庸的作品，但是，她没有这样，她看到了被我们忽略了的秘密，那就是婚宴上人们兴高采烈的笑声。在生活中，我们也听到过类似的笑声，可我们却没有从笑声中看到对人的尊严的蒙昧，对美的毁灭的漠然：

> 等到迎亲的那一天，做父亲的、做母亲的、大伯子、二姨子、亲戚朋友们那个高兴劲儿就别提了。就好像到了年根，人们脱手了一头牲口，拿到了一笔好价钱似的那么知足。人们吃着、喝着，一直喝到连他们自己也忘记了他们为什么聚到一块来吃、来喝的原因了。

张洁在这里之所以能有称得上是艺术创造的东西，就是因为她痛苦地看到了有比出卖姑娘更悲惨的心灵的麻木。这种悲剧不仅仅悲在新娘的眼泪（那是什么人都可以看到的，不过她加上一点：在哭声中连试图反抗的意图都没有），更严重的是在这样的悲剧面前，亲人们在欢笑，借助欢笑，张洁告诉读者：愚昧和野蛮已经成为普遍正统的习惯。这个被习惯掩盖了的秘密，被张洁揭示出来，就显得有点惊人了。艺术家和非艺术家的区别就在这里：你是满足于作经济生活的规律的例证呢，还是在看来对经济生活是可以忽略的东西中，开采到对于艺术来说是生命的元素？

没有对人的精神文明强烈的信念，是不可能把生活中被动物本能驱使的丑陋看得如此透彻的。只有对人的精神美特别热爱的眼睛，才能对丑陋的动物性特别敏感。对于那个姑娘未来的丈夫，张洁也没有像常见的那样从经济地位和劳动态度上加以批判。她没有把他写成一个二流子或者富农，不，张洁显然认定，描绘他精神的丑陋要比描写经济地位更重要：

> 那个男人长了一脸的胡子。一双眼睛长得那么野。他也像那些参加婚礼的人们一样放肆地吃着、喝着、笑着。一点也不知道害臊。他的笑声又大又刺耳。逢到他笑的时候，就像放出一阵震耳欲聋的排炮，总是吓得我心惊肉跳。

这里对精神蒙昧的描绘显然采取了夸张的手法，但是并没有简单化、漫画化，因为这里强调的是一种不能忍受的感觉。在这种感觉中透露出来：她衡量一个人的标准是这样高，这里不单纯是个劳动的标准。她不像 20 世纪 50 年代许多爱情题材的作品中的常见的那样：劳动决定爱情。时代进步了。我国人民在精神上也进步了，这反映在张洁的作品中，就是衡量人的标准的进步——除了政治的、劳动的标准，还有一个文明的标准。她常常用一种

“美的标准”来检验她的人物，[1]区分他们的高低。她作为一个文坛新秀，新就新在她带来了这样一个关于人的价值标准。

三、美的领域比政治领域更广阔

张洁笔下的美，自然不是抽象的，而是有明确社会内容的。它也不是脱离政治的，相反，在她一系列作品中，人的精神美的境界是建立在正面的政治立场的基础之上的，至少，是不与进步的政治倾向矛盾的，但是，简单地用政治标准来代替美的标准就糟了。政治和美虽有相通的一面，但究竟属于不同范畴，他们又有不尽相同的领域。我国当代文学一个明显的不足就是把政治的领域和美的领域简单粗糙地等同起来，结果使得我们美的领域变得很狭窄，甚至有时候还不及20世纪30年代宽广。像《白玉兰》那样的作品中，有许多对于优雅的自然和社会人情的沉醉性的欣赏，对于政治来说就是无足轻重的，她对白玉兰那种优雅的美表现出那样的多情，甚至说：“活到这一把年纪，才知道有这么美的花，我有点可怜自己。”接着又发表了一系列渴望得到抚慰的话，这一切，对于艺术来说，却是至关紧要的，因为政治上的不重要而忽视其对艺术的决定意义，是我国当代文学中常见的偏颇。事实上美的领域要比政治的领域宽广得多。健康的美有它自己独立的规律。有一个很突出的现象，就是张洁往往对作品的政治背景采取一笔带过的办法，在那些可以展开正面的政治斗争的场合，她常常雅致地避开了，她总是把政治性的直接冲突放在比较遥远的地平线上。她宁愿在美的领域中施展更多的才华。她的第一个短篇《从森林里来的孩子》中，那个老音乐家宁愿为癌症折磨死于边疆的大森林中，也不愿向“四人帮”“认罪、投降”，更不愿出卖、陷害别人，用以换取回京治疗的待遇。他和《爱，是不能忘记的》中的那个老干部一样是不屈不挠的，但是张洁并没有把她的注意力集中在这一点上，相反，她只是轻描淡写地交代了过去。她显然是不满足于单纯从政治上去干预我们的现实生活，她时时喜爱从美的角度去干预人生，美是她干预生活的一个特殊解剖刀。《从森林里来的孩子》中，老人与孩子之间那种超功利的关系，并不完全是政治关系，老人听任和迁就孩子对他的生活的干涉，在孩子面前老人好像变成了一个比他还小的老孩子。造成这种特殊亲密感情的基础，除政治之外还有对艺术美的热爱和献身。正是音乐的美使孩子丢掉了童年的蒙昧，使他想起“一生最美好的什么”。正是孩子感受音乐美的才能使老人惊异，以至于忘记自己的不治之症和年龄。这篇小说是沿着美的启蒙、美的发现和美的胜利的线索展开的。老人

① 这个“美的标准”，也就是“审美的价值准则”。

与孩子之间美好的关系培养了美好的才华。人可以死亡，但美却没有死亡，它经受住了摧残和压制，最后终于奏出了凯旋的乐曲。这样，张洁就几乎是给中国当代文学带来了一个崭新的主体——美的主题。在《哪里去了，放风筝的姑娘》中写的是美的毁灭，在《含羞草》中写的是美的发现，在《有一个青年》中写的是美与不美的斗争以及美的胜利。张洁的独创性常常表现在她对生活，特别是对人的心灵的美的概括上。对张洁的作品，如果忽略她一贯的美的追求，简单地作政治上的解释，则不可能不是片面的。例如对于《忏悔》，人们很容易看到它的政治方面的内容，但是如果只有政治方面的内容，这篇小说将是多么平庸，这个真正的共产党员不仅仅是在作政治上的忏悔，而且是在为亲子之间不曾有过美好的感情而悲哀："儿子带着陌生的感情离开了他。二十多年，父子之间没有什么温情、友谊和谅解，没有心对心地说过什么话。""他甚至不能断定儿子是不是曾经爱过他。"如果这篇小说只是像常见的那样，写一个共产党员在"四害"横行的时期，因为自己陷于沉冤，而未能"把对真理的信仰、对生活的信仰、为事业而献身的精神传播给他那至亲至爱的儿子"，那么，这样的作品，还不是张洁式的作品。张洁的长处是常常在政治的直接领域之外，用爱美的目光，去发现美是如何遭到扼杀，人的精神世界如何遭到践踏而又复活。如果没有写那种儿子与父亲的感情反常，这篇小说很可能是带着概念化倾向的。政治是阶级斗争，而且是阶级斗争中自觉的、有组织的一部分。艺术自然受到它的巨大影响，但却不能受到它的限制，它的范围要比阶级斗争广阔。政治的观念是统一的，美的观念则是多样的、追求个性化的。过分依赖政治观念会抑制美的观念的孕育，因而张洁把直接的政治冲突推向远景，不但没有造成她所喜爱的契诃夫那种"非政治化"的倾向，反而给她拓开了更加广阔的个性创造的天地，更有利于她对生活的美和丑作自由的概括。在张洁的作品中，很少有文坛新人那种难以避免的流俗的观念，很少有对生活不动脑筋的迹象，她一出现就比较成熟，主要表现在生活和她的作品中都是经过她自己的美的标准过滤的；生活在她作品中，已经不单是生活，同时也是带有自己的方式的美。

四、朴质、优雅的美的追求者

认识客观世界是艰难的，认识人的主观世界就更艰难。在生活中，特别是在人的心灵中，美和丑是不容易辨认的。张洁通过她的作品，引导着读者去辨认生活和心灵中的真美与真丑。在她笔下，正如显而易见的丑不是表现对象一样，显而易见的美也不是表现对象，她总是把克服某种美和丑的假象当作自己的任务。正如在她作品中没有青面獠牙的魔鬼一样，她也没有写过叱咤风云、以改造世界为己任的英雄。狄德罗说：艺术就是在平凡中写出不平凡，在不平凡中写出平凡。张洁所钟爱的人物是平凡的，我国当代文学常见的英雄主义的绚烂色彩和思想锋芒不是这些人物的特点。她仿佛在意要开拓一条曲折而幽静的通向美的心灵的道路。似乎在火红的炫人眼目的英雄花和含羞草之间要她做一选择的话，她宁愿选择含羞草那朴素的美。[①]正因为这样，她就成了一个朴质的、优雅的美的追求者。在小说《含羞草》中她所表现的正是这种认识朴素的美的曲折历程。这小说中的女主人公盈盈正如契诃夫的《跳来跳去的女人》中那个女主人公一样，一心在找寻伟人而最后才发现真正的伟人就是她自己的丈夫，盈盈也是很久以后才认识到就在她身边的顾大江的不平凡。这个男主人公表面上看来没有风趣，没有讨人喜欢的仪表，在姑娘面前缺乏自信，紧张得连手也不知道往哪里放，在运动事业上也没有什么突出的成就，别说是冠军，连亚军、季军也不是。"可她又隐隐约约感到，在他内心里潜藏着一种动人的力量。"后来，她才明白了："他接受了生活赋予他的另一种使命——用自己的心血和汗水为其他人垒筑着通向冠军的道路。"他"把自己的能力发挥到最大的极限"。"她头一次感到比他矮着一截"。这是一种美的发现。她认识到对于这样的人应该用另一种非世俗的价值标准去衡量，在这里，张洁提出了一个美学标准——"使命"。人的精神美在于最大限度地发挥自己的能力去完成生活赋予自己的使命。这种"使命"的概念，在《非党群众》中，又叫"职责"。在这篇小说中写了一个性情乖僻的老鳏夫，他因为工作上一个细小的分歧，固执到使群众和领导不敢招惹的程度，但是他和顾大江同样有坚定的使命感，或者叫作职责感。他那么不顾一切地为布景中一张椅子的颜色而不倦地抗争着，看来不过是一种乖张的怪癖，实际上在他看来他是在坚持一种原则，"原来舞台对于他不过是一个尽职尽责的工岗位而已"。在张洁笔下往往出现这样平凡到有点不平常的人物，平凡到可以忽略了他们的肖像描写，甚至连名字也只是在作品快结束时顺便提一下。而这恰恰是张洁所追求的一种朴素的美。这种美的内容是"职责"或者是"使命"（在《忏悔》中叫作"天职"）。张洁给自己规定的任务显然不是给正面人物脸上抹上英雄的油彩，而是像《非党群众》中那个支部书记那样，揭开遮挡在平凡人物心上的那块古怪的大幕。这时，人物心灵中那"职责"——"使命"的美的光彩就显露出来了："老田头那单调不过的生活里，那简单的心却怀有着一个广大而丰富的世界，享受着许多人所追求不到的满足和快乐，甚至……还享受着苦恼。"在张洁笔下，愚昧的快乐是一种丑，而出于职责的苦恼却是一种美。这种美正如那种丑一样是不容易凭着直观认识清楚的，因为它不像英雄和恶魔那样界限分明。张洁的艺术就是在找寻这种界限。

张洁在她作品中提出的职责的概念是和英雄的概念不尽相同的。职责是一种心灵的自

① 这在她写出了《沉重的翅膀》以后有所改变。

觉，它有一种外在的朴素和内在辉煌的对比，它的坚定表现在，不大受到外在条件影响的自我平衡。职责的美没有英雄主义的荣誉感，它毋宁更强调尊严感。它不像英雄那样直接以改造环境为己任，它是在“从我做起”，自我完善的基础上去干预生活的，但这又不单单是一种个人修养，同时又是一种社会义务。它不是英雄，也不是批判现实主义文学中的小人物，它不是消极的、被动的，相反它对精神世界的追求多于外在动作。它不但干预已经做过什么，而且干预没有做过什么，不但从政治上干预行为，而且从美学上干预心灵。《忏悔》中那个共产党员在丧失了政治平等权利和做父亲的尊严的情况下，未能对感情上隔膜的儿子传播对真理的信念，在儿子死后，他为此感到痛苦。这是一篇明显受到契诃夫的《哀伤》影响的心理小说。在《哀伤》中契诃夫写了一个镟匠，和他老婆在一起生活了40 年，在贫困和酗酒中，他经常打骂老婆。可是，当他的老婆死了，他的懊悔超过了难过：“他还没有来得及跟他的老太婆好好生活，也没有来得及向她表明心迹，怜惜她，她就死了。”“正在他觉得可怜这个老太婆，觉得没有她就活不下去，觉着对她十分抱歉的时候，她偏偏死了。”张洁受到契诃夫这样明显的影响，并不意味着我国当代文学向批判现实主义的倒退，相反倒是说明现实主义的道路越来越宽广。既然，在我们的文学园地中一度开满了英雄色彩的花朵（当然其中有纸花），这时有人把含羞草的平凡和白玉兰的优雅表现得和英雄花一样动人，为什么不是一种可以庆贺的发展呢？既然，许多作家习惯于正面表现英雄主义的斗争，这时，有人把一个有高度职责感的普通人未能尽职的忏悔表现得很动人，为什么不是一种可以称道的美的品种创造呢？艺术发展的历史证明，那些为艺术提供新的美的品种的作家总是有较大才华的，也是比较经得起时间考验、比较容易得到人们的长久喜爱的。

五、社会职责感和感情文明的统一等于美

在张洁创造的世界中，社会职责感对于美感常常被强调到起决定作用的程度，它往往可以决定对一个人的美学评价。有了它，心灵就可能丰富而优美，失去它，心灵就可能贫瘠而丑陋，但是，并不是在张洁所有的作品中二者都是很统一的，有时它们也有矛盾。这是因为张洁并没有把自己的任务理解为替职责感作形象图解，职责感究竟还不是一个美的概念。美，在张洁的作品中不完全是一个劳动的自觉性（职责）的问题。这一点张洁的作品和我国 20 世纪 50 年代的作品有很大的不同。在她笔下的爱情不像 50 年代那样单纯。劳动上过得硬的人也可能有不美的表现。在她笔下，美是与感情的文明联系在一起的。真正

的美是高度的职责感和感情文明的统一。《有一个青年》中的主人公在劳动和学习上都是有高度职责感的，但是他并不完全是美的化身。相反，他身上存在着美与不美的冲突，他有许多不文明的习惯、不自觉的粗鄙，以及没有教养的、缺乏人的尊严的习气。这个为了自动焊接机而刻苦攻读英文书籍的先进青年，虽然在后来有了创造，但是却满口粗话在公共场所乱扔果皮，违反交通规则，爱动手打架。这些无疑是属于“丑陋的猴子”的行为，但他都不以为丑。张洁只让他在自己秘密地倾心的姑娘面前出了几次丑，唤醒了他内心早已沉睡了的对文明的精神生活的渴望，激起了他早已丧失了的羞惭的痛苦。这个青年把高度职责感和对文明的精神生活统一起来的过程也就是他用美去战胜丑的过程。有高度劳动职责感的人是比较容易和美接近的。小说结束时，男主人公说：“她看得见，在我那粗鄙的、没有教养的行为后面，还有一颗向上的心。”这里的所谓“向上的心”就不简单是劳动上的向往先进，而且也包括在精神上向往文明。当他的不文明习气在姑娘面前暴露时，他甚至产生了一种恐惧的感觉：“而在我们粗鄙的、没有教养的行为下所掩盖着的痛苦，是许多人都不容易理解和原谅的。”这种觉醒的或不甘沉迷的痛苦，在张洁那里也是一种享受，当它与愚昧的欢乐比较的时候，甚至还是一种美。对痛苦的心灵的谅解，是一种美，而对痛苦的心灵的冷漠和麻木则属于“猴子的丑陋”。当主人公把劳动的高度职责感和精神的高度文明的追求结合起来以后，就上升到一个新的美的高度：

现在就连那些与我们这个文明的时代极不相称的野蛮、落后，缺乏教养的所谓小毛病，我也一一改正了。我体会到做一个文明的、有教养的人，该有多么愉快，我的生活又显得多么干净啊！

在这里我们看到了张洁思想风格的独创，同时也看到了我国当代文学美学观念的发展。我们对人的精神毕竟比 50 年代和 60 年代提出了更加文明的要求，我们毕竟更尊重人的尊严和自豪，毕竟更尊重人的精神文明了。

我们当代文学正是这样进入了人的精神世界中更细致、更微妙的领域，不论是读者还是作者都已不能满足于只在阶级斗争的风口浪尖上表现人的精神了，我们也逐步学会了在风平浪静的日常生活中表现惊心动魄的精神搏斗了。在《谁生活得更美好》中，那个精神恶霸吴欢和文明而高尚的田野的斗争，表面上看来连吵架也算不上，在如此平静的气氛中写出如此紧张激烈的心理交锋，是张洁的一大创造。当吴欢不得不主动提出那故意留在车上的书中还有一封给她的信时，吴欢并没有什么轻浮的举止。他不过是按着他的性格逻辑行事：“他虽然可以不费什么周折地占有许多、许多，却占有不了她的尊严、她的渴慕，甚至她的目光。”这时他心理的挫折感是惊人的（而张洁是宁愿写心灵的惊人奇迹也不愿写紧张的传奇情节的），但是他表面上的平静和田野是一样的。尽管这时内心斗争正在迅速地激化，这种平静的激化方式在张洁看来更值得追求：田野“直视着吴欢的脸，但语调相当和缓：‘您不觉得这很荒唐吗？就算您不肯尊重自己，那也是不应该的，更何况是不尊重别人。您记着，什么时候也不要使自己变丑。’”。张洁没有把这场斗争表面化，在她笔下，连吵架也是以文明的方式进行的（除了个别的例外）。她把这场以“不要使自己变丑”为主题的斗争，处理成文明与野蛮的斗争。吴欢的野蛮就表现在不尊重人的崇高职责，对人的尊严的无知就是丑。张洁让吴欢体验到占有不了美的尊严和渴慕，让他“从头到脚都感到了一种难以言表的疲惫和空虚”。张洁所描写的这次斗争没有就此结束，如果把这场从美学高度来处理文明与野蛮的斗争草草结束，就显得太简单了。

吴欢并不甘心他的失败，他的性格逻辑因向对立面发展而深化了：既然不能占有她特殊的好感，那就以挑衅去占有她的愤怒。这时张洁换了一个角度，用一个觉醒者的感觉去体验这场文明与野蛮的斗争的严峻。施亚南作为吴欢的朋友，终于看出了他的龌龊，认清了姑娘的崇高。“如果不是为了职守（注意：也就是“使命”“职责”“天职”），她有什么必要看这份脸色，受这份侮辱呢？”但是，施亚南还是对精神文明的力量估计不足，斗争考验证明，它是强大的，是不可征服的。

“人的意志和坚强在于自身的内心平衡。”这里说的是田野的内心平静不为外来的横逆所破坏。张洁笔下的正面人物都有这样一种“内心平衡”的坚强意志，他们坚强是因为他们不追求超过平凡人的荣誉，因而也就不怕失去平凡人的地位。他们好像都有点在我们民族历史上得到高度评价的那种宠辱不惊的风格。这种美的境界的特点是和谐、宁静的，它排斥嚣张和炫耀，更回避说教。在张洁看来，这样的平静是任何外来的力量打不破的。

六、退化的情节和发达的心理过程

如果不过分追求词句准确的话，张洁的小说可以说是一种心理小说，这是她十分追求人物精神的内在平衡，而不太重视外在环境的展示的结果。这在《爱，是不能忘记的》中表现得十分明显，在那里几乎是没有情节的许多基本要素，即使有一点，也被作者故意忽略了过去。更突出的是，作者那么强调的一场生生死死的爱情竟是在双方单独相处加起来不到 24 小时的情况下发生的，而且又是在法律与道义相冲突的条件下，不断发展的。使女主人公爱得那么沉重那么奇异的客观条件是什么，张洁似乎觉得是可以忽略的。她只交代了一下，是一股强大的精神力量吸引了她，而没有作必要的展示，甚至连“文化大革命”中那个可敬的老干部的不屈斗争也只用几句虚写交代了过去，她好像偏执地认为：过分地描写政治环境，把注意力过分地集中到情节上去会削弱她对人物内心逻辑的探究。她故意在我们习惯于看到冲突的地方，轻描淡写地应付，而在我们习惯于看不到冲突的领域，大肆挥洒她的笔墨。她笔下的冲突和我们常见的那种大起大落、危机、悬念步步紧迫很不相同。在我们的小说受了太多的戏剧结构的影响后，她的小说显得那样远离动作性，那样非戏剧性，然而你又不能不为她写的冲突所激动。这是一种契诃夫式的生活的、潜在的激流在起作用。她的特点是不仅在于把行动上的是与非区别开来，而且把人物心理活动中的美与丑区别开来。她有时连场景的连续性都不重视，让她的心理描写占据了那样突出的优势。她很少停留在某一特殊场景的再现上，而是经常插入关于普遍心理活动规律的议论，她的过程往往是和哲理、抒情融合在一起的。她追求的是人物心理层次的丰富，而不是情节的多变。好像她下了决心对自己说：让别的作家在曲折的情节中大显身手吧，而我却立志要在平静的气氛中显示心灵的搏斗。在生活的海洋中，壮阔的波澜是美的，平静的水面下何尝不隐藏着美呢？既然有了那么多有才能的人把高潮放在动作性很强的事实上，我如果能写出没有动作的高潮，甚至取消高潮（如《爱，是不能忘记的》）不是很好吗？契诃夫不是早就说过了吗，生活中并不是老是有一个人要去北冰洋航行，而他的妻子则从窗口大叫一声，跳下来自杀。难道在饭桌边平静地过了一辈子的夫妻就没有心灵的奇迹供我们发掘吗？

不追求传奇性的情节，不着重正面刻画政治环境，对她的正面人物强调内心的平衡，而不重视外在奇迹性的事变，这一切都有利于张洁把主要精力放在心理秘密的朴素的描述上。

这一切自然是她的优点，但是这些优点，像一切优点一样，是有限度的。

七、轻视环境的作用削弱了性格的必然性

当张洁的艺术风格发挥得最好的时候，她能克服很高的难度，攻克谜一样的性格，但是即使在这样的情况下，过分地忽略环境的作用，也使她的人物像契诃夫说的那样是“定了型的”。她的一些作品把解开性格之谜作为任务，但是这种谜底都是在性格本身的“内在平衡”中，正面人物田野是这样，反面人物吴欢也是这样，他们好像都不是客观环境的产物，不管外界发生了什么都不能改变他们固有的逻辑，这自然有其相对的真理性，但是这不是绝对的。如在《爱，是不能忘记的》之中，那种“比死亡更强大”的爱，在它和法律与道义产生矛盾的长时间里，是很难保持内在的平衡的。人的主观意志的坚强是环境造成

的，因而它是不能不受环境影响的，特别是当人的主观意志脱离了现实的时候。现实主义艺术的根本标志不单在于强调了性格的必然逻辑，而且在于在环境中找到了性格逻辑的客观根源。张洁忽视客观环境的作用发展到最突出的时候，她就到性格本身的平衡中找寻必然的本源。这样，张洁对艺术和生活的美的追求就走到了极限，因为就性格本身来说，它发展的必然性不能在它内在的平衡中去找，恰恰相反，应该在它的内在不平衡，亦即内在矛盾中去找。这种矛盾又是在外在条件的作用下不断发展变化的。在我国当前小生产的手工业操作方式还在城乡普遍存在的情况下，婚姻就不能是单纯的爱情的结合，我们的家庭还不能不是一个共同的经济生活单位。婚姻的相对稳定性是社会相对稳定性的重要条件，我们社会生产力的发展水平和传统习惯许给我们的婚姻自由是有限的，因而当婚姻与爱情发生矛盾时（除了买卖婚姻，我们要用法律禁止之外），我们一般是要用法律和道德加以保护和调节的。维护家庭的相对稳定性，克制自发的爱情，不是维护封建道德。我们的生产力还没有发展到那样的水平，使每个社会男女成员之间在经济上达到差别甚小的程度，因而我们不能在婚姻与爱情一有矛盾时就听凭爱情绝对地自由发展。这不是法律和道德的过错，因此向法律和道德挑战是徒劳的。张洁笔下的“痛苦的理想主义者”，为什么会痛苦呢？就因为理想离开了环境和现实，把家庭当作纯粹的感情的结合的条件还未出现。即使那样的条件出现了，婚姻的相对稳定性和感情的迅速变动性仍然是一对永恒的矛盾。

爱情是不能脱离物质生活的，物质生活最后会限制与之不相适应的爱情，甚至打破它那看来是很稳定的内心平衡，例如，在《爱，是不能忘记的》之中，环境就限制了男女主人公之间接触的机会，敏感的男女读者自然会产生疑问，既然只有加起来不到 24 小时的接触，人的年龄又越过了心猿意马的青春期，生理基础也发生了变化，难道感情的产生、发展、变化不受到实践和生理基础的决定吗？环境真是这样软弱，难道对意志的内在平衡连一点干扰作用都不起吗？虽然，作者小心翼翼地让女主人公的感情处于封闭状态，谨慎地让她避过道德的临界线，但是双方早已越过了心照不宣的界限。在这一点上，爱情和道德的职责、人的尊严发生了矛盾。美，在这里随时可能转化为丑，文明可能转化为野蛮。人不能克制自己的本能，和人不能克制强烈的爱情，只有一步之差，其间是没有绝对的界限的，就等于在一定的历史阶段，人与动物，人性与兽性没有绝对界限一样。

她回避正面表现环境，还使得她的电影文学剧本《寻求》性格与环境发生游离，产生一种张洁在小说中不屑为之编造情节的倾向。在小说中她那退化了的情节和发达的心理过程没有帮助她向电影的方向发展。由于生活不熟悉，她只能求助于大幅度的动作，以动作的密度掩盖人物内心的空白，这样，《寻求》中的人物就失去了张洁自己的风格和魅力。

风格是创造性的标志，但又是艺术家自我限制的起点。因而风格是需要不断发展的。

张洁自不例外。她事实上已不满足于驾轻就熟的那片天地。如果她要有新的突破那就意味着重新开辟一条曲折的路，那么将不可避免地出现某些失败，但是为了更高的创造，明智的读者会含着殷切的期望，等待她取得更大的成功。

散文和散文家的自我修养①

在一切文学形式中，散文和诗属于不同的文学性别，但是现代散文在各种文学形式中是最接近诗的。在不少成功的散文中，诗与散文的界限好像在消失。我国现代散文的提倡者早就意识到好的散文“它实在是诗与散文中间的桥”（见 1921 年 6 月 8 日《晨报副刊》)。外国散文似乎也有相同的倾向。厨川白村在分析西欧散文时，就认为个性鲜明的散文实际上就是诗：“是将诗歌中抒情诗，行以散文的东西。”（见鲁迅译《苦闷的象征》）在我国现代散文史上，几乎没有一个散文家满足于对生活描摹，有风格、有创造性的散文家总是力求把表现生活和表现自我独特的个性鲜明的感情和趣味结合起来。

散文是抒情的，散文的品种又是多样的。我们不能否认鲁迅那种以思想犀利见长的杂文所取得的辉煌成就，我们也不否认秦牧那种以知识丰富见长的散文同样也是一种创造。启迪人们的智慧和熏陶人们的感情都是重要的，但是，作为一种以形象思维为主的文学形式，散文的优越性还是在于把“体物”与“缘情”熔于一炉，因而既不是那种议论性的散文也不是那情节性的散文，而是抒情性的散文成为散文的典型形态。这一点在 20 世纪 50 年代表现得最为明显。许多散文家都朝着抒情的方向追求多样性的创造。杨朔在《东风第一枝・小跋》中明确宣告：他是把每一篇散文都“当成诗一样”写的，他丢开了他所熟练掌握的小说艺术，苦心孤诣地在散文中“寻求诗的意境”。大家开风气于前，后继者追踵于后，一时蔚为大观；流风所及，当代散文不但在情趣上追求诗意，而且在语言形象上借用了一系列现代新诗和古典诗歌的话语。散文的写实性和诗的想象性结合起来，于是在刘白羽笔下长江三峡不可阻挡的激流就化为我们的时代、生活、事业和哲学的形象；在杨朔笔下一个老渔民爽朗的精神境界不再满足于在情节中得到表现，而是采取海滨的雪浪花作为贯穿首尾的象征；在魏钢焰的散文中，两个时代抗流而起的豪勇和智慧借一首《黄河船夫

① 发表于《福建文学》1982 年第 2 期。

曲》具形，而当何为描写闽西苏区临江楼时，正在粉碎“四人帮”的历史关头，那楼前的老榕树为秋风所吹拂，竟吟诵起毛主席当年“不似春光，胜似春光”的诗篇。在当代散文中，像叶圣陶那样独具一格的《小记十篇》，其追求朴素的记述，不作感情的渲染，不避朴拙的风格，追随者似乎很少。好像诗意的追求迷住了不止一代人。从那时起散文的最高成就不像20年代集中在思想辉煌的杂文中，也不像抗战以后集中在报告文学中，当代散文在抒情散文领域中吸引了最有才华的作家，也显示了最多姿多彩的创造。成为风气的是，不但语言，而且构思也受了现代新诗的影响，最为流行的是那种以统一的形象贯穿首尾，从实写客观对象开始，以上升为象征性的虚写结束。当代散文不完全像五四散文那样追求自然有致了，有时散文不但“神”不散了，而且连“形”也变得像新诗那样集中、单纯、统一了。散文中原来并不刻意炫耀的、分散的珍珠，被一根金线贯穿起来了。吴伯箫用统一的歌声，概括了延安时期革命青年几个方面的生活内容；袁鹰用统一的翠竹集中了井冈山时期的革命传统和60年代的建设的某一侧面；杨朔用童子面茶花，表现他心目中的祖国，巴金用从镰仓带回来的照片抒写了日本人民在战后生活的一个方面。当代散文正是这样重复着并不算太新的手法，力图呈现出新的时代风貌。

如果20世纪60年代的散文和40年代以前的散文相比，其间风格的差异是很明显的。1943年，李广田在《谈散文》中说：“诗人可以夸张，夸张了，还令人并不觉得夸张；散文则常常是老实朴素，令人感到日用家常。”“散文的长处大概在于自然有致，而无矜持的痕迹。”他还说：“写散文，实在很近于自己心里说自家事，或者对着自己人说人家的事情一样，常是随随便便，并不怎么装模作样。”李广田所说的正是40年代以前的散文风格，那时的散文主要是追求生活情趣不着痕迹地进行抒情的。我们至今仍可以从鲁迅的《藤野先生》、朱自清的《背影》和冰心的《寄小读者》、郁达夫的《方岩记静》中感到这种风格的动人力量。当时所珍视的正是在亲切自然的抒写中流露出动人的情致。在性情和趣味上，它和诗是一致的，但是在表现形式上它和诗之间的界限是划得很清楚的（自然，散文诗除外）。李广田说的“不装模作样”，亦即不炫耀、矜持、夸张，确是当时散文与诗之间的界限。五四散文“不矜持”，自然亲切的风格，在写作历史较长的散文家身上一直保存着它的血脉。例如，杨朔在写他第一次尝到荔枝蜜时，就很吝啬地形容他的感觉：

> 一开瓶子塞儿，就是那么一股甜香；调上半杯一喝，甜香里带着股清气，很有点鲜荔枝味儿。喝着这样的好蜜，你会觉得生活都是甜的呢。

比起五四散文来，这里已经有了感情的强调和文字的渲染了，可是对于50年代开始写作的作者来说，这样的感情幅度和文字色彩，未免有点不过瘾。同样的对象到了他们眼中，色彩就要丰富艳丽得多，所激起的感情也要强烈得多，同样是写蜜，文字就不大相同：

这是一种不多见的白色晶体，像雪花一样晶莹，像乳脂一样纯净。我们从镶着银边的木碗里拿下一块放进嘴里，一种异乎寻常的沁人心脾的清香顿时扩散到全身。这里有草的幽芳，花的浓香，有甘泉的清冽和鲜乳的甜美，大家都赞叹地惊呼起来，这草原蜜简直是一个奇迹。

这是从汪浙成和温小钰的《草原蜜》中摘录出来的。这里的感觉和情绪都是夸张地美化到“奇迹”的程度的。在杨朔，自然并不缺乏这样色彩富丽的形容词语，也不是不具备这样的想象能力，但是他追求的正是李广田所说的那种“很近于自己心里说自家事，或者对着自己人说人家的事情一样”。他好像害怕过分华丽的感情和语言会破坏他感情的自然。他与其把感情倾泻给读者，还不如以平静的心情抒写某种动人的事物和场景。他擅长于随着外在事物的展示来显示内在感情的丰富层次和曲折变异。他不愿把美好的事物当成“奇迹”来夸耀，而习惯于耐心地从平凡中揭示出不平凡的实质，就是在抒写不平凡的实质时，他的感情也还是有节制的。

在这一点上，老一辈散文家是一致的，他们的抒情风格是亲切自然的。

两代人的散文风格差别标志着散文艺术发展的阶段性。比起 40 年代以前的散文，当代散文有更多的表现诗的意境的手法。五四散文曾以水印木刻那样的风致取得了成就，当代散文得以彩墨山水那样的情调达到了新的水平。

但是，艺术的发展像生活一样并不是一帆风顺的。当一种艺术风格成为时代的风尚的时候，许多追随者必然蜂拥而来。这对于这一风格的丰富和普遍繁荣是有利的。然而，大量的模仿者不约而同地采用影响最大的那种方法写作，常常使风格变为程式，使程式脱离它所依赖的生活和个性腾空而起，变成纯粹的形式，就像云彩一样徒有美丽的形态和色彩而无精神的分量。程式有一种稳定性，会成为一种不由自主的习惯，对于新的超越程式以外的想象有一种自发的拒斥力。这时要来个创造性的突破，反而有更大的阻力。于是在这种艺术形式中产生一种手法上恶性重复的现象。当代散文在追求诗意的过程中，不免也遇到了这样的问题。不少散文作者，熟练地运用着现代新诗的想象语言，乃至在构思上模仿现代新诗的单纯统一的手法。例如，或以红杜鹃为总体的统一形象贯穿全文首尾，取杜鹃之红如火，如霞，如血，分别联想到一位革命领袖和他一家几位烈士的英勇献身事迹，或以一颗颗珍珠的形象笼括全文，先实写珍珠丰收，后虚写粮棉如珍珠，水库的电灯如珍珠，把一个县的农业生产蒸蒸日上的统计数字组织在统一的珍珠形象之中。这种手法被普遍地运用，不免使人觉得似曾相识。虽然用了一系列诗的语言和诗的想象，但是这一类作品常常是比较缺乏诗的意境和诗的情趣的。诗的形式和诗的内容在这里竟成了反比。

这是因为作者只注意了诗的外在表现而忽略了诗的灵魂，亦即忘掉了诗的情趣。如果光是满足于追求构思的完整和文字的华彩，而忽略了展示感情的脉络和趣味的层次，则仍然不能有诗的生命。许多散文的爱好者常常同时又是诗的爱好者。他们常从诗歌中学习文采和构思，在这方面他们是很舍得花工夫的，但是他们没有注意到从根本上培养自己。散文作者除了要在思想上和生活上不断地磨炼以外，还要在感情上不懈地丰富自己。散文家不但要像小说家那样对事物和人物的外在特点有高度的敏感，而且要像诗人那样对在生活的刺激下引起的感情波动同样善于作细致的体察。郁达夫在《中国新文学大系散文二集导言》中主张“情调”或“情韵”是散文的要素，认为“艺术家是善感的动物”。散文家要多情，就像别林斯基所说的“要比别人承担更多苦难，享受更多欢乐，爱得更火热，恨得更强调，总之，富有更深刻的感受”。(《别林斯基选集》上海译文出版社，1979 年新一版，第二卷 465 页）“情者，文之经”，这是刘勰在《文心雕龙・情采》中说的。无情是散文的大敌，自然也是一切艺术的大敌。一个追求诗意的散文作者不但要在形象和语言上经常有目的地作职业性的自我训练，而且要在感情上作自我培养。

在生活中，许多事物都是不断重复的，因而常常对我们的感情失去刺激力，我们的感觉不自觉地变得迟钝乃至麻木了，我们也习惯于这种不敏感状态，但是散文家则不能这样。他要善于激发自己的感情就要保持对于生活的一种新鲜感，像德国诗人里尔克所说的那样，看任何事物，就好像这些事物刚刚被上帝创造出来一样。我们天天看到月亮，习惯于无动于衷了，可是，郭风却感到它异乎寻常的美：“月亮像一瓣栀子花。”并且因此而激动起来。一个艺术家的感觉器官自然是和平常人一样的，但是又不能完全一样。他要把平常人忽略了感情活动层次细加体验。有时要把那微妙的、难以觉察的感情振幅放大，有时要赋予那不可捉摸的思维以形态和声音，有时则将瞬息即逝的情绪的微波，用慢镜头加以展示，有时则把逼真的现实笼以虚幻的轻纱。散文家不但要善于感知世界，而且要富于自我感觉。人在感情和思维活动过程中，五官所感，大脑所思，云腾雾涌，像雷电感应那样，既有总的趋势，又有飘忽不定的机遇。在形成判断，激起情绪时如暴雨将至，天风欲来，有欲开而未开的花，有根深而叶藏的树，纷纭繁复是这过程的特点，而在表达思想时，人们习惯于把这一切紧张而热闹的思绪和它发生变化的过程加以淘汰，而只取其一个简化了的结果。人们往往不去辨明在这过程中思维和感情如何交织，也不去计较在这过程中不但有自觉意识的参与，而且有潜意识的伴随。要理清这样纷繁思绪的来龙去脉，对于普通人既无必要也无可能。因而忽略情绪的纷纭变幻成了一般表达的习惯，这种忽略还是一种思维的经济，避免脑力的浪费，但对于散文家，对于一个抒情风格的追求者，这种忽略可能是心灵财富的“水土流失”。纷纭的思绪对于散文家来说不是思维的负担，而是感情珍宝的矿藏。散文家在美妙的风景和动人的气氛中不能像照相机或录音机那样光接受外来的信息，同时也要大量发射内心的微波。每当客观生活的某一特点和主观心灵的某一方面遇合之时，也就是灵犀一点，豁然相通使你产生情绪的时候，散文家就应该抓住不放。杨朔说：“你在斗争中，劳动中，生活中，时常有些东西触动你的心，使你激昂，使你欢乐，使你忧愁，使你深思，这不是诗又是什么，凡是遇到这样动情的事，我就要反复思索。”散文家正是要善于“动情”，抓住“动情”的机遇。如果不珍视“动情”的机遇，诗意就可能与你失之交臂，像卫星脱离轨道一样一去不返。苏东坡说“作诗火急追亡逋，清景一失后难摹”，是深有体会的甘苦之言。金圣叹在评点《西厢记》时也说：“文章最妙是此一刻被灵眼觑见，便于此一刻放灵手捉住，盖略于前一刻便不见，略后一刻亦便不见，恰恰不知何故，却于此一刻忽然觑见，若不捉住，便更寻不出。”金圣叹是唯心主义者，自然并不懂得感情是生活激起的，因而他把感情的到来讲得有点神秘，但是作为一种有一定随机性、短暂性的现象，他描写得是没有错的。这可以启示我们，对内心活动的复杂过程，散文家不可做马大哈，而应该做心灵的侦察兵。

我们有些散文，不能说没有感情，有的还比较强烈，但是它仍然不太动人，因为它太一般，太缺乏特点，或者说太缺乏个性。是的，不但小说中人物性格要有个性，而且散文中的感情也要有个性。比如说白玉兰，福州地区很多，大家看了都喜爱，但是，不管你如何强调表现你对白玉兰的喜爱，而不显示出你的爱和别人有什么不同，这种爱也还是缺乏深刻的动人力量的。张洁的《白玉兰》就不同，她不但注意到在许多花中白玉兰的特殊性，美得很“优雅”，而且着意表现了她对这种花的特殊的不同于别人的感情。她写她生平第一次见到白玉兰，不是像一般人那样仅仅限于高兴和喜悦：

高兴之余，不知道为什么有点幽怨，好像是难得地遇见了一个可爱的朋友，遗憾着为什么没有早点认识她。

活到这一把年纪，才知道有这么美丽的花，我有点可怜自己，我的心情忽然变得黯淡。

这里，张洁的感情是很有个性特点的。她先是“高兴”，然后是“幽怨”，再后是“可怜自己”，最后是心情变得“黯淡”。如果张洁忽略了她心情的变化过程，她的感情个性化是不会这么显著的。

散文不能满足于抒一般化之情，而要抒个性化之情。法国散文大师蒙田早年所作散文大抵不离格言语录风味，步罗马文学之后尘，缺乏个性，也谈不上创造；到了 1574 年，他锐意革新，从阐发古训转入追求个性化的言志抒情，空泛的议论便少了，他由此而创造了在法国和英国文学史上影响很大的一种散文风格。一位内庭供奉曾对他说：“皇帝陛下读过你的书，很想认识你。”蒙田回答说：“假使皇帝陛下已经认识了我的书，那他就认识我的人了。”这里蒙田所表现的情绪正是对自己散文个性化的自信。如果不是这样，蒙田的散文早已泯没无闻了。在我国现代散文史上也不乏这样的情况。朱自清的《荷塘月色》是现代散文的名篇。但是它的成就并不完全限于对清华园一角的自然风物作了准确的描摹。据说，当时有一个青年读者读了《荷塘月色》不胜向往，便投考清华，当他来到朱自清所描写的荷塘边上的时候，看到的却是一片荒芜景象，使他大为扫兴。其实这种扫兴是大可不必的，因为《荷塘月色》之美并不完全在荷塘之美，而是荷塘的某一特点（幽僻）和作者心情的某一方面（寂寞）的不期而遇，这就叫作情景交融。景与情的化合后的景已不完全相同于原来的景，交融过后的情，也不完全等同于原始的情。正是经过这种化合的奇妙作用，散文家的感情才可能显出个性特点，不同寻常，否则谁来到荷塘边上看到的想到的都一个样子，还有什么散文的创造可言呢？朱自清的感情是个性特点，正是表现在那心灵的被触动过程中，环境的幽僻不像在一般人心目中引起不亲切感觉，而是唤醒了他的心灵，享受着一种“独处的妙处”。这里不但环境带着朦胧的月光的，感情的孤寂也是带着月光那样淡淡的美妙的朦胧色调的。荷塘月色的幽僻是美的，与这一致的孤寂情绪也是美的。一个人在一天紧张工作之后在月下散步怡然自得的心情许多人都曾体验过，只有朱自清才把它归结为“什么都可以想，什么都可以不想”的“妙处”。把寂寞的环境和心境写得很妙并不从朱自清始，但是在那大革命失败之初，把这种孤寂写成一种自由的享受，并且构成了一种诗意的恬淡情调，却是朱自清的个性，也是他的创造，而这恰恰又真实表现了他那不甘同流合污又不能起而抗争的特点。

当然，感情不是先验的，它是在实践中默默地产生的。感情又不是完全自发的盲目的，它是经常要受到理性规范的，得到世界观引导的。同样的环境对不同思想的人可能引起不同的感情，不健康的感情总是不健康的思想的自然表露，健康的感情总是和积极的思想分不开。我们读卢森堡的《狱中书简》，这种感觉特别明显，当这位崇高的革命家坐在敌人的监牢里，窗外阴霾惨淡的天空和绵绵细雨，并未引起她内心相似的愁惨的情绪，她所看到的主要也不是和愁惨一致的景色。读这样的文章时，我们自然也会欣赏她的感情和个性，但是更激动我们的却是她的思想，我们的心灵好像被她思想的光华所普照：

> 雨点轻柔而均匀地落在树叶上，紫红色的闪电一次又一次地在铅灰色中闪耀，遥远处，隆隆的雷声像汹涌的海涛余波似的不断滚滚传来。在这一切阴霾惨淡的情景中，突然间一只夜莺在我窗前一株枫树上叫起来了，在雨中，闪电中，隆隆的雷声中，夜莺啼叫得像是一只清脆的银铃，它歌唱得如痴如醉，它要压倒一切雷声，唱亮昏暗。

这里的动人之处在于革命家的高尚情操和女性的细腻感觉结合在一起，英勇无畏、视死如归和对生活中的美的倾心热爱是统一的。在她的感受中，不是没有暗淡的成分，但是阴雨却成了背景，衬托出闪电的光彩，而隆隆的雷声竟掩不住一只夜莺银铃的歌唱。这是一个革命家的英勇无畏的思想表现，也是一个艺术家个性的表现。没有革命家驱除黑暗的胸怀是不会听到这夜莺美妙的歌唱的，即使听到了，也不可能产生“压倒雷声，唱亮昏暗”的“如痴如醉”的感情的。这种“如痴如醉”的个性化的感情是以高度的革命乐观主义思想为基础的。没有这种思想，夜莺的鸣啭怎么可能压倒雷声？它的歌声怎么可能使黑暗化为光明？

由此可见，一个散文家要多情还不够，还要多思，要把感情丰富跟思想犀利结合起来。在散文家的自我修养中感情的自我训练和思想的提高应该结合起来。不能想象一个光善于动感情而不善于动脑筋的人能成为好的散文家。事实上思维发达和思想敏捷常常有利于感情的丰富，富于情趣和深于理趣常常是杰出散文的固有特点。

最后，我要补充说明的是，不论感情还是思想的磨炼都是离不开生活实践的，因为这篇文章已经太长了，我们还是在另一篇文章里去谈论生活实践和自我修养的关系罢。

论高晓声与喜剧性自觉①

一、集光彩和平庸于一身

高晓声的陈奂生系列小说，以突出的创造性引人瞩目，但并不是每一篇都成功的，读者印象最深的是《陈奂生上城》(下简称《上城》)。《上城》也并不是每一部分都同样成功，读者最击节赞赏的是陈奂生住进高级旅馆之后的精彩表演。陈奂生这一喜剧人物艺术上的成功，确立了作者跻身新时期优秀小说家行列的地位，而艺术上的不足则为我们探讨喜剧性作品的若干创作规律提供了有益的文献。

一个具有创造性潜能的作家，很难在一切方面都充满创造性。一般情况下，潜能只是在某个方面、某一点上得到激发。因此，力求激发出潜能，使它有超水平、最大限度的发挥，是一切作家的共同愿望，但真正能顺利达到目的的，也许是凤毛麟角，有些作家写了一辈子，却对自己的才华究竟在什么地方最能焕发出光彩并不完全了解。徐迟从青年时代就写诗，中年还以诗人名世。1962 年报告文学《祁连山下》发表，人们才认识他的才华并不在诗，可他自己仍然热衷于写诗，直到粉碎“四人帮”，他写出了著名的《哥德巴赫猜想》以后，他才认识到，在报告文学中，他理性的议论和诗性的描绘，才能达到高度的统一，可这时他已 64 岁了。如果屠格涅夫坚持青年时代选择的诗歌而不中道改写小说，如果艾青的才思不从画家的调色板转向诗行，其后果是可想而知的。这些大师巨匠的成就，除了他们的生活阅历和艺术修养以外，还得力于他们的自知之明。

与此相反，有许多作家明于知人而暗于识己。他们不了解自己的长处和短处，究竟自

① 发表于《当代作家评论》1987 年第 4 期。

己心灵中哪些是充满活力的、有着深厚生活和艺术积累的兴奋点，哪些是僵化的、失去生命力的死角，他们心中无数。他们并非没有创造性潜能，而是没有达到对自己潜能的高度自觉，这是由于认识主体比认识客体更艰难。有时即使出现了某种自觉性，可惜昙花一现，过不久又陷入盲目而大肆展示自己心灵中那平庸的、缺乏光彩的一面。这样，他的创作就只能在时代水平线下浮沉，或虽闪烁一时却迅即陨落。

高晓声是有创作力的。他创造出水平线以上的陈奂生，在从阿 Q 到冯幺爸的系列画廊中增添了一个并不逊色的新的角色。读者和评论家不能不表示由衷的高兴，但是，“陈奂生进城”已经七八年了，高晓声以后的创作为什么没有达到《上城》这样的影响呢？或者还可以这样设问，在陈奂生进城以前，那个“漏斗户”主陈奂生，甚至他的前身李顺大，为什么没有达到同样的水平呢？这是很值得研究的。

二、喜剧性冲破抒情性

高晓声不止一次地把陈奂生的成功归结于他对生活的深入。他叙述自己下到农村，组织了农民的家庭，像农民一样拿工分，长达 21 年，以致他已死了创作这条心，一旦回到城市拿起笔来，“半生生活活生生，动笔未免也动情”。这自然是成功的根本原因。没有这一条，就不可能写出陈奂生来。高晓声的生活基础之扎实，是超越了同时代许多作家的，高晓声对农民的忍受苦难与坚韧的精神，表现得非常充分。高晓声在《且说陈奂生》中这样说：

他们善良正直，无锋无芒。无所专长，平平淡淡，默默无闻，似乎无有足以称道者。他们是一些善于动手不善动口的人，勇于劳动不善思索的人；他们老实得受了损失不知道查究，单纯得受到欺骗会无所觉察；他们甘于付出高额代价换取极低的生活条件，能够忍受超人的苦难去争取少有的欢乐；他们很少幻想，他们最善务实。他们活着始终抱着两个信念：一个是在任何艰难困苦的情况下，相信能依靠自己的劳动活下去，二是坚信共产党能够使他们的生活逐渐好起来。①

他对陈奂生的分析极其深刻，因为这痛切的体验来自长期的生活实践；他对陈奂生的精彩刻画，得力于这种体验。这体验对于身处逆境的高晓声“绝不是一种同情，而是一种敬仰，一种感激”。他说：“正是他们在困难中表现出来的坚韧性成了我的精神支柱。”他坦诚地自白：“我有什么理由应该比他们生活得更好呢？……于是我就泰然了，觉得老天爷对

① 高晓声：《创作谈》，花城出版社 1981 年版，第 13、14 页。

我并无不公平，我也就没有什么可抱怨。于是我就和他们融合在一起。”[①]具有高晓声这样深切体验的作家并不是很多的，因而不但高晓声，而且是评论家常常把这一点当作他成功的唯一的理由。

但是，这种看法并不是全面的。

同样一个高晓声，同样写陈奂生，为什么有时就充满神来之笔，把陈奂生灵魂深处的东西（或叫无意识的东西吧）挖了出来，而有时却笔下走了神，让陈奂生的个性融入一般化的甚至概念化的俗套中去了呢？如果评论家们更严格地审视一下《“漏斗户”主》，我们不难发现，它在艺术上是夹生的。

虽然高晓声对《“漏斗户”主》的生活是那样熟悉，虽然他对《“漏斗户”主》的情感是那样深厚，但是这个人物形象还是缺乏他自己的生命。当然这不是说这篇小说是失败之作，这里有许多动人的东西，作者在写作时，就被这些动人的东西激动着。他说：“我写《“漏斗户”主》是流着泪写的。”[②]这完全可以想象。长期和农民共命运的作家，长期看着种粮食的人不够吃，长期眼睁睁看到丰收了不能相应地多得，一旦目睹这种历史的结束，激动得“既流着痛苦的眼泪，也流着欢欣的眼泪”是很自然的事，这种场面在生活中是很动人的。

在生活中很动人的事情，照搬到艺术中去，并不一定讨好。很动人的事很可能变得不太动人，因为在生活中那激动根源可能来自一种科学的理性（看清了“左”倾政策的危害和三中全会以来新政策的英明），也可能来自一种实用要求的满足（半饥饿从此结束了）。这些都是真实的，但是真实的并不百分之百都是美的。艺术所探求的是真实的生活如何激起人们独特的审美情感。问题不在于流不流眼泪，而在于在那样情况下陈奂生会不会哭，如果他会哭，那么他与任何其他人的哭法有什么不同？如果他的哭，显示了他独特的个性，那可能就是美的；如果他和高晓声乃至于其他农民都无所区别，那么就可能是平庸的缺乏个性的。在写《“漏斗户”主》时，高晓声显然还没有这样的艺术的自觉性。当他写到了三中全会以后，落实了超产多分的政策，陈奂生果然看到多年来不敢相信的政策的兑现，看到了多分的粮食真的归了自己。高晓声是这样写陈奂生的：

> 陈奂生默默看着，看着……他心头的冰块一下子完全消融了。泪水汪满了眼眶，溢了出来，像甘露一样滋润了那长久干枯的笑容，放射出光泽来。

这样的语言本来就够平淡的了，我们在许多类似的场合看得也多了。这里缺乏的是陈奂生独特的、不可重复的感觉和动作，这里有的只是一种每逢激动就轻易拿出来的套子，

---

① 高晓声：《创作谈》，花城出版社1981年版，第13、14页。

② 高晓声：《创作谈》，花城出版社1981年版，第13页。

他的要害是普泛化、类型化，缺乏个性。写到这里高晓声显然没有意识到已经接近败笔了，竟然又加上更浓的普遍性的色彩：“当他拭着泪水难为情地朝大家微笑时，他看到许多人的眼泪都湿润了。”大家都像陈奂生，一样感觉、一个动作，哪还有什么陈奂生呢？

会计平静的语调像一支魔笛吹响的神曲，攫住了全体听众的灵魂。他们在享受如此美妙音乐的同时，直感到一个新的时期已经具体地来到自己面前，不仅看得见而且摸得着了。

以下还夸张地形容“几亿社员随着这乐曲的节奏迈开舞步”。老实说，这里不但没有陈奂生独特的感觉知觉世界，而且没有了社员普遍的感觉知觉世界，所表现的完全是高晓声本人的感知和情绪。正是作家自己过分强调的激情坏了事。

《“漏斗户”主》没有获得期望的成功，得到的评价还不如早期的《李顺大造屋》，原因是清楚的。可高晓声却以为这是由于刊载《“漏斗户”主》的《钟山》刚刚创刊，发行量不满一万。于是他决心把同一人物为角色的小说写下去，以期重新引起读者的注意。这就是《上城》。高晓声如愿以偿，《上城》引起了轰动，而读者自然而然关注起主人公那被冷落了的前身。

事情过去以后，冷静的读者不难发现，“漏斗户”主陈奂生和上城的陈奂生在艺术上不是一码子事，至少处于不同层次。“漏斗户”主陈奂生被作家的抒情诗般激情搞得气息奄奄，而活动在旅馆中的陈奂生却焕发着艺术的光彩，关键是他已经从作家的抒情诗中解放出来，获得了一种特殊的艺术生命，那就是喜剧新的生命。也许高晓声并没有自觉意识到，陈奂生在付出五元钱以后似乎变成了另一个人，这五元钱使一个善良、纯朴、自卑、针扎不出一个屁来的、总是窝窝囊囊的“投煞青鱼”，展示出精神世界的另一面，变成了一个对公共财产带着某种破坏欲的家伙。这种阿Q式的损人不利己的行为，使他的精神得到极大的满足，“真是拾到了非常的便宜货”。对于这种花了五元钱就买到的满足，高晓声没有采取自己在生活中感到的那样，发表一通理性的议论：“人的价值这么低，床的价值那么高”等等，也没有像在《“漏斗户”主》中那样热烈地抒情起来。他强调表现的是一种逻辑的怪诞。一方面是在付出五元钱以前是那么自卑纯朴，发现自己住在那么好的房间里，感到父母官的关怀，心里暖洋洋，眼泪热辣辣，盖着里外三层新的绸被子，不自觉地在被窝里缩成一团。怕自己的脚弄脏了被子，下了床把鞋子拎在手里怕把地板弄脏，连沙发椅都不敢坐，唯恐压下去反弹不起来。这里表现的是一种自发的自卑感。这是我们在《李顺大造屋》和《“漏斗户”主》中早已看到的，也是其他描写农民的小说屡见不鲜的。如果高晓声的笔下仅止于此，那么他就没有什么创造，也没有什么发现，但是在五元钱付出之后，高晓声巧妙地将陈奂生的心理的表层结构瓦解了，进而揭示出与自卑和纯朴相反的一种破坏欲，以一种损人不利己的发作来消解自己的忿怒：

推开房间，看看照出人影的地板，又站住犹豫："脱不脱鞋？"一转念，忿忿想道："出了五元钱呢！"再也不怕弄脏，大摇大摆地走了进去，往弹簧太师椅上一坐："管它，坐瘪了不关我事，出了五元钱呢！"……回头看刚才坐的皮凳，竟没有瘪，便故意立直身子，"扑通"下去……试了三次，也没有坏，才相信果然是好家伙。

由于空间及对象相同，时间间隔又极短暂，互相反对的行为的逻辑就发生了怪异，由于一个相关因子的调动，同样的"因"造成了相反的"果"。客观的理性逻辑的充足理由律好像在这里瓦解了，扭曲了。这种扭曲造成了不和谐，产生了怪诞之感，这样就逐渐接近了喜剧性的逻辑。喜剧性逻辑是一种主观性情感逻辑，是以一种非逻辑的形式出现的逻辑。面对这种近于荒谬的主观喜剧逻辑，需要一点艺术家的魄力，没有这种魄力，可能由于它与日常理性逻辑违背而被漠视，或者虽然感到它的重要，但只是把浮在面上的现成情境表现一下。这样往往不能把作家心灵的潜在能量充分发挥，而很大一部分即将从潜意识里唤醒的灵感还没有来得及与社会汇合，就无声地消散了。《陈奂生上城》的成功，得力于高晓声没有在发现了喜剧逻辑的一个层次之后就止步了。他以一种艺术家的魄力，以这个逻辑层次为基点，又进一步"推演"出更多的喜剧逻辑层次来。我们可以看到陈奂生的情绪又经历如下几个层次的转化：

第一个：安心坐在没有被坐坏的沙发上，"他是看得穿的人，这时就有了兴头，想到：这等于出晦气钱——譬如买药吃掉"。这时他的情绪从破坏变成自我安慰，把无可奈何的损失当作某种不可避免的代价。

第二个：愤愤不平之感毕竟压抑不住，于是破坏性的报复欲又重新发作。原来自卑，觉得自己的骨头不配这样的床，现在"别的便宜拣不着""困到足十二点走"。原来没有想到洗脸，现在"便把花枕巾捞起来干擦了一阵"。"然后衣服也不脱，就盖上被头困了"。两相对照，这便是高晓声从非凡的魄力揭示出来的、迥异于正常的理性逻辑的戏剧逻辑。

这一次再也不怕弄脏了什么，他出了五元钱呢——即使房间弄成了猪圈，也不值！

这时，戏剧逻辑已经发展到某种饱和点了。

第三个：等到他离开了旅馆，又想起了那早就该买的帽子，还买不买呢？"他一狠心，买，不买还要倒霉的！"当帽子买到了，"他立即戴到头上，飘然而去"。他又有点兴奋起来。这个层次是一个过渡，使在下一个层次来到之前，有一个小小的波澜。

第四个：走在回家的路上，他想到无法向老婆交代经济账。他设计了几种谎言，都不妥当，最后忽然心里一亮，高兴地想出了个妙计：

他想到此趟上城，有此一番动人的经历，这五元钱花得值透。他总算有点自豪的东西可以讲讲了。试问，全大队的干部、社员，有谁坐过吴书记的汽车？有谁住过五元钱一夜的高级房间？他可以讲给大家听听，看谁还能说他没有什么讲的！看谁还能说他没有见过世面？看谁还能瞧不起他，唔！

五元钱一天的旅馆居然能激活出来陈奂生这么多层次心理活动，每一个层次不但是陈奂生性格和环境特征的深化，而且是喜剧逻辑的深化。文章写到这个地步，真是写透了，写绝了。作家创造的能量发挥到某种极限，同时也把喜剧逻辑强化到某种极致了。什么叫才气，这就是才气！在通常只有一个层次的激发点上，你发掘了三倍四倍的潜在层次。层次的递进，对读者的刺激并不是以算术级数递增，而是以几何级数递增，往往是最后一个层次的能量，大大超过先前几个层次的能量之和。充分的喜剧风格使陈奂生的形象达到高晓声所从未达到的高度。

一个有趣的问题是高晓声这样做是不是有意识的呢？或者说，高晓声的喜剧意识是否达到某种自觉的程度呢？也就是说，他有没有意识到喜剧性是他所有才能中最强大的因素呢？

很可惜，答案并不完全是肯定的。一个明显的证据是高晓声以后写的作品，不但没有在艺术上超过它，而且并不是经常达到《上城》这样的层次的。就是它的姐妹篇《陈奂生转业》，在艺术上与其说二者并驾齐驱，毋宁说略逊一筹。

当然，《陈奂生转业》也是高晓声的力作。高晓声在让陈奂生从常规环境中转移到非常规环境（旅馆）尝到甜头以后，又一次运用了把人物打出常规的办法，令陈奂生去当做梦也想不到的采购员，利用与分管工业的地委书记的关系，搞到了神通广大的采购员也搞不到的材料。在这样的非常规环境中，社会生活某个方面的深层结构得到相当机智的剖析，因而这篇小说也引起评论界相当的关注，但是总的说来，比起《上城》所引起的热烈反响来说，显然逊色得多了。原因不能从作品对生活反映的深度得到解释，只能从人物心灵揭示的深度和艺术风格中去找寻。在《上城》中，一旦付出五元钱，陈奂生的表层心理结构瓦解了，他的善良、朴实、自卑突然消失，从他心灵深处冒出来一种恶性的报复欲，那些阿 Q 纯粹自我安慰的破坏幻想竟然化作现实的行动。非常规环境激发出非常规心态。在常规环境中，这种心态隐蔽得那样深，通常情况下是难以想象的。陈奂生好像不是陈奂生了，但他仍然是陈奂生，只是陈奂生形象变得复杂了，更加个性化了，因而更加放射出艺术的光彩了，因为它不是概念，不是按形式逻辑和辩证法的思维规律演绎出来的，而是按喜剧的逻辑，近乎荒诞地逐层地生发出来的。而在《陈奂生转业》中，虽然也把他送到了非常规环境中，但是所激发出来的心态，并不带着很强烈的非常规性。相反，有许多是很常规的，例如为吴书记种菜，听从别的采购员指挥调度，那些心态都是一个老实巴交的上城农民所共有的。当然，在陈奂生大告成功回到农村时，他的心态一度已经逸出了常规的边缘，他坐在火车里看到：

> 对面一个中年妇女，漂亮极了，使陈奂生想起自己的老婆。不错，老婆是很丑的，但总觉得那个漂亮女人有地方很像自己的老婆……陈奂生因此很开心，想象着自己老婆如果也和那漂亮女人一样细细打扮起来的话，一定也会把男人乌眼珠儿吊出来的。

本来，这一层有一点喜剧色彩，但是由于它是一个孤立的片断，是一个插笔，女人没有前承环节，也没有引起特殊后果，因而并不是情节因果链中有机的、有承上启下作用的一环，喜剧性处于吉光片羽状态。本来可以向纵深层次展开的喜剧性戛然而止。这里，高晓声并不明确，在他心灵深处，最强大的艺术因子、最有艺术效果、最生动的是喜剧的多层次一贯性。由于缺乏这种自觉，那个从城里得胜回朝的陈奂生，就不是有意识被放到喜剧逻辑上去作层次的深化，让他在顺境中把洋相出足，有时甚至已经在充满喜剧性的边缘上了，人物又被拉到正剧的甚至政论的理性逻辑中来。最明显的莫过于陈奂生辛辛苦苦搬运了两天材料，搬运费不能报销，而不费力气弄来的材料却得了几百元奖金，这本来是充满喜剧性潜在能量的情境，如果有意识地充分利用它，可以挖掘激发出许多层次的喜剧心态的。很可惜，在社会现实的某些问题上，高晓声有一种迫切的发表见解的愿望，这当然是积极因素，但是积极因素如若失去控制，就可能走向反面，高晓声的喜剧因子常常被他心中强大的理性因子淹没。因而这个作品写到最后竟是一篇慷慨有余的议论：

> 为什么出力流汗拖板车却没有报酬？为什么不出力气却赚大钱？为什么吴书记写条子求援也搞不到？为什么刘主任跑了一趟就答应了五吨？这问题在陈奂生脑子里转来转去，像摆了迷魂阵……

这就犯了小说家之大忌，把情节因果链已经用形象显示的东西又用概念重复了一下，把这样平庸的议论，放在一篇小说的结尾，给人一种作家已经筋疲力尽之感。不但缺乏喜剧性，连本来擅长的幽默感也消失殆尽了。

理性的价值观念如果陷于盲目性，就会自发地抑制审美的价值观念（这在一些描写农村生活的中年作家的作品中时有所见）。当高晓声摆脱了这种自发性，他就把喜剧人物的深处心灵揪出来示众，并以一种多层次的喜剧逻辑令读者惊异于他的喜剧性才华；但当高晓声未能免俗放任了理性的优势，便使自己的艺术才智失去光彩。这个短长互见的规律性现象，不但表现在他的情境与性格设置上，也表现在他的语言中。

三、缺失与不足

应该肯定，高晓声的叙述语言是很有特色的。对于农村生活的熟悉，对农民喜怒哀乐的深切体验，使他第三人称的叙述语言，不但不枯燥、冷漠，反而充满生活气息，绘声绘色，真实感人。他善于在现代汉语中融汇进苏南地区农村的生动口语，以一种独特的轻喜剧的幽默和亦庄亦谐的情趣逗得读者发出会心的微笑。这在《“漏斗户”主》中已经显出端倪。按“三定”政策，陈奂生本该多分许多粮食，但“左”的路线使原来的政策得不到落实。作者揭示“左”的理论，真是入木三分：

陈奂生的工分是五百四十七工……已经是足够使他踢开“缺粮户”的帽子了。想不到这竟是骗人的，结果仍旧照“有一斤余粮就得卖一斤”的公式处理了。真是吊足了胃口，骗饱了肚皮。

“为什么说话不能算数呢？”陈奂生心里有疑问，但是不肯说出来，怕人家笑他饿昏了，连这样简单的道理都不懂。

可是毕竟还有不买账的人指出来了。得到的答案是更不买账：“你们要这么多粮食做什么？吃不掉还卖黑市吗？还是贡献给国家好。”

这里的幽默来自逻辑上的荒谬。作者不是蜻蜓点水，而是揪住不放，笔锋所至，使荒谬的程度与陈奂生的自卑、官僚主义的严厉之间形成越来越不和谐的反衬。短短的叙述中，有吴语区的口语（吊足了胃口，骗饱了肚皮），有政治性的套语（还是贡献给国家好了），有反语（照“有一斤余粮就得卖一斤”的公式处理了），有正话（怕人家笑他饿昏了），有叙述，有评论，因而显得丰富多彩。内在的情致和外在的语言色彩，都具有一种复调的统一性。

高晓声的语言富于幽默感，例如小学教师陈正清和陈奂生的对话：

“还叹什么气？”陈正清似恼非恼地说，“现在‘革命’，已进入改造我们肚皮的阶段，你怎么还不懂？连报纸也不看，一点不自觉。”

这里很有生气的反话，含蓄而又机智，含蓄留给读者领悟的契机、机智令人解颐喷饭。二者大大加强了幽默感。接下去陈正清又说：

现在的“革命”是纯精神的，非物质的，是同肚皮绝对矛盾而和肺绝对统一的，所以必须把肚皮改造成肺，双管齐下去呼吸新鲜空气。

用一本正经的语言说出荒谬绝伦的内容，使喜剧逻辑的怪异性达到了高强度，巧妙的幽默也发展到了辛辣的讽刺。陈正清这个人物出场很少，说话不多，就凭这几句，作为一个喜剧角色，就站了起来。这一切无疑是喜剧性运用得恰到好处的结果，但是作者的喜剧性是自发的，还没有达到自觉的境地，因而它往往与冲淡喜剧性的东西连在一起。接下去，陈奂生说：

> "唉，老哥，你真是……还有兴趣寻我开心！""是真话"，正清大声说，"就是我们办不到！"

读者本来就已经忍俊不禁了，来了这一句正襟危坐的话，完全是蛇足的理性阐释，读者的脸只好板起来了。

高晓声富于幽默感的语言有时被缺乏审美价值的理性议论所冲淡而失之不足；可有时却相反，喜剧逻辑的荒谬性又失之过分，从而表现为某种油滑。在《流塘镇猪市》中写张炳生听到猪叫：

> 唯独这猪叫，另有一种气派。"呜呜"如飞机行空，"呼呼"如闲虎巡林，特别是受到压迫的时候，一声长鸣紧接着一声长鸣，尖厉激昂，充满激情；使弱者勇敢，使怯者奋发，真是极其有劲，极其精神的。所以，庞大的猪队逢五来镇上演奏宏伟的交响乐曲，张炳生非有特别事故，是从来不肯缺席的。

西方交响的感觉与中国古典骈偶的情趣混合起来，固然有喜剧性的不和谐，但可惜这二者都超出这位主人公（公社书记）感知程度的极限，因而显得"油"了。

喜剧艺术和一切艺术一样，要有精确的分寸感。我们在肯定高晓声富有特色的语言艺术的同时，希望他不断提高喜剧的自觉性，在防止油滑和不必要的理性评述那间不容发的界限中有更精致的辨析，让自己的才华焕发出更夺目的光彩。

刘心武的理性因果律和审美价值取向的搏斗[①]

惊险的起点，伴随着危机的阴影

也许在惊险的处境中，并不都需要处变不惊的气概才能临机制变，稳操胜券。在许多情况下，处境的惊险，只有在拉开了时间和空间的距离的事后才产生后怕，而在当时很可能并未感到任何危殆的。谁能想象刘心武在写出《班主任》之时会有一种危机之感呢？我不知道刘心武在写出《钟鼓楼》以后有没有一个机遇或者一种闲适的心情，以一种纯客观的态度去重读一下《班主任》，如果有的话，我想他大抵要感到后怕的。作为一个读者，有幸处在比刘心武更客观的位置上，在目击了这几年文学发展的几个历史阶段以后，又重新阅读了《班主任》，我最突出的感受是：简直为他捏着一把汗。难道这就是 1977 年初给读者以心灵解放的喜悦的历史名篇吗？这就是当年那轰动一时令许多人奔走相告的时代杰作吗？当年那使我眼睛看到更多色彩，使我沉睡的心灵感到更多欢欣和痛苦，使我冻僵的嘴唇吐出更复杂语言的就是这样一篇作品吗？

在《班主任》发表的当年，那些激动人心的、具有鼓动性的议论，在今天看来似乎有点褪色，就是那个刘心武所发现的以及为后来的评论家共同称赞的"典型人物"谢惠敏，以今天的标准看来也并不见得有多少深层的心理剖析。当然，不能离开当年的思想气候和文学发展水平去评价一个在文学史上有过影响的作品，衡量作家是否有才华，最重要的是作家比他的前人提供了什么新的东西。所有这一切都在大量的评论中得到了充分的肯定。当前的任务是在新的历史制高点上对过去的经验加以更严格的审视。

在文学史上起过积极作用的作品有两类：一类在艺术上经得起时间的严峻考验，以至

① 发表于《当代作家评论》1994 年第 4 期。

于千百年后，读者仍然惊叹其艺术魅力不可企及，例如，唐诗和《红楼梦》等；另一类则随着时间的流逝在艺术上逐渐失去光泽，以致对后世的读者，其历史认识价值大于艺术的审美价值，如《诗经》中的《颂》、敦煌变文以及20世纪30年代的某些革命小说和诗歌。

问题在于：刘心武的《班主任》很难说属于前者，但也不大像是属于后者。关键在于刘心武的心理气质，在当年仍然是理性高于直觉和情感，他的思绪无疑是具有突破性的，但是他并没有突破理性的模式。不论面对什么现象，处理什么问题，他只有一个门径，一种方法，一个套子，就是对立统一。当他在《班主任》中大发议论之时，所运用的就是这种方法，这使他具有一种深刻的思想锋芒。这种在对立中看到统一的思想方法是如此锐利，以至于使他能从绝对相反的两方面洞察到隐秘的联系。在小流氓宋宝琦与坚决反对他、痛恨他的谢慧敏之间，一般的作家往往只看到二者的对立，刘心武却在表层的对立下，看到了深层的统一。导致宋宝琦成为小流氓的原因是对于人类精神文明以及文化遗产的无知和敌视，而导致谢惠敏的僵化也是这个原因。表面对立在他看来不过是个现象，内在的联系才是本质。使刘心武技高一筹的是他对辩证法的熟稔。他的文化素养，主要是辩证法修养，使他养成了一种从矛盾中找统一，从统一中找矛盾的本能，正是这一点，使得刘心武在文学创作中步入思想解放的先驱者行列。

但是，这种在对立中求统一，在统一中求对立的思维模式，毕竟是一种理性的思维模式，它的特点是把事和人的内心活动的多方面无限的差别系统归并为、简化为两个对立的极端，而把在两个极端之间丰富的差异，无限多样的过渡层次加以省略，也许，这对于理性思维对于科学是一种绝对必要的简化，爱因斯坦强调科学的美学是真简美。对于科学来说，简化了才能真，简化了的真就是美。可是对于艺术来说再也没有比把人物、事物、心灵简化为极端相反的两极更为危险的了。在当时，刘心武显然没有意识到这一点。这表现在他用这种二律背反的逻辑来孕育作品构思，他不但用这种逻辑来处理人物之间的关系，而且用这种简化的两极思维模式来分析人物的内心活动。当宋宝琦陷入流氓集团以后，被大流氓扇"耳茄子"，用烟头烫后脑勺，刘心武写道"他既无追求个性解放，呼号'自由''平等'的思想行动，也从未想到过'博爱'；他一方面迷信'哥儿们义气'，心甘情愿地替大流氓当'炊拨儿'，另一方面又把扇比他更小的流氓耳光当成最大的乐趣"，这其实是一种理性的分析，并未达到审美直觉的丰富微妙的境地，可是分析的深刻却把刘心武和读者一起迷住了，这就引起了由时代气候造成的满足感（满足到了忘了满足的暂时性）。刘心武简化的分析，不但简化了人物的心理活动，而且简化了人物的外部形态。在《班主任》中不论是正面还是反面人物都是按着对立而统一的原则构想出来的。班主任的嘴唇是很厚的可又出奇地会讲话；詹老师长着一张娃娃脸，但鼻梁上的眼镜使他有了长者的尊严；

谢慧敏的身材高大，教练以为她是个运动员的坯子，可是关节不灵，又被教练否决了；宋宝琦浑身肌肉疙瘩，体力十分充沛，可是鼻翅神经质地扇动衬出一副空虚愚蠢的眼神。几乎所有人物从外表到内心都被作家按在二律背反的模子里脱出来。这个理性的模子成了一种粗糙的公式，正是这个特征，在刘心武名噪一时的时候威胁着刘心武作为一个作家的命运，在他前进的道路上投了一道长长的阴影。当时如果刘心武的自我感觉美好得无以复加完全意识不到这种威胁，他也可能像伤痕文学初期涌现的某些青年作家那样，在后来文学发展的洪流中被淹没了。

刘心武的早期心理气度，很明显地表现出理性的优势。这种理性在形式上表现为二律背反的简化，在内容上则是社会政治评论中道德的实用价值取向的优势。严格的读者不难在《没有讲完的课》《爱情的位置》《醒来吧，弟弟》中看出一种理性的阴影，一种概念化的危机，即使是刘心武那机智的深刻的议论和社会的敏感也掩盖不住。审美价值取向在刘心武创作过程中并不常常占优势，其原因在于他的思辨理性和道德理性太强大了，他是那么轻易地在天衣无缝的统一中看到裂缝，在互不相干的事物和思绪中看到统一，在风马牛不相及的地方看到联系，他形成观点的速度远远超过了他体验内部情感的速度，他抽象的推理能力很轻松地压倒了他对人物心灵情感活动的想象。他最驾轻就熟的思维惯性、思维定式就是在社会道德问题上冲破禁区，切中时弊，并超越同时代作家的水平。一种思想解放的痛快淋漓之感，使刘心武忽略了审美价值与思辨理性、道德理性的矛盾。虽然，很早就有人对刘心武作品过多的议论提出批评，可是 1979 年 4 月他在《班主任》的《后记》中仍然没有转过弯来，他说："在这个催人思考的时代，面对着一代思考的读者，我以为应当有思考的文学。就短篇小说而言，形象思维和形象化的确是作品万不可缺的要素，但逻辑思维并非不可与之相辅相成；思辨的气息，哲理的意味，从来就不是文学中的陌生客人。"

虽然刘心武的理性思维模式是如此顽强，但刘心武的气质竟还有他另外的一面，他对于人的关心，并不完全限于实用的和认识的价值取向，在创作实践中，几乎可以说有一种自发的力量把他引向人物内心的情感活动，而这些活动往往是谈不上直接的社会认识价值和实用价值的。不过，在许多场合，这种自发的倾向往往被理性思维模式压倒了，但是寻求突破自我的刘心武有时不能不珍视那些人物心灵深处的隐秘非理性的情感活动。一旦刘心武让这种非实用、非理性的情感活动比较强烈地显露，哪怕是并没有达到超越理性思维模式的程度，仅仅达到某种僵持状态，刘心武的创作也达到新的水平，显示了新的转机。刘心武就这样写出了《我爱每一片绿叶》，这使他第二次获得全国短篇小说创作奖。虽然在这篇小说中他还把主人公的心灵放在一个相当陈旧的框子中，生硬地表现魏锦星在教学上对后进学生不但非常耐心细致，而且有一套高明的教学方法，此外还不无牵强地把主人公的一系列特殊心理，纳入政治上“落实政策”范畴，好像只有政治上归了类才能提高主题的档次似的，但是从根本上说来，《我爱每一片绿叶》的中心内容和刘心武这种苦心经营的装饰是格格不入的。在这以前刘心武作品所肯定的主人公的行为、言论乃至情感活动都直接或间接地具有政治的、道德的价值，可是在这一篇小说中刘心武调动了他全部才能去强调表现的却是魏锦星的一种个人情感深处的秘密。他不过是对已经成了别人妻子的一个女人怀着深深的恋情，把别人的妻子的放大照片放在自己的抽屉底。在“四人帮”横行期间他不顾这张照片给他带来的不幸，奋不顾身地去维护这张照片，事实上他是在维护自己情感的尊严；在粉碎“四人帮”以后，这种感情又推动他为这个女人为自己丈夫上诉而提供种种方便。他所做的既不像班主任张俊石那样发出理性华彩，也不像《爱情的位置》中冯姨那样放射出道德的光芒，老实说魏锦星的深层情感，或者用弗洛伊德的话来说叫作“情结”，并不属刘心武以往小说中正面人物的那种实用理性和道德理性范畴。不过在这里，刘心武小心翼翼地让它处于理性的、道德的模式之内，在这一点上，刘心武与张洁的《爱，是不能忘记的》表现出同样的谨慎（或者叫作胆怯）。主人公的情感长期受到压抑而渗透到无意识中，这几乎成了不可磨灭的人格核心，非理性色彩比理性色彩更浓。主人公的心理气质特征虽然不可以简单地等同于作家的心理气质，可是它与外部环境的某些临界线，事实上是作家想象的控制线。在魏锦星这个形象身上，细心的读者不难看出刘心武心理气质中两种因素的搏斗：一种因素是理性的、实用的，它表现为某种政治的道德考虑，另一种因素是人的情感、人的非理性的因素，这二者处在紧张的对峙之中。在作理性考虑的时候，刘心武对于他人物的心灵情结是冷静的（甚至可以说是冷漠的）。当然，刘心武不能说没有热情，每当他对社会政治道德的现实作出评论的时候，他的语言中常常有过多的热情，可是面对人物的内心深层非理性情结时，往往是竭力克制，唯恐他人物的非理性情结爆发出来。在外部行为上，甚至在内心活动上都“不出轨”，魏锦星是这种人物的不越轨，实际上是刘心武自己内心气质，审美价值取向力度的不足。在很长一段时间中，我们可以看到，刘心武的情感因子在关键时间总是要屈从于他的理性因子，总有一种无形的、透明的、柔软的罗网在束缚着他的想象，每逢他深入到人物的感情深处、非理性的深层时，他总是过分轻率地为它找到理性的（合法的）因果。刘心武的作品在好几年内没有根本的突破，关键就在于，他的理性思维模式中强大的因果律优势，不论是情节因果还是性格因果，刘心武的理性都带着某些天真烂漫的线性；不管有多么令人迷幻的结果，刘心武都会在发展过程中显示出它充足的、理性实用的原因来。在享受思想和心灵解放的喜悦的时候，刘心武充分体会到用人道主义比僵化的阶级斗争的因果更加丰富，更加合乎生活和人类心灵的实际，但是，他似乎并没明确地意识到：不管什么因果，都具有因果律特有的局限，那就是他不能不把多因多果的复杂网络尽可能地线性化，把其中一个因果关系从因果网络中切割出来，孤立起来。用这样的线性因果去处理比线性因果复杂得多的神秘的非理性，还包括许多非因果性的情感世界。这是不可能不对形象造成内伤的。正因为这样，即使在《如意》这样影响较大的中篇中，我们仍然看到刘心武的某种停滞。从总体来说，《如意》的胜利是思想的胜利，理性的胜利大于审美的胜利和艺术的胜利，并不需要用过分苛刻的目光就可以从《如意》中看出从《班主任》起就伴随着他的阴影。

理性的目光进入非理性的心理层次

刘心武毕竟是刘心武，虽然他并不能清晰地看到自己心理气质的局限，但他显然并不满足于艺术以外的胜利，1980 年他曾试用过当时还颇有争议的意识流手法，可环境和性格的线性因果律对他的束缚是如此厉害，即使在他试用意识流的写法的时候，那种自发的从环境中追求充足理性的冲动仍然在诱导他的想象。这一点可以从他 1980 年写的《在电梯上》中可以看出来。也许这种舒舒服服的想象惯性、心理的动力定型太自动化了，他感到了某种机械性或者某种厌倦，所以在以后的创作中，他经常表现出对情节因果的抗拒。难道小说命中注定要与因果一贯、头尾俱全的结构联系在一起吗？这在 1980 年还是一个振奋人心的问题。刘心武在当时，无疑是在思想的解放和艺术的革新两方面都冲在前沿的作家。读者并未惊异他在《立体交叉桥》中从总体架构上把情节因果瓦解了。在这部小说中不论外部事件还是人物命运都似乎是有因无果的，这也许可以说是刘心武对他自己心灵的理性惯性、理性因果模式的一种反抗。如果是一个短篇，这一点尝试对于刘心武来说是轻松的，可是《立体交叉桥》是一部中篇小说，要在这么大的篇幅中放弃情节因果所带来的统一性和强化效果，就得冒结构松散的风险，为了防止结构松散，刘心武把众多人物在空间上集中在一个大房子里，并且把居住的空间狭小造成的心灵冲突与有希望兴建的立体交叉桥联系起来，使还未兴建的立体交叉桥成为心灵空间有序性的象征。这样就不但在形式上而且在思想上把众多形象基本统一起来了。这就使刘心武的想象力得到某种程度的集中。在《立体交叉桥》中，显然有刘心武以往作品中的一切优点，主要人物侯嶲心理比张俊石更深刻，若这得力于矛盾分析法的理性思维的话，那么其他人物，特别是侯勇和侯莹、二壮的某些成功就不完全得力于理性，同时也显示出刘心武对人物心灵深层的非理性的感受力。在刘心武的作品中，很少像《立体交叉桥》这样把这么多的注意力给予人物的非理性的错觉梦幻乃至神经性的发作的。二壮青春期的冲动，单纯的爱欲，生理的渴求，以及这种复杂的情节在他梦幻中的畸变；侯勇在面临尚未泯灭的良知与自私意念的膨胀的矛盾时，在他脑海中偶然浮起的关于早已死去的姐姐的种种飞黄腾达的幻想；特别是侯莹屡遭婚姻挫折后的神经性的发作，都是这部中篇比较动人的部分。刘心武显然比以往更感觉到非理性活动在人物精神结构中的重要性，但是总的来说，这些部分，用今天的眼光来看，仍然写得有些拘泥，不够超脱潇洒。原因是刘心武太热衷于为这变态心理找到充分的客观原因了，特别是社会环境的原因。刘心武崇尚现实主义精神。固然，现实主义大师往往在典型与环境之间寻求因果而取得胜利，但是并不是一切现实主义大师都把揭示性格形成的社会原因当成自己任务，不管是贾宝玉还是阿 Q 的性格都很难从他们的社会环境中找到充足的必然原因。刘心武把现实主义环境与性格之间的关系看得太死了，因而有些心理变态的社会原因在他笔下就显得太直接，而且太简单了。总的说来，面对非理性的心理现象，他的态度仍然是理性的。他对人类理性思维的功能充满信心，似乎始终没意识到理性像一切事物一样也有它的局限。

尽管如此，对非理性变态心理的哪怕是有限的注目，也使刘心武的理性变得丰富起来。这表现为人物心灵与环境的关系减少了线性的成分、平面的成分，有时还真达到了某种立体交叉的境地。但凡面对非理性因素，他都不把它当做一个常规现象、一个经常性的外显性成分，而当成非常规现象的隐性因素，它不是浮在表面上的，而是隐没在心理结构的某一个深部层次上。通常外部刺激哪怕再强也不一定能激活内心的深层结构，只有外部感知某种特殊的穴位被触及了，这些内隐性因素才会被激活起来，从隐性变为显性。这样一来，在刘心武笔下，人物的心理结构，就不仅有平面的两极分化的结构，而且有了立体的、纵深的层次结构，人的心灵除了经常以双向逆反的情感和理性运动之外，还有一种奇异的、多层次的畸变。在《立体交叉桥》中刻画得最多的是主人公侯嶲，但是侯嶲并不是最成功的人物，原因就在于他的全部精神活动都在他的辩证理性的双向逆反运动的平面上滑行。而作者也许并不太重视的侯勇（还有侯莹）在深度上却大大超过了侯嶲，原因就在于，他的心灵活动有一个纵向的显性层次和隐性层次的明灭不定的动态结构，这种隐性层次的浮现并不完全遵循理性因果的必然性和普遍性，其间偶发性往往占着很大的优势，偶发性愈大，普遍性也就越小。侯勇结婚以后与他过去的远不是从美学角度考虑、而更多是从实用角度考虑的恋人傅燕敏重新相遇，二人竟如同陌生人一般互不理睬，这种隐性层次的显现至少对于侯勇来说并不是必然的，也不是普遍的，但是，却是更具陌生化效果，更能引起读者内心注意的定向集中。特别是最后刘心武写到被自私浸透了灵魂的侯锐，突然（也许更明确地说是偶然）良心发现（深层无意识的浮现），回忆自己幼年时代的兄妹之情，为自己的作为而有所悔恨，对葛佑汉这样的市侩产生厌恶，对自己也浮现出某种批判意识时，侯锐心理结构的纵深层次就显示出来。敏感的读者可以感到刘心武由于更深地进入了人物心理的非理性层次，他的笔力变得比以往更雄健了。这也许应验了他当年所爱自诩的“正在开一口深井”。但是他这口井在《立体交叉桥》中开的深度还是有限的，即使对于侯锐的顿悟，读者也感到刘心武的态度也太理性。这表现为侯锐的思维能力、自我洞察能力太强了，几乎与侯嵩不相上下，太缺乏侯锐的文化教养经历所决定的那种直觉、顿悟的朦胧模糊的色彩了。这说明刘心武理性的洞察力已经到达的地方，他的艺术家感受力还没有跟上去。这注定了在以后的几年中，他还得与自己过分强大的理性思维模式艰苦地搏斗。在 1980 年 10 月写出《立体交叉桥》以后，直到 1983 年 5 月写出《钟鼓楼》以前，刘心武写了一系列短篇（主要收在小说集《日程紧迫》中），刘心武借一个人物的嘴说出了自己探索人的方针：“更理解人，理解原来不理解的人，理解原来误解了的人，理解原来没有理解透的人。”（《日程紧迫》第 214 页）他所用的方法固然也有以往经常使用的那样设置心理谜底（一个令人惊异的结果），然后层层逼近，揭示了一个谜底，又产生了新谜底；有了结果，追求原因，找到原因，又发现是另一原因的结果。在这样的因果分化过程中，有时刘心武对人的内心纵深层次有了新的突破，有时则抑制不住那迅速汹涌起来的深刻观念的洪流，屈服于它的冲击力，而让它自然流泻了出来。也许他在写作过程中有一吐为快之感，但实际上在这里闪光的并不是形象而是概念。不论是在《美丽》《秋风》中，还是在《非重点》里，甚至在写得相当出色的《茶话会》中都留下了遗憾。每当他用心理分析的老方法去揭示一个人物的性格明确动因时，他的笔力总是显得软弱，反而是当他感到这种实践理性和道德理性探寻的烦厌时，他倒显得清醒得多：

> 如今夏晚宜和古羽青怎么会成为了一对恋人呢？无论就生活道路，性格素质以及在人们心目中的地位这几方面看，他们两人的差异，都是再大不过了。像古羽青这么个人，他究竟有什么值得夏晚宜去爱的呢？他又用什么手段使夏晚宜堕入迷谷的呢？看来生活永远是谜。当然，有谜底。但是企图靠一套死板的教条，靠一点简单的分析，靠一些既有的经验便把那谜底揭示出来，是不可能的。
>
> ——《日程紧迫》第 204 页

这实际上表现了一个理性主义者和艺术家的矛盾。艺术家面临的人的情感世界之所以是一个谜，多少有一点神秘，就因为它并不全是理性的，而审美本身就带着一种直觉的无限丰富性，它的谜底不仅是死板的教条所不能揭示的，就是把现实关系作了必要简化的理性的概念、理性的逻辑也同样是不能穷尽的。刘心武已经感到教条的局限，但是他至少并没有在理论上认识到非教条的理性思辨在人类的情感审美世界中其效用也是有限的，尽管如此，刘心武在创作实践中时常有神来之笔，这表现在他放松了一因一果的探求，而加强了直觉和感觉的想象的追求。在因果的断层中，在逻辑的空白中，刘心武的笔力倒反而显得深厚起来，但是所有这些都只是吉光片羽，瞬息而逝。这个时期刘心武笔下绝大多数人物的自我意识都像刘心武自己一样明确而强烈，不但意识到自己感觉表层的思绪，而且往往能意识到通常人意识不到意识深层的逻辑因果。即使主人公实在不可能意识到，刘心武也常常按捺不住用全能全知的叙述语言把它揭示出来。这样一来，人物心理的隐性层次在相当程度上就被简化了，它在人物心理的行为中的复杂功能也就大大地被简化了。

交叉感应，立体推进的动态心理重组

可以这样说，在《立体交叉桥》中，刘心武一心追求的并不完全是审美的价值观念，而是社会人伦道德观念的构架，他的终极境界是清楚而明确的：那就是人与人之间的关系宽松，但是决定心灵关系变化的原因只有一个（立体交叉桥的兴建），即使在审视非理性的情感时，理性思维模式的线性因果关系仍然在死死地缠住他。刘心武用了好几年的宝贵光阴和这种思维模式搏斗，在这过程中他自然有时取得胜利，有时不免有些徘徊，但毕竟20世纪80年代小说创作的水平迅速高涨，对人心灵解析的成就日新月异，从刘索拉到徐星，从莫言到残雪，对刘心武都提出了无声的挑战。特别值得一提的是1984年前后，文艺界对被遗忘了几十年的弗洛伊德学说的重新发现和审视，构成一种强大的冲击波，冲击着刘心武本来就在动摇的思维模式。对20世纪五六十年代出生的莫言、刘索拉、徐星、残雪他们来说，接受弗洛伊德学说中的非理性成分并不困难，他们的思维模式中本来就没有与弗洛伊德相抗衡的理性思维定式，因而在短短几年的时间里，他们为中国当代小说提供了崭新的品种和前所未见的风格，引起了读者的惊异。所有这一切，作为一种文化背景、文学气候都不能不把刘心武从物质的立体交叉桥向心理的立体交叉桥推进。当他写出了《钟鼓楼》，不论他的创作还是他思维模式的结构都无疑进入了一个新的阶段。在《钟鼓楼》中，刘心武几乎没有将他所偏爱的政治或经济的重大变革作为小说的主要焦点。以往，在刘心武比较重要的作品中，这种焦点往往变成一切情节或人物关系变幻的最高动因。不管作品中人物关系多么复杂，经历多么曲折，一切都是那最高动因造成的种种结果。这样就使得刘心武的《立体交叉桥》仍然有个平面的起点和终点，在形式上相应地也有一个单纯的外部动作因果，作为作品的主线，但是在《钟鼓楼》中，这种动作因果主线瓦解了，人与人之间的关系脱离了同一的因果线浮动起来，人的心理和行为更加偶然地相互交叉和推移。刘心武在《钟鼓楼》中不止一次地借人物心理活动的描述提出一种“立体推进、交叉互感”

的理论，他几乎是明确地提出了审美价值对实用的伦理观念的超越。他在一篇谈《钟鼓楼》创作体会的文章中这样描述他的新追求，那就是“多层次地网络式地表现人”“使读者获得一种横向与纵向交叉融汇的立体感受”，他早已告别了传统的连锁式情节结构，也没有赶时髦采用“时空交错”式或意识流的自由联想式，他用了一种“花瓣式”的结构，“犹如从一个花托朝四周伸出若干重叠交错的花瓣”，所有这一切都不过是为了让他的想象力和感受力从理性的、实用的、简化的因果逻辑中解放出来。他在同一篇文章中甚至说到在他的许多追求中，也包括一种“多义复合”的效果，他甚至为此提出要在某种程度上超越一般人道主义的观念，“超越出对善恶是非的强烈判断态势和爱憎色彩”[①]。正是因为这样，《钟鼓楼》以空前多维的角度所表现的人物和心态震撼了广大读者，细心的读者可以轻松地辨析出作家“力图记录下现代和当代北京社会生态景观”的苦心。从那些凡人小事中，读者看到的是当代，乃至现代北京下层市民心理文化的繁复层次，从四合院的结构到钟鼓楼的掌故，从婚礼的世俗仪式到北京人在当代政治风云中的心态，作家都如痴如醉地描述，值得惊异的是刘心武并不仅仅停留在文化学、伦理学、民俗学的价值取向上（如果停留在这些方面就可能概念化，或者自我炫耀了）；这一切传统和当代背景文化图景都作为人物心理活动的网络上的纲目，牵动着人物最容易兴奋的神经，成为调动人物心理表层结构瓦解、深层心理奥秘（情绪）显现的一种最微妙的刺激，因而，其价值取向最终还是落实到文学的审美价值上来。而通过这一切，作者显然又在暗示出社会政治历史发展的脉络和动向，因而其价值取向又与社会政治暗暗结合在一起。表面看来刘心武在《钟鼓楼》中第一次与当代政治拉开了距离，可是在最深刻的意义上，刘心武更加深入到构成当代政治的深刻的文化心理背景中去。刘心武于 1987 年 9 月 11 日在美访问的演讲中曾经提出了一个很有见地的观点，那就是当代政治与中国传统民俗具有深刻的内在隐秘的联系：“‘文化革命’中所出现的游街示众的场面，‘忠字舞’，在墙壁上所布置出的‘表忠心’的图案，所建造的领袖塑像及展览馆，以及逼着黑帮们所唱的‘鬼嚎歌’等，从文化现象的角度考察，其中不是显露着浓厚的中国民间文化的影子吗？真应该有人来作诸如此类的精微分析。‘游街示众’中的高帽形状、簇拥形式，强迫敲击簸箕的做法，同中国民间固有的展示那阴曹地府或驱鬼求神的赛会有何内在的联系？”[②] 事实上刘心武在《钟鼓楼》所作的那么多的北京下层市民的四合院民俗描述归根到底都不仅是为民俗而民俗的，它至少是民俗的、审美的和社会政治三位一体的多层次立体价值结构。从这个意义上来说，《钟鼓楼》的许多形象是实现了

① 刘心武：《多层地网络式地去表现人》，《光明日报》1986 年 1 月 9 日，《评论选刊》1986 年第 4 期。

② 刘心武：《近十年中国文学的若干特性》，《文学评论》1988 年第 2 期。

作家“多义复合”的追求的。正是这种多维一体的花瓣结构功能帮助刘心武突破了实践道德理性平面的思维模式和单层次的价值结构，从而使他笔下的人物获得了更多的自由和更有深度的生命。

但是，应该承认，并不是一切对北京四合院文化的刻画都是同样成功的，至少有一部分是游离于形象之外的背景材料，那些给读者印象最深的只是其中触及到人物心灵深处的一部分，这包括那些古典民俗，如婚礼上七姑尽可能为女家争得体面的那些讲究忌讳，卢胜七的丐帮习气，更重要的还有那些现代民俗，卢桑宝走后门卖啤酒获得的尊敬以及他畸形的空前良好的自我感觉，还有颇有一点文化的詹丽颖以出口伤人的方式非常热心地帮助人，都以能把现代生活与古老文化的奇妙联系深刻地解释出来而显得分外生动。在这些方面显出刘心武特有的才气、禀赋和智慧，他的笔常常是轻松愉快地触及到人物心灵的深层情节，透过那最粗俗的物质生活习俗（不论是旧的习俗，还是新的习俗），洞若观火地看到其中的二律背反：一方面是最现实的理性，一方面又是最虚幻的非理性。也许可以说刘心武还是第一次处理了这么多的理性与非理性的情节，那么多人类心灵深层非理性的宝藏第一次进入刘心武的视野，这就使刘心武笔下的人物不但在纵向层次上有静态的立体感，而且在人物心理交互感应方面有了动态的、变幻的调节奇观。在《钟鼓楼》以前，刘心武的目光往往对人物的非理性心态一扫而过，有时即使充分估计了那非理性心态的文化价值，都未必能充分揭示其审美价值。如果说《如意》《立体交义桥》中的人物和心理氛围多少还有些单薄的话，那么在《钟鼓楼》中就显得比较有厚度。这种厚度，也许并非在一个人物性格的塑造上集中起来，而是在一组组人物的群像的立体心理网络的交叉感应中显示出摄人心魄的力量。他得心应手地调动人物立体情感的表层知觉的一个因子，总是为了引起另一人物，甚至一组相关人物失去更深的记忆、情感、意志结构的平衡，有时还导致这个（这些）人物心理中层结构的瓦解。而这些瓦解又反过来触动了原来那个人物的心理结构的动荡，迫使他重新调节他的心态，以恢复他与外部心理环境的平衡，这时作家呈现给读者的是多种心理网络的失衡与恢复平衡的深部运动。差不多每一种外部非理性的感知都通过调节达到了深部隐性情感层次的显现，在《立体交叉桥》中二壮乘出租汽车兜风一节，曾激起读者的兴趣。一个老老实实的中学生看到一个小偷被押解上公安局的小汽车，不但没有像预料的那样受到法制教育，相反，却把对乘小汽车的羡慕深深埋在心底许多年，直到有机会自己花钱无目的地乘一趟小汽车为止。这样一种由知觉埋藏下去的特殊记忆又在求偶心理遭受特殊挫折时，以一种奇特的行为方式释放出来，达到某种心理运动的平衡。如果说，这种非理性逻辑的奇观在《立体交叉桥》中还是吉光片羽给人以神来之笔的印象的话，那么在《钟鼓楼》中这样的片段就屡见不鲜了。在《钟鼓楼》中刘心武显然对人物非理性的幻觉更有意识地珍视，深入地钻研，从张秀藻姑娘单恋的、非现实的、克制不住的幻想到喜路纯缺乏爱情的心对一个被丈夫不公平对待的女人由同情转化为接近、爱恋乃至结合的幻想，都显得相当有深度，如果说这些片段稍有点孤悬，没有在更大范围内引起有关人物多维复合感觉、知觉、记忆、情感、思维、想象、幻象、语言、行动的变幻的话，那么写新郎蒋纪跃从表层感觉经验到深部记忆调节，就比较充分。首先表现为一种对全体人物欢乐的、网络的心理结构的一种潜在威胁。蒋纪跃在第一次“摸索性功能受挫而形成了心理障碍，又找不到办法排除，陷入了深深的苦闷与惶惑之中”，而这种惨痛的失败留下了难以愈合的心理创伤又使他在心灵最隐蔽的深处十分自卑，然而在外部行为上，他又特别热衷于强充男子汉气派，这样暗淡的心理结构与婚礼的欢乐气氛叠印在一起，已经充满情绪的张力了。突然又插进来一条鱼的刺激，引起他在插队期间爬满了蛆的鱼的可怕记忆，终于导致他失去控制而呕吐；由此气氛突变，引来七姑对他健康状况的追问；由于这样的混乱，给小偷姚向东提供偷表的方便，这样不但使群体而且使各个个体心灵上都失去了平衡。正是在这失去平衡和恢复平衡的心理重组中，读者得到了审美享受。

《钟鼓楼》的情节是淡化的，但姚向东偷表却是把花瓣式的人物贯穿起来的花托。要说情节，这是唯一掣动全局的情节，然而这并不是外部动作引起更外部动作的连锁因果结构，而是内部心理，从感觉、记忆，到情感、幻想以及生理功能、语言、行为的反常交叉引起的立体重组。正是由于这多重的心理结构的交叉互感和立体推进有了一个核心，一天之内20多个人物的亮相才统一在一个有机整体之中，而不致陷入无序的芜杂状态。在这种有机结构中，哪怕是一个感觉的微观刺激也能引起多维、多层的心理平衡调节和心理系统的重新组合与恢复平衡。这种复合的重组过程在每一个层次、每一个维度上都充满了对必然性因果的偏离，正是在这个意义上，可以说，刘心武在短短的三五年中，在心理的想象力方面的进展已经强大到可以动摇与他的经历与教养联系在一起的理性思维模式。正因为这样，刘心武在不久以后又写出了《五・一九长镜头》和《公共汽车咏叹调》。在《五・一九长镜头》中虽然大量保留着刘心武擅长的社会评论，但是这些抽象的思辨并没有给作品带来损害。原因是，这一切与主人公滑志明相当丰厚的心理层次的失衡和调节过程联系在一起。读着这样的“新闻小说”，你不能不惊叹刘心武对人物心理纵深层次的想象力以及他对人物心理与环境刺激之间关系的把握。对于一个由于参与闹事（推翻汽车）而被拘留的人物，要在几年以前，刘心武免不了要从道德和法律的角度加以考察的，但是，刘心武没有这样做。他只把滑志明当作审美对象。作品一开始就与道德法律的实用价值取向拉开了距离。刘心武所探索的是主人公的一系列心理层次的变幻和调节：好不容易找到对象，第一次带回家就遭到父亲的斥骂，又忘了约定下次见面的时间；借来了录像带，由于不会开录相机，而洗掉了录像，不得不赔了一百多块钱；到了球场上，原以为中国队稳赢，偏偏又输了而产生的群体心理落差，这一切使滑志明这些年来隐藏到潜意识中去的不幸、痛苦、失落之感一下子被激活了。这几年刘心武逐渐强大起来的对立体心理进程的想象力使他能游刃有余地驾驭着滑志明意识与潜意识、理性与非理性的交流。即使主人公夹在乱哄哄的群众中走出体育场大门时，刘心武也没有让他的潜意识全部翻上意识层，这表现了刘心武对理性因果有把握有计划的梳理。接着他利用一个纯粹偶然的动因才使主人公卷入为他设计好的结局之中。刘心武这种沉着的把握，不仅来自经验，而且来自对经验的理性概括："人的思维有若干层次，最表面的一层是感官和知觉对外界事物的肤浅判断和朦胧好恶；往下是以具体功利为核心的一些算计；再稍稍往下，是以往个人经验以及作为群体成员的集体无意识的交融化合。"通常作家陷入概念化的线性因果，就是因为只看到具体功利计算的因果，而没有看到立体心理的全部因素，特别是外部感觉和集体无意识对超越理性逻辑的巨大作用。《五·一九长镜头》的成功首先是审美价值取向的成功，是心理立体交叉重组的成功。那最吸引读者的是表层的一系列不如意如何调动了长期以来沉入潜意识的失落感以及这一切又如何以扭曲的形态浮上意识层，畸变为盲目的行为。由于对这样复杂的心理系统得心应手的驾驭，刘心武写出了哪怕是他在长篇小说中也未必能写出来的高水平的群众性大场景来，既有宏观的纵深结构又有微观的心理交流，这样壮大的大手笔，在当代文学上也许堪称一绝。刘心武没有白费精神和他的理性因果模式苦斗了好几年！

当然，刘心武只是从理性因果中获得审美超越，可并没有抛弃因果律，他在另一个层次上，亦即在缺乏文化教养，对改革开放缺乏理解的层次上，在非审美价值取向上，刘心武仍然雄辩地揭示了滑志明走向拘留所的必然性。刘心武毕竟是属于在 20 世纪 60 年代形成知识结构和基本社会伦理观的人，他不可能像残雪那样，完全蔑视理性因果律，把因果看成是荒诞，把无因之果看成正常规律，这在刘心武是不可想象的。他也不可能像莫言那样，兴之所至，公然对因果律加以戏弄和调侃（如在《红高粱》中，撒尿入酒，居然可以使酒的质量和名声空前高涨）。他从不把对非理性的审美体验看成是最高的目的，他总是力图把二者的矛盾在某种距离中加以调和，不过，他绝不让二者完全统一，他只让二者有限地错位。这在《公共汽车咏叹调》中表现得最为明显。公共汽车司机与旅客的矛盾是一种现实的、实用的矛盾，可刘心武却以一种审美价值的超越，使矛盾得以假定性的解决：一方面把艺术的审美价值功能提得太高了，另一方面又把审美价值的超越性取消了。也许在这一点上，刘心武并不一定会引起更年轻一代高蹈的评论家的哂笑，但是实践理性的强大能量必然会冲击他的审美追求。读者不难在《新区长镜头》中看到这种端倪。刘心武居然为女主人公设计了两个结局，并列呈示于小说结尾处。从形式上说，这也许可以说是一种创新，可是实质上却是向理性因果的倒退。两个截然不同的结果各不相干，失去了刘心武一再强调的“立体推进、交叉感应”的优势，在这里，占据前景的是两种结果的分立，而不是多种结果的交融，刘心武所追求的“多义复合”反而被淡化了。

刘心武多少有些徘徊啊，在突破同因同果的思维模式以后该向何处去呢？如果残雪、莫言的成功之处可能成为刘心武的“坟墓”，刘心武究竟该怎样去找寻那属于他自己的“多维多义”的境界呢？在未来的岁月中，不管刘心武是否意识到，他和他的同伴，都将与残雪、莫言他们处于剧烈的竞争之中。也许今天就预言，谁将获得明天还为时过早，但如一定要作冒险的预言的话，至少可以说，刘心武并不占优势。这是因为刘心武的主体情感品类较为单调，他似乎主要依靠正剧的成分，有时有一些抒情成分，他没有多少悲剧感，而莫言他们不但有悲剧性心理因子，而且有荒诞剧、恶作剧、闹剧的因子。一切客观材料到了他们手中就变形变质了，就成了他们灵魂的肖像。在这方面刘心武没有优势，但是在刘心武心灵中有时流露出瞬息即逝的幽默感，这是莫言他们绝对没有的，如果刘心武能在这方面大大地发展一下，也许会使他们在他面前变得不那么气盛。

1993 年 3 月 30 日

附：

刘心武太过一本正经了[①]

听朋友说，刘心武出了一部长篇小说叫作《风过耳》，在北京文艺界颇为轰动，原因是所写人物多为文艺界活跃分子，而且都是丑态，不少人认为这是一本《儒林外史》式的作品。在许多人物的言谈行止中，可以看到我们熟悉的人的特征。这自然是要先睹为快的，但是书很抢手，居然从福州到北京的书市上都脱销了，只好打一个电话问刘心武要了一本来。书拿到手，才知道是中国青年出版社出版的，第一版才印了七千册，第二版正在赶印。

凭良心说，初读将近一百页，有点失望。书中的主要人物故事围绕着一次空难展开：著名作家方天穹死于非命，遂引发了一场妻子与前妻，再加上情人夺遗稿的斗争。在这场闹剧中，刘心武着墨最多的是一个叫作官自悦的人物，他卷入这场斗争从中渔利的情节看起来并不特别新鲜，倒是他身为一个文化单位的领导，装腔作势，乘着公家的小汽车匆匆忙忙地赶着参加一连串必要和不必要的宴会，给读者较深的印象。他借各种宴会，提高自己的知名度，又借赴会之便纵横捭阖，为插手遗稿之战而奔走。他的自私、卑劣、利欲熏心都令人厌恶。在道德上，刘心武塑造的这个形象，毫无疑问具有相当及时的警世作用。

---

① 发表于香港《新晚报》1993 年 7 月 6 日。

也许正因如此，沈阳的《当代作家评论》才拿出很大的篇幅来发表名家的评论。许多人私下向我表示，官自悦这个人物实有所本，刘心武以此揭露了在文艺界中高层次上追名逐利的恶性泛滥。比官自悦更不堪的是一个叫作鲍管谊的文化掮客，他的生活目标就是混入文艺界上层，在剽窃了自己朋友的论文以后便弃朋友于不顾，一旦有需要又坑了这个有恩于他的朋友一千元，而更妙的是在此事遭到揭露之后，他居然又厚颜无耻地向老朋友求饶、求助。

所有这些都有振聋发聩的效果，但是奇怪的是，刘心武越是痛快淋漓地揭露，我越是感到疲倦，一种单调之感禁不住油然而生。我仔细想了一下，原因是刘心武太过执着于道德的谴责了，他的价值准则基本上是道德的善恶，但是光道德的恶，还不能最深地引起读者的厌恶，因为艺术的价值是审美的价值，审美价值是超越于实用价值的，而道德的价值却属于实用范畴，而且是诉诸意志的，这与诉诸感情的美属于不同层次，不同范畴，具有不同的价值标准。大奸大恶和大忠大善一样不一定比小奸小恶、不奸不恶的人物动人。过分拘执于揭露人物的道德堕落，使刘心武的艺术形象显得有点暗淡。也许，这些人物天天混迹于他的周围，引起了他道德的义愤，他把过多的厌恶集中在这些人物身上，以致人物多少有点漫画化了，说严格一些，他们都多少变成了丑态百出的坏蛋。

自然，作家有权用强烈的憎恶去丑化他的人物，但是强烈的丑化有一种风险，那就是简单化，甚至概念化。这种丑化是非艺术的。要丑化得艺术，就得遵循艺术形式的规范，那就是可以丑化，但是不能一味丑化。

丑化是一种喜剧性的表现形式，它遵循的是喜剧艺术逻辑，也就是荒谬的、非理性的逻辑，正是在这种艺术逻辑的推演中，丑化超越了实用，甚至超越了道德。许多经典的喜剧形象正是这样的，那在道德上自私的猪八戒在情感上变成了可爱的，那中了举发了疯的范进，并不显得可恶，相反显得可怜，读者感到的不是憎恶，而是悲悯，作者在这里追求的是一种可笑的喜剧。本来，刘心武完全可以把他笔下人物喜剧化的，因为最后读者在方天穹的追悼会上突然发现他并没有死，很可惜喜剧的潜在量没有得到必要发掘，被轻轻放过了。

刘心武太严肃，太一本正经了，其实他如果开一个大玩笑，更好。

为刘心武的道德自律喝彩①

刘心武的长篇小说《风过耳》曾经小有轰动，但轰动的原因在于其中的人物与当前北京文坛上有些小丑式的活跃人物之间有可以考证的关系，至于在艺术上，倒是没有什么长

① 发表于香港《新晚报》1994年6月29日。

进。我在去年曾经为文指出过，《风过耳》过分着重于道德的谴责，因而在审美的情感方面反而不自由了，把道德上有毛病的人写得十分不堪，不把角色当一个有血有肉、有其不可重复的情感逻辑的活人看，反而使得刘心武对人的理解变得狭隘了。艺术的审美情感固然不可以反道德，诲淫诲盗，黄色下流，但也不可满足于劝善惩恶，我当时的结论是《风过耳》中过分执着的道德律反而导致了刘心武在艺术上的危机。如今这种说法似乎要修改一下，原因是我最近读了刘心武一系列的散文。

进入20世纪90年代以来，刘心武的小说没有多大发展，然而他的散文却勃发高产。他在内地、香港、台湾的报刊上先后开辟了15个专栏，都是一些十分个人化的散文随笔，并且编出了五六个集子，最近出版的《我是怎样的一个瓶子》(成都出版社，1993年版)则是他近年散文的选本。虽然字数不多，只有九万，篇数也不多，只有37篇，这该是他平均三天一文的大量散文中精选出来的。如果以散文（或是随笔）的纯艺术标准来看，刘心武的这些作品，称不上上乘，在当代散文史中，刘心武这么多的作品竟然占不到一个席位，这未免有点令人气馁。想到这里颇使我震动，但是，光从这个角度去评判作家和作品，未免失之过苛。毕竟一般作家主要是为今天生活的，而不是为了历史而生活的。如果就今天刘心武的人生体验来看，这些散文有其重要性。这种重要性首先表现在刘心武的内心生活方面，在许多文章中，刘心武表现出一种非常可贵的自审和自律。在这商品大潮冲击一切的时代，占据刘心武思想中心的不全是对社会生活世俗、人情人生百味的观察，更多的是对于自身内心生活的辨析、描述，甚至拷问。自然，在一些散文，如《羞涩》《软心肠》《良心与凉心》中，有的是刘心武早期小说中对于自我心灵中善良而平凡天性的珍惜和赞叹，在这人欲横流的世道中，他的这种散文流露着自励、自爱的成分。他把他的书房叫作“绿叶居”，这使我想起了他80年代初获奖的短篇小说《我爱每一片绿叶》的主题，对于独特的心灵奥秘的尊重，把平凡人物的心态当作美来爱护和赞叹。如今刘心武在散文中仍然“以自己的心灵为探究的标本”，对自己精神生活中善良的、美好的、瞬息即逝的情思倍加珍惜。这种自我道德净化的追求时有精彩之笔，甚至神来之笔，特别是当他写到自己青年时代某些愚昧的天真的时候，有时是抒情式的回味，有时则是轻幽默的自嘲，都显得心态自由，情思不凡，如把“羞涩”和“大胆”并列为“艺术品的催化剂”，并且断言“人在羞涩时总是美好”的，字里行间流动着刘心武美丽的阴柔之美。然而这一切，虽然时有精致的描述，但总不见惊人，不见深度，不见多少撼人的力量。

在刘心武这些散文中最令人赞叹的是他对心灵纯洁的真诚追求，他的这种追求不光停留在正面的倾诉上，而且发展到从反面来无情地自我批评，甚至有自我暴露的成分。最突出的是他在《五十自戒》中对于自己的解剖，他非常诚恳地暴露自己“心灵深处至少有两种恶”，首先是嫉妒，尤其是对同辈人的嫉妒，对别人在才能方面、实惠方面，凡是有超过自己的方面“总有一种针刺般的隐痛”“在暗中巴不得人家栽跟头”“触霉头”。这些是平时死活都不愿意承认、说出来的东西，而刘心武却公开地写出来。

这种刘心武式的道德自律还有心灵自戒很令我钦佩，这在当前的世风中，在作家心灵大分化的潮流中，很值得赞美。这不但需要勇气和真诚，而且需要心灵的升华。[①]

① 刘心武后来在一篇文章中把黄山谷的“江湖夜雨十年灯”误为自己夜梦偶得，一些报刊作者遂揪住不放，反复批评，这是因为刘心武在为文中偶尔流露出自得之意。这说明一个人的自律当是很必要的，稍一放松，就可能产生失误。

复合的抒情风格与寻根的主题
——读唐敏小说和散文[①]

驰骋文坛的才俊越来越多，而真正的艺术家也许像世界冠军那样不可多得；得过奖的，甚至是红极一时的文学作品屡见不鲜，而真正有艺术生命力的，经得起时间考验的优秀作品是少有的。那些优秀的作品，人们读着它的时候，往往怦然心动，引人想起那在记忆深处的经历，更多地认识到自我隐秘情感活动的东西，哪怕是漫长的岁月之后，作品的内容被遗忘了，但是那美好的印象和怦然心动的情绪却常常从记忆的云雾中浮现出来，而在这里往往就有些是真正属于艺术的东西。

读唐敏的中篇小说《远山远水》(刊于《十月》1984 年 3 期)、散文《心中的大自然》(刊于《青春》1984 年 12 期)、短篇小说《雷雨在黎明前消失》(刊于《金城》1984 年 2 期)等作品，我感到其中有经得起时间考验的东西，我享受到一种发现的荣幸，并产生一种对之加以阐释的冲动。

对于唐敏来说，未来从今天开始。她已经写出来的东西固然是重要的，但是更重要的可能是她将要写出来的东西。在她的作品中，我发现有一种不俗的心灵因子，有了这种珍贵的因子，写作就显得那样自如，那样轻松，好像是出于自然流露；缺乏这种因子，也许永远无法进入艺术的境界。而在唐敏最好的作品中，这些因子正在形成，有些部分开始发出了成熟的馨香，有些部分还只是以其潜在力量吸引着细心、聪明的读者。正是这一切在昭示着唐敏的天空将有一片更灿烂的云霞，她的文学之路将有一颗更明媚的星星引导她前进。

通常我们说一个作者有前途，首先考虑的是他的生活积累，这自然是有道理的，但是世界上没有一个人是光凭着生活的厚赐而成为作家的。艺术形象是主客观和形式的统一，

---

① 发表于《福建文学》1985 年第 3 期。

它不仅是生活的再现，而且是作家心灵和形式交融的表现。艺术家不仅要深入生活，而且要深入心灵。当生活的基因与艺术家个性的基因猝然遇合的时候，艺术形象就受胎了。丰富的生活只是一种可能性，只有与作家的个性发生了特殊的关系，可能性才通过形式转化为现实性。

同样的生活，在不同的作家面前分化为不同的形象，是艺术之所以具有动人魅力的奥秘。

作家表现生活时，并不是被动的，他凭着他深刻的个性、活跃的心灵获得主动性。要进入艺术创造的境界，首先就得摆脱被动性。作家只有勇敢地、充满自信地以自我的个性去迎接生活、分解生活、同化生活，形象才不是生活的拙劣模仿，才可能是不重复的创造，但是，讲个性，这已是老生常谈了。为什么许多在生活中很有个性的作家，一旦进入创作过程就变得像鸡蛋一样雷同了呢？应该更具体地回答问题，当个性与生活遇合的时候，它们首先是在什么层次上起作用呢？是以什么形式表现出来呢？

首先是在独特的感觉和知觉的层次上起作用。唐敏引起我们惊异，吸引我们的是她独特的感觉。它是那样独特，又是那样纷繁，它是那么丰富，又是那样统一。我想，唐敏总是看到、听到、闻到、尝到更多的信息，她的作品中感觉和知觉好像一个个琴键式开关，读到一处，就接通了我们一组感觉的电路，我们多少沉睡的感觉被她唤醒了，多少在潜意识中的知觉获得了说明，而且是唐敏式的说明。这一点在《雷雨在黎明前消失》中表现得特别鲜明。对雷雨前后大自然的变幻，她的感觉是那样奇特多彩，每一种感觉的产生和转移都有她的特点，一种感觉熄灭了（如黑暗，视觉消失了）引起另一种感觉（听觉）的强化，显然这些感觉不是自发的，而是经过艺术陶冶的（她笔下人物的感觉也都有这种独特性。一个陌生的女孩子出现在眼前，对她的语言、神态、携带的物品，她不是被动地描述，而是以自己特有的感受力去辨析其中值得强调的特征）。在小说开头，主人公对福州的感觉很值得提一提：四面都是山，“从来没有领略过极目远眺的幸福，福州人是典型的‘山里人’，习惯于受山的局限，去掉这些局限就好比一下子剥光了他们所有的衣服”，这也许不科学，甚至会引起福州人的反感，但是艺术的感觉不同生活之处就在这里。正是从这种感觉的“误差”中作者找到了自己的个性，找不到这种只属于自己的感受就不能摆脱被动摹写生活的境地。

高尔基在 1912 年致斯坦尼斯拉夫斯基的信中这样说过，艺术家是这样一种人，他能从自己的主观的印象中找到客观普遍的东西。他还说，每一个人都具有艺术家的禀赋，在更细心地对待自己的感觉和思想的条件下，这些禀赋是可以发展的，因而摆在人面前的任务是“找到自己”。要“找到自己”，就得从找到只属于自己的感觉和知觉开始。不要怕与别人发生“误差”，不要在发生“误差”时害怕得发抖。要珍惜这种“误差”，如果自卑地否定这种“误差”，就可能使自我得而复失。有时，这种“误差”是相对于自我的正常感受而言的，这时往往伴随着某种特异的顿悟。在《雷雨在黎明前消失》中，那个陌生的姑娘的吉他上有一朵小纸花，在一天之前主人公还觉得它俗气不顺眼，但是雷雨后听那姑娘讲述了一个梦（她在梦见自己快死的时候还想到她朋友，还为死的地方不干不净而遗憾）以后，就对那个姑娘有了新的理解，感觉的“误差”就发生了。作者抓住这一点用卒章显志、篇末点题的方法，强调了这种“误差”的启发性：姑娘走了，纸花留在桌子上，这朵纸花已经不同于昨天的那朵纸花了。对同一对象产生了变化的感觉，并将之放在小说构思的最有启发性的重点上，可见唐敏对感觉“误差”的重视，也说明，唐敏对于自我感觉的高度珍惜。

我们常说，美是主观与客观的统一。统一的第一个层次，就是统一这种自我感受。所谓找到自我，从哪里开始呢？首先是从这种“误差”的感觉开始。当然并不是任何一种“误差”的感觉都值得珍惜，疯狂的感觉也是一种“误差”，但是它并非艺术的。艺术的“误差”感觉，并不仅仅是一种感觉，感觉仅是一种表层的心理活动，在表层的感觉以下还有感情活动，感觉的“误差”是由感情活动的特异性决定的，而带“误差”的感觉恰像一个索引，它启发读者去想象那造成感觉“误差”的特殊感情。

如果说生活是土壤，那么特殊的感情就是种子。如果作家光有接受生活信息的观察力，而没有激发感情的感受力，那他还不能进入艺术创造的境界。这是因为人的眼睛，说得准确一些，人的五官，并不是文艺复兴时期一些大师所设想的那样，只有镜子那样被动反射的功能。艺术家的眼睛是长在他心灵上的，它不能看见感情领域以外的东西，与其说他是用眼睛观察，不如说他用心灵感受。他所看到的往往是心灵的预期，这一点休谟早就发现了，皮亚杰在《发生认识论原理》中又作了证明。艺术家的心灵在感受生活时，不但是接受，而且也释放感情。感情释放的能量越大，作家的感受力越强。当生活的信息像春天的风激活了他心灵中的感情，并且主动地活跃起来时，艺术形象就受胎了。如果作家的感情不丰富，无个性，则在接受生活时，他的感情激活率就低；感情激活率越低，作家观察到的和作家感受到的越是接近于相等，二者之间在量上和质上越是没有“误差”，形象受孕的概率就是越低。反之，作家的感情很活跃，又有个性，那么激活率就高；感情激活率越高，作家感受到的越大于观察到的，形象的受孕率就越高。

唐敏的可贵之处就在于她感受到的往往大大超过她从生活直接观察到的。这种感受与观察在广度与深度上的顺差说明她的感情长期处于高度饱和状态，具有与日俱增的潜在激活优势，只待任何一个生活信息的刺激，随时都能把有生以来的感情凝聚到一个生活特征上去。

在《心中的大自然》中充分表现了她感情高度的凝聚力。在第二节中她讲了她第一次在山中遇到老虎的过程是很值得分析的。她在那不过两秒钟的时间中调动起来的感情几乎使人感到要超过她现有年龄的容量。为了表现那两秒钟，她事先回顾了幼年时期对老虎的痛恨和恐惧：最恶心，最难看，良心烂透。然后又叙述了来到山村听人谈遇到老虎的经验：要镇定到保持正常的步子与之同行，才不致激起老虎搏击生物的本能。这倒反刺激她盼望见到老虎。然而当她真的与老虎不期而遇时，那老虎只超然地看了她两秒钟就转头走开了。如果作者只是写她对老虎的观察，以及观察过程中由于紧张什么也没有想，那就没有什么艺术形象可言了。难得的是唐敏就在生死关头，间不容发的缝隙中，调动了大幅度的审美感知能力，她的心灵不但接受了老虎外在形态动作的信息，而且释放出了那么多不可重复的感情。当然，作者首先从感觉的层次写起：

一只年轻的老虎站在不到五米远的坡上，斜阳从它背后照来，它被明亮的火焰包围，颀长优美的身子呈现在我眼前。它停下来两秒钟，一只前足停在空中。它侧首看了我一看，似乎感到意外。金色的目光和阳光融在一起，飘过一绺嫣红的烈焰，就看了这短短的一眼。

这自然是很准确的观察，但这不仅是观察，还是一种宁静的审美和从容的感官的享受，除对美的关注之外没有一点杂念，没有世俗的恐惧，没有煞风景的惊慌，作者不是在被动地反映，而是把老虎引入了自由的、鉴赏性的感觉境界。如果是在这里作者感情的“分泌”还没有明显地超过作者的观察的话，接下去特异的感情就被大片大片地激活了，而且沿着感觉的渠道流泻出来，作者转向了自我的内心：

人类最美的目光都死了。

静静的、威严的、穿心透腑的、超然的一眼。……

像无形无具的梦，消失了。

我沿着山坡狂奔而下，血液在全身蒸腾。激情脱去沉重的躯壳，

裹着我轻盈地滑翔，哽咽堵塞了喉咙——

我受到了真正的蔑视！

感情的独特一至于此，丢开生死的计较，把遭到动物的蔑视作为一种不可多得的享乐，激情由此而猛涨，这里有对大自然的一种崇拜：

仅仅两秒钟，人的骄傲顿然倒地。这轰顶的刺激炸开一片崭新的欢喜和狂悦。

大自然用两秒钟告诉我，人可以夷平山川，制造荒原，掏空地球，但是依然侵犯不了它的自由！这肃然起敬的无法驾驭的自由！

这是对大自然的阐述，也是对我内心的一种阐述。这种自由的性质是在物欲轻易可得到满足时的一种内心超脱，心灵自由不为外物所役，双方似乎都不为功利目的干扰而获得了对自由的内在体验，这种自由之感具有内在的平衡性，暂时没有任何力量可能打破这种平衡而产生危机，这一切使她产生了一种幸福之感：

彻骨的幸福倾倒了下来，从此以后，没有一个人能用蔑视来伤害我了，绝对没有了。

老虎光艳夺人的美目敌御四方。

我飞奔回村，跃进家门，彻底欣慰地扑到床上，每根骨头，每根

肌肉都在发抖——

啊，我见到了老虎！

体验这种自由是一种最高的幸福，这种自由的蔑视给主人公以最高的自尊，不可能被超越，因而从今绝不会被蔑视。这里感情的特异性不仅表现在它活动的各个阶段，而且表现在各个阶段的逻辑过程中：遭到蔑视的激动——对大自然超脱物欲的崇拜——体验到自由的幸福——获得了自尊和自豪的狂欢。懂得了感情的特异逻辑的重要才可能充分理解唐敏在《远山远水》中的追求。这是一部几乎没有连续性情节的中篇小说，它的骨架不是靠大起大落的悬念和发现来支撑的。唐敏有意回避那种外在动作的贯穿线索，代之以情感的脉络来贯穿全文。她在小说中有这样的自白："随着我家不停地迁移，生活的回忆也被裁成一片一段的，零零碎碎的，贯穿始终的只有那弥漫在我们家里的美好情感的气氛。"这就是说，唐敏找到了属于她自己的感情以后，她不但用来理解生活和人物，而且用来作为作品的逻辑线索，凭着这种特殊的感情线索，她那平淡无奇的家庭生活发出了异彩。

小说的人物关系是单纯的，但渗透在人物之间的感情却并不单调，当然，也不是太复杂的，也许我们可以说这是一种以复合性为特点的感情。所谓复合性，说的是构成那特殊感情的因子并不是单一的。对待妈妈和哥哥，她纯真的温情中带着轻喜剧性的幽默感。人们常常不善于把感情引向日常使用的功利性逻辑线以外去开拓感情的新大陆，感情色调的雷同往往使不同的乡土题材在胚胎中就老化了。许多作品写过母爱的动人，但是很少像唐敏那样把母爱的纯真与可笑结合在一起来写：

妈妈每次打我们，总要自己陪着哭一场，她本心是舍不得打的，但是怕我们变成"卑鄙小人"，只好狠心打。后来我们有了经验，挨了打就等妈妈哭。她一哭就去拿毛巾，默默地递给妈妈。妈妈抓住毛巾的同时，会一把抱住我们放声大哭。责罚结束了，我们大松了一口气，妈妈马上要给我们弄好吃的补偿她的粗暴了。妈妈在日记里不知写了多少次"我再也不打孩子了！"可是每次又照样打起来，哭起来。

这里的感情因子是多样的，一方面是妈妈外表的庄严和决心与内在的软弱和温情，平时的理性与脾气发作时失去控制的冲动之间的矛盾；另一方面是孩子天真的恐惧和善于利用妈妈弱点的狡黠之间的不平衡，这复合的因子渗透在单纯的人物关系之中，使一场责罚变成了一种美好的回忆。妈妈和孩子都不单纯是可爱的，同时又有可笑的一面，由于感情的特征不单纯是抒情的，而是幽默的，事情并没有什么严重的后果，因而这幽默是轻喜剧式的；又由于这种轻喜剧式的幽默是从孩子和妈妈的两个方面渗出的，因而比抒情的怀恋占有一定的优势，在总的格调上微笑的成分多于含泪的成分。虽然并不是一切场合都是幽默感占主导地位，但是具有这种优势的部分无疑是最生动的部分。作者在描写她哥哥的时候又一次进入了这个境界。孩子们在一起游戏，大孩子命令小孩子当坏人。哥哥为了进入好人一边，常把妹妹送去“挨枪毙”。“枪毙”的仪式与电影上常见的一样，旁观的孩子高呼“打倒大地主”之类，然后是“枪”声一响，坏地主们作怪叫挣扎状，纷纷倒地。然而妹妹每次都不肯倒地，结果被逐出游戏。哥哥因而被贬到坏人一边去。唐敏这样写事情的后果：

他气得拼命骂我，我的伤心简直无法比拟。

这简略的一笔，得力于哥哥妹妹各自着迷于自己的目的，而这目的的微不足道与着迷的坚定程度形成矛盾，幽默感就这样渗入了抒情格调之中。当妹妹想单独和哥哥一起玩布娃娃时：

可是哥哥却很骄傲，提出要让他枪毙我十次，才和我玩。我含辛茹苦地死了十次，才和哥哥玩一会，哥哥就没耐烦了。

这里突出了哥哥小小的自私和妹妹大大的痛苦，虽是在虚幻的境界中但又非常执着于自己的追求。同样的虚幻与执着构成了两个不能相同的心理世界，轻喜剧性的幽默感就是这些因子组成的。当然，光有这种轻喜剧还不能完全显示唐敏感情的特色。她的幽默感还有非常庄严的成分，兄妹的骨肉亲情还有非常无私的一面，哥哥会从幼儿园省下一大块糖大大咧咧地“赏”给妹妹；妹妹受了欺侮，哥哥会去伸冤报仇，而哥哥并不指望任何报答。正因为如此，哥哥成了妹妹崇拜的对象，连他的吹牛皮也成了妹妹的“圣经”。这样的复合性就使唐敏的抒情色调有着丰富的内涵，远非那种单调的感叹和油滑的夸张可比。

唐敏的抒情格调更大量的并不以幽默见长，而是正剧式的庄重动人。轻喜剧式的幽默能使在痛苦中搬迁的家庭添上温暖的色调，但是却不能深化矛盾，特别是不利于矛盾的解决。正因为这样，贯穿在作品中的是正剧式的抒情逻辑。而这种正剧并不是完全的正剧，唐敏往往把悲剧当作正剧来抒情，在痛苦中，在亲人的死亡中，在精神的失落中寻求那骨肉亲情，乡土之恋的诗意。

《远山远水》的开端写主人公在“十年浩劫”之中，感到精神上“无根无须”，心理上的孤寂和苦闷。没有到过父亲家乡的下一辈对家乡的民俗和民习是那样陌生，没有见过祖母的孙子和孙女对祖母精心制作的绣花鞋和锦缎棉袄是那样不以为意，而在幻想中，他们渴望对前辈英雄业绩的继承，甚至设想了故乡的标志——一棵小树，并在这棵树下牺牲。他们在幻想中寄托着对故土的向往之情，而在现实中却又不理解前辈对后辈无条件的克己的爱。后来，祖父祖母那无私的亲情，姑姑那近乎民间故事式的对兄长的依恋，故土乡亲们对父亲的关注作为一种崇高的精神力量灌注入下一辈的心灵。祖父在危难之中的克己精神，他对儿子的信任和体谅，他临终对儿子的思念，姑姑带来的有关故土亲情的信息都在妹妹和哥哥心灵上引起波澜。他们开始在感情上转变了。不承认自己是故土的儿女，不屑于作“乡下人”的下一代，终于体验到那来自远山远水的乡土亲情的珍贵价值。本来憎恶自己与姑姑在容貌上相似的妹妹最后被姑姑讲述的故土亲情感动了：

最初见到姑姑时的陌生隔阂完全消失了。我像小时候那样任性地哭起来。

生平第一次，我体会到故乡人肝胆相照的深情，我没有向导，世界上对远方亲人会有如此深切的怀念！我心里积郁了多少年的孤单之感开始溶化了。

这就是小说中矛盾的解决，也是作品主体的显现。这一切都以感情为贯穿线索，对爸爸感情的解释，对祖父祖母感情的理解，对姑姑感情的评价，对家乡感情的升华，都围绕着这条感情线索形成一个统一的有机整体，从感情的失落开始，以感情得到归宿为结局。年已 30 岁的哥哥也开窍了，终于学会了像模像样地做儿子和哥哥，他本性中善良厚道的光华照亮了他，他变成了另一个人。当然，在这里起作用的不仅仅是感情，还有虽然单纯、但却深邃的思想在起作用。唐敏几乎是独立地提出了一个主题，那就是关于中国人的乡土感情的主题。她不像刘绍棠那样把乡土风习当作乡土文学的外在标志，她所探求的是乡土亲情的内在价值，特别是没有到过父辈乡土的下一辈精神生活的内在价值。她提出的问题是当下一辈已经在城市中经历着另一种物质生活和精神生活时，父辈的乡土亲情作为一种精神血统，应该起什么作用。

这个主题是得到相当深刻的表现的。

唐敏把这一切升华为一个精神上寻根的主题，她所寻找的是乡土亲情的根，她测试了远离乡土的农民儿女与农村风习精神血脉联系的深度和广度。实际上这不仅仅是一个家族的悲欢，也不仅仅是时代对一个村庄、一种民俗的解剖。在这一段生活中包含更广泛、更深刻的意义，那就是新一代，受到现代科学文化和政治教育的新一代，对我们民族的心理文化素质的认同。在现代城市中成长起来的下一辈，他们不仅仅在地域生活方式上与父辈出生的村庄远离了，而且在人伦关系上，在价值观念上也远远地脱离了。这种精神血统的断绝对于我们民族是幸运，还是不幸呢？这样大的问题，不是唐敏这部小小的中篇所能容纳得了的，但是她以女性作家的敏感和机智告诉我们，在经历了一番曲折和悲欢离合之后，这种精神血统又与后辈青年接通，这就使得后辈青年的精神痛苦得以解脱。也许我们不免要遗憾，即使这种悲剧性的正剧抒情比幽默性的抒情有更强的表现力，它也不能充分展开唐敏已经触及了的一个重大主题。也许在唐敏笔下的空白之处留下了更多更有价值的新大陆，但是凡是唐敏笔触所及，她都自成境界，用民族传统的心理和文化来解决后辈青年的精神孤寂，这个发明权属于唐敏。

精神孤独和精神归宿问题本是西方现代派的传统主题，到了唐敏手中，她赋予它以不同的社会意义。她既然几经周折摆脱了对生活的被动摹写，也必然要摆脱对他人的模仿。她没有脱离社会去孤立地探求个人的精神孤寂和归宿问题。她把这个问题放在 20 世纪 60 年代"十年浩劫"以及新时期的广阔历史背景上，作为一个社会问题，也作为一个伦理问题，同时又作为一个审美问题加以探索。在这中间她特别强调了个人命运与民族、国家命运的统一性，甚至歌颂了那种为了民族命运克制人伦亲情的悲壮的牺牲精神，祖父一直不愿让父亲回乡，不让家人写信诉苦，原因是他认为儿子是"国家的人"，不能干扰。而正是这一考虑，使他临终也未能见儿子一面。

这样，《远山远水》在幽默的轻喜剧抒情风格中又增添了崇高的肃穆的色调。这里不仅有家庭骨肉、人伦感情而且有民族感情，在妹妹心目中，那连老师也讲不清的国旗的神圣意义，从祖父的精神中得到充分的理解。在对乡情、亲情、民族之情的认同过程中，唐敏突出了理性的作用，那种把民族看得比家庭骨肉人伦更重要的人，正是最富有家庭骨肉人伦之情的人，正是这种情理交融的精神对后辈的心灵震撼最深。

诚如前面已经提到的，抒情风格对于这样磅礴的主题，表现力毕竟是太单薄了。作品写到最后对于随姑姑而来的堂兄精神上的认同却是暂时的，由于经济地位的悬殊，生活在城市中的后辈并没有像老一辈那样进入那种超时空的、感情一体化的境地，他们不能接触堂兄的精神负担和经济困难。在崇高的抒情达到高潮时，作者也许意识到了传统精神血脉的局限，在光明的结尾处没有表示过分乐观，她留下了暗淡的一笔，悲剧毕竟留下了自己的烙印。

也许这是有意的吧。当然，如果要取消这一笔，就要有更大的突破。这不但要作者有更深的生活阅历，而且在心灵中要增加新的因子。例如，心理动作的戏剧化因子，具体点说，也就是像高晓声最为富有的那种因子，但是这样的药方太危险了，如果唐敏匆匆忙忙地去接受这种因子，其结果可能是失去自我，在艺术上全军覆没。而要真正提高心灵的素质，就要把别人的因子变成自己的因子，如果不能变成自己的，那还不如不要。

1985 年 5 月 13 日西湖宾馆

文化废墟上的精神崩溃[①]
——论《废都》

一、一个没有爱情的世界

《废都》的性描写是空前露骨的。有人作过统计，全书作者自注删去若干字者凡 42 处共一万余字，所删字数与人民文学出版社 1985 年出版的《金瓶梅》为编者所删字数相近。我在福建省图书馆做关于《废都》的报告后有个人提出，这样正面描写性行为，不能容忍，建议有关方面查禁此书，但立即引起了一阵友好的笑声。

从表面看来，这种意见不无道理，因为在“扫黄”过程中，许多书籍、录像带就是因为具有正面描述、表现男女性行为而遭查禁的。读者自然会产生怀疑，为什么不把这样的作品扫到黄色垃圾箱里去呢？有人提出，这是一部“现代《金瓶梅》”。我觉得这不恰当，《金瓶梅》是一本古典名著，虽然以性的描写、渲染、形容、赞叹闻名于世，但仍然由于它对现实生活的深刻表现而名列于中国古代小说划时代的杰作之列。贾平凹的这本《废都》，不管有多少人表示赞赏，总还没有人发昏到把它当作当代文学杰作，它的影响和地位肯定不如《金瓶梅》。从另一方面讲，《金瓶梅》直到现在还不能全文公开发行，即使是删节本，也只能在有限范围内发行。我们不能把《废都》简单地等同于《金瓶梅》，因为在性行为的描写方面，贾平凹多少还有节制的，不管书中注明的“删去……字”，是已经写成后删去的，还是本来就没有的，作者总是表现出一种节制，不像《金瓶梅》那样，正面表现了还不过瘾，还要用一些诗词来赞叹、渲染。

① 发表于《通俗文学评论》1993 年第 4 期。

《废都》和《金瓶梅》的不同还在于，《金瓶梅》的作者对于书中人物放荡的生活，虽不能说完全无微词，但在总体上并没有多少批判的审视，所以，有人说《金瓶梅》有点像西方 19 世纪的“自然主义”。而《废都》虽然在局部上，也许有人觉得贾平凹对于主人公庄之蝶有一点“划不清界限”，但是，从整个情节的倾向来看，他给他的主人公设计了一个鸡飞蛋打、一切皆空的下场。这部书的基本构思就是在传统文化废墟之上的一个现代知识分子从肉欲放荡到精神崩溃的过程。

这个构思是贯穿在全部人物、场景和情节之中的。一个细心的读者，一个有一定文化水平的读者，是不难感觉到作家对他主人公的“最后审判”还是比较严厉的。作家贾平凹并不是像有些评论者所说的那样，就是主人公庄之蝶，因而《废都》虽然因它的性描写而轰动，但是它并不是一部色情小说，因而它不可能被列为“扫黄”的对象。

《废都》的全部情节，充满了性爱，但是它不是言情小说，它比通俗文学，甚至比琼瑶、亦舒那样的言情小说还高一个层次。这是因为，即使写性爱，贾平凹也还有严肃的一面。他在写主人公庄之蝶与一群女性的关系中对人们性心理的揭示多少是有一些值得重视的，也许还可以说，并不完全是肤浅的东西。例如，他和他妻子牛月清的肉体关系缺乏情感基础因而就不和谐，而和其他女性则相反。这固然算不得有多深刻，但不能说它不严肃。当然，在这方面，贾平凹的严肃性是有限的，因为他的主人公和那些初次见面，但并非一见钟情的女性也闹得热火朝天。虽然这些女性中有比较严肃的甚至是柏拉图式的（如画家汪希眠的太太），但在许多场合下，贾平凹似乎有点放任主人公的本能，反正是精神崩溃了，也就不那么认真，没有什么精神归属，也谈不上什么人生道德理性的终极关怀了。这就是精神崩溃，不想用自己的精神、道德、观念控制自己本能的冲动了，就流露出玩世的情绪。这就是颓废。对于一个很有影响的作家来说是一个很大的悲哀。

正因为这样，在《废都》中有那么多的男女之情，可读者却很少找到爱情，所以说，这既不是一部言情小说，也不是一部爱情小说，如果硬要给它一种命名的话，我想“情爱小说”可能比较恰当。“情爱小说”不同于爱情小说之处就在于它没有爱情，更多的是性的吸引。自然，《废都》中不是没有称得上爱情的超越于肉欲的男女之情。例如，画家汪希眠的太太对于庄之蝶，就一往情深，但是却拒绝了庄之蝶肉欲的要求，这是一种柏拉图式的爱情，但这只是一个次要人物，在众多女性群像中是个陪衬人物。对于这种超然的爱情，贾平凹没有什么兴趣，因而他把她放在可有可无的地位，在情节的发展之中，她不起任何作用。还有一个算是有一点爱情的故事，那就是钟主编对他那已经离了婚而且又不知去向的妻子执着的爱，但贾平凹并不赞赏这种超越肉欲的爱，因而他用一种喜剧性来处理他，让他处在一种被调侃的地位，让他显得迂，显得可笑，显得傻乎乎，没有什么男子汉的气概。

贾平凹的整个作品是现实性很强的，他对平淡的甚至平庸的日常生活很有兴味，他对一切现实中琐碎的东西津津乐道，但是对于浪漫的理想化的爱情、神圣化了的爱情嗤之以鼻。就连那个看来是遁入空门的慧明最后也吃避孕药。一切都是煞风景。在男女情爱这个领域中，男人除了肉欲和被美色的吸引，女人除了对名人的攀附以外，什么都是胡扯。

在女性群像中唯一带有一点浪漫色彩的是那个阿灿。这个人物一方面和庄之蝶那些女性崇拜者一样，崇拜名人的唯一方式就是奉献自己的身体，一见面就上床；另一方面，她又突然变得非常精神化，在为自己的姐姐报了仇（和对方接吻时咬下了人家的舌头）以后，就再也不见庄之蝶了，不但不见，而且毁了自己的面容。这样的“两极分化”显得很随意，与其说，来自作家的心灵体验和概括，不如说，来自作家的技巧。就技巧来说，这使我们想到了雨果的浪漫主义方法——把人物的性格放在善恶两极中展示。雨果是一个伟大的人道主义者，他对于世界有鲜明的爱憎，他的方法和他的思想是充分统一的，而且是有机的，但贾平凹，在《废都》中表现出来的是善恶的混淆和迷惘，出现这样一个人物，多少有点不伦不类，尤其是贾平凹是一个冷静的、客观的、不动声色的现实主义者，他的叙述语言是“憨憨”的，喜怒不形于色的，一片迷迷濛濛的色调主宰着他的人生图景，在这样的背景上突然出现这样一个大红大绿的人物，多少有些不协调。

也许贾平凹很想在阿灿这个人物身上，表现得更严肃一些，但是他光有严肃的技巧，而缺乏严肃的生命体察；因而这个人物就总体来说，并没有达到作家预期的效果。

二、降低了的美学标准

我们说贾平凹在男女两性关系的描写上不是非常严肃的，还因为他的这种描写在许多方面是重复的，是在同样的意味上、同样的层次上滑行的，也就是说，它没有任何深化的趋向。

对于一个严肃的作家来说，任何场景、人物、行为、语言的展示都不仅仅是为了它们本身。任何一种动作、语言，不仅有现场的意义，而且有主人公内心生活阶段性的意义。当然，我们不能要求每一个作家都遵循惯例，同样是接吻，在不同时间有不同的意味；同样一句话语，在不同场合显示出不同的内心层次。我们完全可以期待，一个严肃作家在涉及两性关系的正面描写时，不要在同一意味上、同一心理层次上反复地、任意地、漫不经心地流连忘返，踏步不前，给读者一种失去目的性，或者说得直白一点：耽溺的感觉。

对贾平凹这样一个很有影响的作家，提出这样的要求，并不是苛求，因为世界文学和中国当代文学在这方面早已有了前仆后继的探索。同样是性行为描写，引起旷日持久的争议的《查泰莱夫人的情人》，就没有给读者重复、无目的、耽溺之感，这是因为劳伦斯的性描写有社会批判的意义。要唤醒一个上层妇女的生命自觉，要冲破上层社会特有的、虚伪的礼法和成见都是十分艰难的，这需要一个过程，而性行为往往成为这种冲破传统乃至阶级偏见的一个阶段性标志，它不仅有生命自觉程度的意义而且有社会反抗阶段的意义，正因为这样，目的性使它不可能重复，而且没有必要重复。

张贤亮在《男人的一半是女人》中，也是这样做的，他表现得格外认真，不仅他正面描写得很少，而且赋予这种描写以情节和人物关系的转折性意义。张贤亮以他谨慎的比喻和象征在很大程度上超越了感官的强烈刺激。他在许多地方显然是力图用诗意的美化来使人的欲念升华。正因为这样，读《男人的一半是女人》，读者不难从中得到一种从肉欲中解脱出来的精神享受。当然这也与张贤亮的许多男女主人公的故事构架总是在被吸引、追求、征服、灵魂超脱、分化中往返循环有关。主人公总是在肉欲（包括食欲）得到满足以后感到精神空虚。不是在环境逼迫下产生空虚感，而是内心自发地冒出来一种缺乏精神超越的羞辱之感，张贤亮主人公的主动超越与贾平凹主人公麻木的沉溺恰成一个有趣的对比。

三、为什么要节制性爱描写

当然，贾平凹还不能说是没有节制的，至少他还不想在性描写方面超过《金瓶梅》，所以，他不等后世人替他删节，他自己就先删节了。这种采取主动的方式，自然是一种姿态。我不知道所谓删去几百几十几字的自注是否是准确的，确实的，但是这种姿态对于艺术来说是没有任何意义的，似乎作者的目的，也不在于因为删去了许多字使艺术受损而深感痛惜；给人最强烈的印象，倒是这种作态其直接目的是商业广告性的轰动效应。在这方面，他是很成功的，但在艺术上，他所付出的代价是相当惨重的。

贾平凹虽然声明“作者删去”，但这绝不意味着他真认为有删节的必要。他的思想落在了他行动的后面。他多少有一点委屈情绪，好像是屈从于什么世俗成见似的。

其实，性行为的正面描述应该力求淡化，这本是属于常识范围之内的事，但是科学也往往产生于对常识的怀疑和批判。因而对贾平凹的委屈，我们不当以缺乏常识而轻浮地表示不屑一顾，而应该以科学的态度，严肃地给以理论的回答。

性行为的描述之所以要尽可能加以避免，其原因就是它强烈的感官刺激、本能的冲动和审美情感活动的超越性互相矛盾。本能的感官刺激性越是强，审美情感活动，特别是想象越是难以拉开距离，实现必要的飞跃。

在人的本能之中最根本的，也就是最强烈的，就是食欲和性欲。告子说，“食色，性也”，但在这二者之间，并不平衡。一般来说，食，是维持生命的必要条件，有它的迫切性，所谓“民以食为天”。性则是延续生命的基本形式。在通常情况下，维持生命的本能是最迫切的。只有在生命得以维持以后，才可能产生延续生命的要求，吃饱了，穿暖了，才可能产生追求异性的问题。所谓“饱暖思淫欲”者，此之谓也，但是一旦温饱得到满足以后，性的本能在冲动的强烈程度上则大大超过了食欲。正因为这样，我们在看文学作品时，不管作品多么淋漓尽致地描写了大吃大喝，都不会刺激我们去采取暴力行动以满足口腹之欲。《水浒》中武松过景阳冈之前喝了 18 碗酒，好几斤牛肉，对我们的食欲并没有特别刺激。法国拉伯雷的《巨人传》中那个高康大也是个伟大的吃东西的能手，胃口大得吓死人。巴尔扎克的邦斯舅舅是个不可救药的饕餮，伟大的作家尽情地描述了他们的食欲，对于读者，并没有产生副作用。陆文夫的《美食家》则更是如此，以至于我们并不把他的主人公当成任何一种“好吃鬼”“贪吃婆”，反而接受了作家给他的一个雅号：“美食家”，把特别精致的食欲自动地转化、升华为情感的审美。

但是人的性欲则不同，它有特别强烈的自发性、破坏性，这是食欲所远不能比的。性欲特别经不起挑逗，只要稍稍刺激，人的本能冲动就可能冲破社会的道德礼法，乃至法律的规范，所以，在这方面有特别严格的防范，最严厉的要算宗教的禁欲主义。宗教的禁欲，并不是禁绝一切欲望，而主要是性欲，因而佛教当和尚要禁绝性关系，抑杀性本能。西方天主教神甫也不得结婚，但是不论天主教还是佛教都不禁止食欲，即使佛教要求和尚禁荤食，也绝对不可能连素食也一并禁了。

这样严格乃至严酷的戒律毕竟不是大多数人能接受得了的，因而除了宗教的禁欲戒律以外还有世俗的禁欲礼法，如阿拉伯妇女出门戴面纱，中国有男女授受不亲之大防。有一个传说，孟姜女之所以要嫁给万喜良，仅仅是因为她在池边洗手，把袖子挽起来，让万喜良看见了。这就不得了，本来得把这一段手臂割给他，后来作了一些变通，索性嫁给他，这样就保全了手臂。

所有这些，都不过说明了一点，人类防范性欲的无政府状态是如何矫枉过正，这自然是人类在一个历史阶段不够成熟的表现，不过，反过来说，为什么不对食欲也采取这样宁愿野蛮一点，也不愿放宽一点的防范手段呢？这说明，食欲即使遭到挑逗也不会让人不顾面子、礼法，而性欲则不同，这玩意不挑逗，已经很强烈了，一旦挑逗起来，就可能使人失去自我控制的能力，置人类长期积累起来的文明礼法于不顾。

在本能冲动方面，人和动物是没有什么区别的，人之所以不同于动物是因为在人的下丘脑中有一种对冲动的约束机制，但这种约束机制不是万能的，到目前这个阶段，这种机制还是比较薄弱的，因而必须依靠后天的文化、文明、纪律道德的熏陶，才能强化到一定程度，才能经得起社会生活中种种引诱的考验。正因为此，我们才要“扫黄”，以防止外界的刺激引起本能的越出轨道，就是西方一些号称性开放的国家，对饭店的广告也没有任何限制，而对所谓性商店却不但不允许做广告，而且不允许装潢门面，在英国这样的商店一律只能漆成暗淡的蓝色。

也正因为这样，人类才需要文学艺术来陶冶感情，让情感从肉欲中升华出来，文艺的价值在审美，它的特点不同于肉欲的实用。只有从实用价值中解放出来，情感才能上升到审美的层次。古今中外的爱情小说，那么多故事，其实说的就是一个道理，那就是并不实用的情感如何战胜了实用的贪欲。从实用的本能来说，结婚是为了生孩子，可是如果光是为了延续生命，那么就不存在爱情，如果是为了传宗接代，贾宝玉就应该选择薛宝钗，杜十娘就不必抱着百宝箱自杀，安娜・卡列尼娜不用卧轨。这说明，艺术家的任务在于诱导、培育人类心灵中另一超越肉欲的冲动，也就是审美的追求。

正是这种美的追求，使得人类的精神文明大大提高，爱情之花在人欲横流的商品化的市场上抗击着污染的空气，发出馥郁的芬芳。

文艺之所以要存在，之所以重要就是因为它能帮助人类，在横流的人欲中实现美的升华。然而，贾平凹却感到委屈，这说明在根本上，他似乎已经忘却了文艺的根本任务。

四、艺术上惨重的代价

贾平凹在《废都》的写作过程中，一直处于某种不清醒状态。这种不清醒，不仅表现在文艺的基本任务方面，而且表现在艺术的追求上。

本来，贾平凹的全部长处，并不在于这种性的描述，他的长处在于他的叙述，平静的、不动声色的、抑制作者倾向性的叙述。这种叙述，不同于余华、格非、苏童、莫言。在莫言、格非、苏童、余华的叙述或者他们的话语体系背后，我们可以隐隐约约地看到某些西方叙述学的影子。这是一种潮流，为了创新、突破，师法西方大师，但贾平凹则不然，他师法的是中国传统的白话小说。这种叙述学有一个特点，那就是受中国历史传记的叙述方法很深的影响。中国史传文学的一个传统就是所谓的“春秋笔法”，表面看来，都是客观的叙述，没有任何外加的作者的主观判断、形容、感叹在内，但是在行文的内在逻辑和话语中，细心的读者会领悟到作者的倾向，这叫“寓褒贬”。这种“史家笔法”，在《儒林外史》《红楼梦》中达到了相当成熟的境界。贾平凹师承的就是这种相当深厚的叙述传统。他只是叙述，似乎没有形容，没有感叹和渲染，更没有抒情。他说过：“我喜欢‘憨憨的’感觉。用雅话说，这叫大智若愚……表面看好像模模糊糊，灰灰蒙蒙的，其实里头是很秀的。再就是所谓的疏懒……看去随便撂上几笔，其实很有意思，很有味。”[①]为了说明这些，随便举一个例子。《废都》开头学《红楼梦》大体介绍人物，展示了西京故都“四大名人”的轮廓，说到书法家龚靖元，他的书法名声在西京超过了民国初年的大书法家于右任。他和画家汪希眠一样，身旁总有“一堆赶不走的女人”，但“他逢场作戏，好过就忘了”，所以“好多女人都自称龚氏的情人，龚靖元却说不出具体名姓。他的字现在很难求，一般人求字他是不盖章的，不盖章等于白搭。要盖章要他夫人盖，那就当面交款，一张条幅一千五,一个牌匾三千元。钱全由夫人管着，龚靖元零花钱是没有的，但他爱打麻将，一夜常输千儿八百，没有钱就写字来顶，他的赌博是出了名的，公安局抓了三次，每次抓了进去，为人家写上一串的字，又放出来了”。

这种叙述表面上平静而琐碎，实质上充满了戏剧性趣味，一个名满西京的大书法家，一方面和许多女人不认真地相好，一方面又十分认真地怕老婆；他有很多很多钱，但却没有零用钱；他是个大文化名人，却好赌；赌输了，被抓了，又以书法赎身。这里的很多事情，都发生在有文化与无文化的两个极点上，而又恰恰统一在这个人物身上。作者无一字褒贬，而读者不难感到作者对这位所谓文化名人的揶揄和调侃。

他这种“憨憨的”叙述是很成熟的，如果《废都》没有这么成熟的语言，我不知道它还能不能让人看得下去。这部小说在人物塑造上的成就是有限的，虽然几个女性人物都各有特点，但是都缺乏深度，有些人物很明显的单薄。例如，那个阿灿，特点都有了，就是缺内在深厚性。柳月也是这样，本来还是挺有光彩的，一到庄之蝶家就进了一个女性类型化的套子。她对文化的追求本来是她性格的核心：她在别人家做保姆时，为了能读书，就想法抑制孩子的哭，给人家小孩吃安眠药，这种美中之恶，后来不知为什么没有再往深度里发展，相反，变得缺乏个性逻辑了。明明发现了庄之蝶与唐宛儿的关系，又和庄之蝶发生关系；后来又与一个年轻人谈情说爱，最后竟忽然同意嫁给市长身有残疾的儿子。这个人物从个性上来说是缺乏内在统一性的，但是她仍然给读者留下了很深刻的印象，这主要得力于语言，尤其是在对话时，不仅是她，还有唐宛儿，对话都极其精彩，伶牙俐齿，乖巧，嘴上甜蜜蜜的，心里鬼主意瞬息变幻。

所有这些人物刻画，贾平凹都没有运用多少描写、形容，他就是从容不迫地叙述，很

① 王永生：《和贾平凹谈语言》，《多色贾平凹》，第193页。

少用形容词，尽量用动词和名词。没有什么环境、肖像、行为细节的描写，却生气勃勃。这是很到家的语言魅力在起作用。

作者几乎没有任何主观的判断，小说的整个滋味，深刻的倾向都在情节、人物关系的逻辑之中。写得最精彩的、也就是语言工夫最到家的，是龚靖元的葬礼。

龚靖元由于赌博又一次被捕。这次写字不行了，得花六万元赎身。龚的儿子小乙抽白面，完全是个废物。于是庄之蝶以龚靖元肝胆兄弟的身份出来张罗。正好他的画廊要开张，就用极低的价钱从白面鬼那里半骗半买弄去了龚靖元书法珍藏中绝大部分精品。龚靖元释放归来，本来还颇为欣喜，以为儿子总算有能耐，朋友也够肝胆，后来发现原来是自己的珍藏精品全光了，于是他就发疯死了。

贾平凹非常精彩地写龚靖元的追悼会，应该说比他非常认真描述的柳月婚礼要深刻、隽永多了。中国古代史传文学所谓“寓褒贬”的内在张力发挥得淋漓尽致，尤其是写庄之蝶在追悼会上的表现时，贾平凹没有简单地对他进行道德的谴责，甚至也没有露骨的讽刺。他相信稍有欣赏力的读者能够看出，龚靖元在很大程度上正是死于庄之蝶之手，再对庄之蝶正面地加以斥责，那就是很肤浅了。贾平凹“憨憨的”，不动声色的叙述在这里表现得恰如其分，既没有过火，也没有过温，既给读者留下了足够的想象余地，又给读者提供了足够想象的诱导。

贾平凹很具匠心地让龚靖元的白面鬼儿子诚心诚意地给庄之蝶磕头表示感谢，在灵堂布置时，又让庄之蝶写了对联，上联是“生死一小乙”，小乙就是龚靖元抽白面的儿子。作者害怕读者看不明白，让画家汪希眠解释说，这就是说他“生了小乙，又死在小乙手里”。下联是“存亡四兄弟”，汪希眠又说，这是四兄弟缺了一个“抒发咱们悲哀的”。这里表层语义与读者已经了解的事实发生错位，显出庄之蝶的虚伪来了，但如果光是把庄之蝶写成一个见财眼开的虚伪人物又太浅薄，于是作者又让庄之蝶更充分地痛苦了一番，轮到他写自己的悼念对联时，贾平凹写他拿起笔来“手却突突地抖……汗却从额头渗出来”，而汪希眠则在一边说龚靖元生前如何欣赏庄之蝶写字，下面写：

> 庄之蝶听了，不觉心里一阵翻滚，眼睛一闭，几颗泪珠下来，就势着墨在那纸上的泪湿处写了。也是一联。上联是：“生比你迟，死比我早，西京自古不留客，风哭你哭我生死无界。”下联是：“兄在阴间，弟在阳世，哪里黄土都埋人，雨笑兄笑弟阴阳难分。”写完，已泪流不止，又去灵前跪了，端了一杯水酒去奠，身子一歪就晕了过去。

对联，写的是肝胆兄弟的无限悲痛，眼泪又不是勉强硬挤出来的，特别是最后居然还哭晕了过去，好像这种感情生死不渝，但事实上，读者明白，龚靖元恰恰是死在他手里。

作者没有解释庄之蝶为什么那么出格的悲痛，如果一解释（也就是用西方的心理分析法）那就只可能有一种解释。而贾平凹追求的是某种复合的情感，也就是所谓复调效果。庄的悲痛有多种可能，有可能是对自己的过失麻木不仁，不觉得自己道德上有多污点，还一本正经地悲痛得没个完；有可能他已经感到自己的罪责，借着悼念龚靖元发泄一下自己对自己的悲哀，或者说用悼念龚靖元来掩饰一下自己的某种觉悟；更有可能，就在悼念开始的时候，他还没有意识到自己的卑劣，可是越到后来，他越感到自己精神崩溃，他再也无法用玩世不恭来解脱自己了，才终于晕了过去。这种种可能，作者没有选择，而是把它复合的意味统统蕴藏在“憨憨的”叙述之中，这就使得他的小说很耐读。这是中国传统小说“史家笔法”“寓褒贬”的胜利。

这种方法不但上承传统，且与西方现代小说的一种流行的叙述方法接上血脉，这就是海明威以来所谓的“冰山风格”“白痴一样的叙述”和罗兰·巴特所主张的排除作者情感流露的“零度写作”。

欣赏这样的叙述艺术不但需要读者有更细致的修养，而且要求读者有较为宁静的审美心绪，有高度集中的内在注意，但是，很可惜，这样精致的艺术被许多读者忽略了。原因是作者粗野的男女性爱描写已经扰乱了读者的审美心绪。感官刺激的过分强烈，相对地抑制了，甚至扰乱、破坏了读者的审美心绪，以致审美感知很难超越，很难从性欲的刺激中解放出来，上升到美的境界。贾平凹笔下，每一个女性出现的时候，都是很漂亮的，但是在故事情节的发展过程中这种漂亮都没有升华为美，相反，不是降低为性感，就是把美玷污了，弄脏了。

自然，写丑人，写弄脏了的灵魂，也可以有美感，但是过分强烈的性爱泛滥起来，以致那最精致的艺术美反而被淹没了。正因为这样，许多年轻读者对我说，《废都》开头还可以，后半部就不好玩了。也许这因为到了后来需要更宁静的审美心绪去欣赏的部分较多，而被反复挑逗和刺激得很兴奋的感官又迫使审美心绪进入抑制状态。即使有再细致的艺术，这样浮躁的心情也欣赏不了。

1993 年 10 月 10 日花圃

什么是艺术的文化价值
——关于《白鹿原》的个案考察①

文化是一个大词，之所以称它为大词，并不是由于它在功能上的重要性（像诸如经济、政治这样一些词在今天的语境中那样），而是因为它成了一个本源性的词。寻找本源性的冲动，在人类的历史中源远流长，这种本源常常被归结为某一个统摄一切的词，它曾经是上帝、自然、天道、理性等等，在这个世纪又有历史必然性。语言，一直到当下的文化，这也是我们所见过最大的一个词。这种倾向可以被恰当地称之为决定论的、本质主义的思考路径，它雄心勃勃地试图论证人类生活中的一切事物总是来自某个终极的根源或本质，在这个根源或本质中得到解释，最终又回归于这一个根源和本质，如《圣经》所说的“你来自尘土，也归于尘土”，归根到底一切都是这个本源、这个终极依据、这个大词所决定。既然文化已经成为我们这个时代的关键词，我们不免要追问的一个问题就成了：文化是什么，或者我们把什么认定为文化？正如文化学家们所指出的，文化有太多的定义，我们不可能讨论所有这些定义，我们所作的选择只能是按照文化这个词最经常被文化学者们所引用的方式进行讨论。

按照《大不列颠百科全书》的说法，所谓文化就是人的符号思维活动的产品及其生成的意义的总和，文化包括一个社会的艺术、信念、习惯、制度、发明、语言、科学、技术和价值等等，它已经大大超出了卡西尔所说的语言、神话、宗教、艺术、科学、历史六种文化形态。人们普遍通过成长于一个特定社会而习得文化，通过语言的使用、观察和模仿社会各种行为而习得文化。凭借这些方式，社会成员共享文化并进行代际传递，文化通过提供共同经验而使一个社会形成为一个整体。这种宽泛无比的文化定义意味着文化就是社会本身，一个由人组成的社会自身。艺术作为属人的活动，自然是社会的一部分，文化的

① 发表于《福建论坛》1999年第3期。本文系与福建师范大学毛丹武博士合作。

一部分，或者说是文化的一种特定的、重要的形态。在一个特定的文化系统中，各种特定的文化形态是相互关联的，极端而言甚至是相互定义的，用前卫的术语描述则是文化的各种“文本”的互文性，而一个特定的文化系统的价值和意义正是由这种内部文化因子或因子系统的相互关联所界定的，反过来界定了的文化系统又规定了内部的各种因子或因子的子系统在整体系统中的地位、价值和意义。这可称为文化解释的阐释的循环，这意味着文化与文化的各种“文本”之间具有互文性，是互为指涉的。在这样的理论视角中，艺术的文化研究自是题中之义。从这个角度出发，艺术的文化视野、艺术的文化研究就成为文化系统中跨文化因子的研究，学科上说就是文学的跨学科研究，研究艺术与符号的关系，艺术与神话、艺术与宗教、艺术与科学、艺术与历史的关系诸如此类等等。从艺术与文化诸因子的关系中去探测文化的总体性、普遍性价值，反过来又以文化的总体性价值支配艺术在文化谱系中由文化的普遍性价值所规定的特殊价值。艺术价值来源于文化的总体性价值，艺术价值在文化的总体性价值中得到阐释，艺术价值的最终目的是指向文化的总体性价值，这是一个极为严整、周密的文化决定论、文化本质主义的世界图式，是我们曾经目睹过最为宏大的叙事。如此宏大的文化叙事已经指认文化之外一无所有，文化就是世界（虽然文化总是某一特定社群的特定文化，但在一个跨文化交流的时代，我们已无法指认人类文化、世界文化这个巨型能指，而且某一特定文化也必须在与其他文化的差异系统也就是世界文化中才能确立主体身份或主体性），世界文化系统这一巨型能指不可能再通过任何“他者”系统来观察判断，文化只意味着文化自身。文化作为一个总能指无以在任何能指的差异系统中得以辨别，文化自身不能说明文化，文化只能成为某种普遍性的本质规定，而文化系统的各子系统也因其与文化总系统的互文性而分享了文化的总体本质。这样，当我们把艺术放在人类文化系统中进行考察与研究，从而期待获得一种总体性的文化视野的追求时，就转变成为为某种文化总体性的普遍本质规定作艺术注脚，艺术仅仅成为总体文化普遍本质的一种特定显现形式（这让人回想起老黑格尔的说法，美是理念的感性显现，只不过这里文化代替了理性所占的位置）。所以并不令人惊讶的是，在这样一种文化理论中并不存在艺术价值的地位，艺术所体现的仅仅是文化的价值，回归艺术本身成了令人生疑的口号，艺术性、艺术价值（如果还承认有的话，即使仅仅是被定义为在某种历史语境中文化指认什么是艺术性、什么是艺术价值）成为文化价值的附属品，艺术的价值取决于它在何种程度上完美地表达了文化的普遍价值。

我们将试图说明的是，我们反对的不仅仅是文化的普遍性价值对艺术的特殊价值的取代造成了并仍将继续造成曾经严重危害艺术创作和艺术批评的公式化、概念化的顽症（无论是昔日的政治公式化、概念化，还是今天的文化公式化、概念化），而且我们力图表明艺术除了作为一种特定文化的文化价值之外，并没有自外其身的文化价值，换一句话说，艺术的文化价值就是艺术价值本身。我们可以将长篇小说《白鹿原》作为一个富于典型性的个案进行剖析。《白鹿原》从发表到获得茅盾文学奖，赢得了众多评论家的交口称赞，并有巨大的发行量作为成功的证明。评论家们试图表明《白鹿原》在对从 19 世纪末到 20 世纪中叶的漫长历史时空的描绘叙述中，重现了“一个民族的秘史”，表达了对民族命运的深沉反思，是“新时期小说有关‘寻根 / 人性’双重话语的范例”“总结了 80 年代”“力图重构整体性的卓绝努力”，是一部中国文化在 20 世纪历史语境中的命运的厚重史诗。总而言之，《白鹿原》是民族文化整体性的价值象征，拥有无可置疑的、卓越的文化价值。在《白鹿原》文化价值的大合唱中，人们只能依稀地听到对《白鹿原》艺术价值的微词，也仿佛能够捕捉到对《白鹿原》真的具有深厚的文化价值的质疑。更富于微妙的启示是，《白鹿原》热情洋溢的赞美者们，也多多少少半遮半掩地承认它艺术上的缺失，如“古典或是写实和讲话式的象征之间也存在着拼凑的无奈”（张颐武语），但是他们似乎相信《白鹿原》“厚重”的文化价值足以弥补艺术上的缺憾。众多中国评论家们对《白鹿原》在艺术上的粗糙和笨拙的麻木不仁诚然是令人齿寒的，这固然是因为他们中某些人的艺术感受力和判断力已低劣到令人难以置信，却也是因为他们长久以来对艺术价值与文化价值的关系存在着理解上的偏差。这从白嘉轩这个形象好就好在没有自己的情感、知觉、没有自己的个性，活脱脱一个“仁义”的绝对精神之类的宣称中可以看出某种端倪。事实上引领当代中国文艺批评界的西方文论家中许多人并不一定缺乏精微的审美鉴赏力，却同样把艺术价值作为文化价值的附庸。应当承认，《白鹿原》的确有一个文化史诗的框架，整个文本显示令人眼花缭乱的互文现象，儒家文化、乡村礼仪、民情风俗、革命历史、道德说教、性、暴力、魔幻神怪、通俗趣味、意识形态构成一个大拼盘；从古典式的展现到现代型的叙述，从写实的描绘到复杂的象征系统，从精雅的文人语言到粗俗的民间话语的狂欢，从情节高潮的不断制造到人物形象、性格的突变，作者似乎急于调动一切他所想到的文本手段来完成他对“一个民族秘史”的许诺。似乎很难再找到一个文本能如此集中、典型地显示出当代文学创作和批评对于艺术价值和文化价值的理解的尴尬，它将有助于我们反思什么是艺术的文化价值。

艺术是什么？小说是什么？艺术家、小说家如何看待文化、如何看待历史？艺术家对历史、对政治、对意识形态、对文化研究的其他学科问题同历史学家、政治学家、意识形态学专家、其他学科的专家看待这些问题有什么区别？这些其他文化形态是文学艺术所皈依的神明，还是艺术虚构情境所需要的要素？艺术家所要做的是为历史、文化素描，还是在这些文化素描所构成的艺术虚构情境中去关怀人的命运和存在的奥秘？如果说人是符号的动物，文化是人符号思维活动的产品及其生成的意义的总和，那么艺术追问的是人类符号活动的产品，是符号活动生产出来的意义，是符号活动的过程，抑或是在生产意义与符号产品的符号活动中的人？几千年前，亚里士多德曾经指出，历史学家叙述已经发生的事情，而诗人描述可能发生的情怀，在今天我们理解这种可能性的时候就是理解在感觉、情感、智性的复合中人的存在境况和人类精神生成的可能性，正如米兰·昆德拉所说的，这“不是为了把小说改造成哲学，而是为了在叙事基础上运用所有理性和非理性的，叙述的和沉思的，可以揭示人的存在的手段，使小说成为揭示人的存在的手段，使小说成为精神的最高综合”，因此，艺术家的责任是以鲜活的，具有独特感受、情感、智性的，独特的个人去揭示文化中的人，而不是去反映人的文化。然而不幸的是，《白鹿原》的创作者对讲述历史“真相”的兴趣是如此的强烈，完全压倒了作家对人物的兴趣。为了维持他宏大的历史叙事，他一个接一个地设计情节高潮，却从不赋予人物充分的心理契机，在一个又一个情节的突变中，人物始终找不到自己丰富细微的感觉和情感的变异，只能是像一个听从命令的战士随时由指挥员陈忠实任意调遣，几乎作品中的所有人物都犹如在一场溃败的战役中无头苍蝇似的四处逃窜的逃兵。《白鹿原》人物的失败不仅仅是人物的失败，而且也是《白鹿原》历史文化观念的失败。任何一个艺术家的历史文化观念都不能仅仅是概念化的理性观念，而必须融入他的生命感觉、生命情感、精神世界之中，并带到他包含寄托的主人公的生命感觉、生命情感和精神世界之中的，如果他不能做到这点，那么他所为之寄托的那个精神世界，就是一个死亡的精神世界，而一个本已死亡的精神世界就已经丧失它存在的可能性和合理性，那么这一曲文化的挽歌、这一幕文化的悲剧就成为毫无意义的干嚎了。作者本想借白嘉轩这个人物从文化意义上解释历史发展的文化规定性，《白鹿原》原本企图告诉我们，20世纪是中国文化传统延续和毁灭的悲剧史，可是这个文化传统是什么？作者并没有从精神上真正地理解，他只好无可奈何地用“白鹿”作为这个精神的象征，去构建一个庞大然而却软弱得无法笼罩全书的、自欺欺人的象征体系。以象征体系作为基本的叙述方式，从整个场景和人物设计，到具体的人物、语言的安排都应该使象征贯穿叙事的各个层面，并且使象征的意味更多地以暗示的方式渗透、弥漫在文本各个细微之处，但是《白鹿原》中的白鹿简直就像硬贴上去的标签，白鹿的象征意味并未渗透到朱先生、白嘉轩的感知世界和情感世界之中，因为他们根本就没有属于自己独特的情感支配下的独特的感知世界，朱先生、白嘉轩不过是白鹿精神的图解，但白鹿精神是什么？白鹿精神是一个无家可归的游魂。在这种情况下我们甚至不能认为白嘉轩是儒家文化精神的图解，儒家文化就仅仅是“乡约”，是“仁义治村，耕读传家”？作者不明白，读者又何以明白？抛开小说艺术，把《白鹿原》作为中原儒文化的教科书怕也是太轻薄了而不是很厚重吧？我们继续观察白嘉轩这个人物，在他出场的时候，这是一个阴险、狡诈、心机深沉的厚黑式人物，是一个野心勃勃、为了发家不择手段的农民。他装出可怜相蒙骗对手，终于换来了鹿家的风水宝地（有趣的是作为儒家象征物的白鹿正是在这块土地上出现的），后来又从山里换来了罂粟的种子，成为“白鹿村”的第一个毒品生产者，他的发迹史远比鹿家“勺勺客”阴险得多，但是在大清皇朝覆灭、民国赶走了皇帝以后，正是这个白嘉轩旧貌新颜，突然变成了一个道貌岸然的“仁义道德”的君子。无疑作者给了白嘉轩一个精神的许诺，这个许诺也就是作者对历史作文化阐释时积极认同的东西，“皇帝没有了，以后的日子怎么过？”于是朱先生制定了“乡约”，乡约上的“德业相劝”“过失相规”“礼俗相交”就成了白嘉轩信奉的“三纲五常”，成为了他的精神支柱，这就是作者的精神许诺，也就是作者的文化寄托，但是，这样的精神寄托无法进入白嘉轩的精神生命，无法化作白嘉轩的情感、感知，或者反过来说白嘉轩的情感感知系统无法接纳作者的精神寄托，这也就意味着白嘉轩的性格断裂不仅造成了文本的巨大断裂和混乱，也指示着作者文化观念与精神寄托的浅薄。白嘉轩是如此，小说中其他人物也是如此。白嘉轩下一代的重要人物，往往也代表着儒家文化各式各样的叛逆者。鹿兆鹏、白灵代表年青一代的新型革命意识形态，作者企图把儒家文化放在同 20 世纪新型的革命意识形态的互动关系中进行考察，而这种互动关系的考察就是通过白嘉轩、朱先生同鹿兆鹏和白灵们之间的人物关系进行的。我们无法确知革命的意识形态激情是如何进入鹿兆鹏、白灵他们的精神世界的，这种革命意识是如何融入他们的意识的，并使他们的情感和行为与上一代以及上一代所代表的儒家文化产生歧异和背叛的，这些人物只不过是作者操纵的木偶，他所给出的人物情感动机甚至还不能达到《青春之歌》的水准，白灵成为她所属的阶级的叛逆比林道静更加缺乏文化和情感的必然性。本书作者还不想显出已经技穷只得求救于大段说教，而在人物关系上又不能刻画出不同文化的冲突，所以最终读者也无法理解共产主义意识形态、三民主义意识形态到底是怎样的一种意识形态，也就更无法理解在 20 世纪的新型意识形态强行介入的历史语境中，中国传统文化悲剧性命运究竟意味着什么。田小娥仿佛是个颇有点意思的女性人物，这本也是一个可以塑造得光彩照人的艺术形象，是一个可极大拓展作品的文化精神深度的形象，作者也企图着力于此，然而田小娥艺术形象的混乱再度暴露出作者艺术感知力与艺术想象力的贫乏。作者给人的印象似乎是既想指认田小娥为在阶级压迫、性别压迫等重重压迫下仍然张扬着原始生命力的弱女子，正是她丰沛的生命力将黑娃孕育成为一个能承担男性责任的男人，使他走向成熟，在小说的前部读者甚至可以设想“仁义道德”的化身，白嘉轩如果允许黑娃和小娥入宗祠的话，他们将成为白鹿村的又一对仁义夫妇。可是作品为了弘扬所谓仁义思想的教化作用，又突然将田小娥喻指向不可抗拒的性本能，她毫无抵抗地顺从了鹿子霖的淫欲，而又没有丝毫犹豫地引诱了白孝文，从而充当了一个堕落者，被朱先生、白嘉轩他们的道德与文化宣判了死刑，镇妖塔更是将她最后几丝挣扎也不留情地予以镇压，黑娃后来也终于在儒家文化的感召下欣然来投归。可是，在这样的形象设计中，“仁义道德”真的是审判官而不是被审判者吗？当田小娥在没有多少逼迫下，跑到戏台下一把抓住白孝文的生殖器时，这个女人当时的情感和感觉等于零，作家陈忠实的艺术修养等于零，而所谓的文化价值也等于零。在小说结构上，曾经有论者指出：“《白鹿原》的内容繁复到了无以复加的地步，即使抛开第二十一章大拇指郑芒的故事不算，《白鹿原》仍然包容了两部长篇和一部中篇小说的内容。首先出现的是叙述白嘉轩的奇特发家史的中篇，然后是两部绞缠在一起的长篇，其中主要的一部是讴歌白嘉轩仁义人格力量，为中原文化唱挽歌的文化毁灭史，另外就是以鹿兆鹏、白灵及黑娃等人为核心的革命斗争事迹史。这三个主题截然不同的小说被牵强地糅合在一起，《白鹿原》就具备了一种貌似史诗的规模和篇幅。那部以革命斗争为题材的长篇小说始终游离于小说的故事主干之外。”南帆也曾经提出：《白鹿原》原本可以有一个相对宏大的历史视野，但实际上在后半部完全消失了，前面因果人物关系的纬度转变成为机械时间的纬度，后面的共产主义、三民主义与儒家的关系是什么？作者对此毫不清楚，后半部体现在艺术上是结构上的断裂，而结构上的断裂又恰好延伸到整个历史文化体系的问题。总之，从以上分析我们可以合乎逻辑地指出：作品艺术价值上的重大创伤必然意味着作品文化价值的重大创伤，作品的文化价值正存在于作品的艺术价值中。

我们通过文本《白鹿原》的简单分析所试图解释的是：离开作品的艺术价值，我们不可能谈论作品的文化价值，除非我们认同在作品中进行长篇的文化分析和论说，但大部分由对文化所作的知性描述、分析、界说、判定组成的文本还能够被称作艺术文本吗？艺术是对世界的独特理解方式，是让人的智性溶解在独特的、不可替代的感知与情感的变异与创造中去理解、阐释世界，这是一个属人的世界，理解和阐释世界就是理解和阐释人，就是在对世界和人的理解和阐释中创造人精神世界的无限丰富的可能性。我们从不曾排斥和拒绝其他文化形态对于艺术的滋养，只不过我们认定任何非艺术的文化形态只能构成艺术虚构的情境世界里不可或缺的要素，它们服从于我们创造丰富的情感与感知的可能世界、通向精神自由的可能世界的伟大工作，既然我们已经拒斥了宏大的总体文化价值，对于艺术世界来说，任何其他的文化价值就必须成为艺术的价值，除了艺术价值之外不再有任何文化价值，艺术的文化价值就是艺术价值自身，只有这样的艺术世界才能为我们开辟现实世界之外的另一个可能的文化世界，这就是我们所理解的什么是艺术的文化价值。

《白鹿原》在艺术上的破产①

前一阵弄得满城风雨的《白鹿原》，其中一个主要人物白嘉轩是一个儒家仁义文化的人格理想的模型，或者说，一种绝对精神，他几乎没有自己的感觉，没有自己作为人的感情，他一切行为都是作者的仁义文化概念决定的，他没有自己独特的感受、情致，行为的逻辑，他的一言一行是一种儒家仁义概念的图解，可是这样的人物居然受到内地一些头牌评论家的鼓吹，甚至把《白鹿原》当作“史诗”，当作“新时期小说有关‘寻根／人性’的双重话语”的“范例”，“总结了 80 年代”“力图重构整体性的卓绝努力”（引自《文艺争鸣》1993 年第 6 期第 62 页）。

其实《白鹿原》从根本上来说，是一部在艺术上失败的作品，它的失败就在于它的概念化、人格理想化。

《白鹿原》被许多艺术悟性不足、鉴赏力很薄弱的评论家当作“史诗”般来鼓吹，甚至被电视台当作“中国小说走向世界”的一个标志来宣传，实在是评论界在艺术鉴赏方面的一次大出丑。

《白鹿原》之所以号称“史诗”，其原因出于它写了自辛亥革命以来的政治斗争和社会风习的变化，且不说关于“史诗”的理解，在许多评论家那里是一笔糊涂账，就算它是“史诗”吧，可在这样的史诗中包含的概念图解也太惊人了。作品写到辛亥革命，除了一些表面现象交待之外，唯一能令读者回忆起来的就是陕西省保皇派军队反攻革命，西安处于万分危急之际。这时作者搬出一个“白鹿精神”的象征，一个红火的绝对精神代表朱先生来，用纯粹理性的而且是谈不上雄辩的语言，就令复辟军首脑退回宁夏去了。从紧张到转折，完全是战国策的翻版，其特点是：以理性的机智语言决定军事政治形势的变幻。可是《战国策》讲的是雄辩的口才学，它的特点和缺点都在于夸张口才（辩士）决定一切的作

① 发表于香港《新晚报》。

用，但是它并不是中国小说的源头。任何小说家如果以为靠雄辩的口才可以塑造人物的话，就不懂小说的三昧。陈忠实在设计这个情节时，犯了一个悲惨的错误，这个错误不但在于混淆了口才学和小说学，而且把某种传说的单因单果的结构生硬地搬到现实性的（而不是传奇性的）小说中来了。这就像煮了一锅夹生饭，弄得不伦不类。即使是一些鼓吹《白鹿原》的评论者，也不能不感到这种拙劣的历史事实图解至少是不完整的、不和谐的，缺乏在情趣上、艺术上的内在精神的统一性。因而他们不能不非常委婉地指出："古典或是写实和讲话式的象征之间也存在着拼凑的无奈。"（张颐武）这说明作家陈忠实对于不同艺术形式之间的微妙区别缺乏起码的体验，他完全忽略了不同艺术形式的不同规范，不同趣味，正如不同的血型一样，一旦任意混同，必然导致致命的威胁。中国评论者对《白鹿原》的这种粗糙和笨拙居然表现得麻木不仁，实在是令人齿寒。

其实《白鹿原》的作者才气平平，从根本上来说，还处于在艺术与非艺术之间苦苦挣扎的阶段，他的情致、他的感觉还没有达到超越实用价值和理性观念的层次。在面临一个大的历史题材时，他基本上不能从人物的感觉、幻觉、潜在的动机和独特的情感逻辑出发去表现人物，而是根据概念和历史情势的发展安排人物作木偶式的表演。在大革命失败以后，需要表现国共分化，于是，白灵和鹿兆海的爱情就因纯粹理性的考虑而解决了。为了表现大革命后一部分曾经革命过的队伍沦为土匪这样一种历史复杂性，作者就让农民协会的狂热分子黑娃一下子变成了土匪。历史自然是很复杂了，但人物在这里却简单得既可笑又可叹。问题不在于黑娃会不会变成土匪，而在于他在一种什么样的感觉和幻觉中进入了土匪这个角色，当不当土匪是历史学家的事，用什么感觉带着什么样的情感去抢劫，正是艺术家需要以他的才华去发现的。肖洛霍夫写葛利高里第一次砍死一个瑞典士兵，为什么又策马回去仔细观察那具尸体呢？这是艺术家在揭示一个哥萨克青年第一次杀人的感觉。陈忠实在这方面几乎没有什么准备。于是他几乎习惯于轻率地摆布人物，突然让人物的行为发生重大转折，而毫无铺垫。最可笑的莫过于让黑娃的老婆在没有多少逼迫的情况下，跑到戏台下一把抓住白孝文的生殖器。这个女人当时的感觉和情感等于零，陈忠实的艺术修养在这里也只能是等于零。

文化价值和艺术价值的混淆
——再评《白鹿原》

20 世纪 80 年代中期以来，西方文学、美学、哲学流派源源不断地涌入我国文坛，对于我国的文艺美学、文学评论起了振聋发聩的作用，但是我国文坛对于不同流派的西方文论的亲和力是不一样的，有些流派和文论（如系统论、控制论等），至今仍然只在少数评论家中有某种市场，有些流派（如意识流、反小说、反诗、反文化等极端化色彩很浓的流派）则在热闹一阵之后，逐渐被作家和读者淡忘了。在我看来，这都是正常现象。任何一种外来的流派要在中国真正扎下根来，只是影响到为数不多的评论家是不够的，它至少应该影响到一大批作家的创作。任何文艺理论不和文艺创作相结合，就不可能有真正的生命。

在我看来，在 20 世纪 80 年代引进的西方文论中，绝大多数都将因其未能与中国当代文学艺术创作发生血肉的联系而逐渐枯萎。最有生命力的可能是弗洛伊德的性心理学说，因为这种学说，已经影响到文学创作的情节、结构、叙述，尤其是人物心理层次的复杂化。其次是文化学，因为它也影响到人物的心理层次，从表层显性结构到深层隐性结构的分化，但是比之性心理学说，文化学对于文艺创作的影响还比较浅。原因在于文学的发展和艺术形式（尤其是叙事文学中的小说）的特殊规律的深层结构还没有达到水乳交融的程度，在许多作家那里还有一点格格不入，这就产生了一个现象，那就是作品的文化价值和艺术价值的矛盾。

许多作家由于片面地醉心于文化价值，而忘了文化价值必须通过艺术形式规范的同化才能转化为艺术价值。纯粹的文化价值不但不是艺术，而且可能是反艺术的，因为文化是一个地域、一个民族乃至一个种族的共同心理状态，而艺术则不但要求民族共同体的普遍性，而且要求有作家个体的特殊性和艺术形式的特殊性三维统一。

不明白这一点，就不了解艺术的奥秘；对于这一点的漠视，使我们有些颇有名气的作家付出了惨重的代价。在贾平凹的《废都》中有一些冗长的文化风习的描写，是令人厌倦的，但值得庆幸的是贾平凹以他的才气和灵气似乎直觉式地领悟了其间的微妙，所以在《废都》中，一些婚丧仪式大体都还生动，尤其是写书法家龚靖元丧礼的那个场景十分精彩，比之他同样用功描写的柳月的婚礼（嫁给市长跛脚的儿子）要生动多了。原因在于，每一个参加丧礼的人表面上都一样是为追悼亡友而来，而主人公庄之蝶却多少意识到正是自己趁他入狱以极低价收购了他藏的名人书法的精品，导致他发疯而死。庄之蝶表面上是悲伤，他流汗、手发抖，写出十分悲痛的挽联，但心里却是十分痛苦的，因而最后哭晕了过去，而别人还以为他对朋友十分有感情。

这里充满了趣味和意味，不但由于主人公的情感本身，而且也由于主人公的情感与其他人物的情感发生了深刻的错位，而不是统一。这正是小说艺术的根本规律，不管是情节性小说还是非情节性小说都是如此。没有情感、动机、想象、语言、行为的错位，就没有戏可看，没有性格可言。柳月和市长儿子的婚礼之所以还算可看，就是因为柳月并不十分掩饰自己对这位新郎的不满，两个新人的情感错位时时可见，字里行间渗透着轻喜剧的意味。从这里看，贾平凹的文化价值追求并没有完全离开艺术形式规范。

比之贾平凹，陈忠实的才气就差了好大一截。这最明显地表现在文化价值和艺术价值的脱离上。在种种盛大场面的描写中，作者十分卖力地写了求雨的仪式和丧葬仪式。白嘉轩率领全村全族求雨的描写长达数千字，但是所有人都失去了自己独特的感知、情绪、想象的逻辑，互相之间没有任何距离和错位，因而没有生动的人物形象可言。陈忠实在描绘鹿兆海之死时也花了好几千字的篇幅，同样也只有笼统的、集体的、统一的情绪。所有参加者的个性都被统一的文化氛围淹没了。陈忠实显然没有意识到花这么大的篇幅来展示没有个性特色的场景是对小说形式规范的漠视，更没有意识到让那么多人的情感和行为没有任何错位和距离，只能导致个性的泯灭。从这一点上来看，贾平凹的艺术直觉要比陈忠实强多了。一个有才华的作家不一定在理论上明确意识到西方文化学的局限，但凭着他的艺术直觉，有时也可以克服其局限。相反，才力不足的作家，则往往不知不觉地被窒息了。

评改一段《白鹿原》

——三评《白鹿原》[①]

在这几年的文学现象中再也没有比“《白鹿原》现象”更令我困惑的了。一些朋友把它吹上了天，说是“史诗”之类，和他们争辩，简直是和聋子对话。他们说白嘉轩这个形象好就好在没有自己的情感、知觉，没有自己的个性，活脱脱是一个“仁义”的绝对精神。这涉及文学形象的第一大前提问题，争论起来也很费唇舌。任何学术争鸣都必须有个共同的出发点，如果没有任何共同的出发点，就叫作没有共同语言。

说到语言，这倒是一个共同的出发点，总没有什么人否认文学是语言的艺术吧？恰恰在语言的驾驭上，《白鹿原》是很蹩脚的，或者说是拙劣的。许多朋友在鼓吹它的“成就”时有没有稍稍留心它的语言经常笨重到叫人喘不过气来呢？其实就是作者刻画得最好的场面，那语言的啰唆和拖沓也显而易见。

在我看来，在《白鹿原》中，写得最精彩的场面，要算白嘉轩因其原定接班人白孝文与田小娥通奸而执行族规，当众对之进行鞭笞。应该说这个场面的心理网络的设计是比较好的，不但有白嘉轩妻子仙草的忧虑，而且有政敌鹿子霖的得意，还有长工鹿三的同情和小儿子白孝武的麻木，但是那语言中多余的成分太多了。例如：“孝武归来及时替代了不争气的孝文的位置，也及时填充了他心中的虚空。”不但第二个“及时”是修辞上的大忌，而且“不争气的孝文”中的“不争气的”，完全是蛇足，因为孝文此时已经不是不争气的问题了。其实这两句话只要并成一句“孝武归来填充了他心中的空虚”，这就够了。其他成分读者从上下文中一目了然。陈忠实这样浪费语言，并不完全是他对读者理解力的不信任，而是缺乏对语言功能的钻研。接下去，“孝武领诵完了乡约和族规的有关条款，走到父亲跟前请示开始执行族规”，其中的“走到父亲跟前”，增加了句子的沉重，只能使读者想象空间

① 发表于《中华读书报》1996年1月10日。

更狭窄。其实，后面的一句纯属多余，写完孝武诵读乡约和族规后，只要接下去写“白嘉轩从椅子上下来，跳下台阶”，读者就会完全明白，而且因自身完成了推想更增加了对现场的关切。下面白嘉轩执法的场面语言的浮渣就更多了，为了节省篇幅，我将多余成分用括弧标出，请读者明断：

白嘉轩谁也不瞅，（端直）走到槐树下，（从地上）抓起（扎捆成束的）一把酸枣（棵子）刺刺……转过身就（把刺刷扬起来）抽过去。孝文一声惨叫（接一声惨叫），鲜血顿时漫染了脸颊。白嘉轩（下手特狠）比上次抽打小娥和狗蛋还要狠（过几成）。这个儿子丢了他的脸亏了他的心（辜负了他对他的期望）。他（为他）丧气败兴的程度远远超过了被土匪打折腰杆的劫难。他（用刺刷）抽（击）这个孽种是泄恨，（是真打）而不是在族人面前摆摆架式。白嘉轩（咬着牙再次扬起刺刷），忘记了每人只能打一下的戒律，他的胳膊被（人）捉住了，一看竟是鹿子霖。

这本是稍有一点文学修养的读者都不难看出的，可是却被不少精通西方文论的批评家忽略了。这里不仅有一个艺术鉴赏的直觉问题，而且有一个理论上的跛脚问题。

在文学语言的评论中近来十分流行的是西方的话语分析。这种分析，作为一种深层意识形态的洞察是很深刻的，对僵化的话语系统的颠覆也相当彻底，因而受到广泛的欢迎，但是这种意识形态的分析只是话语分析的一个流派，亦即爱丁堡学派和法国的福柯等。这个学派的长处已经众所周知，但其短处却是对艺术本身特点的某种忽略。从这一点上来说，它和传统的社会学批评是一样的。其实话语分析还有一些流派对于艺术本身并不是那么疏离的，例如哈罗迪、郝森和迪克等都是很强调语言的微观结构和语境的关系的，在一定的语境中话语的外部结构和内部结构发生作用，于是产生了语言的必要成分和非必要成分。像陈忠实这样的语言，如果作话语分析则可以说是充满了非必要成分的。

这种非必要成分不仅表现在词句的浪费上，而且表现在过程和细节的罗列上。陈忠实的问题在于把许多非必要成分当成了必要成分。他的语言之所以缺乏艺术家的灵气，就是因为他把必要的和不必要的纠缠起来。例如白孝文经过一番沦落，后来在县里升了官，回乡探亲完毕，“谢辞了（上至婆下至弟媳们的）真诚的挽留，白孝文和太太（于日头搭原时分）起程回县城，他坚持拒绝拄着拐杖的父亲送行，（白嘉轩便在门楼前的街巷里止步。白孝文依然坚持步行）走出村庄很远了，才和（送行的）弟弟们分手上马”。括弧括出的都是语言上的非必要成分，其实，这个场景是否必要都值得怀疑。

这种场面和过程的奢侈比比皆是。例如，写贺老大在白色恐怖中受刑，本来写到他咬断舌头把血吐在田福贤脸上，乡民们看见断了的舌头在戏台前“蹦弹了三下”，也就够激起读者心理乃至生理的反应了，可是他又写了田福贤如何去踩那舌头，血又如何“像喷泉”

从贺老大的下巴流到脖子，流过白布衫和身上的麻绳乃至黑裤子。写枪毙郝县长，本来写到保丁拖着他走时一只脚的“脚尖竟朝后翘起”，作者交代“肯定（被）打断了骨头”，可还是不放心，又写了“另一只脚尖也朝外翘起”，跟下去又洋洋洒洒地写了一大堆对读者想象没有刺激强度的话。前面引的白嘉轩鞭打白孝文，有了第一声“惨叫”，刺激量已经足够了；可陈忠实习惯于作量的增加，殊不知第二声惨叫和第二只腿打折，并没有在刺激量上有什么增加，实际上可能是减少。这就是为什么我国古代诗人没把“春色满园关不住，一枝红杏出墙来”改成“数枝红枝”，也没有把“万绿丛中一点红”改成“万绿丛中数点红”的缘故。同样，在海明威早期的一篇作品中，写到一个患了伤寒的部长被抬到院子中枪毙，正下着雨，又站不直，士兵扶着靠墙，一开枪，“他就应声倒在泥水里，头耷拉在膝盖上”。有了站不直，倒在泥水中，头耷拉在膝盖上，这就完整了，也够惨的了。要是让我们陈忠实先生写起来非得让鲜血“像喷泉一样”，喷出来把墙和整个院子染红不可。

我们的文学评论家已经把文学当作话语的艺术，几乎把话语当作文学唯一的或最重要的因素，因为他们接受了法国人的说法，认为在话语以外没有人的任何思想和情感可言。可是他们在评论作品时却对话语的渣滓无动于衷，这是话语理论本身的局限还是话语理论的追随者缺乏艺术感受力呢？

逃避情节的感觉世界

——读王璞的小说集《女人的故事》[①]

王璞这样的作家实在有点亏，内地作家把她当成香港作家，因为她目前在香港定居；而香港作家也满有理由仍然把她当作内地作家，因为她主要成就并不在表现香港生活，而在表现内地生活。

正因为这样，王璞在香港和在内地都没有引起应有的注意，不论是内地的评论家还是香港的评论家都还没有充分认识到王璞的重要性。

从严格意义上说，大多数作家，不管是写了多少小说，常常并没有达到真正的创造的境界。他们并没有创造出一个仅仅属于他自己的私有的世界。相反，在多数作家那里，固然不乏不可重复的东西，但却同时拥有大量流行的，在当时被认为是权威的东西的翻版。而王璞之所以可贵就在于她的作品虽然不多，摆在我面前的仅仅是一个薄薄的小说集《女人的故事》，才 23 篇，集子是内地一个叫作“百家出版社”（名不见经传）1992 年出版的，我相信，这大概包括了她大部分小说。然而，就在这本小说集中，除了有限的几篇不成功的尝试以外，几乎在每一篇中，王璞都创造了一个属于她自己的世界。

在她那些写得比较成功的作品中，她总是把她自己的情感以及由于这种情感决定的对于生活、对于世界特有的感觉作为她构成艺术世界的核心或者是动因。有不少她的小说，写的并不是一个故事，一个情节，一个人物，像我们通常打开一本小说时经常期待的那样。相反，她着重表现的都是她生命体验中的一种感觉（用心理学的术语来说应该是知觉）的追寻探索的过程。

王璞显然逃避故事情节的诱惑。在《一篇小说的诞生》中，她用反讽、调侃的语调嘲弄了在外部动作上刺激读者的幼稚做法，同时，在内部情感上，她也不屑于作“拙劣的抒

① 发表于《台港文学选刊》1994 年第 5 期。

情”“激情和梦想的发泄”，然而在她唯一的小说集《女人的故事》中居然有一篇叫作《伊拉河惨案》。故事是香港报纸上常见的那种：谋杀，然后凶手又自杀于狱中。也许王璞故意将小说的题目取得像《尼罗河上的惨案》，然而整个叙述过程，恰恰与以情节推理取胜的同类文艺作品异趣。作者把情节推到幕后去，而且事先把结果当作表面现象告诉了读者——凶手已经死了，但是缺乏谋杀的动机。其实这个故事的谜底属于一个老掉牙的模式。在“文化大革命”期间，一个中学教师被一个造反派头头陷害，其恋人乃投入那掌权的造反派之怀抱。这位中学教师出狱后来到香港，发现那造反派已在港任一家公司的经理，乃于谋杀他之后自首。所有这一切，王璞都没有直接正面叙述，而是通过一个与本案不相干的香港囚犯和两个同样与本案不相干的女子的通信中间接提及。他们只叙述自己的命运和心绪，只有在偶然提及伊拉河的时候，读者才被提醒：作者正在揭示凶杀案的来龙去脉。

这种手法在西方当代文学中并不新颖，王璞不过是为了逃避情节呆板的表面连续，代之以不同人物的新异视角，为作品增加某种万花筒式的陌生化的复合情致，但是，这种手法用得并不算成功，因为不论是囚犯还是两个姑娘都只是成了故事好奇的叙述者，却没有自己的生命。这样一来作者在两方面都受了损害，主人公和叙述者未能充分展开自己的个性，而且由于各部分之间缺乏统一的情调的贯穿，把故事分切为不同视角以后而又未能将多种感受有机统一起来构成某种诗意的效果（像蒲宁的《轻盈的呼吸》那样），因而显得不和谐。

这篇不太成功的小说是王璞唯一一篇用多种视角来分切喜剧性故事的。也许王璞是在有意地突破自己。我想她已意识到自己最拿手的并不是戏剧性，也不是多视角，而是相反，非情节和单视角。她最成熟的作品，都没有情节，构成作品过程的是一种单纯的心灵。微妙地、敏感地在变化不大，甚至没有变化的环境中，平静地体验到，或者惊异地发现了自己印象的、感觉的（严格地说知觉的）变幻，甚至升华。

在她写得最有才气的作品中，往往有一种叙述的张力。一方面，在表面上她所表述的是平淡的，甚至是平庸的、刻板的现实，而她表述的语调又往往是平静的、达观的，甚至是无动于衷，但是在另一方面，在她的叙述中，包含着意味深长的内在的反常，怪异和表面不平静互相错位、不协调，甚至是冲突。像在她最好的小说《涨水那一年》中那样，在她笔下，孩子和大人在即将来到的灾难面前那种热闹、兴奋和灾难的严峻性是不相称的，“我”的母亲最担心的“樟木箱”，从常理来说，也许并不应该是焦虑的中心，尤其是当作品中“我”走到那个记忆的焦点——一个叫作“城门口”的地方：

据说这儿曾经有一道城墙。三国时期老黄忠向赵子龙挑战就是这个地方。这个曾经如此悲凉显赫的古战场，如今却变成了卖小菜、买小吃、等退票、等男女朋友约会、等仇人打架、等各种机会的一个关口。在涨水的时候，那些热衷于等待的游手好闲之徒转移了战场，往河边拥去了。可是小菜贩子和饮食摊子却增多了。

这里的动人之处不在于表面的事变，而在于内在的反差，远古的、重大的、非同凡响的意义和现实的卑琐如此大幅度的错位，这就构成了一种特别的调侃的情趣和某种字面以外的意味。而这正是王璞可以不借助于大起大落的情节来吸引读者的原因之一。

王璞的这种叙述语言很有功力，明明是很怪异的事，她的叙述绝无大惊小怪之感，哪怕是一个 10 岁的女孩因为一下子吃了一个 15 岁男孩子的 10 支冰棒，便感动得想嫁给他，可是在 11 岁的时候又有一种差点要爱上另一个男孩的感觉，而在这时居然还非常明确地感到另一个女孩子“仇恨”的目光，所有这一切都明显带有荒唐的梦幻的色彩，然而它的动人之处却不同于通常见到的那种童话式的抒情，而是一种提炼得很纯净的宁静的叙述，一点初学写作者容易迷恋的烟火气都没有。

在王璞笔下，最珍贵的不是外部动作而是类似上述那个小女孩内在生命萌芽的，哪怕是麻木的体验。正是这体验和环境的关系成为小说的线索，在《涨水那一年》吸引读者的是小女孩生命中发生的隐秘的变动变成了一系列的外部感觉（如路变长了，河水变得庄严而浩渺）。在《红房子》中，是那内在的爱情驱动第一人称的女主人公产生去找红房子的动机，哪怕最后“红房子”没有找到，但这产生寻找动机的过程和寻找过程中对环境的感受变幻和起落，这种起落，虽然并不伴随外部事件，但其内在紧张度，心理的急迫感与环境的不协调、不同步，这就是小说本身了。它以它所展示的感知、回忆、动机的变动及过程取胜，即使没有动作和人与人之间的搏斗，仍然是一种心理奇观。

这种奇观，以线索的单纯明快为特点，但是王璞显然又怕这种超凡脱俗的单纯变成单调，因而她总是很有匠心地在这些线索周围，安排某种庸俗的、刻板的、索然无味的氛围，让那些跑龙套的，有时只出现一下的人物，在感觉知觉上和第一人称的主人公感知错位，这就使得这种单纯的线索变得丰富了。如果不懂得这一点，就可能变成一个粗心的读者，因而也就不可能去想想：为什么在第一人称女主人公去找“红房子”之前，王璞要安排一个小学生塞给她一张字条，并且因而感慨：“两个人都在想自己的一份愁苦，而这两种愁苦又相隔这么远，远得使人迷离，使人绝望。”王璞的美学追求并不在人与人之间因果相衔、层层放大的冲突中，而在这偶然、平凡的人与人之间的心理距离中。如果没有这种距离造成的错位，也就没有叙述的情趣，在艺术上就没有本钱去拒绝情节的诱惑了。

细心的读者不难在王璞感觉脉络中发现她的追求，但却可能忽略了她的某些似乎是“插笔”或者“闲笔”的重要。在《紫色的小梦》中，爱哭的小都和自杀的阿甜自然不可缺少，但这种重要多少有点外部的特点。在我看来更具王璞风格的是第一人称女主人公终于找到了她要找的那个曾经引起她“初恋的柔情”的人，好像是“大团圆”了，然而小说并没有让两个人互相热火起来，相反，两个人不但外表冷淡，而且从男方所携带的书包中还有油瓶和萝卜看来，两个人的心理距离并没有靠近，而是，很远。在王璞看来，如果让这种距离消失，一下子两个人心心相印起来，就俗不可耐了。她颇有一点忠于自己艺术原则的魄力，她不但不让主要角色心理重合（心心相印），而且力求让每一个角色保持心理距离，因而并非巧合的是在她好几篇小说的主要情感线索结束以后，她显然有意安排一个尾声式的闲笔，在女主人公找不到她那作为爱情的象征红房子以后，又遇到了一个手里拿着一把青菜的女人，这个女人不但不了解红房子，而且甩着青菜，把水珠甩到了女主人公的脸上，这种对于美好感情的隔膜，造成一种内在的心理错位：不但与主人公的意向拉开了距离，而且与读者的同情拉开了距离。对于这种趣味的构成，王璞显然得心应手，正因为这样，在《紫色的小梦》中，她不让旁观的人物看懂女主人公找到了她的初恋的对象，也不让她理解他们之间的距离，而让她处于一种和女主人公完全不同的心理状态之中，她们进行了一场聋子一样的对话，对方以为是听懂了，其实不懂，正是因为牛头不对马嘴，才意味深长，才使这篇小说的表层叙述和内在意味拉开了距离，而显得有厚度。

王璞笔下的女人，总是那么敏感，她们好像全凭内在的感觉的探索而活。因而，以她们为中心的小说，往往就是一种内在感觉探寻的过程，这种探索很精致，有时会集中一个印象一个意念，有时会以一个漫不经心的动作当焦点作为一篇小说心理探索解谜的核心。像《幽会》这样的小说，女主人公就在与别的男人幽会的时候解开了自己丈夫在她“习惯地把手搭向丈夫的手臂，感到丈夫的手臂微微一缩”的秘密，原因是她自己的情人和自己有了婚外恋以后也有类似的动作。

王璞真不愧是女人心理的微观分析能手，这种微妙的辨析力不但在香港就是在内地也十分罕见，如果要说才华的话，这就是不寻常的才华。这种才华的可贵之处，不完全在于其微妙，而且在于在微妙中发现其中深沉的意义。更精彩的是，她往往把这种微观探索高度凝聚化的同时，又将这种探索和某种集中的意象结合起来，像在《幽会》中，这个女主人公对丈夫一个动作的探索是和她对于紫色的不同感觉那种强烈的效果结合在一起的。正因为这样，这篇小说，虽然表面是一个女人对于“幽会”这个概念的探索，但是却不流于抽象，相反，由于一个动作一个色彩的组合，显得十分丰满，也许这篇《幽会》由于它的单纯而丰富，统一而意味深长，可以说是王璞这本小说中最精致的一篇。至于《涨水那一年》虽然同样有非常完整的意象成为这篇小说的象征，但是作为小说，还是显得太空灵了一点。可以与之比美的是《红房子》，但在结构上也略嫌单薄。而《幽会》这篇，虽然作者在《后记》中好像并不太重视，但在结构的丰厚叙述之内和叙述之外的线索相辅相成，这在王璞作品中是十分难得的。

王璞由于逃避外在情节，尤其是复杂情节，自然就易于倾向内在的心理线索，而这种线索一般经过高度提炼比较单纯，又加之某些“红房子”“大水”之类的一项概括，故而更为单纯，这就产生了另一个缺点，那就是单薄，不论生活的容量还是心灵的容量都很有限。正因为这样，王璞和张洁在气质上虽然有许多共同之处（如对于世俗的超越，对于非功利的情致的追求），但却没有张洁那样开放的心灵的情感系统。王璞生活在自己的情感天地，自己的感觉世界中，这对于进入艺术创造之门固然是好事，但是她的这个独立的世界多少有些封闭，这使得她不太善于同化她感情世界之外的东西，所以，她来到香港那么久，可在她笔下爱的香港生活，仍然是一种外在的标志，主人公的内在心理模式并没有发生像《北京人在纽约》那样的价值体系大混乱。她本来独特的心理、禀赋并没有变得更灵活，以致像《扇子事件》，本来具有《红房子》《涨水那一年》那样的意象结构情感错位的好处，但是由于人物（尤其是丈夫）成了符号，小说成了寓言，即使技巧纯熟也掩盖不住某种概念的色彩，在这篇并不失败的小说中隐藏着王璞的危机，至于这本集子中本来就不成功的作品（如《周永的故事》）中所表现出来的单薄就更难指望用《扇子事件》中的纯技巧去克服了。

只结一个大果子的树
——读陶然的小说《与你同行》①

还是在1956年，我看到当时的《文艺报》报道了曹禺先生的一次谈话，他说他欣赏艺术作品经常十分注意那些大艺术家如何处理一些只出场一两次，甚至只说一句话的人物，看他们有没有给予这些跑龙套的人物以鲜明的令人难以忘怀的特点，至于作品中的主要人物就不必说了。这是一个很高的标准，拿来衡量那些经典性的大师的长篇小说，都不一定能全部合格，至于用来推敲他们的中篇，就更难说了。中篇小说不像长篇小说那样有充分的篇幅让每一个角色，都有自己的性格，自己的生命，有些配角的存在并没有独立的意义，但是他们片段的言行，作为主角性格的反照、变化的动因和转折的刺激，却是不可缺少的，因而内行的读者欣赏长篇小说的审视幅员和欣赏中篇小说的心理期待是不太一样的。在中篇小说中，只要一两个主要角色，其独特的情感行为、语言逻辑和性格寓意有了光彩，有了深度就是很大的胜利了。

上海文艺出版社的责任编辑认为陶然的新作，15万字的《与你同行》是一部长篇小说，可能是过分拘泥于小说十多年的时间跨度和历史背景了，但是在艺术上，它仍然是一部中篇。如果说，在长篇小说中，可以把每一个人物比作一棵大树上的一朵花的话，那么，其艺术规范就要求每一朵花都结出或大或小的果子来。然而在中篇小说中，读者可以不作这样的期待，也许这棵树上开了不少的花，但是只结了很少的果子，许多不结果的花并没有白费，它们的生命，最后被凝聚到那为数不多的果子中去了。

陶然的《与你同行》，并不是一棵很小的树，人物之花也不下十余朵，但是却只结了一个大果子，那就是主人公范烟桥。从艺术上来说，那些范烟桥的情人、朋友、同学都是他的陪衬。他们的艺术个性，只有与范烟桥发生关系，引起范烟桥灵魂的震颤，对他行为的

① 发表于香港《文汇报》1995年3月26日。

抉择发生作用时，才有光彩；相反，则未免显得平淡。这与出场多寡似乎关系不太大。当然，最主要的配角是章倩柳，这是范烟桥性格展示的基本动因。他们热恋的过程，都以陶然所特有的抒情笔调加以渲染。她和范烟桥同样柔情似水，但是对于范烟桥的软弱、善良来说，章倩柳却柔中有刚。正因为她的刚强决断才把范烟桥从自己的怀中放走，而这正是她爱得死去活来的悲剧的性格核心，也是范烟桥十几年来，直至回校参加校庆百般期待，而她始终没有出现的深刻原因。她对范烟桥的命运情绪、行为的影响成了这部小说的主要内容。如果用长篇小说的要求来看这个人物，她浪漫的柔情和刚毅的理性之间还有许多侧面，本应该从另一个方面，用另一个人的眼睛来展开更加惊心动魄的心灵的复合层次，但是不管是用第一人称，还是用第二人称写章倩柳，都是通过范烟桥充满柔情的目光去看她的，这么重要的人物，只用一种感情去透视，这就说明她是一个配角，她是依靠主角范烟桥而存在的。这在中篇小说是常见的，而在长篇小说中则可能使人物单薄。长篇小说家是需要苍蝇和蜻蜓那样的复眼的。正因为整部小说实质上是范烟桥第一人称的观察、回忆、沉思、梦幻，小说就以一种浓郁的抒情风格出现。粗心的读者可能觉得陶然把他的全部才气都用到抒情上去了，而且陷在浪漫的漩涡中了。爱是一团火，爱是永恒的，是超出了性事的，真爱上了一个人是永远不能改变的，出于牺牲，让出爱人的悔恨是终生的。这种“梦一般的诗情，诗一般的蜜意”充满了青春的气息，然而又是在中年的回忆之中以淡淡的、执着的哀愁情调展开，就带着某种深沉。在陶然式的散文笔调中，最动人的是这种有深度的抒情：在范烟桥扬州街头漫步，细雨打在伞上，在黯淡的街灯下思绪纷纭（第 214 页），在范烟桥与章倩柳并肩走在古城稀疏而暗淡的灯光下，“不时有响着铃声的自行车摸着黑飘过来，又飘过去”（180 页），这些情调意象，我们在陶然的散文中是早已熟悉的了，但是由于回忆中的情感着色，这些抒情就变得比较凝重了。回忆是平静的，哀愁却是深沉的。

然而过分欣赏陶然的抒情也会造成误解，以为陶然的才情仅限于抒情。事实上陶然越是抒情，越是把范烟桥和章倩柳的情感浪漫化，就越是给自己的小说情节转折增加了难度。第一，这么如痴如醉的爱情，如何能分拆得开？第二，怀着这么缠绵而不可改变的爱情，怎么可能与另一个异性结成婚姻，如果不能充分地有说服力地解决这个问题，则陶然的才华就仅限于散文。

陶然显然知道在这个情节的节骨眼上，把关键的因子单纯地归咎于“文化大革命”中特别重要的出身、社会关系的障碍是平庸的。虽然，他为这个历史性的荒谬设计了一个很好的细节：二人虽要结婚，但由于档案已转到外省，而无法办理手续。颇有一点写小说经验的陶然当然知道光有这一点，还不够，于是又加了一笔，海外来了父亲病危的电报。如果按照从亚里士多德的《诗学》到福克纳《小说面面观》的情节因果律来说，这两个人分离的理由已足够了，但是所有这一切都还是外部的原因，对人物内在感觉、情感行为的转折来说还是不充分的。虽然，这也激发出了章倩柳的崇高，显示了她为范烟桥前途着想而作出的牺牲，但这也可能是“一时之勇”，陶然对于他的主人公理解的深度，更多地表现在描绘他到香港以后，由于无房无家、无女朋友所受到的刺激和心理压力。事实上陶然先后用七八个方面的正面描述和侧笔，从四面八方逼迫范烟桥，让本来离开了倩柳就不再能恋爱结婚的人结了婚。我觉得写得最有特色的是来香港过年，受到房东夫妇的好意招待，人家给他压岁钱，反而引起他深深的痛苦，外部的社会风习变成内在心理逻辑，这就有了一种叫作“笔力”的东西了。特别是在与吴彤霞的交往中范烟桥发现了异性的吸引力，体验到自己“立意不近女色，却并非心如止水”，接着写下去的性事，也不过是为了表现他“原始的情欲”“滚滚而来”。这样就把范烟桥的心灵立体化了。在表层，有世俗的自尊、原始的情欲，在深层则有他那不变的浪漫情感。在这部小说中三次正面描写到性事，用笔之所以不俗，不仅因为文字语言的超越和一系列暗喻，而且也因为，作者把性事划分成三个层次，只有与章倩柳的结合才是灵与肉的高度统一，甚至是灵性的诗意超越了肉欲的冲动，最低层次的性事是第 76 页写与王若冰的偶合，那是“情欲的洪流乍然决堤”，青春的激情和惶惑交织，其感觉竟然是“眼前漆黑一片”。所有这一切都说明，从人物心灵的展视来说，陶然并没有把他钟爱的主人公平面地浪漫化，从情节的转折来说，他不但没有满足于外部的社会因素而且也不满足于情感的单一因果。

正因为这样，陶然这部中篇小说之树唯一的果子是相当硕大，而且有一种对他往日小说总结性的意味。除了这个人物以外，其他人物都较为单薄，其中最单薄的是那个“文革”中相当“左”而品格又相当庸俗的姚文朝，因为这个人物，对主人公范烟桥深层心灵的作用小到几乎可以忽略。同样，出场甚多的苏舟潮，给读者留下的印象还不如出场较少的汤波。这是因为范烟桥来港失业以后去找汤波，汤波虽然给了他五千元支票，却使他感到受到了侮辱，对于这个平时号称铁杆哥儿们的人物有了新的看法。甚至那个只出场一次的力奇，在一次野游中范烟桥观察到他对也只出场一次的伊娃的暗暗单恋之苦，遂引起了自己心灵深处的隐痛，最后使他更深地理解了自己：“只要心还没有死去，即使受过重创，人也依然会在适当的时机复苏。”这个人物没有自己的生命，但是他的存在却使范烟桥更有生命。从这个意义上讲，连章倩柳也是如此。不过章倩柳在范烟桥心灵中太重要了。她几乎是范烟桥的一部分，或者可以说是一个“副范烟桥”。范烟桥柔，而章倩柳则柔中有刚。我仍然感到章倩柳的性格之花也可以结出另一个大果，她作为一个女人，应该比范烟桥更复杂些。她应该有一些女人的恋爱中的弱点，如果她能和范烟桥因为爱而冲突一番，越是赌气越是爱得不可开交，越是真诚越是口是心非，才更有深度。例如，她最后来了电报说不来参加校庆了，不见范烟桥了，小说到此结束，但是如果来个尾声，等范烟桥走了，章倩柳又顶不住思念来了。或者反过来，电报说来，然而却没有来，以为她没来，然而她却在一个隐蔽的窗口，目送范烟桥远去。陶然善于写爱情，但还不善于写多情女人的小心眼，真诚女性的口是心非。看来他过多的柔情蒙住了他的眼睛，他的眼睛老是上女性表层言行的当。作为男性小说家，陶然是不是可以在生活中特别研究一番人们的心口误差，人们自己和自己作对?

壮悲的探索

——读西西的小说《哀悼乳房》[1]

西西理所当然地是香港小说界的第一号种子队员，但是这并不是说，她的每一本小说在香港都是第一流的。可就是那并非成功的作品也不太简单，那里也交织着西西特有的才华和西西才敢冒的艺术风险。我说的是西西的《哀悼乳房》。这是一本半生不熟的小说，一本奇书，一本怪书，但是又是一本很值得一读的书，尤其是那些既对文学，又对医学感兴趣的读者，和一些对小说的艺术突破着迷的读者，细读之后，高谈雄辩，实乃人生一大快事。读者一眼就可以看出西西在艺术上发人深思的追求。

这是一个用第一人称写"我"患了乳腺癌的故事。在一般缺乏艺术追求的作家笔下，可以想象，当医生正式向她宣布患上了乳腺癌的时刻，该有多么强烈的心灵震撼，在这种准死刑宣判的关头，浪漫主义和现实主义大师已经把人性中强烈的激情表现得淋漓尽致，这就使20世纪有出息的现代作家无意于在经典的、权威的艺术中寻求庇护，相反竟相以走出典经艺术峰巅的阴影为荣。正因为此，西西在写医生告诉"她"得了癌症以后，用的是海明威式的对话，既没有描写阴郁的环境氛围，也没有神经质的外部动作和表情、延伸、面部表情的自然和抑制的矛盾，甚至也没有写人物的感觉、联想，没有任何心理分析，总之凡现实主义、浪漫主义大师，甚至意识流大家认为是可以大显身手的关键，西西都淡然处之。西西追求的不是激情的、痛苦的、悲哀的倾向，而是宁静的交代，接下去一章是致癌原因的分析，平静且无动于衷地罗列一系列科学的可能性，形同流水账，但是却用诗的分行形式来表述，还不算枯燥，有艺术欣赏力的读者，从这里可以感到微微的反讽。

接下去有好几章让你感到这个西西是在正正经经地写小说了。这几章写的是开刀，手术前后检查、休养，写得极其细致。在面对死亡的情境中，她没有写什么恐怖，甚至没有

① 发表于《澳门日报》1995年4月5日。

描述什么紧张，老是用一双宁静的心灵的眼睛迎接周围的一切。在那种松弛而自然的叙述中，只有细心而敏感的读者才能感到她潜在的凄清，正是这种表面的、被动的达观和内在凄清的反视，才使西西百无聊赖似的叙述产生一种微妙的张力。

这是西西式的笔触，但还不是西西的才气发挥得最精彩的时候，最为动人的是西西把那常常是微妙的反讽在必要的时候适度强化为一种略带灰色的幽默。她说到在 19 世纪作家笔下，音乐家、诗人要清秀、要穷，再没有比生肺病更适合他们的了。而小说家则要肥，像巴尔扎克，如不那么肥，读者就很难相信他肚子里能装下一个法国。小说家虽肥，可笔下的女人却一个个都呈痨病的神态，像茶花女、林黛玉，她们总是非常美丽，而且有多情的英俊小生爱得死去活来，但是整个文学史上、电影史上却没有一个美丽的、可爱的癌症女人会有浪漫的爱情故事。连《红楼梦》中都没有一个女孩子是患乳腺癌的。这样的幽默其功利在于超越胜利的病理的痛苦和死亡的威胁，把悲剧的哀痛化为喜剧的轻松。这种轻松来自一种因果律的扭曲，好像癌症的可怕，其原因就在于它不够浪漫，不像肺病那样可爱似的。类似的调侃笔致还有不少，有时是把肿瘤的没来由和圣母玛利亚的无端怀孕作无类比附，凡此种种都显得一本正经的过程含着一点轻喜剧趣味。这在香港文学中可谓不可多得。

西西整部小说所写事情不多，就是癌的发现、治疗、休息，只有一个人物，连心理冲击都没有，许多章节都是对周围人物的观察，有时过分琐碎，婆婆妈妈，有时又颇精致，这是因为她把病体和自己分离开来，把自己当作观察的对象，故时时出现微妙深刻之笔。令我十分困惑的是西西在这本小说中用了差不多一百页的篇幅大写特写癌症的科学原理，不是穿插性的，而是整章整章的。她写自我感受时不借助情节，用的是庄子式的“缀段式写法”，可算是改良的自由联想。可是她写乳腺癌的生理、病理、药理、营养，乃至中国唐代医学史，行文的逻辑极其严整，写得那么一本正经，连各式营养的统计数字，连小数点都一丝不苟，这好像在故意和小说艺术捣乱。据我细究，也许她以为津津有味地写枯燥的科学常识，是一种反讽，表现自己无可奈何的困惑，但是，她混淆了一点，那就是用理性逻辑展示出来的生存困惑、病理困惑是哲学的事，不论是多么通俗的医学生理学常识，不论用多么别致的语调写出来，最多也只是文学游戏，不但不是艺术，而是艺术的癌症。

当然，熟悉后现代所谓“后设小说”的行家可能从中看出西西在这里是在作小说形式的实验，一方面把文字的审美超越与科学的实用混合起来，另一方面，又在反讽与自嘲中把一本正经的科学理性用微微的荒谬做反衬，把对于死亡的恐惧与颇为超然的游戏态度互相联系，但是这毕竟是与小说的艺术生命背离太远了，在很大程度上是对小说艺术的破坏。自然，也许一些对于后现代主义小说颇有偏嗜的学者以为西西的创作意图——破解对于疾病的迷思——用许多玄妙的西方文论的术语加以解释，甚至说这对于一些癌症病人、一般读者，也可以是一本励志的读物，因为它包含了那么多的科学知识和信息，但是这种智性良知对艺术的审美情感是一种约束和窒息。而就其智性信息本身来说，也只是一种低层次的科普读物，因而，不论用多少神秘的后现代术语来为她狡辩，也不能掩盖她艺术上悲壮的失败。探索即冒险，冒险不能没有牺牲。西西的牺牲其原因有二：其一，对西方新潮的盲目追随；其二，创作上的游戏态度。1989 年，西西发现自己得了乳腺癌，在治病过程中，她把自己的体验和所收集的有关癌症的资料，加上自己的笔记片段结集出版，并且把它称为“小说”。这种随意性本身就很该受到怀疑，但是在文学批评萎缩的香港却没有什么人出来作捍卫小说艺术的争鸣，倒是有个别学院派评论者对之作吞吞吐吐、羞羞答答的辩护，这对于西西、对于香港文学都不能是真正负责的态度。

香港文学的主体为商业的俗文学，严肃文学本来不甚发达，像西西这样坚持严肃文学创作，而颇有成就的并非太多，她的每一探索都会牵动着香港文学家的视线，因此对于她的创作持严格的审视态度，对减少类似的悲壮的失误可能是十分必要的。

从情节中解放出来以后
——从莫言谈到蔡益怀[①]

蔡益怀先生寄来了他的小说集《前尘风月》。翻阅之余，留下一个强烈的印象："有追求"，在艺术上不甘随大流，希望在普遍的水平线上有所突破。

也许，蔡先生或者他的某些读者认为我这个评价不够热情，但是，我这样说是因为想起了一事，或者说文学评论界的一个典故罢。那是 1985 年中国内地唯一一所培养作家的文学系——解放军艺术学院文学系，招了第一届学生。当时，我也有幸被系主任、小说家徐怀中请去讲授一门课程"文学创作论"。那个班上有两个尖子，一个是因《高山下的花环》而红遍了长城内外、大江南北，让多少读者泪洒青衫的李存葆，另一个则是名不见经传，才在地区和省级文学刊物上发表了几个短篇小说，差一点失去录取资格的莫言。这个学院以作品代替学年论文。三十五篇作品中，有李存葆的《山中，那十九座坟茔》和莫言的《透明的红萝卜》。徐怀中认为其两篇是杰出的。尽管李存葆的作品强烈震撼了徐怀中，而《透明的红萝卜》却以其异端特别引起他的青睐。经他大力推荐，在《中国作家》发表就引起了轰动，莫言由此而成为中国文坛一个弄潮儿，在后来的几年中写出了《红高粱》系列，其艺术成就远远超过了李存葆。

当时徐怀中的慧眼就看中了莫言的一点："有追求。"李存葆固然不错，但他全部的艺术观念和手法，都是小说界固有的。李存葆不过是用得特别集中，而且强烈而已，归根到底也就是情节性和戏剧性，其基本艺术导向是悲剧性（在局部人物身上有点轻喜剧），其美学价值观念仍然是崇高，其推动情节的方法不外是厄运。而莫言的美学观念则带着对传统价值观念的反叛和颠覆，在他笔下，那个在抗日战场上牺牲了的父亲，并不完全是李存葆笔下的精神光彩照耀千秋的英雄。莫言强调的是他身上有一股超载常人的生命意志，有时

① 发表于香港《新晚报》1994 年 11 月 9 日。

以逾越礼法，有时则以某种程度匪性地表现出来，而在叙述语言和人物的感觉上则又有一些魔幻的特点。

正因为这样，莫言在艺术上突破了李存葆所竭力遵循的审美规范，在中国小说界产生了风靡一时的影响。

正是在这种意义上，我称赞蔡益怀是“有追求”的。至于蔡先生的追求是来自福克纳，还是来自萨特，我觉得并不重要，重要的是他在寻求突破。他在《后记》中说，他在小说创作一开始时，就抛弃了对情节的追求。“淡化情节”“甚至不要情节”，他“追求”的是“一种超然的叙述”方法，只是提供一个又一个的场面，不靠人物性格或情节线索来逻辑地串联起来，凭这些场面营造出特定的时代氛围。

他的追求固然符合20世纪前卫艺术家的潮流，但是，第一，并不是每一个有追求的前卫艺术家都能成功，相反，中途牺牲甚至艺术上全军覆没者比比皆是；第二，那些能够有所进展的，往往是在人的生命体验中开拓出传统艺术无法表现的天地。例如意识流作家，超越逻辑，以自由联想的笔墨流入无意识的深处；魔幻现实主义作家把时间、空间自由地组合构造超现实的情节因果的奇观，所有略有成功者是对人的意识、感觉、记忆、动机、行为以及其间的因果和非因果关系都有所发现。正是这些发现带来的充分饱和的展示和形式的变幻，才使它们比遵守传统的小说更动人。

前卫艺术家从传统艺术规范中解放出来是可贵的，但并不意味着凡解放出来的都是创造。相反多数解放者并没有拿出更有艺术感染力的东西来，因而牺牲了自己的艺术生命，其中有一些就中道迂回了。就是那些卓有成就的前卫艺术家在充分成熟以后，也往往有某种回归的现象，苏童、余华、格非都开始重新重视情节的作用，就是一例。

蔡益怀先生在从情节中解放出来享受了想象的自由以后发现，他的作品并没有彻底地表达出他对白盐井生活的纷纭感受。这是因为他对生活场景过分着重于时代氛围、文化习俗的描绘，在他反复描绘的古老的大宅院中巴尔扎克式的建筑文化，甚至世俗气氛都有特色，但是很可惜都脱离了人物。那个妓女的儿子强奸母亲的情节动作，也许并不重要，但是他的这种性心理过程都是至关紧要的，忽略了这一点，从情节中解放出来就失去意义了。

香港作家童年回忆的幽默和诗情①

有个记者曾问海明威，一个作家最好的早期训练是什么？这位获得过诺贝尔文学奖的大师回答说："不幸的童年。"眼前放着一本获益出版社的《青年》，都是本港作家对童年生活的片断回忆。作者名单中有刘以鬯、曾敏之、梁锡华、黄国彬、古剑、周蜜蜜、陈耀南、阿浓、梦如等。统观全书，虽不能说所有作家的童年均苦难不堪，但大多数回忆中充满了不如意、倒霉和心灵的挫伤，曾敏之在"绿映童年"中描述他嬉戏的童年在母亲的积劳成疾辞世后就结束了；陈耀南至今在耳边回荡不已的是小学四年级被班主任公然诬蔑成"贼仔"以后所受的磨炼；在"红叶印象"中，最难忘的是日本入侵时，姑父从西环海边仓库抢来的两麻包维持一家活命的白米；蔡益怀念念不忘的是父亲享有大权之时自己"喜欢打架与破坏所带来的那种快感"，和父亲被捕入狱以后的凄凉。

读这样的回忆时最引人入胜的倒不是那些个煞风景的事，而是这些作家写到这些事情时笔下那种不但不痛苦反而有一点温馨的感觉。黄国彬先生现在是个学者、散文家了，可是相当坦然地写到自己小时在乡间光着屁股下河游泳的乐趣："乡间的孩子没有城市的孩子文明，游泳时都奉行天体主义，见班上的女同学走过，也不觉得难为情，坦然一丝不挂，大摇大摆地在她们面前走动、跳水、甚至从水里跳出来，走到她们面前，和她们聊天。"这平静的叙述本身已经很有特点了，但黄先生似乎还不满足于事情本身的特点，他又特别强调地表现自己的独异的思绪："我们赤裸裸地站在女同学面前时，比天体营里最自然、最大方的天体信徒还要自然大方。"这就显得幽默，这种幽默的构成得力于把童稚天真与西方裸体主义者的特别追求作了似乎牵强的比附，而且不顾其牵强，引申了他当年比天体主义信徒更大方的佯谬结论，结论形式的严正和结论内容的悖谬形成的反差幅度很大，因而幽默感颇强。

---

① 发表于香港《华侨日报》1994年11月27日。

自然，对于童年的蠢事或痛苦的经历，每一个作者都有各不相同的感情。以幽默态度出之还有刘以鬯先生“认字与填字”，梁锡华先生因为拜那离家不远渡口边一棵巨榕为“干爸”，以致后来对砍伐巨榕的医院怀有“杀父之仇”。

不以幽默远观的心情怀恋童年故事，也有给人印象很深的文章，例如，吴越的“军帽故事”。吴越的文章总是比他的人更正经，他以不无沉痛的笔调写到自己在“文革”时期，为了义气替朋友偷当时非常时髦的军帽，弄得品学兼优的班长、校红卫兵常委的头衔给撤了不算，还成为受留校察看的“坏学生”，他为唆使他的朋友付出如此沉重的代价以后，才知道那个朋友出卖了他。他的笔有点沉重，可能是本集中最沉重的一篇。

本集中不少女性作家的风格则不以幽默，也不以沉重取胜，而是以抒情显出特点。周蜜蜜的《最爱》最令人难忘的一个场景是在背李白、杜甫的诗作时，偷偷把母亲的衣服穿起来，甩着宽松的“水袖”，扮演李白、杜甫。抒情气氛最浓的是梦如的“失落，是另一种拥有”，由于重男轻女，无端被过继给姨家，而自己仍恋故家，却被姐妹公然歧视，宣布她不是自家人，又得不到亲生父亲的同情和庇护。她把这种心灵创痛比作“与生俱来的流放”。在本集中，梦如以追求诗化为务，强调这样的童年遭遇铸就了她日后的双重性格：一方面自我漂泊，无依如“荷叶上的雨珠，找不到定点”；另一方面又有点雄性精神，“看我独臂擎起，一座天空”。梦如这篇之所以有深度就是因为把童年的一件小事变成了自己性格的索引。

追求诗意更明显的是古剑先生的“蝉声岁月”，全文采取的主要方法是诗的凝聚法，把童年的片断集中在林中蝉声这一个意象上，然后加上渲染，“午后，森林里的每一种隙，几乎都灌满了蝉声，好像衣服也披上了蝉的音韵”。而在蝉声大作时作者不惜浓墨重彩，说“蝉声席天盖地而来罩住整个空间，森林好像给镇住了，也静止了”。看得出来，作者对文字的驾驭功力，也看得出古典诗歌“蝉噪林逾静”在作者笔端中涌动。

中年世界的精神光谱
——何葆国《土楼梦游》序

当作家无疑需要足够的才情和智慧，然而作家的神圣感在时代变迁中很显眼地脱落了。在这样的背景下，何葆国居然倔强地要出小说集，似乎想在文学中越陷越深，我不好说这是幸还是不幸，但我想：一个人能够把个性融入自己的选择，哪怕是艰苦卓绝的，也始终是有亮度的。

葆国是我的学生。印象中他是凭着在中学时代就引人注目的文学才能而被福建师大中文系破格招于麾下。现在我知道他没有像多数大学生那样，澎湃的才情在离开高校后迅速地偃旗息鼓，而是相反，他的创造力在闽南的一个乡村中学里缤纷地绽放。至少基于这一点，我将以足够的耐心来解读他的作品。事实上，读葆国的小说没有足够的耐心是不行的。如果读者由于粗心而未能细细品味葆国小说所提供的“传奇式的故事”，那将是一种遗憾。

葆国的小说以土楼群为背景。坐落在闽西南交界地带的土楼群是一个建筑奇迹。在“封面和插图中”，它往往“成为风景，成为传奇”，但是，在葆国笔下，它就不仅是风景与传奇，也不仅是封闭、贫困的建筑群落，而且是一种孤独的生命存在，一种文化氛围，一种在历史与现实纠纷中悄然动容的坚实活体。在葆国目光烛照下，土楼生命涌动，鬼气十足，郁勃的想象所构造的盎然的故事擦亮了幽古厚实的土楼，使它长成一派审美风景。

在《台风》《杀机》《家族三题》中，读者将轻而易举地读到土楼的沉重和苦涩，悲剧与喜剧。并且我相信，那些浸透历史阴魂的细节也将使读者产生持久的回忆并一再重温它们。读葆国小说，宛若“梦游土楼”，觉察土楼中的生命原貌，生出万端感慨。

葆国小说具有很强的形式感。他执著地在传统与现代的夹缝中寻找自己的表达方式。如《洞火》，除了一个浮出语意表层的故事外，它还容纳了许多被叙述语句所暗示的故事。一个故事结构包裹了许多尚未定型化的隐结构，这种隐结构正有待于读者的积极参与并把它定型化。可以肯定，葆国已经有限度地放弃了情节化叙事模式。构成情节的事件、细节往往缺乏明确的因果关系或逻辑联系，显得有点不守“规矩”，但它们仍然是系统中的因子，使得整篇小说在结构上仍然流畅自然、浑然一体。

葆国的小说多少显得幽冥。这在很大程度上得力于他对语言的操作。小说中比喻性语句十分密集而且摇曳多姿。这些语句贯透着作者敏锐的感觉，夹带着夸张和漫画式的手法，有时甚至是在作者超现实的想象的诱导下。这些语句往往逼近人物心理从而裸露了人物的灵魂，另一方面，这些语句创造了幽冥的氛围。幽冥将有效地激活读者的审美想象，从而在总体上体味土楼现存世界的深层意蕴。

我不可能在短短的序言中尽情地解读葆国的小说，我应该把更多的审美感受留给读者自己去说。

最后我想说，葆国既然能够走到今天，那么他一定能走得更远。

迷离恍惚的寓言
——读萧春雷的小说[①]

萧春雷的散文充满了书卷气，这一点，我在介绍他的散文时已经说过了。难得的是，他的小说，也充满了书卷气，不是一般的书卷气，而是有点发霉的、远古的、遗闻逸史一类的、神秘的气息。这种书卷气对福建文学界意味着一种突破吗?

福建小说在全国文学界长期处于边缘地位，时间长了，大家也习惯了，心平气和地甘于边缘。有人说，这是宿命，由于方言的局限，我们最生动的语言大都没法用字写出来。我们笔下的人物，所讲的都不是福建的口语，而是从北方小说家作品中批发来的官话。在我们笔下，福建农民讲着杂七杂八的北方话，甚至带出四川、东北方言词语，但是，我以为以这样的理由来为我们的小说辩解，并不是很周密的。往远一点说，茅盾和鲁迅都是讲吴语的，往近里说，北村的长汀方言并没有妨碍他成为中国当代小说家中的佼佼者。北北固然并没有把她的福州方言写到小说里去，在小说里装着北方话讲得很溜的样子，但是，她还是以其写实的功力，交错着时间和空间的叙述，寻求着新旧价值观念的交集和过渡。皇天不负苦心人，她的努力没有白费。她不但引起了文学界的注意，而且有打入影视的趋势。还有陈希我，他过度地迷恋福州方言，其结果是成了令人喘不过气来的累赘，当他挣脱了福州方言口语的压力，以一种更为自如的白话来写作，他那从少年时代就一以贯之的悲观和对人性善的怀疑，就构造出独树一帜的艺术世界，还获得了谢有顺的赏识。作为后起之秀的粲然，被《海峡》(大校园月刊)称之为“叙事奇才”，她以难得的怪异，近来也受到外省媒体的青睐。

正是在这酝酿着突破的时刻，又来了一个萧春雷，他和前述新秀作为一个群体，带来了股清风，也许是在宣告着福建文学更新换代的前奏。

① 发表于《福建文学》2003年第4期。

比起北北和陈希我，萧春雷显得比较另类。他好像总是不习惯于在现实境界中耗费注意力，他的思绪和想象好像总是在超越现实的境界中遨游。当然，粲然也在神神怪怪的虚幻境界里漫游，但是，粲然是在怪异的想象里，而萧春雷是在历史的古籍和传闻中。他第一篇引起注意的小说《雷余的诅咒》，出手就有点不凡，就超越了世俗的起点。表面上，这篇小说的写法有点像散文，令人想到韩少功散文体小说《马桥词典》和《暗角》。萧春雷显然不以故事为意，也不在乎人物个性什么的。他佯装着一副考古学者的姿态，上下古今几百年，像考证族谱一样世世代代地写下来，扑朔迷离的传说，恍惚迷离的故事，断断续续的脉络，即使被补缀起来，似乎也不是小说的构架，而是散文文化价值的追求，所表现的不过是一种强势民族和弱势民族同化与被同化的历程。这是一个充满悲剧性的仇恨的过程，同化是不可避免的，然而仇恨却以一种超越现实的怪异的道具（峡口的刀）传承下来。最后是仇恨由于血统的淡化而消解。

这不是通常意义上的小说，福建的小说家，对于这种形式还比较陌生。然而，正是在这种形式中，包含着最为现代性的内涵：在感性文化脉络的外表之下，包含着一种理念，一种民族寓言的追求，这恰是整个小说的生命所在。把理念的蕴含强调到寓言化的程度，正是现代小说不同于传统小说的地方。虽然，他的小说还不能说是很成熟的，现代理念和古老的传说之间，感性的血肉似乎还不够饱和，但是，古老的民族心理和现代理念的张力，不但在福建小说家中，而且在中国当代小说中，应该说也是难能可贵的。正是由于理念的寓言化，其寓意也许就超越了古代，令人联想到当代中国和世界的宗教和民族文化冲突。所幸，结局是血统的交融淡化了世世代代的仇恨。这样的结局，对于特殊民族历史来说，可能是写实的，但是对于当代民族问题的寓意来说，可能更多地表现了他年轻时代作为诗人所特有的单纯和乐观。

从当代文化思考的高度来说，这种单纯和乐观是可以怀疑的，但是，不能不承认，这种单纯和乐观毕竟是他自己的，而不像有些随大流的作者那样，习惯于从权威的、流行的、西方的观念中批发和图解。福建小说缺少许多东西，最为缺乏的可能就是一种自己独特的、文化的、哲学的理念。我们的小说家作品甚多，但是多数影响甚微，归根结底，除了对于语言缺乏艺术的感觉以外，可能就是思想、理念的贫弱了。

与《雷余的诅咒》堪称同调的作品可能要算《福建文学》这一期的《三人家》了，论主题仍然是他所熟悉的闽地古越族人的传奇，一如前者，充满了古越族和汉族的原始的生存竞争和冲突，在虚幻的人物身世中，在渺茫的历史传闻中，在近乎迷信的文化遗迹中，仇恨的种子、复仇的母题、奇异的谋杀、世世代代的隔膜和爱情的悲喜剧交织着。生活把萧春雷发配到古越族一度聚居的地区，本来是对他的惩罚，可是在艺术品中，却成了对他的奖赏。

在《翩翩遗梦》中，当代青年的爱情故事只是一种陪衬，占据情节中心的虽然不是原始的民族的仇恨，而是典雅的缠绵的爱情故事，甚至还有古典诗歌融入《红楼梦》式的情节之中。全部情节，渗透着朦胧的意绪和凄美的情调，恍兮惚兮，迷离漶漫，构成一种抒情的、浪漫的情调，可是就是在这样的背景上，萧春雷仍然不能忘记把美好的感情与世代相承的仇恨纠缠在一起，把世代的冤仇作为情节的核心，再用当代青春的目光来观照情感的审美价值。《翩翩遗梦》最后的“水落石出的荒凉感”是完整而且丰富的，古老的传奇中的恩恩怨怨和当代青年的单纯爱情达到了和谐的统一，小说结尾，最为动人的是主人公对自己爱人讲述“黑暗的传奇”：

我的故事和夜色一同进行。房间里的事物渐渐陷入晦暗，推动边界，像漂浮在潮水之中。当我叙述到尾声，已是一片黑暗，只有声音在发光。我们彼此失去了面目，剩下温热的触觉——我脖子上的两条胳臂越来越紧。

从这样的细腻而精致的语言中，读者不难发现对诗歌有特殊修养的作者的优越。

萧春雷似乎一直回避正面对现实生活作写实性的描述，就是像《灵魂生意》这样讽刺现实的作品，他也把读者带到了荒谬的、魔幻的境界。几乎所有的人，都为了经济的利益不在乎灵魂的有无：当主人公为自己把灵魂出卖给魔鬼，可能要下地狱而自惭的时候，妻子、儿子、记者、经济学家、工商局长、税务局长、公安局长、法学家、哲学家都认为出卖灵魂是一本万利的好生意。这篇文章的好处就在于严肃性、荒谬性的层层递增，越是荒谬，就越是严肃，越是严肃，就越是荒谬。通过这样荒谬的逻辑，日常生活就这样被他提升到艺术的境界，辛辣讽刺尽在其中。至于从艺术上说，去讨论这是一篇小说式的杂文还是杂文式的小说，已经是书呆子的问题了。

萧春雷的小说之所以有鲜明的现代性，就是因为在作品中，总是有相当鲜明的理念。反过来说，他的不足也就在于，他往往有满足于这种理念的倾向。他似乎还没有意识到做这样的选择，所付出的代价，那就是对于人物内在心灵的丰富性的忽略，理念是深邃的，而人物却可能是平面的。当然，这不是萧春雷一个人的问题，整个当代小说家都面临着这样的艺术挑战。关于这一点，我在给萧春雷的信中说得比较坦率，录以备考：

你的路子很不错，理念也好，比之福建一般作家，起点很高的。写法上有追求，挺前卫的。你在创造一种风格，但是，有时候有点涩。像《雷佘的诅咒》，挺好的一篇小说，开头写得那么沉闷。好久，人物的精神气象出不来，弄得我差点读不下去。如果不是这样的话，评奖的时候，可能得个比较高的奖。有追求的人，不能在一切方面讨好读者。可是在没有什么名声的时候，不能像大师那样去折磨读者，打天下的时候，不能不考虑对读者的号召力。比之你的散文的成熟性，你的小说，好像是刚刚开始，但可以说，一开始就出手不凡，但也把自己放在很高的悬崖上。

余岱宗《被规训的激情》序

余岱宗大学毕业以后，本来可以选择出国，他的英语不错，而且有其他相应的条件；也可以选择当个小说家，做个浪漫文人，一面编制故事，一面自己也卷入一些曲折的故事。他在大学生时代就写过小说，还被当时享有很高权威的全国性刊物《小说选刊》转载过，他后来写的小说，其中有一个中篇，还被入选《福建文学创作50年选（1949—1999）中篇小说卷》（那个选本，一共才选了12个中篇）。据《福建文学》副主编施晓宇先生在一次会上说，他是我们省中篇小说作家中最有希望的之一。然而命运既是自己设计的，又是由不得自己的。阴差阳错，他教了几年中学语文以后，就考上了我的硕士。他似乎想在文学研究这个领域里试试身手。在我最初的印象中，他不像他的师兄陈加伟那样有行政才干，这是由于他的脸庞就是一个矛盾，白皙的皮肤，应该是江浙一带移民的后裔的表征，而略微深凹的眼睛里有点比鹰隼柔和一点的灵气，又像有几十分之一的阿拉伯人种的血统。脸蛋是英俊的，但常有书生气的呆笑。凭我的直觉，这种才子，在学院里也许是块好料，或者说得文雅一点是块璞玉。当然，玉不琢，不成器，好在他很用功，埋头自我打磨。

然而，他老是想改变活法。毕业以后，他没有选择在学院啃书本。也许是为了再试试他有没有未被发现的、潜在的能量，他去了一家电视台，一干就是两年。结果是除了肚子微微隆起以外，没有多少成就感。他的气质、修养和那样成天撒开脚丫子四处奔波的生活方式，不大能够相容。终于决计回到大学校园里来，重新开始，从助教当起。

这时离他大学毕业已经七八年了。

他的小说还是照样写，而且在网上，在刊物上，有了一点影响，省里开什么笔会，常请他去作个讲座之类的，还挺叫座，弄得一些小男生、小女生眼睛一愣愣的，不时余老师长、余老师短地被引用来争辩。

但是他的主要精力似乎并没有放在小说上，他在读硕士的时候，钻研了不少当代西方文论的经典，当助教的时候，开会发言，往往有些让人不得不多想像的高见，这并没有引起我特别的惊异，事情本来就该如此。但是，有一回北京师大中文系的童庆炳教授来我们这里，听了他非常简短的发言，居然特别青睐，点名要他去念他的博士。然而他没有去。为什么不去，他笑而不答。对这个奥秘，至今在师兄弟中还有一些哥德巴赫式的猜想，其中一个说法是，他当时正是新婚蜜月后不久。

后来，他顺利地通过考试到我名下读博士学位，研究方向是当代文学。

这个方向，对于他来说，具有双重的优势。第一，他有文学创作的深切体验，对于文学形象的奥妙，他是内行，许多外行（包括拿了博士学位的、只懂得一大堆西方理论的一些人士），要花上十年甚至一辈子的时间不一定能明白的道理，他早已体会良深了。第二，他对于西方当代文学理论，有相当的涉猎。有一段时期，他几乎言必称德里达、福柯、阿尔都塞、哈贝马斯等。一些对于艺术本身相当隔膜的研究生，常常生吞活剥地运用西方大师的话语来掩饰他们在文学感受力方面的空虚。新名词大轰炸，从 20 世纪 80 年代以来，就是文论界的一大顽症。如果不知道他具有长期的创作经验的话，我也许担心他会变成一个令人眼花缭乱的教条主义者。

读者眼前的这本书，是他的博士论文，可以代表他在学识和智慧方面的水准。

他所研究的是五六十年代的红色小说，尤其是长篇小说。

当他选择这个题目，意味着向两种倾向发起挑战。一方面是持传统观念学者，他们把红色小说神圣化、经典化，以一种宗教的虔诚对之加以膜拜；另一方面，则是一些激进的年轻批评家，站在今天的立场对之加以挑剔和藐视（90 年代初甚为流行的“重写文学史”中的某些文章，可能就有这样的倾向）。

比较深邃的理论修养使他站到历史的制高点上，他把当年的文学经典当作一种历史的文本，加以宁静致远的审视。他看到的不是传家的精神珍宝，也不是一堆心灵的垃圾，而是在一个历史阶段中深刻的矛盾、转化和走向反面的过程。他把革命意识形态的规范（灌输）分为感性和理性两个方面，宏观的、理性的灌输是比较单纯的，而感性的规范要复杂得多。他提出“革命快感”“革命激情和革命痛感”及其“卫生化”“纯粹化”，必然和文学形象感性发生冲突，这就导致了红色恋情的弹性空间萎缩、革命超人的困境等等。

这一切必然导致矛盾的不断激化，一方面是革命的感性世界的规范越来越严酷，空间越来越狭窄（如他指出的“中间人物的‘敌对化’”），一方面为了追求文学感性最大有效性，又不得不反复强调反对公式化、概念化。这就决定了进程是曲折的、反复的、痛苦的、艰难的。有时还是充满了血与火的、壮烈的、牺牲的，但总的说来，则是轰轰烈烈地朝向英雄的纯粹化，也就是人性、感性的抽象化、样板化的绝路上前进。

革命感性的规范与建构终于以感性为理性所淹没、消解而宣告终结。

西方文论的修养给予了他在历史和逻辑上高瞻远瞩的宏观魄力，他对于小说艺术的长期创作体验，又使他能在微观上不时作出原创性的概括。北京大学洪子诚教授在论文答辩会上称赞他文章中不时有“才气的闪光”，大致就是指的这些东西。当他在宏观和微观两方面都能够自由发挥的时候，文章就显得有气势。

这种气势还得力于，他把红色文本放在比较开阔的历史语境之中。他不像一些研究生那样将红色文本加以孤立地考察，而是把它们放在同样文化体制下的苏联文学加以比较，这就更加有利于他揭示中国红色文本的特色，洞察其革命性理性的泛滥和革命感性的虚弱，中国特殊国情在他笔下就显得格外鲜明了。

对于他这样的年纪的学者来说，不能不算是难能可贵的。

当然，他毕竟是 20 世纪 60 年代中期出生的一辈，对于当年的文化氛围、文学气候，直接的感知比较少，大都依靠文献的阅读，由于时间的限制，他的阅读量还不能达到充分还原当年历史氛围的程度，有些章节难免显得薄弱一点，在论及革命小资的恋情的时候，论述口气的明确掩盖不住感性文献基础的薄弱。

好在他对于这个课题相当执着，在完成博士论文以后，又有了新的积累。在这本专著中，我们看到的，已经是经过补充改写的了，但是，不管怎样，这一课题不论从宏观还是从微观上，留下的空间还是相当广阔的，要真止让他的想象还原到当年的历史语境中去，他在理论上和文献的阅读上还有许多累人的活要干，在这方面生命投入可能是无止境的。

但愿他那有马来血统嫌疑的深凹的眼窝里闪耀出更多的智慧火花。

先锋理论的悖论

作者按：也许，明白了人总是生活在悖论之中，就会聪明些、复杂些，活得也就潇洒些、滋润些。

这十多年，内地文艺理论界引进了为数甚多的西方文化、哲学和文艺理论，每一拨引进都引起一场轰动，让许多天真烂漫的年轻学者和并不年轻的学者一时感到兴奋莫名，好像突然捡到了一把解决文艺奥秘的金钥匙。最为轰动的是 1985 年的“系统论”和接踵而来的控制论、信息论，形成热潮，遍及大江南北，叫作系统论热，1986 年就叫作方法年。然而热了不久，第二年就不热了，又来一股热潮，叫作文学观念热，热了一年又不热了，又变成了语言年。以后几年就更纷纭了，结构主义、解构主义、文化批评、权力话语、现象学等等，不一而足，各领风骚三五月，走马灯似的热闹。僵化的传统文艺理论需要强烈的冲击，否则对解放作家、文艺理论家的思想不能起到振声发奋的作用，但是大规模的理论引进，令人眼花缭乱于一时，其生命却惊人的短暂，时过十年，如今若有什么人再宣称系统论对于解决文艺奥秘有什么“特异功能”，会被当作笑话。当年以地毯式轰炸中国文论界的许多时髦新术语，目前差不多已被人遗忘。其实，这几年文艺理论建设性的成绩并不显著，而后继的神秘术语也不像过去几年那样风靡。颇有反讽意味的是有些最激进的先锋理论家，再不大谈从西方拾来的所谓生命的困惑或中国超功利的禅宗，干脆下海做生意去了。

从表面上看，这是中国国民性的浮躁的表现，但从学术建设的实质上研究，这不单是一口气想吃出个胖子来的天真。首先，这些号称先锋的理论引进者，其目的并非借引进而进行自身的创造，他们往往满足于引进。大前提是拿来了，并没有根据中国经验、历史加以检验，或者，说得严重一点是批判，相反，只是把他们所掌握的中国素材作为例证而已。这从学术上来说，本来是最没出息的，最能暴露民族文化自卑感的表现。

这是因为人类思维本身有缺陷，它不可能提供一种绝对周延、绝对可靠的大前提让人轻松愉快地去演绎。一切演绎的大前提都要求周延，不周延就不可能作三段论式的出发点，但是人的经验，包括古今中外一塌刮子都加到一起，也都是有限的，而周延的大前提则要求的“一切”也就是“无限”，是人的有限经验所不能提供的。

这种现象之所以产生并不完全怪我们的先锋派理论家，而要怪人类所使用的基本思维方式——演绎法（还有归纳法）都是不完善的。演绎法的缺点是根据普遍的大前提推论出个别为真，但是，对大前提是不是真，是没有证明的。其结果是把个别先包含在大前提之中，这事实上是同语反复，这就是演绎法的局限。归纳法和演绎法的局限早在18世纪休谟就提出来了。这本是逻辑学的常识，只是我们年轻的先锋派分子太粗心了。正是因为这样，任何权威的大前提，表面上周延的大前提都是需要批判的，或者用时髦的语言说：解构的。也正是因为这样，一切学术的创造和突破，均不应该在权威看来成功的地方开始，而是应该在发现权威的漏洞时开始，在别人用周延的话语掩盖着悖谬的、可笑的漏洞那里开始。在我看来解构主义的合理性在此。

但是解构主义本身也是有命中注定的漏洞的，彻底的解构主义者是无所谓的，但是我们年轻的解构主义者却是不彻底的，而且带着林黛玉式的羞涩。人类的思维工具从概念、判断到推理，从辩证法到系统论都是有漏洞的，每一个思想家都该有自知之明，但是这一点常识太不普及了，以致笑话至今不断出现。不久前一个很有才气的青年理论家提出了一个命题：一切的语言都是一堵墙。说的可能是现成的语言都是一种权力在潜意识中的统治，你用了现成的语言，就是阻挡了自己的思想得以传达，但是你自己说的“一切的语言都是一堵墙”不也是语言吗？不也是一堵墙吗？是不是也歪曲了你自己真正的思想呢？如果是，你还说它干吗呢？

也许，明白了人总是生活在悖论之中，就会聪明些、复杂些，活得也就潇洒些、滋润些，因为他懂得了不迷信权威也不迷信自己的真正道理。

1994年11月30日于香港

学院评论和大众文化评论①

不管你承认不承认，文艺评论是面临着危机了。刊物的萎缩，订数的下降，还只是一个表面现象，而文艺评论专著出版之难，也还不是最值得忧虑的，最令人忧虑的倒是文艺评论界至今还没有普遍地、清醒地认识到危机的真正根源。

在我看来，最关键的一点是由于市场经济的发展，文艺评论和文学作品一样早就带上了很强烈的商品性，而文艺评论如何在商品性与科学性之间取得平衡成了一个难题。我们许多评论家、学者都没有从根本上意识到这一点。他们面临商品潮的巨大冲击，多少有点惊惶失措，多少有点怨天尤人。总是怪客观环境不利于文化的发展，而自身却不作任何调节。

其实，长期以来，我们文艺评论工作中一贯有许多做法是同文艺评论的科学价值与某种市场价值背道而驰的。20 世纪 70 年代以前那种只为长官意志服务的评论自不必说，就是 80 年代的一些新潮评论家也多少有点贵族化的倾向。盛行于 80 年代中期的“新名词大轰炸”以及生吞活剥西方文论的神秘术语和行文风格，就是既缺乏科学性又缺乏市场价值的，这种文风理所当然地遭到读者的厌倦，但奇怪的是许多评论家却以远离市场而自豪。其实，这是一种幼稚病。

任何一种高明的哲学、艺术理论的引进，都要有一个与本土思维模式互相折磨、互相征服的过程。引进本身充其量不过是一个初级的阶段，这本身没有什么可以骄人的。只有在长期运作的过程中，用本土思维模式去驯化它、补充它，乃至纠正它的某些僵化的成分之时，才可能有生动活泼的文风和犀利的理论锋芒，从而也才可能在中国的读者市场上扎下根来。

在这一点上，我们文艺评论界往往是不清醒的。总以为引用外来权威理论本身就是一

① 发表于《福建论坛》（人文社会科学版）1994 第 1 期。

个了不起的成就。其实，不管什么理论都不可能是十全十美、天衣无缝的。幼稚的评论家往往追随他人，在他人成功的路上狂奔，而成熟的评论家则往往从他失败的地方开始。

就现代西方文论而言，他们在很大程度上显示出一种对评论市场化的反抗。其特点就是学院化、高度抽象化。这自有令人肃然起敬的一面，但是也有令人悲哀的一面：他们的市场、他们对城市大众的影响是微乎其微的，以致产生了评论家自产自销的现象。

本来，一个自觉的评论家是不该追随西方文论走向自我否定的道路的，但是由于近代中国人潜意识中的文化自卑感，致使许多智慧超群的文艺评论家卷进了一股以盲目性为特点的潮流。

西方的学院派评论除了文风上的贵族化以外还有很大的缺陷，那就是对城市大众文化的渺视。在他们那些神秘的范畴体系之中，根本没有城市大众文化的地位，以致一任城市大众文化完全按着商业的自发性自由泛滥。

这就产生了学院评论和大众文化评论分裂的局面。一方面是学院评论对任何经典杰作都持挑剔态度，一方面是对大众文化（俗文化）的偶像（如歌星、影星、体育明星）一味盲目吹捧。学院评论完全放弃了对大众文化评论的领导责任。对于泛滥于银幕和屏幕上的色情和凶杀，学院文艺评论中那种神秘概念是绝对无能为力的。

这本是西方文化战略布局中的一个失误，又是商品文化的必然。本来，只要头脑清醒一些，这种毛病是不难引起警惕的，但非常不幸的是，我们的文艺评论也莫名其妙地患上了这种传染病。

于是在我们国家也产生了文艺评论的两极分化。一方面对一些高水平的文学作品、电影和电视雅文化作品有学院式的评论，其苛刻和挑剔的程度比之西方的学院评论有过之而无不及；另一方面则是对俗文化作品的，批评完全“缺席”。最明显的例子则是对宣扬庸俗拜金主义的《曼哈顿的中国女人》，还有什么梁凤仪的“财经小说”，批评家不是沉默，就是卷入了盲目吹捧的行列。更加突出的是作为城市大众文化的一个重要领域——通俗歌曲，则几乎完全缺乏真正的、艺术的批评。从早期的邓丽君到所谓“四大天王”，乃至毛阿敏，几乎没有任何像样的音乐批评。每逢一个浅薄的影星出现，总是一概受到吹捧，这已经成为一种非常丑陋的现象。

这是票房价值对艺术价值的践踏。

任何一个国家，任何一个民族，只要还没有完全丧失自制力，都不能听任文化产品的商品性自由泛滥。凡在严肃评论撤退的地方，毫无例外，大众文艺庸俗化的潮流就势不可挡。

对于许多拘守于学院评论阵地的人来说，光是怨人尤天并不是强大的表现，相反是软弱无能的结果。明明有那么广阔的阵地，你不去占领，这无论如何不是一种光荣。如果你不能适应那最广大的市场的需求，那就不可能用你思想的、艺术的武器去参与竞争。任何哀叹，任何怨气都无济于事！

而要参与这种竞争，对于许多文艺评论家来说，还有一个调整知识结构的问题。我们许多文艺评论家，过分地专业化了，研究文学的不懂电影，研究李白的不懂鲁迅，在舞蹈评论中小有成就的，又不懂音乐。这样狭隘的专业化无异是画地为牢。真正要在大众文化评论中打开局面，必须改变这种状态。不改变自己的自发状态就不可能改变大众文化的自发状态。

大众文化的纷乱已经到了不可容忍的地步。由于严肃评论的缺席，大众文化的自发性已经变为一种庸俗性，它借助于各种小报的渠道在麻醉人心。举一个很简单的例子，顾城杀妻自杀，本来这于道德于法理而言，均为丑恶现象，可是在大众文化传播媒介中，所有的兴味都集中到一点上，那就是满足小市民的好奇。至于顾城的诗、顾城曾经信誓旦旦宣扬过的纯洁永恒的爱情和他的犯罪行为之间有什么必然联系，则完全在关注焦点之外。这难道不是一种疯狂？我们这个民族难道除了小市民的好奇，就连一点是非观念、一点严肃的思考力都没有了？

那些为自己的学术专著不能出版而愤愤不平的学者们，为什么不对这样的现象表示愤怒呢？原因很简单，学院评论传统蒙住了他们的眼睛，塞住了他们的耳朵，使他们看不见社会、时代对他们发出的呼唤。

参与大众文化的评论，包括改变文艺评论学院化、贵族化的作风，这不仅仅是时代的需要，而且也是文艺评论建设本身的需要。大众文化评论的准则、范畴很难从西方经典文论里去直接套用，甚至有不少大众文化现象，其商品性与艺术性处于十分矛盾的状态，这一方面是对学院评论的一种挑战，另一方面又是发展大众文艺评论的机遇。到目前为止，不但我国，而且在全世界，还没有建立起一种大众文化评论理论的美学体系，可是我们都习惯于别人没有自己也没有，因而心安理得。其实真正的学术建树不仅在于灵活地运用他人的理论，而且在于从自己的直觉出发，独立形成自己的范畴和逻辑体系。就是利用他人的理论本身也不是最终、最高的目的，而是为了建立起自己的、不同于他人的理论。从这个意义上讲，投入大众文化评论不但可以解决目前文艺评论失去读者的危机，而且有利于建构具有中国特色的大众文艺理论与批评的体系。

审美历史语境和当代文学史研究

当代文学史是一门历史科学，而它所经历的却不仅仅是同一历史语境。一般所说的文化历史语境并不完全等同于审美的历史语境。就审美历史的建构和阐释来说，它往往跨越了多个文化历史语境。例如，中国古典格律诗的形成，从南北朝沈约开始讲究平仄，到盛唐五七言律诗达到成熟，中间经历了四百多年的时间；小说从情节不完整的魏晋志怪，到情节完整的唐宋传奇，再到有性格的宋元话本，经历了千年左右，从文化历史语境来说，有极大的反差，而从小说和诗歌来说，却具有同一文类形式连续可比性，遵循着统一的艺术准则，可以说，处于同一审美历史语境之中。

与此相反的另一种情况也不可忽略，新时期的新诗从浪漫主义补课，到现代派和后现代诗派的产生，从根本性质上属于三种类型的艺术价值准则，三种审美历史语境，却是发生在同一文化政治历史语境之中。而在散文中，在同样的历史文化语境中，就经历了从审美到审丑，再到审智的三种语境、三种艺术价值准则的飞跃。如果拘泥于单一的文化历史语境，则审美创造的历史发展的特点就可能被遮蔽。

审美历史语境可以是跨历史语境的，也可以是浓缩在同一历史语境之中的。相对于敏感的政治文化意识形态来说，艺术生命往往经历着超越政治历史语境的更迭和淘汰的过程。随着历史语境的变迁，在政治文化意识形态的价值递减的同时，艺术审美价值的可比性却在递增。一切对于审美积淀作出突破性贡献的作品，不管是李后主的词，还是周作人的散文，越是拉开一定的历史距离以后，其艺术价值就越是受到后人的欣赏。这就为把不同历史语境作品，纳入同一审美历史语境作系统的评价提供了基础。

以当代文学中的长篇小说这一文类为例，《艳阳大》的艺术评价具有跨历史语境的奇特性。从纯粹政治文化意识形态价值来说，在中国当代农村题材的著名的长篇小说中，《艳阳天》并不被看好，但是从今天的审美历史语境来说，它不但比之《太阳照在桑干河上》《秧歌》《三里湾》，而且比之《白鹿原》在艺术成就（审美价值）上都要高得多。当然，其他长篇小说，都各有其不可否认的艺术成就，无论如何是不应该低估的。此类小说皆属于传统长篇小说（而不是现代派以及后现代派的），在历史群像和政治环境的丰富和独特的统一上，上述作品比《艳阳天》都有逊色的地方。虽然有人称赞赵树理为描写农村生活的“大师”，但和浩然比起来，赵树理比较善于描写农村生活的某一部分，因此在长篇小说《三里湾》中人物就显得单薄。《艳阳天》对于现实农村繁琐的生活过程则有更高的艺术概括力。《秧歌》概念大于人物，《创业史》中的“落后人物”梁三老汉更有生命力，和《艳阳天》中“落后”中农为了一口袋粮食而折腾得要命的喜剧性可以比美。周立波在《山乡巨变》中的幽默如果更自然一点，不给人一种刻意追求的感觉，就可能比《艳阳天》更有风格。至于20世纪50年代的中国文学所最不擅长描写的爱情，在《艳阳天》中，虽然也未能完全突破政治化、实用化的框框，可仍然能比较接近活人的感情，当然我们可以说它比之《青春之歌》可能要逊色一点，但是人物情绪的饱满却要比《青春之歌》略胜一筹。在“文革”浩劫开始的时候，一切当代文学作品都被横扫，而《艳阳天》则仍然称雄文坛，排除了“四人帮”的阴谋，审美形象本身的感染力是不可否认的。

理想意义上的中国当代文学史应该负起揭示审美历史经验积淀的任务，然而，过分地脱离审美价值的理论往往模糊了这个任务。传统的文学理论都异口同声地肯定，文学是语言的艺术，当前许多学者，接受了话语学说，以之作为文学研究的理论基础，但是在具体研究中，最受忽略的常常是语言。最有代表性的是孙犁的小说，50年代每逢他有了新作，常常受到周扬的批评，有的还是在文代会那样的正式场合。当时周扬所表扬的，如刘绍棠等青年作家的作品，到了新时期连他们自己都不愿提起了，而孙犁的《铁木前传》《风云初记》之所以有较强的生命，与他将农村口语超越政治历史语境的诗化是分不开的。在五六十年代，小说语言的审美质量经历了某种曲折，例如，关于两性的感觉话语，往往以实用观念代替了两性心理的显现，这不但对于“五四”新文学（茅盾、巴金、沈从文）是一种倒退，而且对于我们所师承的苏联文学也是一种落伍。在小芹眼光中的小二黑比之《子夜》中的男女，多少还残存着一点异性的感觉，而在江姐眼光中的彭松涛，则几乎是无性的。这就为“样板戏”中所有的人物都失去性别准备了前提。而这种情况至今还在艺术上准备比较差的作者身上表现出来，《白鹿原》在写到性事的时候，尽管号称有勇敢的突破，但是，在暗喻上是不断重复的，其喻体总是离不开水和火，总体上话语仍然停留在巴金和茅盾时代。

任何文学史家要有出息，当然要有西方文论的足够修养，但是如果不去防止它对艺术的直觉和悟性的窒息，就难免发生艺术教条主义的倾向；辛辛苦苦地批量生产大量不懂文学的文学史，并不是过去式，而是现在进行式。

突破现成话语[①]

现成话语由于其现成性，在很多场合可以自发地涌到嘴边，这种自发的语言常常是歪曲自我的。现成话语把自觉的自我变成现成状态的自我，使真实的自我处在被现成话语淹没的情境中，因此，语言的苍白，乃是心灵的苍白。突破现成话语，也即突破现成的藩篱，找到个人介入社会的方式。

当代修辞学提出突破传统修辞学，向交叉学科的结合点确立专业方向，向外部世界延伸，这在理论和实践上均有重大意义。

中国的传统修辞学，并不像西方修辞学一样有那么长的历史，它是从西方引进的，在当代西方修辞学已经有了重大的发展以后，如果踏步不前，难免面临巨大的危机；但是，如果一味照搬西方的，也未必就能走康庄大道。在吸取了西方的理论资源以后，努力建设起富有民族特色的当代修辞学，乃是我们当前必须明确的方向。

西方的理论，不管它有多么深邃的内涵，不管它的学科地位多么重要，总是逃不了一个局限，那就是它本身是西方文化经验的一种总结，或者说是归纳。从根本上来说，是一种不完全概括。它不可能是完全的，但是，没有一种西方理论不是以一种放之四海而皆准的姿态出现。尽管他们并不懂得中国的、日本的、阿拉伯的、非洲的修辞实际，但是，他们总是以为他们的理论对于世界是普遍适用的。可悲的是，他们的态度居然同化了我们，有时也成了我们理论创造的预设。

这就是陆俭明先生一再忧虑缺乏原创性的原因。

如果不对西方的理论学术资源提高警惕，加以分析，可能是辛辛苦苦研究了许多年，不过是把中国的修辞纳入一件并不合身的西装里去而已。

中国的修辞学家，即使有一千条不足，但是，有一点好处是西方修辞学家不具备的，

① 发表于《福建师范大学学报》2003年第6期。

那就是我们不会奢望自己的理论会成为放之四海而皆准的金科玉律。当然，我们也不甘于仅仅作西方的附庸，这就决定了我们只能从中国的修辞实际出发，寻找汉语的特殊交流规律，但是，我们的文化落伍，无法直接进行原创性的抽象，不得已而求其次，先去借助人家的成就。借助人家的目的并不是为了重复人家的。一切现成理论，包括它的话语，除了它足以澄明的方面以外，由于归纳方法先天的不完全性，总有包含着谬误，也就是所谓遮蔽的方面。看不到人家精彩的东西，就是自我封闭，看不到人家谬误的东西，就是教条主义。而教条主义是原创性的大敌。

如何克服教条主义呢？从理论上来说，第一，不要光是从人家强大的、成功的地方出发，而是应该从人家薄弱的，甚至人家跌倒的地方出发；第二，凭什么找出人家的薄弱环节呢？凭自己具备、而人家不具备的语言经验。

这就要对自己的语言作第一手的概括和归纳。

前面说过归纳方法有先天的不完全性，所以有学者表示担忧，害怕归纳法的狭隘。认为从理论的建构来说，演绎法优于归纳法，这可能有道理。西方人长于演绎，因而比较周延，涵盖面比较广，逻辑层次井然，鸿篇巨制层出不穷；中国人往往长于经验的概括，难免比较狭隘。而概括往往用的是归纳法，这种逻辑方法，从某种意义上来说，是归纳方法的局限造成的。西方人的抽象力比较强，得力于演绎法的广泛运用。他们常常以一种大胆的命题加以演绎，进行质疑和证伪，因而容易有理论上的创造。而我们囿于经验常常是拘于例证，因而理论上的创造力不足。

我想，这是无庸讳言的。

我们今天要真正有原创性的修辞学恐怕还不能不更多地依靠直接经验的概括，因为，没有原创性的归纳，很可能就没有挑战怀疑的资本，甚至没有自己起码的话语。

我们不讳言直接经验的归纳有它先天的局限，因为经验总是有限的，而归纳要求周延，也就是无限，所以归纳法本身就包含着内在的悖论。

说到悖论，在威海的修辞学术讨论会上，上海一位先生提出，所有的悖论都限于否定的判断，其次才是自我关涉。我当时没有反应过来，只是说，这不是我们要讨论的问题。回来想了一下，其实，悖论的意义广泛得很，并不一定是在否定的判断之中。如：

一切知识都是相对的。

如果我们对此有保留，就不能说，“一切”，也就不能说“一切……都是”——这是绝对。

如果这是真的，那么我们就有一个不相对的知识，这就是一切知识，毫无例外的都是相对的，也就成了绝对。这又与“相对的”是矛盾的。

再如，拉康认为人生的某一个阶段（象征阶段），主体将自身认同于镜子中的幻象，生活于自己的幻象之中。阿尔都塞又将之纳入自己的理论框架，演绎出一种意识形态理论，认为人整个一生都处于“镜像阶段”，生活在自身和外在的想象而非现实之中。如果这样的话，那么这种泛意识形态的理论本身也就是一种镜像，也就是非现实的、想象的，所以说，现成理论告诉我们的东西，可能包含着悖论，而且不一定限于否定的判断，因此不是不可质疑的，这就要求我们不要被现成话语束缚住。

当然，演绎法也有它的先天局限。恩格斯说，归纳和演绎，二者都有局限。归纳法的局限在于，它要求完全，但又不能完全。演绎法的局限在于，把结论包含在前提之中。例如，你要证明汉民族语言是交流工具，用演绎法，必须有个大前提：一切的语言都是交流工具，汉语是语言，因而汉语是交流工具。其实这等于什么也没有说，因为你的大前提（一切语言都是交流工具），已经把汉语包含进去了。如果你不能确定汉语是否是交流工具，你就不能说一切语言都是交流工具。如果汉语的性质还有待证明，你就只能说，一切语言（除了汉语）都是交流工具，而汉语是语言，那你就什么也推导不出来。

这不仅是西方文论的困惑，而且也是人类思维和语言本身的困惑。正是因为方法的局限，因而不管什么样荒谬的观念，从宗教的到法西斯的，从伪科学到伪大批判，都会有振振有词的归纳和演绎。也正是因为这样，理论才不能最终证明理念，而要靠实际来证明。

如果我们片面地用演绎法，那就可能忙了多少年，不过是把自己作为例证填入人家并不一定是周密的理论框架。如果我们更加充分地尊重自己的经验，那么，就可能从人家看来天衣无缝的理论中，找到裂缝，从而发明人家没有的话语。重视自己的经验，重视直接的、第一手的概括和归纳，这是中国修辞学理论突围的一种策略性选择。

从理论到理论，不能否认纯理论的意义和价值，但是，从实际到理论也有它的生命力。一旦进入经验的领域，语言运用的天地比之理论已经进入理论的要丰富得多。

在日常交流过程中，许多修辞现象，并没有进入修辞研究领域。最为明显的是开会语言，我国是一个会议大国，但是，我们的会议修辞却是非常的落伍。许多发言、报告都令人昏昏欲睡，这一切没有进入修辞的研究视野。一些荒谬的现象，有愈演愈烈之势。请允许我作一种非常粗浅的归纳，这里有两种相反的倾向，一种倾向是，用现成的套话来掩饰自己。例如，在某校的“名师”先进经验交流会上，一个老师一上台就说：“领导交代我这个任务（指发言），我不知能不能完成得好。”这显然是把自己装扮成一个听话的绵羊。演讲者以为这是一种美化，但是，这种修辞令人想到了 20 世纪 60 年代的人被贬低和丑化，这实际上与这位老师的地位和心情完全风马牛不相及，这是一种修辞伪装，但却是一种失败的伪装。这位老师，不是在说话，而是话在说他，他贫乏的、陈旧的修辞在歪曲他。另外一种倾向是，似乎没有任何语言伪装。一位老师也是一上台就说，今年我双喜，被选为“名师”，又当了“师德之星”。有人说，要请客等等。一点修饰都没有，把平时世俗的姿态和盘托出。修辞修辞，是要修的呀。

高水准的语言交流，本来是一种人格的提升，提升到一个双方相应层次的对话，这与语境有很大的关系。上述两个人都违反了对话的原则。不是在自我提升，而是在自我贬低。在我们国家，每天都在发生这样可悲的事，但是却没有任何一种学问来研究它，以致我们这个会议大国，就成了一个废话大国，人格贬低的大国。

这里，有一个关键，人一上台，就有许多现成的话语涌上心头。这些现成话语，有些是过去的，有些是流行的，有些是低层次的，有些看来是高层次，但却是卑琐的。这些话由于是现成的，因而是可以不动脑筋、不用力气就自发地涌到嘴边的。而这种自发的语言常常是歪曲自我的。从话语交流来讲，不管你说了多少，也大多是无效信息。因而，自觉的讲话，首要的任务，不是忙着写讲稿，而是找到自我。而现成状态的自我，是处在被现成话语淹没的情境中的，要讲话做报告，只有突破这些现成的藩篱，找到最能表现自己的，最适合自己的话语，才能传达出有效的信息。

人的自我不是绝对一元的，而是多侧面的，立体的，有层次的，不同语境中的自我是不一样的。对话对象的心灵也一样，是立体的，多侧面的。应该把自我的哪一个侧面亮出来，哪一些侧面应该隐藏，以便和对方的某一侧面进行互动式的交流，这是修辞的学问，否则就会驴唇不对马嘴，造成聋子的对话。这些都是须臾不可忽略的。我们的修辞学科，应该意识到这里有最为富饶的矿藏。

这些，在西方，尤其是在美国，已经有了一些积累，但是他们也不过是在 20 世纪三四十年代才开始的，时间并不长。古希腊罗马的传统在这以前中断了上千年。而我们国家先秦诸子的论辩，遗产非常丰富，西方人根本就不清楚，如果我们不去作起码的归纳，而一味跟着人家去演绎，未必能掘出自己的金矿。演绎法要有归纳法来补充，归纳法要有演绎法来补充，才不至于被归纳或演绎的现成话语框定了我们的思维。

文学评论及其话语的腐败[1]

本文认为，文学评论的腐败根源在于发稿权力进入市场再加上满足于引进西方前卫文论，而轻视对于文本的具体分析，其结果是，西方文论的话语在脱离实际的反复使用中空洞化，这种现象在诗歌和散文评论中最为严重。

一

文学评论腐败，令人痛心疾首。它使文学评论失去可信性。很大一部分的文学评论早已脱离了广大读者。造成这种现象的原因之一就是所谓“版面费评论”。这是专业评论刊物内部体制的腐败的毒瘤。哪怕是一部极其幼稚、粗糙的作品，只要付出一定数量的版面费（实际上是变相的、体制化了的贿赂），吹捧的文章也会堂而皇之地刊出。评论作者常常是精心物色的。从某种意义上来说，指定评论作者，也就限定了评论者的观点，这本身就注定评论失去了客观性。

值得注意的是，这种情况并非仅仅发生在地方性的专业刊物上，而是经常地发生在全国性的刊物上。这是因为出资的一方，并不以地方刊物的影响为满足，而是以中央级的权威为目标。

应该说明的是：许多被这些权威刊物推出来的作者和作品，并非都是下品，但是一旦与金钱挂上了钩，就难免鱼龙混杂，泥沙俱下，评论的名声败坏了，即使有才气的新秀，也难以得到读者的信任。

由于这种指定评论家的运作方式，逐渐成为一种普遍奉行的模式，很容易造成一种印

---

① 发表于《福建师范大学学报》2004年第4期。

象：除此之外，别无选择，逐渐就变为一种潜在的常规。

正是这种常规，掩盖了贿赂的性质，使这种胡乱吹捧的评论具有了话语的霸权。

和这种模式近似的，是所谓的“研讨会评论”。这种研讨会评论和“版面费评论”在操作上有所不同，“版面费评论”是个别运作的，而研讨会评论则是以组织的名义进行的。堂而皇之地发请柬，与会的都是知名评论家，但是，名为研讨，实质上，不同的评论家，慷慨陈词，只有一种声音，没有不同的意见，充斥会场的是一片溢美的赞扬之声。其奥妙在于，所有参与者，均有为数不菲的“车马费”，这是半公开的红包。和“版面费评论”一样，这样的运作，也大多发生在中心城市，由比较权威的刊物主持。据云，京师知名评论家，有时一天要赶几场这样的研讨会。作品根本来不及看，但是，吃人家的东西嘴软，拿人家的东西手短，研讨会变质为吹捧会就是必然的了。这种恶劣作风，始于20世纪90年代中期对梁凤仪的所谓“财经小说”的廉价赞扬，由此一发而不可收，至今已蔚为风气，成为另一种模式，往往是由大款出资，或者通过权力募集、摊派经费。

这两种模式在操作上虽然有所不同，但本质没有什么区别，只是在运作中，有时还有一点羞羞答答，而在内部策划中，则有赤裸裸的金钱交易，陷入这种层次，道德底线的降低是不可能避免的，久而久之，潜移默化，可能就是沦落的问题了。

所有这些文学批评，虽然能够热闹一时，但是，在作品的鼓吹者和作者看来，都有一个缺点，不管你请来多少知名评论家，影响毕竟很小，会上热热闹闹，会外冷冷清清，所造声势如过眼烟云，不可能给广大读者留下多少印象，难以为作者营造名声。为了扩大影响和知名度，研讨会批评，往往和另外一种形式的批评结合起来。这就是所谓“传媒批评”。这种批评和学理性批评最大的不同，那就是毫无严肃性，要害在于抓住一点刺激性的新闻，不及其余，在大众传媒上营造轰动效应，耸人听闻，从而扩大发行量和收视率。只要城市晚报、电视屏幕充斥着此类新闻，就算达到了目的。其结果是传媒批评和文化明星的生活琐事的炒作合谋。其极端者，可以余秋雨和《上海宝贝》作者卫慧为代表，在表面上轰轰烈烈的炒作中，几乎放弃了对于文本的分析，尤其是对于余秋雨散文的历史性成就，几乎还没有来得及认真地分析，炒作的潮流就过去了，但是，传媒却从中获得了商业化的利益。

从最严格的意义上来说，传媒批评是最商业化的，也是最不负责任、最腐败的批评。

传媒批评的盛行，和炒作的市场价值有密切的关系，但是，这并不是宿命的。在文化产品最为商业化的美国就有例外，《纽约时报》的读书版，每周一次，几十页，就很严肃，享有权威性。在人家的操作模式中，作者是无权指定评论者的，编辑倒是有权选择资深的阅读者和撰稿人，但是，他并不是只给指定的书籍，而给予许多书籍，这就排除了对某一作者的特殊关顾，同时，作者完全有自由确定自己的观念，这是编辑无权干预的。

“有比较才有鉴别”，这是毛泽东的名言，正直的评论，不管是褒是贬，都是在大量阅读中进行选择的结果，没有选择，就谈不上评价。选择本身就是一种价值判断，但是，“版面费评论”和研讨会评论，从一开始就剥夺了评论作者选择的自由，其次，孤立地评论作品，离开了当代文学创作和批评的历史水准，失去了比较的准绳，只能降低视点，把作品人为地抬高，制造假象。而对于水平很高的作品，又可能因为种种原因，加以极其苛刻的挑剔。

大量的文学评论就这样堕落为商业广告，可悲的是，只是低级的广告，空虚的赞美和无限的拔高，一眼就可以看出其假冒伪劣。编辑部内部的腐败机制跟商业化的炒作合谋，形成恶性循环。近来每年年初，都要出现一批某某年度“最佳散文”“最佳小说”“最佳随笔”“最佳童话”“最佳寓言”。所谓“最佳”并未经过任何评选，本就令人怀疑，可是偏偏又有数家出版社同时出版“年度最佳”，不同出版社的“最佳”，所选篇目又相去甚远，那些主编多少会写一些文学评论文章，有些还是挺活跃的，这就不但损害了文学评论家的声誉，而且连广告的声誉也损害了，几个系列的“最佳”的发行量并不高就是证明。

二

所有胡吹瞎捧的评论都有一个共同的特点，就是充满流行的、关键的话语，这些术语不管是传统的还是新引进的词语原来都有严肃的、确定的、一定的历史含义，胡吹乱捧的评论经常将些词语加以任意的、反复的使用，一直用到这些词语像磨损了的铜币变得模糊，失去其原本的严肃意义。

应该承认，当代文学批评的腐败现象并不都来自传媒，有时，其作品倒是出自学院派之手，但是，没有新颖的思想，也就没有新颖的话语，思维不着边际，也就只能在腐败的话语中兜圈子，陈词滥调不但是个语言现象，而且是个思想现象。许多关键词的内涵在反复使用中，不断萎缩，其外延则连理论所要求的起码的全面涵盖都做不到，这可能有私人的、派性的原因，凡我小圈子的，被捧上了天，戴上最流行的桂冠；非我族类，则打入十八层地狱。完全不顾学术规范，使用率相当高的关键词，缺乏严格的定义。这种文风的流行，正表现了中国当代文学评论生命力的匮乏，这种匮乏特别表现在艺术分析上，有效的准确的艺术量度，甚为稀罕。

这种缺陷在散文评论中最为明显。这也正是散文评论落伍于小说、诗歌评论的证据。

一般地说，小说和诗歌评论大致还能在当前最有艺术成就的作品上达成共识，而散文评论则不然，同是一篇宏观总结性的散文评论，往往是在上海的评论认为最值得称赞的一些作家，而在北京的评论则提出了另一批作家，二者互相重合的，寥寥无几。例如对于 20 世纪 90 年代的散文，上海的《文汇读书周报》把余秋雨的《文化苦旅》和潘旭澜的《太平杂说》等作为文化散文的重要收获，而北京的年度评论，则对潘只字不提，对余秋雨提出严厉的批评，李元洛的《唐诗之旅》《宋词之旅》被认为是文化散文的重要成果。这种现象，在小说中是很难见到的。

散文艺术评价评论的随意性，广大读者已经见怪不怪。最令人不安的是，这种随意性已经浸入了散文史的写作。由于大学的职称晋升体制的缺陷，一些缺乏散文艺术鉴赏力的人士轻易地进入了散文史的作者行列。这些人士不但对于散文艺术缺乏见解，而且对于历史缺乏修养，至于何种散文作家可以进入历史，何种不够资格，往往心中无数。人民文学出版社最近出版了一部插图本《当代散文史》，在写到福建散文家的时候，作者居然没有一句提到南帆、朱以撒、萧春雷，给予舒婷的篇幅只有短短的两行，而给予朱谷忠的篇幅则长达五六百字。对于这样的现象，我们很难以私人关系来解释。在这部著作中，作者罗致了大量当代散文中的二流，甚至是末流的散文作者，这些作者既未为中国当代散文创造出新风格，也没有起码的知名度，诸如张汉青、李玲修、夏坚勇、吕锦华、叶梦、廖化歌、和谷、刘成章、李天芳、陈长吟、周彦文等，不要说入史，就是进入全国性散文评论的视野都很难。这说明作者的散文艺术观念处于不及格的水平。堂堂散文史的作者，对于散文的艺术水准缺乏起码判别力，读者怎么可能指望从中获得对散文从文本到历史可靠的、有效的阐释呢？问题的关键在于，作者所依据的理论、所使用的逻辑就是腐朽的，在阐释新时期的各种散文潮流，确立一系列标题的时候，只有零碎的、意识形态的内涵，散文作为一种艺术文类（或者文体）的特点根本就没有进入他的视野。散文作为一种艺术，什么时候出现了有历史意义的发展，有突破性的作家，在作者看来，根本就不值得去研究。令人忧虑的是，这样水准的散文史和专著，却在批量生产，读者已经习以为常。

水平低并不奇怪，但是，把低水平当作高水平去仰望，就是评论的腐败了。

缺乏起码的艺术鉴赏力的问题并不仅仅存在于散文领域，在诗歌领域同样存在，甚至在全国高考语文试卷中，都闹了很多笑话。最明显的一次，是 2000 年，全国高考语文试卷中出现了一个完全是外行的问题。试题是郑敏女士的诗，题目叫作《金黄的稻束》：

金黄的稻束站在／割过的田里／我想起无数个疲倦的母亲／黄昏路上我看见那皱了的美丽的脸／收获日的满月在／高耸的树巅上／暮色里，远山／围着我们的心边／没有一个雕像能比这更静默／肩荷着那伟大的疲倦，你们／在这伸向远远的一片／秋

天的田里低首沉思 / 静默，静默历史也不过是 / 脚下一条流去的小河 / 而你们，站在那儿 / 将成为人类的一个思想。

考题要求考生对这首诗的四项解释指出不恰当的一项。标准答案是如下一项：“金黄的稻束站在 / 割过的秋天的田里一句涉及时间，从全诗来看，除了‘秋天’外还隐指‘暮色’降临以前。”

命题者的意图显然是让学生明白，这首诗的时间应该是在暮色降临之时，或者以后。因为，诗中，已经明确指出是在“在暮色里”，而且还点明“收获日的满月”，但是，这种咬文嚼字，是毫无意义的，腐朽的。关键在于要理解这首诗的真正含义：从金黄的稻束，想到疲倦的母亲，母亲皱了的脸，为什么是“美丽”的，她的疲倦为什么是“伟大”的。这一点如果不理解，字斟句酌地吹求有什么意思呢？何况，诗中同时又明明说是在“黄昏路上”，“黄昏”是在暮色降临以前，还是以后呢？这就很难说了。再说，这首诗写的并不是一个静止的场景，而是一个概括的场景，暮色只是一个黄昏的背景，从这出发，延伸到“历史”（“不过是脚下一条流去的小河”）和“人类”（“站在那里将成为人类的一个思想”）。显然，这是超越了时间和场景的具体性的，确定的时间根本没有意义。在具体的时间上纠缠，暴露出命题者在诗歌艺术分析上的外行：抒情诗与散文不同之处之一，就是它是高度概括的，超越具体时间的确定性，有利于它的深邃概括。除了特殊的例外，在时间、地点上过分的确定，不利于它的想象，时间、地点、条件越是具体化，越是可能为散文同化。不论是艾青的《乞丐》《手推车》、闻一多的《死水》、徐志摩的《再别康桥》，还是臧克家的《老马》、郭沫若的《骆驼》；不论是戴望舒的《雨巷》、舒婷的《致橡树》，还是雪莱的《云雀》、普希金笔下的《致大海》；不论是李白的月亮，还是苏东坡笔下的长江，大凡诗人笔下之物、之人，只有超越具体时间、空间的才有利于诗人想象的自由展开。命题者明显不懂诗，却要给出标准答案。所出的问题，完全是个伪问题，其答案是个荒谬答案。这个问题一经指出以后，第二年的语文考卷就把古典诗歌从标准化客观化的题型中取消了，但是，这个影响了当年许多考生命运的试题包括它的题型，为什么要取消，却没有任何解释。这种不明不白的、偷偷摸摸的修正，恰恰是文学评论界所特有的。与之相对照的是自然科学的试题，南京市自出的一题数学考题，对其正确性，发生争议，一直闹到多名院士签名，非要闹个水落石出，让命题者公开承认错误不可。

从这里可以看出，文学评论话语腐败的一个极端，是它不但被商业的实用性所腐蚀，而且受到体制的保护，在实际操作中是和行政权力结合在一起的。在这种情况下，纠正它的错误的前提，就是体制的改革，这比之改变潜在的成规要复杂得多了。

三

问题在于，体制并不绝对是最终的根源，体制是人制定的，体制是人的思想成规的外在形式。20世纪80年代以来，我们引进了一系列的西方文论。到20世纪末，西方文论越来越明显地表现出两个特点。第一，作为一种思潮，文化批评越来越占据主流地位，重视文本的意识形态，成为不同文论流派的共同倾向，文学与哲学、文化之间的区别遭到轻视。这本是一个历史的片面性，是相当深刻的，但是，我们在接受这种潮流的时候，忘记了它的历史局限，幼稚地把追寻文学的特殊性，尤其是文类的（形式的）特殊规律，设想成幼稚可笑的问题。第二，从方法论上看，当代西方文论的相对主义对绝对僵化的话语、霸权的反抗，对于学术的发展无疑有重大的意义，但是，我们却把相对主义绝对化，走向了另一个极端。在相当一部分批评家们那里，文学性是绝对的、不确定的，连起码的稳定性都是不存在的，即使在共同的历史语境里寻求其相对稳定特征也是幼稚可笑的，文学形式、诗歌、散文、小说之间不同的规范，在前卫理论家那里是不屑一顾的，但是，对于作家来说，形式或文类之间的细微的差异却是艺术修养的生命线，对于评论来说，他们的艺术鉴别力，包括对形式之间的微妙的差异的敏感却是基本功。

参见孙绍振《标准答案还是荒谬答案》(《中华读书报》，2000年12月12日），这个问题在文中还有比较详细的论述。“以初中语文课本第一册中贺知章的《咏柳》为例：‘碧玉妆成一树高，万条垂下绿丝绦。不知细叶谁裁出，二月春风似剪刀。’并没有点明柳树是农村的还是城市的，也没有暗示是早晨还是黄昏的，正因为它时间、地点的不确定性，才有早春气象的普遍性和想象的自由。如果点明是某一地点，某一时间，某特殊的柳树，那就得交代，不管是何处的，何时的柳树，其细叶都是由春风裁剪而成的。对艺术家来说，这不是自找麻烦吗？时间、地点、人物具体性的递增，导致想象的自由的递减，抒情性也相应递减，抒情事性的递减必然导致叙事性的递增。‘葡萄美酒夜光杯，欲饮琵琶马上催。醉卧沙场君莫笑，古来征战几人回。’不但现场的时间因素是淡化的，而且未来的时间都是虚拟的。难道经过行军的漫长过程，到了前线还不醒？如果真是这样，还有可能上战场吗？诗人与散文家之不同，就在于把这一切留在空白里。又如：‘渭城朝雨浥轻尘，客舍青青柳色新。劝君更尽一杯酒，西出阳关无故人。’时间和地点倒是有了，但还是比较虚的，如果一定要问在‘渭城’的什么方位，‘朝露’是日出之前，还是日出之后，把什么都写得一清二楚，就可能成为散文了。又如艾青的《乞丐》：‘在北方 / 乞丐徘徊在黄河两岸 / 徘徊在铁道两旁。’不但时间、地点是不确定的，连性别、年龄都是没有的。诗中的乞丐是整个黄河两岸的乞丐的概括性的意象，而不是某一个乞丐的具体描写，这就是艾青在《诗论》中所说的‘灵魂的雕塑’的艺术效果，如果把性别年龄都交代得清清楚楚，有年龄、性别、时间、地点、人物一一详加描述，就必然失去诗的概括性，也失去想象的自由。”

近年来，我们培养了大批的文学硕士、博士，他们西方文论的修养是不容怀疑的，但是，相当一部分的年轻评论家的艺术修养，尤其是微观的艺术鉴别力却不容乐观。在高等学校中文系的课堂上，能够深入浅出地分析文本艺术奥秘的年轻教师真是凤毛麟角，在生动的形象上贴一些陈腐或者时髦的标签却成为时髦，但是，不管是陈腐的，还是时髦的话语，其缺乏生命，其脱离文学生命，其腐败和苍白却是共同的。

这当然不能全怪西方文论，主要的还是要怪我们自己。我们引进西方文论，并没有注意到它的局限，我们回避了它与中国文学实践、经典文本之间的矛盾，满足于亦步亦趋地追随西方文论，只看到西方文论澄明了的方面，而忽略了它遮蔽了的方面，这本身就是违背西方文论的主体性以及主体性间的精神的。在长期引进的过程中，我们忘却了最高任务不是重复，而是突破、创新；而要创新，不能满足于引进，虽然新式话语令人眼花缭乱，实质上不能掩盖本土性的失语。只有将西方文论与中国文学的历史与现状相结合，不但要对西方文论进行证明，而且要对其加以哪怕是部分的证伪，才有可能进入话语创新，获得中国文论的真正生命。

我们的文学批评，比较盛行的是意识形态的文化批评的宏大话语，一旦到了文本的艺术特点，就鲜见精致的分析。这种情况在散文的评论中特别严重。这是因为，在西方，散文的地位不像在中国这样显赫，散文理论，比之小说、诗歌理论，要贫乏得多，可以直接搬用的很少。这就注定了我们散文批评理论基础十分薄弱，幼稚到连最起码的分类都很难符合形式逻辑的规范。当评论家反反复复地使用着“小女子散文”和“学者散文”这样的话语的时候，并没有考虑到如果统一按作者身份，其他的作者该如何分类，才能达到形式逻辑所规定的划分不得有剩余和交叉的标准。当我们使用流行的“文化散文”时，至少也应该考虑到与之相对的是什么样的散文。如果我们所使用的是大文化概念，则与之相对的应该是“物质散文”,“物质散文”如果不能成立，则大文化散文在逻辑上是不是能够成立呢？如果说，我们所说的“文化散文”并非相对于物质，则至少应该有所定义。正是因为这些范畴的内涵和外延都比较含混，我们的基本理论就不能不是比较脆弱的，散文的宏大理论是建筑在沙滩上的，在这种理论基础上的散文评论就不能不特别混乱。很大一部分的评论，其实不是评论，而是陈腐概念的任意堆砌。一些散文评论家没有什么艺术鉴别力，面对大量作者，根本无法品评水准的高低，就采取了最为庸俗的办法：或是按作者社会地位为准，散文学会会长、出版总署的领导、省级宣传部长，自然就排在前列了；或是以作者的年龄、资格为准，辅之以见报率，所居住的城市的重要程度来确定。位置一旦确定，即使文章水准与位置不相称，也要强行加上溢美之词。话语的滥用必然带来话语内涵的腐败。

面对凡此种种话语的腐败现象，不能说所有的评论家都是趋炎附势，其中也当然有一些评论家很正直，力图借助西方文论有所创新，但是，西方文论的话语毕竟是有限的，特别是能与中国文学创作完全合拍的，则更有限，我们的任务，是在接受西方话语的过程中，创造自己的话语，如果满足于西方文论的有限话语，失去了自己创造话语的自觉，也就不能冲破现成的话语，只能在旧的、已经腐败的话语体系中摸索，其结果也就失去了对腐败话语的免疫力。

在余秋雨评论的热潮中，否定余氏一派，表现了那么大的义愤，表达义愤的关键词，就是“滥情”和“矫情”，但是，恰恰是两个关键词，是在最腐败的意义上被反复使用的，既没有进行过起码的廓清，也没有进行过任何理论免疫。为什么呢？因为西方文论，尤其是当代西方文论，没有任何现成的阐释。反复使用的结果，只能是导致话语更加腐败。

抒情是文学最基本的手段，既然文学属于审美，只要审美是与情感、与感觉紧紧地联系在一起的，则抒情永远也不会绝对过时。本来，值得研究的是，在什么情况下，抒情是艺术的，什么情况下，抒情是过度的，变成了滥情，在什么情况下，又变成了矫情。矫情的产生，其原因一般都从刘勰那里找根据：“为文而造情”，但是，这是从心理学的角度来看问题的，从话语学说的角度来看，感情能够造得出来并且能够有相应的话语顺利表达吗？从创作实践来看，恰恰是作者自己特有的情感由于缺乏相应的话语而格格不能畅吐，不是作者把话说出来，而是现成话语牵着作者，像透明的罗网一样把作家束缚住了。明明有鲜活的情感，却历尽艰难，找不到自己的话语来表达，而腐败的、陈旧的话语却是现成的、脱口而出的。几番挣扎之后，只能将自己真正的感情放弃，用陈词滥调来敷衍。“造情”失败了，结果是“弃情而就文”，所谓滥情，其实是陈词滥调、腐败话语的因袭，窒息了本来新颖的感情。腐败话语中并没有包含多少真正的情感。从这个意义上来说，滥情从心理学来说其实是矫情，也就是虚情假意。滥情的要害是为文而害情。从话语演说来说，滥情其实应该是“滥语”，正如西方文论讲的：不是人讲话，而是话讲了人。“滥语”窒息了活人。

“滥情”作为一种话语本来的适应性是有限的，但是，由于它被提出时的权威性，在使用过程中其适应性被无限地扩大，结果使能指成为不透气的空壳，其所指不能在交流过程中自由召唤读者的经验，腐化就是不可避免的了。交流的过程，本能是能指获得生命的过程，现在变成了失去生命的、腐败的过程。

这么多作家围攻余秋雨，为什么却没有一个作家对这个用烂了的“滥情”加以理论的免疫，给予新鲜的活力呢？因为，我们失去了话语更新的能力。经典话语，把我们变得聪明了以后，又把我们吓得愚蠢了。我们被他们的话语笼罩住了，只能在它的御花园里窒息自己的思想。真正要研究余秋雨，就应该分析余秋雨在抒情中带来了什么新的东西，特别是他的抒情与一般散文的抒情有什么不同。同时，要警惕西方的审美观念在反复使用中的腐化，对“审美”加以反思（寻求理论与实践之间的错位）是十分必要的。审美是情感的，这是康德说了的，但是，在余秋雨的散文中，他的抒情往往又带着文化历史的深思，文化人格的建构和批判是他散文的一贯思路，这明显是带着智性的。像《一个王朝的背影》那样，把清王朝的君主从开国写到没落，揭示其文化人格从强悍、开朗到怯弱、腐败，辅之以汉族知识分子从抵抗到怀恋，得出了知识分子有文化认同滞后的特点。这样深刻的充满文化人格价值的批判，就不能简单以审美的情感来概括。在此基础上，提出“审智”作为康德“审美”学说的补充，就避免了审美和抒情话语在反复封闭的使用过程中的腐化。当然彻底地分析起来，余秋雨虽然有审智的成分，但是，他并没有完成这个历史任务，他和现代派的审智，还有相当的距离，说他的历史贡献，就是从审美到审智中间的一座断桥，才是比较确凿的。

真正的文学批评不能是广告式的，也不能是学究式的，二者必然伴之以话语的腐化。对于西方文论的话语，不能是亦步亦趋地为其寻找证据，应该是在运用的过程中，在证明与证伪的过程，警惕腐化的危机，衍生出中国自己的话语来。

悼念秦牧和虚假吹捧[①]

作家秦牧逝世，报刊上跟着出现了不少悼念文章，其中一些，写得是很诚恳的，读来颇为亲切自然。而另一些则写得很有些生硬，读来叫人难以接受，甚至难以相信。

其原因是文中充满了夸大不实之词。夸大到近乎缺乏常识的程度，就失去悼念文章的庄重性。本来，凡悼念文章大抵出乎逝者亲朋好友之手，带一些感情色彩是自然的，诚恳的感情会使文章增色，但是近来有些悼念文章显然越过了情感色彩界限，相当一部分变成了盲目溢美，有些甚至给人一种肉麻吹捧之感。这是个由来已久的问题。我仅以一例来说明。

在《文艺报》1992 年 12 月 12 日号上，读到张放《秦牧病逝后的省思》，说实在的，不但没有产生悲悼之意，在我心中汹涌起来的竟是某种滑稽之感。

这种感觉首先是由张放的一个论断引起的。张放说："秦牧的杂文、散文确是玉液琼浆，言言珠玑，我认为他的《艺海拾贝》将是中国当代文学的里程碑作品。"本来，用"玉液琼浆，言言珠玑"这类语言来形容一位好友的作品已经是陈词滥调，这样的话语，不要说不成其为一种严肃的论断或评价，就是作者的感情，哪怕是偏爱，也无从显示。许多华彩语言，在同一方位上，同一意味上反复运用之后，逐渐失去了它的本来含义，在读者的心灵中已经很难引起原本可以预期的反应。读者的心灵钝化程度，与同意味的运用频度成正比。这位张放先生不谙于此，尚情有可原，不可原谅的是妄下历史的断语，而所下的判断又缺乏起码的常识。秦牧的《艺海拾贝》居然可以成为当代文学的"里程碑作品"。首先，一般说当代文学作品，是指创作如诗歌、小说、散文之类，可《艺海拾贝》并非小说、诗歌，而是一组文艺评论，连散文都不是。当然，广义的当代文学里程碑作品也可以包括文艺随笔在内，但是那是指对当代文学创作或理论产生了划时代影响的；它总结一代成就，

① 发表于香港《华侨日报》1994 年 10 月。

开辟一代文风，在美学上，形式上有着历史性成就，并且影响了一系列的后来者，它属于大手笔、大杰作。《艺海拾贝》，作为一种文艺随笔，并没有什么艺术散文的创造性，也没有任何理论的突破性，它的长处是知识性、趣味性。从本质上来说，是一种中等偏上层的通俗读物，不存在艺术上或学术上的重要性，它的重要在于60年代的经济困难时期，“左”得可怕的棍子满天飞舞，文艺界万马齐喑之时，它以它的知识性和趣味性赢得了苦于精神饥渴的青年读者的欢迎。这一历史功劳决不可没，但把它誉为“当代文学里程碑”，那就弄巧成拙了。

如果光是有这么一点古怪的溢美之词，倒还不值得大惊小怪，偏偏这位张放先生不善于藏拙，还要任意发挥到可笑的程度。

秦牧曾为彩色画册《桂林》写过一篇序。这篇悼文的作者，把它截引了一大段，用非常武断的语言赞美了一番。为了尽量不给读者以先入为主的干扰，我这里把悼文作者所引的片断转引如下：

> 桂林的山水，应该说是独具一格的。飞机掠过桂林上空的时候，人们从舷窗下望，就可以看到这一带特有的山峰，那种看来没有来龙去脉、拔地而起的峰，像犀牛的角，像马蹄螺，像竹笋，像伏兽般的岗峦，令人感到奇特而又新颖。等到你着陆之后，亲自到各个风景区踏访一番，就会越发惊异于这些山峰千奇百怪的状貌。它们有的像老人，有的如巨象，有的赛似骆驼，有的宛若瓶子。一首古代的诗歌禁不住扑进你的心扉：“桂林多洞府，疑是馆群仙。四野皆平地，千峰直上天。”对，桂林的山就是这般模样。这些山已经够奇了，而无数深邃瑰丽的崖洞更奇；还有一条明净澄碧的漓江把这一带的风景区联结起来；加上许多神仙故事和历史故事，这就使桂林山水，在中国、在世界享有这么高的声誉了。

就这么一段文章，张放先生的评价是这样的：

> 像这样细致生动的桂林山水，过去、现在，甚至将来，有谁能写出这么优美的散文？……周作人写（按：漏“得”字。）出这样的散文么？朱自清写（按：漏“得”字。）出这样的散文么？

这样高的评价，已经令人纳闷，又加上武断地用反问句来加重肯定的分量，就更叫人咋舌了。

其实，这篇散文很平庸，它平庸在以状物为最高目标。秦牧无疑是在竭力表现桂林山水之美的，但他唯一的美化手段就是状物，用描摹外形的办法去美化。这在美学上是混淆了造型艺术和语言艺术的各自不同的特点；至少，是不甚理解语言艺术不可能全面地、逼真地描摹客观对象。托尔斯泰说，要描绘一个人的肖像是不可能的，但是可以描述他给我的印象。因而语言艺术的长处是客体特征和作家的个性特征、感情特征的猝然遇合。不是客体特征越鲜明越好，而是作家个性特征通过对象的特征表现得越突出越好。

在秦牧的这篇文章中，对象的特征，并未统一起来成为一组完整的意象群落，而是处于分散的零乱的状态，作者的特殊情感尚未能够把分散的、不统一的客观对象统一为一个有机的整体，这显示了作者艺术的魄力不足，因而显得十分被动。

这是因为秦牧把全部希望寄托在对桂林的山的比喻上。首先，一连四个比喻：犀牛角、马蹄螺、竹笋和伏兽，都是表现山的形态的，这不但单调，而且太坐实了，太被动了，缺乏审美距离，缺乏对外部形态的超越性，老是在外形上打转，就呆了。既然要美化，为什么不可以像诗人那样说“情一样深啊，梦一样美”呢？张放先生轻率贬抑的朱自清先生在运用比喻时绝不会这样呆。秦牧拘泥于外形，所用的比喻均属近取譬之列，而朱自清先生则知道近取譬的局限，常以远取譬调节，故他在《荷塘月色》里把荷花的香味比作“远处高楼上渺茫的歌声”，把月光下和荷叶的明暗的和谐反差，比作“梵婀铃（小提琴）上奏出来的名曲”。张放先生如果认真钻研过朱先生的文章，就不至于这么唐突了。

秦牧散文中的比喻是一连串的，这属于博喻，博喻之忌乃是纷乱，纷乱则互相在联想上干扰，因而博喻妙在统一连贯，朱自清先生是很精于此道的。他在《绿》中，也一连串用了好几个比喻，但均有连贯性、递进性：“她松松的皱缬着，像少妇拖着的裙幅；她轻轻的摆弄着，像跳动的初恋的处女的心；她滑滑的明亮着，像涂了‘明油’一般，有鸡蛋清那样软，那样嫩，令人想着所曾触过的最嫩的皮肤……”这三个比喻，同属女性特征，又具有层递性。同时它又不停留在“绿”的视觉效果上，而深入到触觉的质感上，这已经比秦牧的比喻光停留在视觉形态上高出一筹，更重要的是朱自清不满足于视觉和触觉效果，而且进一步在功能上又展开想象“那醉人的绿呀，我若能裁你以为带，我将赠给那轻盈的舞女；她必能临风飘举了。我若能挹你为眼，我将赠给那善歌的盲妹；她必明眸善睐了……”这两种引申的功能，一方面与前面的比喻是有机统一的，同样都属于女性的美，同时又大大地超越了外部视觉和触觉进入人心灵的感应层次，这就不但显示了梅雨潭水的绿的特征，而且表现了作者的情感的自由。

秦牧把桂林的山比作犀牛角、马蹄螺还算统一，二者不但形态相似，而且价值也贵重，接下去比作“竹笋”，形状虽然仍然相似，可价值已经有了落差，读者的期待是价值的递增，可这里却递减了，至于跟着又把桂林的山比作伏地的野兽，那就真是不伦不类，只能令读者感到突兀，给读者的期待以打击了。更不堪的是秦牧至此仍不知藏拙，又把桂林的山比作“老人”“巨象”“骆驼”“瓶子”，就不但杂乱，而且完全把自己的情感、个性窒息了。被山的外部形状弄得手忙脚乱的秦牧已经完全忘了自己，在散文中再没有比这种自我失落更煞风景的了。

本来，这样的散文，在秦牧的散文中绝非上乘之作，可张放先生居然把它捧得比朱自清的散文还高明。应该说明的是我在上文所举的朱先生的两篇散文也是先生早年的作品，词句的华丽并非绝对的优点，而且朱先生晚年的散文已经改变了风格，一洗早年的铅华之气，进入了更高境界。我不知道张放先生是否仔细研读过朱自清的散文，不过，不管怎样，这篇意在鼓吹的文字只能得到一个滑稽的效果。

自然，这里不仅有个文风的问题，同时也有个散文的理论水平问题。在整个中国乃至世界，都缺乏散文理论，散文不像小说和诗那样有那么丰富的理论，因而散文的艺术标准仍然停留在经验层次上，许多散文评论都不得要领，这是时代水平所限，也许我们不该苛求于张放先生的。

当代文学理论学科建设的思考 ①

20 世纪是一个巨变的时代。20 世纪的语境包含了一系列复杂的文化问题。政治、经济、美学无不产生了一系列巨大转折。这样的背景之中，中国的文学理论正在遭受挑战。或许，我们有理由将这种挑战理解为一个重大的契机：现在恰恰是考虑文学理论学科重建的时候了。

迄今为止，文学研究的传统分类——即文学史，文学批评，文学理论——仍然得到了多数人的首肯。如果说，文学史或者文学批评的研究均是以作品为轴心，那么，文学理论的特殊主题即是概括文学之为文学的独特性质。借用形式主义学派的术语，文学理论研究的是“文学性”。什么是文学话语的特征？什么是文学演变的规律？

文学理论可以遵循作家、作品、读者三条线索考察这些问题。当然，在形式主义或者新批评派那里，“文学性”的概念曾经有效地将许多非文学的因素挡在文学研究领域之外。韦勒克与沃伦的《文学理论》试图证明，作家传记、心理学、社会、思想以及其他艺术门类均属文学的外部因素；对于文学理论说来，重要的是“内部研究”。尽管这种见解在 20 世纪上半世纪盛行一时，但是，20 世纪下半世纪的文学研究重新回到了历史环境之中。许多文学理论家倾向于认为，“文学性”的内涵与特定的历史文化密不可分。对于节奏、格律、文体、风格、意象、隐喻、象征、神话、叙事话语这些称之为文学的内部因素进行研究，理论家发现，体现于这些因素之中的“文学性”将在不同的历史环境之中或多或少地发生变异。考察历史语境之中的“文学性”，这不是再度以简单的社会分析代替文学分析；这意味着深入地考察文学内部因素与文学外部因素之间的隐蔽联系，从而有效地说明种种文学成规如何形成，这些文学成规如何成为文学之为文学的规范。这往往包含了双重的问

① 此文由南帆起草，行下有线处为孙绍振所加。录此以资友谊纪念。细心的读者可能看出两种文风的差异。

题：首先，文学如何作为一个文化成分参与特定的历史语境；其次，文学在特定的历史语境之中发出了哪些独特的声音。在这个意义上，文学理论的研究不仅在于分析种种文学话语的机制，同时，文学理论还必须分析文学话语机制的历史缘起以及特殊的文化功能。

这时，"文学性"不再是一个抽象的，甚至是大而无当的概念。"文学性"首先具体地体现于特定历史时期的文学类型之中，其次体现于小说、诗、戏剧、散文的文体建构之中。文学理论不是推导一个形而上学的"文学"定义，始终面对种种历史性的和文类的文学经验，在及时地予以总结的同时，对现成的文学话语进行阐释、解析和重构，这是文学理论学科的活力所在。文学理论不仅描述小说、诗或者戏剧、散文已有的规范，同时还揭示它们与文化环境以及意识形态的互动：文学话语的机制如何被特定的意识形态所修改，文学又如何保持自己的美学立场，文学经验如何因为自己的美学立场而产生独特的发现——这种发现是其他学科无法承担的。

回到历史语境之中，文学理论当然无法回避对于文学生产工具以及传播体系的考察。不言而喻，现今的文学是生存于报纸、电影、电视以及互联网之中的文学；文学理论有理由将这些文学生产工具、传播体系以及因此崛起的大众文化纳入视野。考察文学如何与新的文化环境对话，发现哪些新的文学类型正在浮现，这显示了文学理论学科的开放性。

文学理论可以根据上述的分析列出本学科的问题菜单，但是，对于问题的阐释不能仅仅停留于初步的归纳与概括。20 世纪被称为批评的世纪，一批人文学科的突破为众多批评学派提供了新的理论模式。除了马克思主义学派犀利的社会分析以外，精神分析学派、形式主义、结构主义、后结构主义、阐释学、原型批评、女权主义、后殖民主义纷纷粉墨登场。它们不仅为作品的解释提供了形形色色的理论前提，同时，这些理论学派无不包含了何谓文学的见解。显然，这些理论学派均在不同程度上形成了文学理论学科建设的资源。我们必须意识到，这些理论学派正在从各种层面上描述什么是"文学性"，文学正是在丰富的描述之中显现出一系列隐而不彰的维面。

当代文学理论建设要完全离开这样的理论话语，是不可能的，但是完全照抄这样的理论话语，也是不可能的，因为这些理论话语本身是多元的，互相之间并不存在着任何现成的有序的逻辑体系。每一种话语体系都有一定的历史的、民族的、流派的因缘，有其澄明的深邃性，同时又有其遮蔽性。即使是其深邃的方面，也与中国传统的、现代的文学文本和理论传统有不可避免的交错甚至冲突。特殊的困难就由此而产生了。首先必须对目前引进的多元话语资源进行逻辑的和历史的梳理，达到相对的有序性，力争在核心部分具有话语的通约性。其次，确立通约性的根据不仅仅是依凭理论本身的自洽性，还要参照中国经典文学作品和理论与之对照。不能指望西方文论的一切话语与中国文学的文本和理论经典之间是天衣无缝的。这里必然有一个证明和证伪的痛苦过程，不将其中的矛盾和冲突揭示出来，从而对其范畴进行补充、阐释、修正、衍生，中国当代文学理论的建构是很难想象的。

没有人能够否认文学与母语的联系。文学不仅是历史的，同时还是民族的。一个民族的美学情趣内在地凝聚在文学之中。文学理论包含了对于一个民族美学历史的接受。这不仅是对于民族经典体系的阐释，同时还说明了现今的文学是从什么基础上展开的。这个意义上，中国的古代文论已经构成了文学理论的组成部分。研究中国古代文论的体系特征，阐发中国古代文论的某些有效范畴，这即是对于现今“文学性”的理解。的确，这包含了一种古代理论话语与现今理论话语之间的转换。无疑，创造性的转换绝不仅仅是为现今的文学理论找到传统的源头；创造性的转换的标志是，中国古代文论显现了对于现有文学的阐释功能——这种阐释功能是其他民族的理论所无法替代的，因此，创造性的转换不是套用某种现成的理论语言改写中国古代文论，更不是孤立地摘取某些辞句充当他人的例证，它展示的是中国古代文论提出了什么根本的问题，力图在何种深度上解释这些问题。这样的展示必将在现今的理论视野之中产生回响。对于文学理论的学科建设而言，中国古代文论是另一个博大的库存。

毫无疑问，光凭中国古代的和西方引进的文学理论资源，建设中国当代文学理论体系都是不够的，这须要一个转化的过程。纯粹从理论到理论的转化，固然不可一概否定，但是理论的转化，逻辑的演绎任何时候都需要阅读经验的支撑，二者之间如果不取得一定的平衡，就可能变为教条主义。从根本上来说，理论话语的产生不外乎两个来源，首先就是直接从文学文化文本中进行第一手的理论概括，大师们就是这样做的，因为忠于他们自己的阅读和阐释，他们才提炼出了与众不同的话语。对于我们来说，这样的话语变成了理论的第二个来源，也就是权威的理论话语。一切的话语比起文本本身来说，都有历史的和学派的不完全性，我们的任务是：除了在逻辑上对其加以丰富使其更加自洽以外，就是要以我们的阅读经验为基础，对其加以修正、衍生、改造，甚至颠覆，没有这样一种气魄和精神，中国当代文学理论的建构可能缺乏必要的创造性。

大陆研究台湾文学的真正开始

1991 年 10 月中旬，中国社会科学院文学研究所台港文学研究室和福建省《台港文学选刊》联合举办了一次两岸文学比较的讨论会，参加会议的都是行家，颇有些知名度，但不知为什么杨匡汉（台港室主任）和季秉义（《台港文学选刊》主编）一定要我去参加，我想既然这么盛情，我得去讲一点真情实话。

开头照例是领导人讲话，不过这次是张炯。由于在座的谢冕、袁良骏、刘登翰都是老同学，陈晓明又是我的学生，外人不多，我讲话的胆子就大了一点。

我提出的第一个论点是尽快结束台港文学研究的幼稚阶段，就使一些人脸色有点不大自然了。我说幼稚阶段的特点，是以介绍性为主，以客套话为主，“以试探的胆怯的小心翼翼的批评为主”。这是长期隔绝的必然现象。与此相联系的是一些低水平的捧场，这种捧场对于缓解隔膜、沟通情感是有一点用处的，但是现在两岸的交流已经相当的踊跃了，老是一些水平不高的客气话，就我们行家来说，实在令人气短。

我举 1989 年的一件事为例，那时第二届台港及海外华人文学研究年会在复旦大学举行。会间，福建省台港文学研究会会长刘登翰到《上海文论》编辑部与老同学顾倬宇（他是《上海文论》副主编）小聚，顾先生对老同学是很推心置腹的。他笑问，你们在复旦开什么会，刘如实以告，顾笑说，这里有人说：“你们开了一个‘弱智’的会议。”我这一说，有些人就笑了，有些人就气得不得了。我注意到，笑的恰恰是水平比较高的，文章很有风格的，而气的正好是文章中水分特别多，吹捧性特别强的。

我不管它，我讲我的。我说这样吹捧文章不但不能使我们自己满意，也不能使人家满意，人家就跟我说，中国有两大吹捧能手（名字我就不提了），这种文风，与我们这个高级研究所的名号很不相称。

就是从沟通两岸感情来说，客套话和捧场话只能使人际关系疏远，而不拘形迹，开诚布公，推心置腹反而有利于人际交往的密切。我举例说，我可以当面批评谢冕教授，不应对年轻的第三代那么纵容，这就只能引起他的微笑，我的批评越凶，他的笑声越高。

我的话说得虽然刻薄一点，但是，我并不低估这几年来对台湾香港文学的研究取得的巨大进展，尤其是，就在这次会上，刘登翰君赠我一本《台湾文学史》上卷（海峡文艺出版社出版），是刘登翰主编的，从台湾远古文化与原住居民的口头文化写起，经过郑成功时代，鸦片战争，一直写到台湾在五四以后的新文学运动，洋洋近五十万言。可以想象下卷将写到台湾的当代文学，肯定有更大的规模。

就是在那个会上，袁良骏已经说了，他对刘登翰君给这本巨著写的序言十分心折。我听了立即就翻阅了一下，果然体制以及理论构架都不同凡响。刘氏显然受过精深的黑格尔式辩证模式的训练，他把他对台湾文学的宏观观察纳入了正反合的范畴之中，在每个命题中都既有对立，又有统一，又有转化。例如，他首先研究了台湾原住居民的文化中，原文化和外来（日本和西方）文化的矛盾，特别强调了三者的冲突对峙和交融互补。他又揭示了台湾文学的深层矛盾，那就是台湾情结和中国情结之间的二重性，这一点分析就特别深刻。由于近代民族忧患，中国情结“蕴含着伟大的民族感情和文化认同趋向”，但过分强调对于“文化中国”的认同，也形成了对“文化台湾”的忽视。另一方面，在“台湾情结”方面，有抵御异族同化的反抗性和寻自身发展的自全性，但在特定情况下，也可能导致地方排他主义和狭隘区域意识，可能走向民族分裂和政治上的离异。刘先生是一个平和中正的人，他立论力求持平，素不作偏激之言。在这里，他仍一如既往把各种可能都按矛盾、统一、转化的模式展示在读者眼前，表面上似未作任何结论，实际上，他的侧重点是明显的，亦即过分强调“文化台湾”的潜在危险。就这一点来说，我觉得台湾文学研究的幼稚阶段可以说已经结束，真正的学术研究似乎已经开始。

但是开始毕竟是开始，以客套的捧场话为主的现象仍然不可避免。真正的、自由的甚至尖锐的批评（而不是敌视的）恐怕还不是指日可待的，而没有真正的学术争论，任什么研究都缺乏研究的品格。

传统理论的当代意义[1]

——评张德林的《审美判断与艺术的假定性》

熟悉张德林的人都知道，张德林是一个实在的人，为人实在，为文也实在。实在在我们这个浮躁的时代已成为难得的美德，所以，当他又将一本新著《审美判断与艺术的假定性》[2]寄赠给我时，我并不惊奇，因为实在的人总是有成果诞生的。不过，当我阅读该书时还是大吃了一惊，我没有想到张德林在本书第一页，探讨的第一个问题是："文学是什么？"这里，张德林无疑是在做一种理论冒险。像"文学是什么"这样古老而争论不休的问题，论者一不小心就可能落到老调重弹的状况中，而这样的问题要想创新是一件相当困难的事情。张德林勇于冒这个险，力求在最基本、最朴素的问题上完成自己的理论建构，这种理论勇气是让人佩服的。

也许，这就是张德林的理论个性：赋予传统理论以一种当代意义。这几乎是贯穿《审美判断与艺术的假定性》一书的理论思想。许多人对传统的、经典的理论不屑一顾，只注重新时尚，这里显然包含着对传统的一种很深的误解。传统的不一定是旧的，或者是该唾弃的，相反，新的也不一定是该赞美的，重要的是理论要有持久的生命力，否则它再新也没有价值。就像 20 世纪 80 年代中期全国都掀起"三论"热，现在再重读当时的文章，连作者自己都不得不承认那是一个理论误导。事实上，我们现在所从事的，过五十年后都要汇入传统之中，那些一贯反对传统的人如果不认识到这一点，他要立刻放下他现在所从事的，因为他的理论五十年后将得到像他一样的人的否认。这说明理论的价值不在于新或旧，乃在于其问题的重要性，以及其所阐释的是否合乎文学的本质与科学规律。

---

① 发表于《当代作家评论》1995 年第 6 期。

② 本文系由当时尚在读大四的谢有顺代为执笔，收入本集，以资纪念。《审美判断与艺术的假定性》，上海文艺出版社 1993 年 12 月版。

不仅“文学是什么”这个问题，就是“形象思维与逻辑思维”“内容与形式”“艺术的假定性”“现实主义文学审美判断”等问题，都是理论界耳熟能详的。我知道张德林的理论意图：不在于出示新的理论问题，乃在于在旧的问题上阐释出新意来。在当下这种混乱的理论局面下，张德林所做的努力是相当有意义的。文学的千变万化，说到底还是离不开“客观真实与艺术真实”“内容与形式”等范畴。譬如，张德林论到真实这一观念时，非常强调作家主观真实对客观真实的参照，只有这样，才能写出一种本质的真实性，张德林反对“现象即本质”的说法，现象永远不能代替本质，说现象是本质的人，实际上等于说这个世界没有本质。有意思的是，坚持“现象即本质”的人，并不能在现象中活着。比如，在爱情的追求上，他就不愿活在爱情的现象中（如约会的方式、写情书等行为），而是希望约会与情书这些现象中有爱的内容，爱的内容就是本质，而这个本质显然不是从现象自身来的。由此，张德林论到，在选择真实时，必须具有审美尺度与价值判断，二者要联结在一起。也就是说，作家所出示的真实要被读者确认，就必须是有价值意义的真实，否则就是一种伪真实。

读到这里时，就想起我们当下的文坛现状，正是由于失去了有力的价值判断，才使得大部分作家的写作无法再触及“本质性的真实”，从而出现了两种倾向：要么是极端写实的作品，要么是极端抽象的作品，真正的真实反而缺席了。极端写实的作品有池莉、方方、刘震云等人为代表，他们提倡一种所谓的生活“原生态”，提倡放弃价值选择，不动声色地表现生活，所以，在他们的作品中出现了大量的日常性的生活图景。事实上，池莉等人的观点有一个虚假的前提：他们这种写作也无法做到完全客观，因为他们的选材、剪辑本身就包含着他们的价值态度，并且，即使放弃价值实际上也是一种价值。极端抽象的作品以先锋小说为代表，他们中的一些作品拒绝揭示生存的真实，而是满足于一种语言的玄想。语言的真实是一种虚假的想象，它并不关涉本质性的真实，故极端写实与极端抽象都是走过了头。只有一种真实是本质性的，就是我们当下的存在真实，它既不是我们所见到的日常生活，也不是语言的游戏规则，而是精神意义上的，所以，我不承认绘画中“照相现实主义”的作品是真实的，尽管它在外表上毕像毕肖；但我承认对毕加索来说，他画布上那割裂的人体是真实的，因为这是毕加索心中割裂观念的真实反映。

为此，我欣赏张德林在书中对真实所下判断：“美与善、美与真不能分离，善是艺术美的内核，真是艺术美的显现。”这个观点好像是重复康德的真善美三部曲的观点，但对我们当代的创作可以起规正的作用。毕竟，康德所说的是艺术的恒常母题，在我们这个艺术贫乏的时代，艺术只有回到真、善、美的维度上才可能得到拯救。张德林的观点与近代的席勒、现代的维特根斯坦是一致的：审美与伦理的统一。这也与当代天主教神学的最杰出、最丰富的集大成者巴尔塔萨的思想有共同之处，我希望中国当代的作家、理论家能够重新关心这个疏远已久的话题，为审美找到价值依据。

从这个思想起点出发，张德林在许多问题上有自己的鲜明立场，这也同当下许多暧昧的理论家区别出来。譬如，论到内容与形式的关系，张德林推崇马克思的一句话："如果形式不是内容的形式，那么它就没有任何的价值可言。"重新以这种辩证的方式看待内容与形式的关联，似乎对我们当下的文学创作也有指导意义。当下的诗歌与小说在形式的自娱上都已走得很远，游戏的味道相当浓厚。一个作家，如果失去了表达的对象，他就只能将表达的手段（形式）当作表达的内容，作品便演变成了尼采所说的"游戏规则"了。一些先锋诗人与先锋小说家，都居住在形式这一自足的系统中，满足于一种假想的建构方式的玩赏，试图创建一种假想的艺术真实来代替世界中的存在真实。这种形式自娱的危机在于作者把形式与所要表达的内容割裂了开来，或者干脆说，在他们眼中只有形式，没有内容。这同样是中国作家一个不自觉的误区。我们都知道，中国作家的形式背景是西方文学，可在西方或拉美的形式主义大师（我姑且这么称呼）那里，他们的形式就是他们的说话内容，二者是一。并且，形式不单是作品的外表，而且是他们内在体验生存后的表现，博尔赫斯的迷宫形式是因为他有迷宫的体验，卡夫卡用人变虫的形式也是因为他先有了甲虫的体验。同样的，梵高采取印象式的、模糊的艺术手法和毕加索的割裂手法，都是因为固有的真实观念瓦解之后的结果。他们的形式没有大于他们的体验。可这些一到中国作家的笔下，形式就只剩下了外表，并且大于作家本人的体验，以致形式成了空洞之物，所以，形式不是一些方法和法则，是内在于内容的，在这个层面上，张德林认为文学艺术中的情节、人物、语言既是内容也是形式，具有双重性，这一点，对当下文艺界只将语言自身当作形式的全部的创作现状很有借鉴意义。

同样的，张德林在"非人格化""非英雄化""关于审丑"等问题上也提出了批判性的见解。"非人格化"反对的是情感立场；"非英雄化"反对的是性格复杂的人物，也反对一切的英雄人物，认为当下是一个没有英雄的时代；而"审丑"理论更是为了表达高尔基对波德莱尔的评价——生活在邪恶中而热爱着善良。这些观点都有一定的时代意义，也曾深刻地影响作家的创作，然而，不能将他们推到极端，否则，在"非人格化"指导下会诞生像法国新小说派那样冷漠的文学，从而丧失情感的丰富性；审丑没有健康的美学导向，也会导致对艺术自身的否定，当下许多作家就是持"审美已经死亡"的观念，失去了当有的美学理想，从而走向了艺术的虚无主义，产生了颓废、黑暗的文学。只有健康的美学理想，能够为文学艺术重新带来神圣的光芒，以及盼望的力量。

在艺术的假定性这一范畴里，张德林充分发挥了他那细腻的艺术分析的优势，使他的理论具体落实到了作家每一个写作环节之中，这也是《审美判断与艺术的假定性》一书的重点篇章。特别是在假定性环境的设置上，张德林将它与人物心态、强化性格、人物的意识流动等联系在一起，使理论在作家的写作中具有了可操作性，这是相当可贵的。虽然说，作家的写作很难说能用一些理论规条来概括，但他们的写作思路还是有迹可循的，如果能够用丰满的艺术分析来阐释这些创作理论，我们就能够从中找到作家写作的内在机制。当下许多理论家有许多观念，但在具体的艺术分析上却难免有牵强之嫌，而这一点恰恰是张德林的长处。他自己也说："我缺少黑格尔式的抽象思辨力，这不是我的特长；但对艺术的、描述性的细部分析，即微观研究，我可以做到细致入微，引人入胜，把读者带入作品的假定性情境。"这是很好的自我表白，一个理论家能够扬长避短是取得艺术建树的基础与条件。我也经常在阅读张德林的著作与文章时，为他那细腻的艺术分析能力所吸引，这种能力在年青一代的理论工作者那里已很难找到，甚至还为他们所不屑一顾。事实上，在这一点上他是很见功力的，这不仅需要细腻的艺术感觉，又不能囿于这种感觉，而要有一定的抽象与概括。譬如人物意识流动的深层结构是很难把握的，可张德林还是概括出了四种描绘方式：环境"撞击"式、积淀式、扩展式、集中式，这是很有意思的。

一个理论家要有这种细腻的艺术分析能力，同样也要求作家的作品有这种细腻的感觉与体验，为理论家提供分析的可能。在当代，是很难再找到像托尔斯泰、陀思妥耶夫斯基那样有心理深度的作家了，他们对人性的洞察、灵魂的探索所企及的深度至今仍然是难以逾越的高峰。当代许多很有才华的年轻作家，在我认为，有一个很重要的缺陷是：他们虽有很好的写作观念，但是，落实到具体的写作中，及物能力不够，往往在结构与叙述的速度上，缺乏细致的、从容的推进，总是急促而成。这不能不是一个很大的遗憾。作家每出示一个事件，一次人物精神的飞跃，都需要有很好的现实基础，按人物与事件自身的感觉、心理、情感逻辑来展开，这样的小说世界才是生动的。在《"自我"与"非我"》这一节中，张德林分析到了"安娜之死"这个情节中的三个场面，这是相当有代表性的，它让我们看到：死不单是一个结果，更是一个过程。这一点，在当代作家余华的《活着》、格非的《敌人》等作品中，也有出色的表现，但不光是死的场面，就是每一个生活场景也需要有现实的、全面的展开，作为长篇才会有贯彻始终的感染力，余华等人的局限性也就在于此。

张德林的目的也在于使作家能够更多地进入到艺术的假定性中，使他们所构筑的艺术世界能够丰满，并且能够与生活本身拉开距离。艺术的假定性，就是艺术的虚拟性，在现代主义作家那里得到了很好的强调，它与现实主义作家在表现方式上是不一样的，但在本质上都是要在虚拟中与现实达成和解。张德林说："艺术的假定性就是艺术的虚构方式之一……任何艺术都离不开艺术的假定性审美原则。"可按我的理解，艺术的假定性不是艺术虚构的方式之一，而是所有的艺术虚构都是假定性的，这一点，我在《文学创作论》一书中已论述到，但虽然如此，我与张德林的理论之间并不是矛盾的。

写到这里，我忽然想：张德林要构筑一个怎样的理论体系呢？虽然张德林在主观上并没有这样的雄心，但是，我看张德林的理论还是自成体系的。在这本书中，两个中心问题就是“审美判断”与“艺术的假定性”。审美判断与文艺的本体特征、创作实践、表现方法相联，其基础是艺术真实与价值尺度；艺术的假定性则与艺术想象、环境、内心视象、意识流动相联，是完成审美判断的艺术过程。这两个问题的平衡，表明文学既是艺术的，又是审美的，既是假定性的，又是包含着价值判断的，现实主义文学在这方面做得较好，到现代主义，就开始出现偏颇。张德林的理论似乎更多是针对现实主义文学而成立的，所以，我相信有许多人会认为张德林的理论已经过时，显得过于陈旧，这可能跟张德林过于诚实的表达有关。这种理论在当代还有生命力，在于现实主义文学的命运不会终结，但现实这一概念要发生变化，因为当代有当代的现实。我们很难叫卡夫卡在那个时代描绘巴尔扎克式的现实，原因在于现实变化了，并且，作家主体也对现实自身有了不同的体验，因此，现实主义的变革是必然的，任何故步自封的观念都不符合现实主义文学的要旨。在我认为，卡夫卡是那个时代的现实主义作家，而不是其他人，同样的，加缪、马尔克斯、博尔赫斯都是那个时代的现实主义者。我想，张德林在《现实主义文学审美判断》这一章里加上这些现实主义的变革历程，并由此来看审美判断在价值层面上的演变，可能会使我们对现实的理解更内在深入。当然，我在这里不是说一种“无边的现实主义”，而是要求当下的作家不要被固有的观念所束缚，把现实主义理解得过于狭窄。张德林在《审美判断与艺术的假定性》一书中对一些有争议的问题都表明了自己的立场，既有批判，又有认同，呈现出了一种开放的观念，为此，我相信他能够接受我上面所说的。作为同代的理论工作者，我是真诚希望张德林能奉献出更多的成果来。我们的时代需要这样的敬业者。

沈泽宜《北大·五月十九》序[1]

北京大学1957年五六月间的“反右”运动，这几年引起了海内外历史学界广泛兴趣，成为学术研究之重大课题。然论者大多并非亲历者，所据文献资源多有不确。所幸，近年来当事者发表大量回忆文章，提供可观资源。亲历者回忆比之早已形诸文献者，具有活历史的价值，尤为可喜、可爱、可珍、可贵。

本人作为亲历者，阅读当年北大学生的理论权威和精神领袖谭天荣同学、陈奉孝同学等诸君文，重温从炼狱中觉醒、沉沦而又升华的精神隧道，不胜唏嘘。当然，就回忆的系统而言，应以张元勋同学之《北大·1957》为最。张著无疑不乏相当的历史厚重感。五十多年的时间距离加上记忆的筛选，有所差错，在所难免，但是，无可讳言者，张著某些陈述与事实相去较远，如对当年精神领袖谭天荣之肆意贬抑，又如对战友沈泽宜的歪曲，还有对“浪淘沙”当事人的偏狭的攻讦，凡此种种，莫不旨在抬高自己的历史地位，如此明目张胆，不仅有违我国史学“实录”精神，而且有悖传统文德。连北大一向以厚道著称的洪子诚教授也在给我的信中说：“张元勋的回忆录，确实问题很大。这样对待历史态度实不可取，有了沈泽宜的叙述，相信能提供矫正。”

“反右”运动距今已五十余年，当年风华正茂的热血青年，如今多半垂垂老矣。为抢救史料，俾后来者免偏听之暗，享兼听之明，三年前，我建议当年沉浮于风口浪尖的沈泽宜先生以同样的题材，撰写他的北大1957。恰巧他早就有此意。

沈氏《北大·五月十九日》书稿于2006年冬天完成。窃以为最佳选择为在张著同一出版社付梓，以学术公平昭示历史公正。

托钱理群君询诸张著之主编章诒和女士，然而，数百天来杳无音信。沈氏高寿七十有

---

① 此书后来在香港天行健出版社出版时，改名为《北大，五一九：学生右派们“是怎样炼成的”》

六，且患重病，时不我与，中夜忧心。幸得一二友人资助，又蒙香港天行健图书公司慨允，成此毅然之举，以昭君子之德。

2009 年 10 月 2 日初稿，2010 年 3 月 28 日修改

刘登翰《海峡文化论集》序

20世纪50年代认识登翰，就觉得他气质上和我不同。他的诗和他的人一样温文尔雅，不像我受了当年苏联红极一时的诗人马雅可夫斯基的影响，以率性呐喊自得。他还在大学一二年级，就置身于北大才子集中的“红楼”，和康式昭、谢冕、林昭、张炯、江枫以及“红楼”的主要作者群张元勋、沈泽宜、任彦芳、温小钰、汪浙成等一起，那可是我可望而不可即的宝塔尖。不过1958年寒假，谢冕把我、孙玉石、洪子诚和他拉到一起写《新诗发展概况》，在《诗刊》上连载。虽然没有载完形势就发生了变化，不了了之，但是在讨论他的稿件时，我感到他颇有文采，“笔锋常带感情”。以他的才情，毕业后留在北大是不成问题的；但是，令人羡慕的学者的前程，他似乎并不在意，选择了回到故乡福建的目的是，照顾家庭并更多地接近生活，把生命奉献给文学创作。回到故乡以后意想不到的挫折，贬入山区的坎坷并没有把他压倒。很快他的组诗《蓝色而透明的土地》《耕山抒情》引起福建文坛刮目，他对自己才能的自信被实践证明了。读到郭风对他赞扬的文字时，我正在华侨大学那个“左”得荒谬的地方挨整，平均两个星期被领导“刮胡子”（挨批）一次。我不但丧失了创作和学术的兴趣，而且丧失了人生的自信。差不多十多年，我除了读书几乎没有什么乐趣。有一段时间，我甚至放弃了文学阅读，专门钻研哲学、历史，包括黑格尔和马克思，越是难啃的哲学经典越是能够让我忘却现实的痛苦。当时只是怀着一种“改造世界观”的虔诚，根本没有做学问的念头。待到改革开放，朦胧诗大论战把我推向第一线的时候，我们又会师了。对于舒婷，他接触得比我早，想得也比我多，在我写出那篇引起“左”派愤懑的《新的美学原则在崛起》之前，我们有过多次交谈。他的许多话，给我很大的启发。其中最警策的是：舒婷他们这一代写诗和我们不同，他们是无所讳忌地贴近自己，而我们则是千方百计地回避自己。这句话的概括力很高，我一些朦胧的感觉被调动起来。他的话和他的个性是一样温和，不带进攻性，而我生性粗率，又加上多年读黑格尔刻骨铭心的影响，养成了树立对立面中立论的习惯，率性骂人，口无遮拦，难免言词尖刻。在《新的美学原则在崛起》中，就更加锋芒毕露，他所说的贴近自我，就变成了“自我表现”，而且把当时视作神圣经典的“抒人民之情”当成对立面还不过瘾，还加上了几个“不屑于”——“不屑于”表现英勇劳动、忘我斗争，“不屑于”充当精神的号角。这就惹恼了全国从上到下一系列的正统派，使我在三四年左右的时间里，陷入了被围困的境地。我曾经想过，同样的意思，让他来写，可能就要委婉得多，周密得多。当然，历史不容假设，而且他的文风和我的文风各有优越和局限。

20 世纪 90 年代初期，文坛和诗坛都令我失望。谢冕写过一篇文章叫作《新诗正离我们远去》，我当时的想法是，与其你远去，还不如我远去。差不多有十年的时间，我关注的焦点转向了幽默学和散文。等到 90 年代末，我重归学术界，发现登翰早已离开了诗歌创作和研究，转向台湾和香港文学，而且成了权威，主持完成了《台湾文学史》《香港文学史》《澳门文学概观》，之后又进入了世界华文文学理论的探索。此前台港文学研究尚在草创，虽然每两年有一次全国性学会的年会，但是，就我的涉猎来看，基本上还是介绍，以作家论、作品论，甚至赏析为主，对于当代文学评论表现出某种幼稚的依附性，由于缺乏艺术感觉和真正独立的思想，对台港文学作品一概甜言蜜语成为风气，令业外人士不屑。登翰就亲口转述过一位上海刊物主编相当刻薄的评价：“弱智”。当然，真正有分量的研究还是有的，只是比较罕见。登翰以他的辩证法功底和创作经验与这些论者相比，当属凤毛麟角。我曾经在香港一家报纸的专栏上说出这个印象，不想引起了朋友潘亚墩先生愤怒，为文反讥扣了“宗派主义”的帽子。二十多年过去了，回首往事，如普希金所言，那逝去了的一切，都变成亲切的怀恋。

人生如白驹过隙，转眼跨过了 20 世纪。台湾文学研究已经变成了“台港澳暨海外华文文学”，或称“世界华文文学”研究。我偶然参与其年会，不禁惊讶其规模之大，水准之高，与当年不可同日而语。以往那种从现象到现象的感性介绍、甜言蜜语的赏析，虽不能说荡然无存，但是已经退居边缘。二三十年的时光没有白过，台港澳暨海外华文文学研究，已经走过了自己的草创时期，学科建构的定位似乎有了比较普遍的自觉。我的涉猎不广，仅仅从登翰的文章中可以看出，从材料的梳理向学科基本范畴的建构，留下了坚实的足迹。在摆脱了对于当代中国文学评论的学科依附性之后，提出了本学科独立的范畴和诠释的架构。这显然是一项浩大的工程，每一个概念都需要原创命名，并在内涵上严密阐释，登翰为此做出了许多努力。我从他刚刚出版的文集《华文文学的大同世界》中，看到了这种学理性的追求。对于一些基本概念，从命名、范畴到内涵，都企图建立一个属于华文文学自己的理论框架和诠释体系，诸如“华人”的概念和身份变化，“语种的华文文学”和“文化的华文文学”“族性的华文文学”“个人化的华文文学”概念内涵的共通和差异，华人为何，文学和文学如何，“华人”的提问，双重经验的跨域书写等，无不显示出深化论题和深入辨析的努力。值得注意的是，基本范畴的形成，还得力于内部和外部谱系的展开：“一体化和多中心”，华人的世界性生存经验与文学书写的关系，海外华文文学与母国文学的“相似性”和“转移性”等，在内在的深层和外部广阔的联系中，提出“华人文化诗学”的概念，以此基本范畴为核心，走向系统观念的建构。

这一切给我的感觉，不仅仅是学科建构，而且是学术升级。

较之早期的新诗讨论，这是登翰二十多年来付出最多的一项研究，一项富于独立性和开创性的研究。

然而，如今摆在我面前的这部新作，是登翰在华文文学研究之余拓展的另一个新的领域：地域文化研究。

在当前，地域文化研究是门显学。不过，大多研究者关注的要么是地域文化形成的历史，要么是地域文化的各种表现形式，如方言、民间习俗、民间信仰、民间戏曲、民间工艺、民间美术等。登翰主持过一套总计十六本、约五百万字的大型“闽台文化关系研究丛书”，每册一个主题，林林总总，就含括了上述这两个方面，但登翰所写的作为“丛书”导论的《中华文化与闽台社会——闽台文化关系论纲》，其着力点不在讲述历史，介绍背景，而在于透过历史背景的现象描述，揭示中华文化如何走向海洋的意义和价值，从理论上建立对闽台文化的认识体系和阐释框架。他借鉴文化地理学的视野和方法，却发现传统的文化地理学对文化区域划分的缺陷，只重视“地域”而忽略了“海域”；而“海域”的观念对于我们这样一个有着漫长海岸线的滨海大国，具有重大意义。福建和台湾恰恰处于台湾海峡这一黄金水道的两侧，历史上由中原经福建再度移民台湾，方言、习俗、信仰等传承性和相似性，使闽台成为一个共同的文化区。从文化传播的路径上看，其特征不是相邻地域的“传染”传播，而是面对海峡的跨海传播。为此他提出了“海峡文化”和“海峡文化区”的概念，作为对“闽台文化”的重新认识和命名。这样的概括，把内陆文化与海洋文化的统一和转化当作主导，突出海峡的特殊性，正面指出闽台作为移民播迁的文化积淀的特色，肯定了中华文化的内陆性质在走向大海过程中对海洋文化精神的涵化。在此基础上，他提出的“海口型”文化的范畴，是一个具有原创性精神的概括，并且在阐释中衍生出系统的、有机的概念谱系，而这正是作为学科建构、提升的标志。他从移民、移民社会和移民文化入手，围绕共同面对的一道海峡，分析闽台社会的地理文化特征和社会文化心理，提出如下一系列相互关联的观点。他这样概括闽台社会地缘的文化特征：

1. 从大陆文化向海洋文化的过渡：多元交汇的“海口型”文化；

2. 从蛮荒之地到理学之乡的建构：远儒与崇儒的文化辩证；

3. 从边陲海禁到门户开放的反复：商贸文化对农业文明的冲击；

4. 从殖民耻辱到民族精神的高扬：历史记忆的双重可能。

正是在这样的历史文化环境中，孕育了闽台相似的社会心理和文化性格：

1. 祖根意识和本土认同：移民文化的心理投射；

2. 拼搏开拓和冒险犯难：移民拓殖性格的两面；

3. 族群观念和帮派意识：移民社会组合方式的心理影响；

4. 边缘心态与“孤儿”意识：自卑与自尊的心理敏感；

5. 步中原之后与领风气之先：近代社会的心态变化。

这些立论和分析，秉承着登翰一贯的不满足于表象描述的理论气度，在严格的概念内涵界定中，有自己独立的发现和概括，也有自己诠释的理论系统和话语。他以这样的研究把自己和同行的研究区别开来。建立在史料基础上的理论概括，从原创概念出发的诠释和学术建构，是登翰从华文文学研究到地域文化研究的一贯风格，也是这二十多年来我所看到的登翰的成熟。

闽台关系从移民到文化，是一个有史可证的客观存在。不过近年来也为彼岸某些人所忌讳，生怕谈了闽台就矮化了台湾。这是一种被“政治”绑架了的学术恐惧心态。谈政治，必须是两岸；但论及文化区，无论从语言、习俗还是信仰等，不讲闽台，难道去讲京台、川台、辽台？更有甚者，一些鼓吹“台独”的人，企望建立他们的文化“理论”，他们鼓吹“台湾人不是中国人”“台湾文化不是中国文化”“台湾话不是中国话”“台湾历史不是中国历史”。这些罔顾事实和逻辑常识的所谓“理论”，由于披有学术的外衣，便具有相当的欺骗性、煽动性。若就事论事进行政治批判，则不免流于肤浅；没有共同语言，也会变成聋子的对话。西方修辞学的传统认为，辩论应有共同前提，也就是“论辩双方必须属于同一话语共同体”。这个理论是有缺陷的，不同的话语体系间的辩论无处不在。破解之道，被当代西方修辞学所说破，只要把对方的前提转化为自己前提，也就是以你的道理来论证我的立场，不同系统之间的对话、论辩就能顺利进行。这就是说，不管话语体系多么相左，只要本着系统的资源和学理逻辑，以子之矛，攻子之盾，辩论就有是非曲直可言。

登翰所做的闽台文化研究，自有深刻的本体价值。然而，面对“台独”的文化谬论，这些研究实际上又成为批驳和辩论的基础。也就是说，要从根本上解构此等荒谬，则不能不对海峡文化学进行学科建构和提升，不能不对海峡文化的历史资源和现状作原创概括和第一手梳理。

在这里，基本概念和范畴的辨析就成为基础的基础。故本书从《论海峡文化》开始，开宗明义，着力对“海峡文化区”作出界定，对其内涵与外延、性质与意义进行阐释，指出与通常使用的“闽台文化”“闽南文化”有根本的不同。这表面上似乎是学院派的概念繁琐辨析，其深邃含义乃在前者（“闽台”“闽南”）重在“地域”，而海峡文化区的焦点乃在“海域”。对这样的区别，辨析毫厘，并没有陷入经典哲学繁琐的论辩，恰恰是因为其现实针对性而显出理论的活力。这一论述，客观上也在瓦解“台独”理论把中华文化定位为大陆文化，将台湾定位为海洋文化的根基。文章以丰富的历史资源和辩证的学理逻辑做出了雄辩的回答。在学科建构多层次中颠覆“台独”分子的文化话语，成为本书的一大特色。

这显然得力于登翰的哲学方法论，在此二元对立被视为不够时髦的时刻，他却很自觉地坚持着黑格尔式的对立、统一、转化的模式，这表现在他对观念、现象作多层次（剥笋壳式）的矛盾分析，他从核心概念“海峡文化”的具体分析出发，提出“海峡文化区”和“环海峡文化圈”，又从“文化区”中分析出“形式文化区”和“功能文化区”。由此指出“台独”分子所强调的台湾文化实际上并不是历史积淀的稳定的“形式文化区”，而是暂时性的“功能文化区”。抓住分析矛盾对立，并没有使得他的分析僵化，相反，按着黑格尔正反合的模式作螺旋式的推进，在个别地方，对黑格尔有所保留，使他灵活。正是因为这样，他得心应手地从核心和范畴的分析，衍生出成对的子范畴谱系，这似乎是他的拿手好戏。

他学风的可贵在于学理的深化和学科建构的追求。他把学科建构的基本范畴和逻辑系统作为论述的纲领，自然使得他的著作具有某种气魄；但是，如果要挑一点毛病的话，观念的定义（内涵、外延）以及具体系性的谱系的强化，不可避免地使得实证性有所弱化，因而，从阅读效果来说，感性不够饱和。例如“台独”理论硬说台湾流行的闽南话不是中国话，这是违反最起码的经验和常识的。闽南话和被称作台湾话的闽南方言，基本词汇是大体一致的，其词源和中古词汇一脉相承。只是到了现代北方官话变了，而闽南和台湾方言却没有变，如把锅叫作“鼎”，晒太阳叫作“曝日”，把进来叫作“入来”，把快步叫作“走”，把开水叫作“汤”等。而在语音上系统的对应更是明显，如，中古的声母 g/k/h，在现代有系统地变成了 j/q/x；在闽南和台湾方言中，仍然读做 g/k/h，如街道的“街”，普通话的声母读 j，而在闽南和台湾方言中仍然读 g。这种语音演变的痕迹保留在汉字形声结构中，“街”的形旁为“行”，是一条交叉的路，而当中的“圭”则是表示声音的，现代汉语和闽南话都仍然读 g。又如“起”，现代汉语的声母是 q，而在闽南和台湾方言中，声母保存了古代的 k；现代汉语中的“喜”，声母读 x，在闽南和台湾仍然读古代的 h。只要有起码的闽南话和汉语史的修养，就不难揭穿“台独”分子喋喋不休的所谓“台湾话”不是中国话的鬼话。其实台湾闽南口语的音韵比之现代北京话更富中原音韵，通俗地说，不管是陈水扁、李登辉还是闽南引车卖浆者流，他们的口语比之普通话更接近杜甫和岳飞的口音。

“台独”分子要证明台湾话不是中国话，首先就得证明岳飞和杜甫不是中国人。登翰是闽南人，在这方面感性资源得天独厚，如果能把这些资源适当逻辑化，则不难使文章富于情彩和智彩。不过，这种假设也许是武断的，真要强迫登翰这样写，文章可能就不像是刘登翰的，而像是孙绍振的了。

2012 年 12 月 13 日

文学史的写法和文学批评的写法

——谈谈香港文学史的写作[①]

从严格意义上来说，写史是一件非同小可的事。孔夫子不过是把鲁国的历史《春秋》编订了一下，就成就了一项历史的伟大功绩。《春秋》是编年的，从表面上看，孔夫子所做的工作，充其量就是把史实考订一下，按确定的体例编排起来，在当时的影响居然大到让“乱臣贼子惧”的程度。这说明，哪怕是逐日记述，事实的安排倾向，问题的提法，也隐含着价值判断，这就是所谓“寓褒贬”的“春秋笔法”，深层的“微言大义”全在文字之外，有关国家兴亡的根本原则尽在其中。

为什么要用“微言大义”的“春秋笔法”呢？这是因为不能把作者的主观看法直接讲出来，只能通过历史事实的叙述透露出来。首先是事实，其次才是叙述的态度。我国传统的历史学最重要的就是事实，有一个专门的术语叫作“实录”。

因为要严格的客观，所以当代人不可能为当代写历史。我国向来有“异代修史”的传统。二十五史都是后代人写的，最后一部《清史》，应该在民国完成，可是从 1914 年弄到 1928 年还只是未完成的《清史稿》。史家强调要尽可能的客观，《汉书》称赞司马迁：“其文直，其事核，不虚美，不隐恶。故谓之实录。”古代史官，忠于“实录”的精神，不惜牺牲性命，早在春秋时期就成为美谈。对于这一点，西方学者甚为惊叹。20 世纪 90 年代初我在德国特里尔大学图书馆中，看到一位汉学家的著作，说《左传》完全是“实录”，很少主观地评论和介入，语言也非常精粹。写周天子送给齐桓公一块肉的场面，《左传》只写了四个动作：“下、拜、登、受”，他称赞整本《左传》中“几乎没有形容词，副词就更少了”。

其实，纯客观的“实录”有一点空想的味道，其间有个价值判断准则和客观性的悖论。

首先，传统的“实录”包含一个潜在的前提，那就是任何历史现象都是中性地存在着

① 发表于《光明日报》2003 年 5 月 8 日。

的，好像历史家的任务不过是把它拣到自己篮子里而已。事实上，并不存在纯粹客观的、一元的事实；任何历史的叙述都脱离不了叙述者主体文化、政治价值等显在或者隐蔽的观念的制约，“实录”常常免不了成为主体心灵的投影。难度并不在事实，而是作者根据什么样的观念去选择、处理事实。正是因为这样，光是香港文学史从何处开头，就纷纭得很。最远的追溯到 1874 年王韬办的《循环日报》，次及 1927 年鲁迅在香港的两次演讲，还有认为20世纪三四十年代，更迟的是 50 年代，最晚的是 60 年代乃至 70 年代。[①] 从这里，可以看出，把香港文学史设想得越是源远流长，越是不在乎介乎文学萌芽阶段与一般文化之间的混沌状态，相反，把香港文学史的起点确定得越是接近当代，越是强调成熟的文学性准则。这是历史研究的两种方法，一是从高级形态开始，继而对低级形态作出说明，恩格斯说人体解剖是猿体解剖的钥匙，就是属于这一类；另一种是从低形态开始，逐步向高级形态发展，一度盛行的神话原型批评就是这种方法的代表。

关键倒并不是实录不实录，而是根据什么样的观念来决定其有加以记录和阐释的历史价值。

现代读者最高的期待并不仅仅是事实（史料），毕竟，已经没有什么人会把张爱玲的《秧歌》《赤地之恋》和徐讦的小说排除在香港文学史之外了。决定一部文学史水准的，是在事实后面，作者坚持的文学观念——价值准则，以及在史料的阐释中，这种价值观念逻辑化、系统化和自洽化的程度。由于没有永恒不变的价值，“重写文学史”是永远不会终止的，又由于不存在放之四海而皆准的价值，史实的多元阐释，才是学术繁荣的标志。

尽管香港文学史连个开头都众说纷纭，然而，这并不是我们妄自菲薄的理由，并不存在唯一正确的起点。正如可以有各式各样的小说和诗歌流派一样，也可以有各式各样风格的文学史。据我知道，黄子平先生所说，香港文学史从王韬开始，指的是刘登翰先生主编的《香港文学史》的第一章（执笔者为杨健民）。我推测，在刘先生和杨先生看来，香港文学有一个从一般文化中分化出来的历史过程，王韬时代是香港文学的萌芽阶段，许多后来的特点，是从萌芽状态中衍生出来的。这种现象也许是中国文学史特有的。当然，关于这一点，并不指望所有的学者都能认同。历史著作可以是多元的。本来春秋战国时期各国都有自己的历史，《春秋》不过是鲁国的编年史罢了。《墨子 · 明鬼》中就引用过“周之春秋”“燕之春秋”“齐之春秋”“宋之春秋”，这些春秋没有能与鲁国的历史一起流传下来，构成众声喧哗的局面，只剩下定于一尊的孔夫子修订的《春秋》，实在是一种无可奈何的遗憾。

当然，不同的标准并不意味着有相同的竞争力。提高学术竞争力的关键在于，站在当

① 参见黄子平《香港文学史：从何说起》，《中华读书报》，2003 年 2 月 12 日，第 10 版。

代历史语境的学术前沿，去发现史料内在的历史联系和审美价值的嬗变过程。

从这个意义上来说，在我看来，在黄子平先生所说的多种香港文学史的开头中，从王韬开始的应该是最富有历史眼光的。香港文学最早就是这个样子，没有必要去否定它或者美化它。

中国史家强调“不虚美，不隐恶”，但是，“虚美”“隐恶”的现象，至今都在香港文学史的写作中呈恶性蔓延的趋势。一些没有历史价值的作品常常被“虚美”到肉麻的程度。一方面，相当强调文学性，一方面又把很大的篇幅给予了艺术上相当幼稚的作品和作家。梁凤仪批量生产的小说居然以“财经小说”的名义，在通俗小说项下，取得了和金庸、梁羽生、亦舒、李碧华并列的历史地位。而在“严肃文学”的章节中，有一些艺术上没有多少成就，质量很平庸的“作家”，由于社会地位和资格，而不是艺术成就，又和西西、也斯、刘以鬯、余光中列入同等档次，可以说是“虚美”加“隐恶”的双重发作。其实，人为的名声是短命的，审美准则如此明显的腐败倒令人感到香港文学史如黄子平所说，不知如何说起。

造成这种现象的原因之一是，香港地面太窄小，文学界圈子里交往频繁，物理距离较近，抬头不见低头见，人事关系就在不知不觉之中代替了历史准则。原因之二是，一些非文学的、庸俗的因素长期占据上风，对各种势力的照顾和妥协使得文学价值权衡变成为声誉的平均分摊。

除了这些主观因素以外，还有一些可能是来自客观的。

文学是一种灵魂的探险，文学形式是对于可能性的试验，需要一个严峻的淘汰过程，许多作家作品，很难在短时期内就显示出其历史价值来。历史人物盖棺才能认定，实际上就是盖棺了，也不一定就能认定，具有历史价值的作品注定是要让后人来反复地、无止境地批判的。正是因为这样，才有歌德所说的“说不尽的莎士比亚”现象。当时的眼光，很难有真正的历史性，李白、杜甫在后代人写文学评论和文学史中，地位可谓是崇高，可是在唐人选的唐诗集子，不论在《河岳英灵集》还是《箧中集》中，所占的地位和那些平常的诗人相差并不多。就是 20 世纪 30 年代，鲁迅、茅盾、郁达夫、周作人、朱自清选五四第一个十年的小说、散文、诗歌的《新文学大系》，其作者和作品之多，几乎要把鲁迅、茅盾淹没。这是因为，从历史的眼光来看，大师和小作家是不平等的，洪水退却后，剩下来的只是几棵大树，小草和灌木一概略而不计。而同代人的眼光，政治权利的平等就代替了艺术淘汰，鱼龙混杂、泥沙俱下是很难避免的。正是因为这样，阅读一些《香港文学史》，越是接近当代，越有某种芜杂之感，眉毛胡子一把抓，各个方面的人物和社团越是照顾周到，就越缺乏历史感。

还有一个可能很重要的原因，就是文学观念上的问题了。习惯于把文学史当成作品和作品的历史。从理论上来说，还停留在浪漫主义的作家中心论和现实主义的作品中心论上。其实，作品写成以后，文学并没有完成，只有经过读者的阅读和阐释才完成了文学的使命。真正的文学史不单应该包括作家和作品，而且应该包括作品和作家不断被阐释的历史。没有作品被阐释的曲折历程，很难算得上真正意义上的文学史。这一点长期被忽略，真有点令人奇怪。大规模引进的西方文论早已超越了作品和作家中心论，现象学的文论早已把读者放在中心，但是我们至今还没有一部把读者放在一定地位上（就不要说，中心地位）的文学史。试想，如果现代文学史，能够把对于《阿 Q 正传》在不同历史时期悬殊的阐释考虑进去，将给我们的文学史增添多少深邃的内涵。

作家加作品的文学史模式一统天下的现象，使我们的文学史常常缺乏历史感。

当然，这并不是说，这方面我们就完全没有进展。至少我在刘登翰先生主编的《香港文学史》中，就看到了一些可喜的章节。例如，关于张爱玲的《秧歌》和《赤地之恋》，其中的解读就很有历史感。我注意到，这个部分是颜纯钧和高少锋先生执笔的，他们写到1952 年的张爱玲无法和新政权共处，从上海来到了香港：

> 正是国内反美情绪特别高涨的时期，张爱玲却接受了美国驻香港的新闻处的一份工作，并且在对方的支持下创作了《秧歌》和《赤地之恋》，这两部对她来说分量最重的，却又备受争议的小说。事实上，在张爱玲的文章中，很难找到反共和亲西方的直接言论，而且不难感受到她对政治的一种厌恶情绪和躲避态度。固然这两部小说的创作初衷已不得而知，但在当时的历史情境中，她还是很难避免要受到指责。这也正是她后来在大陆的诸种文学史中，找不到位置的原因。实际上，站在今天的立场上看，《秧歌》和《赤地之恋》对建国初期那些政治失误，以及平民和知识分子备受伤害的描写，和后来大陆作家的“伤痕文学”相比较，显然还是要温和得多。只是在当时，在新中国成立之时，这两部小说就未免显得过分地刺眼了。当然也是基于同一个原因，它们在台湾方面则博得一片喝彩。由此看来，蒙在这两部小说之上的这层迷雾，同样只能看作是当时东西方冷战的结果。[①]

这是少见的真正具有历史深度的分析，多元价值观念的交织显出了历史视野的开阔，这样的眼光只能用“复眼”来形容，这种“复眼”式的分析很值得许多文学史的作者沉思。许多匆匆忙忙投入文学史编写的人士，并没有认真研究过文学史与文学评论之间的巨大差异，把文学史与文学评论混同，已经成了中国当代文学史的一种流行病。文学评论，代表作者当前的观念，是一种静态的评价；而文学史的分析则是一种动态的历史的评价，它不

① 刘登翰编：《香港文学史》，人民文学出版社 1999 年版，第 230 页。

但要表述作者本人评价，而且还要概括出在不同语境中的不同评价，有了历史的逻辑过程，才能达到历史的高度。文学史的评价，不能离开评价的历史。当然，最好的文学评论有时也能达到历史的高度，但是，一般情况下，达不到历史的高度，也不一定是很大的失误。而文学史的评价失去了历史的高度，就不能不显得肤浅而苍白了。

我国的文学史，可能是世界上最高产的，给人以批量生产的感觉，这是因为在许多作者看来，写文学史比什么都容易，只要有一般文学评论的写作能力就足够了，因而许多文学史实际上是文学评论的组合，卷帙浩繁而内涵空疏。大量的篇幅都被所谓没有历史概括力的、静态的、平面的“人物分析”和“艺术分析”浪费了。多数分析粗糙而乏味，不着历史的边际，缺乏历史的概括力和洞察力。如果允许我坦率一点的话，我不能不提到刘登翰先生主编的《香港文学史》的第十三章第二节（钟晓毅先生执笔）。这一节，说到了梁凤仪小说的“缺点”：

> 但梁凤仪的文本叙述经常匆匆忙忙，这让她的作品显得草率、粗糙，而她的情感投入得过于激烈，又让她的作品主观色彩较浓，解说的意图较为明显。人物的心理描摹尚能达致细腻、准确，但人物的结局却大同小异，尤其是那些她理想中的女强人，她们的成功总是过于简单化与标准化，仿佛是一场好莱坞式的梦，还有结构上的自我雷同，语言运用上的不平衡性、不统一等等，造成了她的小说在深度的追求上，仍未能免俗。[1]

应该承认钟晓毅先生的分析是有道理的，梁凤仪的小说的确存在着他所说的毛病。问题在于，既然毛病这样大，在艺术上似乎处于比较低，甚至不及格的水准，为什么又要给她长达五页半的篇幅呢？其次，既然用了近四千字来分析，为什么又不涉及香港通俗小说的历史发展：在金庸、梁羽生、亦舒等所营造的大众文学水平线上，梁凤仪是提高了，还是降低了？执笔者还忽略了另一条历史线索，梁凤仪的名声曾经轰轰烈烈，可以用一度辉煌来形容，在 90 年代中期，内地成批比较活跃的评论家不惜把许多高级形容词奉献给她，也许是达到了港台文学研究中“虚美”“隐恶”的极限。我不忍心罗列当时评论的言词，免得令评论家们脸红。只有把梁凤仪艺术上的粗制滥造和暴发式的炒作结合起来才能揭示出那个时期商业化的通俗小说的某些特征，也才能谈得上历史感。梁凤仪的重要性并不在于她的作品，而在于这一段“虚美”的历史。作为历史著作的执笔者，对这样重要的事实如果能用“春秋笔法”去作含蓄的“实录”，就不至于让读者感到，写历史的人有时恰恰看不到历史。

2003 年 2 月 17 日

---

① 刘登翰编：《香港文学史》，人民文学出版社 1999 年版，第 506 页。

王维燊《中国现代文学管窥》序

俗云文如其人，我与王维燊先生同事四十余年，印象中乃谦谦君子，言谈举止透露出不求闻达的淡定，然读先生之《中国现代文学管窥》方知数十年印象之空洞。其文显示出学术坚执而自信，求新而严谨。对于学术资源，皆于细微中见工夫，与吾辈好读书不求甚解异趣。本书第四辑，鲁迅《"惯于长夜过春时"写作时间考证》《庐隐家世与生平史迹拾遗》《中国诗歌会史实辨析二题》，虽非鸿篇巨制，其补缺漏、匡俗见之史料，往往凝聚于三言两语之间，不难看出大量生命之投入。此等为学之精神，令人想到传统之"朴学"和时下俗话之"草根"精神。由此思之，观其义胜于观其人。

这种刨根究底的钻研，非某些斤斤于微不足道的细枝末节钻牛角尖者可比，其最可贵处乃在于小细节发掘出大深度。如对郭沫若《女神》1927 年前后版本中差异的考证，从修改处揭示其间思想大转折之隐秘。1921 年 5 月《女神 · 序诗》中虽宣告"我是个无产阶级者""我愿意成个共产主义者"，但是，对无产阶级革命领袖和资产阶级思想家同样顶礼膜拜，高呼"万岁"；在歌颂十月革命的同时，又让列宁喊出"自由""人道""正义"的口号，据此作者正面指出许多名家，包括臧克家、楼栖（按，其实还有邵荃麟）等仅仅片面引用 1927 年以后的版本（"鼓动阶级斗争"的马克思、恩格斯和"实行共产主义"的列宁，让列宁呼出"为阶级消灭而战哟！为民族解放而战哟！为社会改造而战哟！"）就轻率地作出不切实际的拔高。两个版本间显示了郭沫若的思想由一般个性解放的鼓吹者，转变为以社会主义的信仰对自我进行了某种批判。在学术问题上，王维燊谦谦君子风度和坚持信念形成了有趣的对立统一。

资源固然能使他洞察幽微，但忠于原生资源并不是他学术的终极目标，作者更加认真的是，在这样坚实的基础上调动颇为可观的理论资源，进行思想的探索。最见功力者乃第一辑论述普罗米修斯形象及其在中国的嬗变诸文。光是从选题来看，就不甘随俗，聂绀弩和巴金的历史小说颇为“冷门”，但是，文章并不以选题之冷取胜，而是在学术资源比较薄弱的领域，展开思想的深度探索。

如果说在开掘史料方面显示了作者微观的、辨析的精致，那么在“冷门”的分析中，则表现出作者宏观的、概括的气魄。母题集中于普罗米修斯和丹东，而所展示的时空却是相当广袤。就普罗米修斯而言，从卡尔德隆、歌德、雪莱、纪德笔下发生种种变幻，引出对古希腊这个形象作原始要终的还原：在最原始的众神谱系中普罗米修斯在阿提刻是个小神，到了赫西俄德的《神谱》就有了创世主、殉道者、斗智者的意味。而埃斯库罗斯的创造在于把他塑造成一个天才的智者、勇者，在宙斯统一事业中，功高盖世，又反抗宙斯的专横残暴，违背其意旨，为人类盗火，并把文字、造屋、航海、医药等知识和技艺传授给人类，使人类由“愚者”变得“聪明”，却因而遭到残酷的肉体的惩罚，成为千古悲剧的先驱、先知、圣者。作者的结论是：普罗米修斯乃化身为人类的刚毅高贵精神的一个象征、一个范型。

从文章的结构来看，阐释普罗米修斯在古希腊的嬗变，不过是个引题，目的是引出这个形象在中国的嬗变。具体来说，就是郑振铎和聂绀弩笔下普罗米修斯的形象。作品篇幅并不长，影响也并不是很大，学术文献不多，但是作者显然认为这乃是一个不该忽视的环节，其思想和艺术成就应该引起充分的重视。应该说，这是一个发现。作者显然很珍视这个发现，为了把这个发现提升到学术的、理论的高度，他不但系统梳理了从古希腊到雪莱笔下普罗米修斯的形象系列，而且调动了相当广博的理论资源，从马克思 1841 年的博士论文到《哲学经济学手稿》，从黑格尔的《美学》到荣格的《论分析心理学与诗歌的关系》，从卡西尔《人论》到别林斯基到勃兰兑斯的论述，乃至于姚斯的接受美学，最后又引用德国文艺理论家弗・施莱格尔的话，归结为专制王权与民主的冲突：“一切神的王权不打倒，人类的苦难就没有止境”，作者将之提升为更高的普泛意义：人和神（即暴君、独裁者）的冲突。为了给聂绀弩和郑振铎的创造提供中国当年的思想背景，又引用了茅盾《神话・普洛末修偷火的故事》和杨晦的《普罗密修士》。把郑振铎、聂绀弩的作品放在这么宏观的世界文学的历史背景上，显然，作者立意在以大手笔做一系列大文章。

分析郑振铎 1933 年 8 月至 1934 年 3 月创作长篇小说《取火者的逮捕》，聂绀弩 1941 年 10 月创作短篇小说《第一把火》，似乎属于比较文学课题，作者并未拘于比较文学的跨文化的思路，而是强调世界性母题在不同民族、不同时代的变异。重点分析郑振铎小说的第四篇《神的灭亡》，指出在埃斯库罗斯、雪莱的作品中，人和神的冲突是潜在的，不外化为直接对抗的形态，郑振铎拆除了天上和人间的界限，营构人和神对立统一的双重艺术世界；与此对应，盗火人间、普罗米修斯受审、人神大战三个场景乃构成最有独创性部分，郑振铎显然感到雪莱抽象的人的胜利，在中国20世纪30年代可能是空想，因而，特别指出：人神冲突必然导致人神战争，社会变革必须用社会革命取代社会改良，描绘了“一人为全体，全体为一人”相号召的大规模群众性场面。对此王维燊的总结显示出难得的热情，“‘倒神运动’的全过程，怒不可遏的反叛者组成‘歼神军’攻破阿波罗神殿”，但是，热情并没有使作者失去学术的严谨，接着就很鲜明地指出郑氏当年的局限：“由于作者对现实斗争的隔膜，所描写的‘倒神运动’还停留在被压迫者自发性骚动的阶段，缺乏革命启蒙的反叛者在组织程度和觉悟程度方面还显得不成熟，偏激的复仇情绪表现在连普罗米修斯也和神族一起沉落无底的深渊。”

从某种意义上说，这可以说是对郑氏之作的全面结论了，但是，从文章的构思来说，接下去应该转到聂绀弩的同一母题的小说。在二者的连接上作者运用了他所精细的版本考订工夫，引用郑氏对初版本的修订：“现在看来，取火者普罗米修斯，人类的好朋友，是不应该和‘神’之族一同被消灭的。”“‘人’是终于光辉地得到最后的胜利了！”这就很自然地成为引出聂绀弩的《第一把火》逻辑的过渡。

作者借此巧妙地作逻辑的转折，指出聂绀弩笔下的神和魔并不像在郑振铎笔下是绝对对立的，而是有一个相互转化的过程，神是一定历史阶段进步力量的代表，魔是反动势力的代表，人则一直沦于奴隶的地位。神在与魔的搏斗中获得胜利，并不是情节的终点，而是蜕化的开始。蜕化后的神实际上变成了魔：他“把魔曾经加在神身上的一切，那曾经为神所不能忍受的枷锁，压榨，都加在另一种被统治的生物上了，就是那叫做人的生物”！

从这里不难看出聂氏的深邃，聂氏对人性的批判，暴君并不是天生的，而是从被压迫者走向胜利的必然。这里隐约透露出聂氏承继了鲁迅杂文风格的自诩，当然其思想基础是无所畏惧的彻底的辩证法。这种冷峻和深邃是郑振铎所缺乏的。这不能不令我想起聂氏的《我若为王》，“我”（王）尊荣至高无上，但是，“我”却感到“寂寞和孤独”。那些奉承“我”的人，没有感情，没有自尊，没有人格。他们是一群奴才，连同“我所敬畏的尊长和师友也无一不是奴才”，从人的严格意义上来说并不是人，而“我”因而只是一群奴才的首领。“作为奴才的首领，我将引为最大的耻辱，最大的悲哀。”接着而来的是对立面的又一度转化：

> 我将变成一个暴君，或者反而正是明君：我将把我的臣民一齐杀死，连同我的尊长和师友，不准一个奴种留存人间。我将没有一个臣民，我将不再是奴才们的君主。

这个逻辑转折使得“暴君”和“明君”的内涵发也发生了转折。这样深邃的思想，可以说把普罗米修斯的母题发挥到了极致，不要说郑振铎，就是卡尔德隆、歌德、雪莱、纪德也是望尘莫及的。

从这个意义上说，王维燊对聂绀弩的论述，不但是一大发现，而且应该说是一大突破，是对中国现代文学作家研究的一大空白的填补。

维燊先生此书内容相当广博，为序之理想乃在以简御繁，胜任者虽大家亦稀，明知管中窥豹，仅见一斑，然铅刀一试，维燊当能见谅也。

2014 年 10 月 6 日

陈仲义充满原创性诗歌评论

1991 年 7 月，美国加州大学圣塔·巴巴拉分校东方文学系的杜国清教授来访，和我谈起国内诗歌评论界的熟人，我向他介绍了陈仲义。我说这个人埋头苦干，甘于寂寞，很有深度，在许多方面，他比我和谢冕强。杜国清教授大吃一惊，以为我是开玩笑。我告诉他，像我和谢冕这一代的诗论，有一个根本的局限，那就是从现代诗以外的角度去评价现代诗，虽然我们也对现代诗的许多方面作出许多分析，引起广泛的反响，但是，由于我们的经历和教养与现代诗作有相当的距离，我们是不可能完全理解他们的。而陈仲义则不同了，他不是站在圈子以外去观察现代诗的，他的理论生命完全是从圈子以内去感受现代诗的肌理和脉搏的。

正是因为这样，他的理论从构架到逻辑，从基本范畴到系统都与我们的不同。任何一个读者并不需要多大的耐心，只要翻一翻他的《嬗变与整合》（后改为《现代诗创作探微》）的目录，稍稍认真地琢磨它章节以下的论点提要，就不难发现它全新的“圈子内”的理论特征。比如说，在通常的诗歌理论中，自然也分析到诗的心理感受方式，尤其是它的感觉的方式，甚至还联系到直觉，但是都还没有细致到把感觉作为一个独立范畴和直觉、联觉联系起来加以系统的分析和阐述。我们说到直觉时常常有一种直觉的模糊性，而仲义的直觉这一节则是这样的：

直觉：系统感觉的“尖锋”

“瞬间心灵的一瞥”——直击力——穿透力——彻悟力

而联觉的这一节是这样的：

联觉：“全天候感觉视野”

古典通感——现代交感——通感的基础条件——二级通感——多级通感

把心理学上的概念直接放到诗学中来是会变得贫乏的，陈仲义不像某些诗论家那样，把诗歌作品当作心理学的例证，而是直接分析诗歌创作的第一手材料，并在此基础上重新阐述心理学的概念，这样就使这些概念具有诗学的特殊性了，这就是陈仲义形成自己理论的基本方法。

在我看来，陈仲义智能结构的特点是偏重第一手感性材料的归纳的，因而在他的章节以下的细目——他的论点提要中，充满了他第一次提供给诗坛的观点，我们上面引用的"古典通感"与"现代交感""二级通感"与"多级通感"，就是极普通的例子。他新鲜的、富于启示性的论点在这本书中可说令人目不暇接。自然，仲义也不纯粹长于归纳，同时也长于分析和综合，他对新引进的文化学和文学理论一直持分析态度，并且努力把它们整合在自己的系统中。

他曾对我说："你的理论太偏重苏珊·朗格的《情感与形式》，对情感以外的东西注意得太少。"我自己也意识到这一点，但我想，在对于情感分析尚未过瘾时，我还不着急去把感情以外的东西作为我的理论核心和逻辑起点。这次我读到他这本书，非常高兴地看到在他的理论构架中：情感——思辨——智性——悟性已经各有各的逻辑布局和内涵。由此，我不能不承认他的视野比我广阔，他所建立的范畴也比我丰富。

我本想把这一切都细致地讲给杜国清教授听，但是，非常可惜的是时间不允许。不过，我向他预言了仲义的这本书，他颇为欣然，说："那我就等着拜读那本《嬗变与整合》吧。"

现在这本书已放在我的案头了，我又翻阅了一下，我深深相信，我并没有过分夸大这本书的成绩。

至于陈仲义这本书有没有局限，我想这是没有疑问的。世界上没有什么书是没有缺点的，包括孔夫子、孙中山、毛泽东和爱因斯坦的书，都有缺点，但是他们的缺点，历史性的多于个人性的。我想陈仲义的这本书在历史价值上自然与上述诸人不能相比，也许，他的个人的局限多于历史的局限，至于要把这二者准确地分开则肯定不是眼下就能完成的任务，也许，即使是个人的局限，我们也要等历史去证明。

《福建师范大学百年文学大系》前言

一

这里奉献给读者的是福建师范大学建校一百年来的文学作品。作者包括曾经在协和大学、华南女子文理学院和福建省立师专的学生和教师。对于百年历史来说，风云变幻、人世沧桑，壮丽无比，从这个小小的学院，反映出来的可能是一滴水中的阳光，但是，把这几代人的心声汇聚到一起，也可以听出在心灵的惊涛中有历史的回响。

历史是无声的，生命的流逝是无形的。站在我们这个制高点，却没有陈子昂“前不见古人，后不见来者”的悲叹。感谢当年的教师和学子们，他们青春的生命被记录在作品中，即使是斯人已逝，然而他们的呼吸和脉搏却变得可以感知、可以触摸。百年的校史虽然超过了我们的生命长度，我们注定了不能够看到确立传统的先贤，也不能看见未来的百年，但是，我们非常荣幸地感到自己能站在几代先贤的目光的顶点，同时又能够听到，我们是处于次第出现的后代的歌曲的中心。

值得我们骄傲的是，这里，并非仅有学子们灵魂的冒险，而且，五四当年，抗战期间，在此间任教的大师们也描述了和这所大学的不解之缘。在教师名单中，叶圣陶的名字无疑为我们的校徽增添了含金量。值得庆幸的是在这里不仅仅留下他的名字，而且保留了他的作品，历史的记忆借助他的语言，和我们的对话好像从未停息：

> 书室的窗外，只隔一片草场，闲闲地流着闽江。彼岸的山绵延重叠，有时露出青翠的新妆，有时披上薄薄的雾帔，有时不知从什么地方来了好些云，却与山通起家来，于是更见得山的郁郁然有奇观了。窗外这草场，差不多是养着几十头羊与十条牛的领

土。看守羊群的人似乎不主张放任主义的，他的部民才吃了一顿，立即用竹竿驱策着，叫它们回去。时时听得仿佛有几个人在那里割草的声音，便想到这十头牛特别自由，还是在场中游散。

（《客语》）

这是从协和大学远眺闽江的景观，不但有田野的风光，而且有牧场的氛围。文章写在1923年，当时还是初出茅庐的叶圣陶，是比较严谨的，但在这里，居然把田野写成牛羊的“领土”，把牛羊说成是看羊的人的“部民”，把看牛羊的人对牛羊的驱策说成是不主张“放任主义”，这一切都故意的大词小用，使得他的行文显示出了难得的幽默。这个在江南平原上长大的年轻人，对于闽江的山和石头别有一番惊异。令他感到陶醉的，不仅仅牧场，而是在“卧窗里面对山麓”，望着黑色的石头，矮矮的松林，间或见一人采樵，让他领受到“古代幽人的境界”。至于写到仓前山，则是另一番风情：

仓前山差不多一座花园、一条路、一丛花、一所房屋、一个车夫，都有诗意，尤其可爱的是晚阳淡淡的时候，礼拜堂里送出一声钟响，绿阴下走过几个张着花纸伞的女郎。

（《客语》）

荔枝树、龙眼树和长髯飘飘的榕树使他陶醉，正是20世纪20年代初期，一个文学青年留下了自己真挚的初感。今天，在现代化高楼林立、汽车拥堵的大背景下，重温此等情调，难免令人有沧海桑田、恍如隔世之感。从这里，可以真切地感受到文章的重要文献价值。

当然，文学前辈给我们留下的，不仅仅是文化意味上的城市的历史，而且，更为深刻的是，把知识青年的心灵的苦闷和忧郁留在了精致的语言当中。这方面表现得较深沉的，应该是靳以先生。同样是在闽地，他所见到的景观和叶圣陶差不了多少，但是，在国难当头之际，他的主题是忧郁，这是抗日战争后期知识青年的普遍情绪。当然，他所表现的只是大学生的特殊忧郁，但并不是一个悲观主义者，他的忧郁并不软弱，他的忧郁中有壮烈、有悲悯、有悲愤，这种忧郁是和当时大学生活紧密相连的：

也许我们还算不得饥饿之群，有一大段时日我们不还靠腐烂的米过日子么？那米的霉臭气，一闻到就使你打饱嗝，可是你又不能不吃，这是那些慈善家的恩惠呵，总算打开了陈仓，给我们一条生路，那是老鼠和霉菌吃剩下的，我们真是还比不起那危害人类的卑贱的小生物，更不必说比不得一条狗了。狗大约是不懂得忧郁的，也不知道恐惧的：可是他自然得着主人的爱抚，能横亘长空万里；我们却只能为忧郁所腐蚀，为怨恨所啮咬，成日成夜地在苦痛之中。

（《给忧郁的人们》）

靳以不像叶圣陶那样长于描绘，他的长处有点近似于巴金，就是滔滔不绝地倾诉；但是，和当时的进步作家一样，靳以总是把自己的忧郁和抗战和国难紧密地联系在一起：

还是想一想无数在前方和敌人肉搏的勇士们，在各角落流汗生产修筑的工人们，在那些伟大的英雄之下，我们真是显得渺小了，那就让我们这点不宜有的忧郁之情随着渺小下去吧。

（《给忧郁的人们》）

从这里不难看到当年大学生的情怀，即使受尽生活的挫折，历经艰辛，他的忧郁也还没有陷入纯粹个人的小悲欢之中。这时，他所感受到的闽中山水，就有了另外一种情调。和另一个同伴走向荒凉的北方相比，他并没有感到庆幸，他这样倾诉道：

可是我能告诉你什么呢？我是走到这江南的好地方了，山是绿的，树也是绿的，屋角不见阳光的苔藓也是绿的，我生怕这住下去连自己的心也蒙上了一层绿的颜色了，那时候我就该变成了阴沉沉的人，用窥伺的眼睛来偷觑外物，心胸狭小，把天地化成一粒沙，那么微渺了。

（《给孩子们》）

即使在闽中这样相对富饶的地方，生活比较安定的环境中，靳以仍然对没有饭吃的同胞念念不忘，因而他的忧郁萦绕于心，挥之不去，但是，人的个性是多样的，同样是知识青年，同样是大学生的郭风，却没有靳以式的忧郁，哪怕是在抗战以后的解放战争期间，以他特有的稚气写出了童话式的散文诗篇。在他的笔下，蟋蟀弹唱着“赞美诗的尊崇”；村庄里的草屋、花园、菜圃是“知足”的；纺织娘吟唱着“忍耐和勤劳”。他好像一味醉心于对大自然有着亲密的感觉，对社会的矛盾和斗争，有一种超然的感觉，他对于一切自然现象，都怀着天真的感觉，甚至连麻雀那样平凡的对象，他都要赞美其“靠着自己的劳力和从生活中得来的耐心和经验”。当然，他也不是对于生活没有追求，他的理想是很单纯的：

想到这些，我也快活到深心中去了！想到只有自由的、宽畅的世界，没有剥削的劳作和心智真正为人看重的世界，人们才能享受幸福，想到这些对于眼前的、我们自己的世界，我真感到极端的痛惜和难禁的憎恶。

（《麻雀》）

文章写在 1946 年底，解放战争的烽火已经点燃，对于严峻的社会矛盾来说，他的这种理想，是比较天真的。然而，就是这样的天真，保证他到了 20 世纪 50 年代，写出了《叶笛》那样热情的赞歌，在艺术上也达到一个新的高度。这可能是与他师承阿佐林、凡尔哈伦追求事物外部的光和影的效果有关。作为一个童话诗人，郭风创造了自己的世界，这个世界是他的，别人进不去的。这个世界是在福建师范大学孕育的。凭着这些，直到八十高龄，他仍然保持着清洁的感觉，营造着他的艺术境界。有没有这种艺术的熏陶是大不相同的，20 世纪 50 年代与他齐名的柯蓝，由于缺乏艺术的真正准备，风行一时以后，很快就无以为继了。

纵观 20 世纪 20 年代到 40 年代，散文当然是取得成就的重镇。但不可忽视的是，诗歌和戏剧相比，诗歌的作者是比较众多的。从艺术的追求来说，并不因为福州地处僻远而落伍，相反，我们在协和大学的多种文艺刊物上，看到了这样的作品：

乌鸦抬着幸福的花轿，
百灵鸟暗笑于柏树的枝梢。
灵魂向着有希望的棺材撒娇，
一万个笑从我的家门口走过。

（宋衡心《一万个笑从我家的门口走过》）

诗篇出现在 1932 年 10 月的《协大学生》上。这说明，当年的协和大学中，不但追随着爱情的审美大潮，而且有审丑的可贵尝试。这显然是受了当年诗坛上象征派的影响。在众多的诗作中，居然也出现了闻一多式的格律，每一行都有相同的音节：

因一朝雨打牡丹，看他红晕之颊犹嵌点点晶泪
倦悴的首儿低垂，露轻浅的迷笑而慰怀中彩蝶
听，自然的琴韵又响彻四周，红灯再次射明辉
翩跹的王孙佳少啊，我再要观赏你舞蹈之风流
舞罢，这芳唇，这香酒，任你将怎般狂吻痛醉

（琴心《雨后》）

虽然，格调上不能和闻一多相比，但是，其风格是紧紧追随闻一多，夸耀着先锋的姿态。除此之外，当然也有一些揭露社会罪恶的诗作（如《模拟一个土匪的自白》），但是，大多诗歌作者，对此似乎并不十分关注。

和诗歌相比，戏剧在艺术上呈现相反的姿态。从形式上说，大都是独幕剧，内容上，不外是强烈的政治性的抗议和社会矛盾的揭露。如林兴良的《淡烟》，写一个人力车夫已经穷困得断炊了，前来强征捐税的人员居然把他家最后的十几个铜子都抢夺了去。又如湘影的《到底谁是幸福》，剧中农民已经遭了三次水灾，全部收获不足交租，田主不但不减租，居然拿着枪把农民家的女孩子绑架去抵债。剧中焦点大多是下层人民生活困境，但作者对之并不熟悉，就难免凭空想象，以热情代替现实的刻画。这在反映抗战情绪的作品中，表现尤其明显。如《抗日声中的一个女性》（张锡祜）写一个养尊处优的女学生，出于一股热

情，抛弃富裕的家庭，投入东北抗日军中。而且还具体写到是“奉朱总司令的命令，向沈阳推进”，既无历史根据，又相当概念，充满了抽象的说教、幼稚的宣传。现在看来，最值得注意的是《多数人的梦》(云飞)，作者回避了不熟悉的工农生活，也没有正面表现战场，而是采用了一种寓言象征的构思，显得别具一格。情节是这样的：哲学家给他的学生们上最后一课，给他们以最大的自由，让他们说出自己最想做的事。学生A说，要当教育家，因为教育已经太普及，他就要提倡罢学，让学校关门。学生B说，他要当农夫，因为世界上粮食太多，他的任务就是播放寄生虫，让大地荒凉，饿殍遍地。学生C说，他要做一个工人，发动罢工，让工厂倒闭。学生D说，他要做商人，目的是打破市场，让资本社会破灭。学生E说，他要做一个士兵，用枪炮炸弹做人类的乐器。学生F说，他要做一土匪，因为少数人把多数人衣食抢去了，他要抢回来，不抢就是劳累致死，也是无衣无食。学生G说，他要做个流氓，把少数有职业的人打倒，推翻这个社会制度，如此等等。最后一个学生说，自己要当一个妓女，把家庭制度打破。这时战神出场了，他赞成学生们的主张，号召他们以自己的热血去“破坏”“反抗”。在一片“打倒帝国主义”和“打倒资本主义”的口号声中，和平女神出现了，她这样说：

> 孩子们，现在的时代不是从前的时代，现在的时代是新时代……现在的是建设的时期，你们已经解放了。

也许这样的说教，在1929年并不一定是合乎时宜的，而且其中充满混乱，把反对贫富分化，彻底改革社会的热情和对于社会的整体破坏混为一谈，但是，就其寓言式的戏剧形式还是别具一格，对于象征性的探索仍然令人注目凝神。

二

1952年协和大学和华南女子文理学院与福建省立师专合并为福建师院，大约三四年以后，也就是到了20世纪50年代的中叶，师生们的文学创作掀起高潮，格调与此前迥然不同，忧郁和苦闷一扫而空，全部作品都以颂歌和战歌为特点。豪迈的旋律和乐观的精神，占据了主流。随着学生的数量空前的增长，创作者的队伍也空前地壮大。虽然受到了苏联文学系不培养作家体制的影响，加上极左思潮把业余创作等同于追求“个人名利”，但是校园里仍然凝聚着与日俱增的创作激情。毕竟文学是特殊才能的表现，斯大林把作家定位为“灵魂的工程师”，作家受到广泛景仰，也形成一种有利的社会氛围。在许多领域，个人的前途是由组织安排的，而在文学和在体育领域里一样，个人所得的尊重，则由本人的才气决定。正是因为这样，尽管在“反右”后期，乃至“十年动乱”前夕，文艺界文字狱式的运动此起彼伏，但是并没有完全窒息学子们一试身手的雄心。这不仅是才华的证实，而且是心灵的某种解放。当然，在这个领域里活跃的不仅是学生，而且有精神活力的教师。青年诗人童晴岚的作品在福建省唯一的文学刊物《热风》上发表，就是一种无形的鼓舞。当然，还有对中国散文情有独钟的俞元桂副教授的权威存在。俞先生本人就是一位笔调凝练的散文家，从20世纪50年代到80年代他既有王瑶式的自我保护意识，又不屑于某些清客式的学者一味委屈自己，对于达到滑稽意义上的“忘我”，他时常表现出冷峻的清醒。凭着他独立的文学意识，对于当时风行一时的模式，对其中的虚假和僵化敬而远之。力争和主流意识形态和平共处，当然耗费了他的才力。直到晚年退休以后，他才在两本散文集中以一种凝练的语言、沉着的叙述，显示了他晚熟的才智。

在长安山校园里，文学的种子生生不息。每年秋季，涌向长安山大道的学子中，总是有人立志在文学上献出青春的生命，作某种灵魂的冒险。不管极左思潮多么猖獗，总是有些破土而出的新秀，在校内外的报刊上小试锋芒。虽然他的青春受到主流文坛贺敬之——杨朔模式的遮蔽，但是，不可否认，就是杨朔模式，也不完全是消极的，食物粗糙，多少使得他们免于饥馑，他们冻僵了的嘴唇，学会了最初的文学语言，虽然带上不规范的口音，毕竟是学会了讲话。只有某些忍受不了束缚，有意识地挣脱的学子，才能使自己的才智得到解放，从而得到社会的承认，当然，还要假以时日。等到改革开放以后，在那些活跃于武夷山下文坛的作家中，人们不难发现众多长安山才子的身影。这些人物中有后来当了福建省作家协会主席的陈章武和当了副主席的季仲，当了福州市文联主席的陈章汉，陈氏兄弟的散文和季仲的小说在省内外都产生了不小的影响。而陈志泽、陈瑞统和戴冠青三位则先后担任过泉州市作家协会的正副主席。还有一直没有得到充分肯定的陆昭环，他的小说《双镯》写的是惠安妇女在畸形的婚姻体制下扭曲成同性恋。如果是在20世纪90年代，可能是要轰动一番的，可惜的是，他出现得早了一点，在80年代中期，还没有女权主义来为他鼓吹。

至于那些在“十年动乱”期间踏进长安山校园的工农兵学员和刚恢复高考那几年进入大学的学生，他们曲折的经历，苦难的体验，却是得天独厚的精神资源。他们这一辈，虽然后来在文学界的地位没有他们前辈那样显赫，但是，却不能排除其中的佼佼者横空出世，具有灵魂探险的艺术价值。当然，这里就有不断在小说领域发出异端的声音的陈希我，他显然有着过多的反叛的激情，就是在中学教坛，也有出格的异端行为，终于不得不出走东瀛。多年以后，带回来的不仅是苦难的故事和怀疑论的观念（他的小说名字就有点骇世惊俗，如《去偷，去抢》)，而且还有他对世界文学前卫的洞察。他的作品，引起编辑部的争论乃至事后的地震，已经是家常便饭。青年评论家谢有顺曾这样评价他的作品：

陈希我的出现，为小说疏离表层经验、深度介入当代生活提供了新的可能。他的《抓痒》，以变态喻示常态的匮乏，以反常呈现正常的尴尬，从而直抵现代人的精神核心。他把卑微黑暗的经验推向一种极致，在他的审视下，生活获得了存在的重量，情感也走向了有意味的精神事件……

陈希我试图在自己的写作中，接续上逼视存在、书写破败的文学传统。他把我们貌似平常的生活推到存在的聚光灯下，从而使生活中的荒谬、匮乏与绝望悄悄显形。这样的写作姿态是独特的，也是有点不合时宜的。当欲望和消费日益成为新的时代意志，谁还在关心存在？谁还在坚持揭发存在本身的疾病？又有谁还在倾听这些存在的私语以及作家对生活的抗议？这或许正是陈希我的不同凡响之处：他没有像一般的年轻作家那样，热衷于讲述消费主义的欲望故事，他关注存在，关注平常的生活内部显露出的存在危机。所以，陈希我的小说，一开始总是从一个平常的人或事件入手，但在那束潜在的存在眼光的打量下，人物和事件很快就改变了它原先的逻辑和演变方向，转而向存在进发。我以为，他这种将事件向存在转化的能力，在当代作家中是并不多见的。

经过十年的磨炼，他对于人性恶的深思，有了新的升华。他也调整了自己观照现实的姿态，2007 年，他的作品终于为主流媒体的接受，还得了《人民文学》的小说大奖。不管他的思想和情绪，还有多少调整的余地，但是，他在走向成熟，未来的成就可以预期，这是有见地者的共识。

另一个作者何葆国，也具有另类的特征，不过他的小说却并没有多少前卫色彩，母题集中在闽西乡土。在长安山校园里，他就做着文学梦。后来，为了小说，甚至放弃了安定的职业。他长期写客家土楼，写土楼的传统和当代生活的冲击，近在眼前的乡土社会因远方城市生活召唤而发生的变迁，这两种生活方式的震荡激起心灵欢乐和隐痛，隐蔽得很深的内心的悲和喜出其不意地被调动起来。童年生活的回忆和乡土情结为他的小说带着特殊的风情。从背景到人物，都与土楼形象密切关联。以土楼为核心营造风物人物，对他来说已经驾轻就熟，是他的拿手好戏。从漫不经心的细节，揭示出深厚的文化积淀和在当代遭遇的尴尬。他把小说作为一种想象的天地，用来作为灵魂的探险，包括对人物的探险和对自己的才能的探险。这使得他的小说在 20 世纪 80 年代末，在福建年轻作家中崭露头角，不止一次获得了福建省的优秀文学作品奖。

余岱宗的小说创作自然也值得关注。早在 20 世纪 80 年代，他还是福建师范大学中文系本科生的时候，他的小说《啦……》就在《上海文学》发表，并很快被《小说选刊》转载。此事当时在小说创作一向显得比较薄弱的福建文坛引起了不小的轰动。近年来，余岱宗在从事学术研究的同时，始终坚持小说创作，并且取得了相当突出的成绩，譬如，2004年，他的长篇小说《无关声色》发表在中国文坛的重量级杂志《收获》上，这在福建作家中是非常难得的。余岱宗的小说对当代都市生活图景和幽暗的人性作了细腻而冷峻的刻画，其中所显示出的日渐娴熟自如的叙事技艺和稳健上升的作品质量，让我们对他未来的更高成就充满了期待。

还有粲然、苏七七和余绚三位年轻的女作者，她们的写作向人们展示了极大的活力和创造空间。尤其是粲然，已经在《人民文学》《上海文学》等重要刊物发表作品，产生了一定影响。

当然，在福建师范大学这个小小的苗圃里，小说并不是主流的文学形式。这可能是福建方言的局限，也可能有其他更为深邃的原因，但是，整个福建以散文和诗见长，已经没有任何评论家的异议。20 世纪 90 年代末，在福建报刊上，还有人提出为什么福建散文界没有“大家”。当时，我提出南帆就是大家，还有不少人持保留意见。直到 21 世纪初，特别是到了近年，南帆的散文得到了主流文坛的广泛承认，先是获得《人民文学》的大奖，2007 年又获得全国文学界最高的鲁迅文学奖。许多曾经对他持保留意见的人士也不得不承认南帆散文重大的历史意义。早在近八九年前，我就曾经写过四万字的论文，把南帆定位为中国散文从审美到审智的先锋，是中国当代迟到的现代派散文的旗手。我在一篇评论他的《辛亥年的枪声》的文章中说到中国散文界对余秋雨争论的性质，其实是拘守抒情的审美和放逐抒情的现代审智趣味的冲突：

两种读者事实上是代表着两个时代，两个流派，文学鉴赏经验和趣味相去甚远，争论起来，有如聋子的对话。

批判余秋雨滥情的人士一直坚持自己的主张，但是，很少举出超越滥情之作，就是勉强举，也只是顺便提提鲁迅的《魏晋风度及文章与药及酒之关系》，毕竟时代距离遥远，又不是典型的散文。站在两派之间的读者多少有点摸不着头脑。超越审美的、审智的散文在当代世界文学领域中比比皆是，如罗兰·巴特《埃菲尔铁塔》说的就是一个道理：“伟大的无用”，但可惜的是，论争的另一方，并不熟悉，甚至也并不认同其艺术成就。如果能举出我国当代自己的散文，对话的有效性就可能提高。当时，在参与论争的时候，笔者就举出南帆的散文。以他为代表的散文最大的特点就是超越抒情，冷峻地审智，以突破话语的遮蔽为务。但七八年前，南帆的散文还不具有经典性，此论并未引起注意。可喜的是，事到今天，南帆的散文已经得到了广泛的认同，还获得了《人民文学》的大奖，又有鲁迅文学奖，有了南帆这样的成就，再来看余秋雨的争论，就不难把问题的关键弄清楚。

南帆和余秋雨一样着眼人文景观，他不热衷自然风物，就是写也很少赞美自然风物。他唯一能与自然景观挂上钩的就是那篇《记忆四川》，也正面写到了三峡，也有些“雄奇险峻，滩多水浊，朝辞白帝，轻舟逐流，涛声澎湃”的词句，但是，他似乎并不怎么为之激动，他关注的是：“李白遇到的那些猿猴还在不在？”等到出了三峡，两岸平阔了，“江心的船似乎缓慢地停住了”。这时，如果要让余秋雨来写可能要大大激动一番了。可是南帆却这样说：“这时，不用说也明白，四川已经把我们吐出来了。”就是日后翻阅日记，在回忆中，也并未被美好的山河所激动，所有的感想，那些文字中，实在读不出什么，仅仅是一个证明，“证明我的确到过四川”。从这里，可以想象出欣赏南帆这种“酷”、这种冷峻的读者，读余秋雨那样的诗情汹涌，是个什么感觉。

南帆在另外一方面也和余秋雨很相近，他们都喜欢写人文景观。在余秋雨那里人文历史的价值是神圣的，充满诗意的，而在南帆这里，历史固然有神圣的一面，但是，他却怀疑其中有被歪曲了的，被遮蔽了的。他以彻底的权力话语解构和建构的精神，来对待一切历史的成就。他在《戊戌年的铡刀》中，并不像一些追随余秋雨的、年纪并不轻的散文家那样，把全部热情用在烈士的大义凛然上。也许在他看来，文章如果这样写，就没有什么新鲜的思想了。他显然受到福柯的影响，用了一些笔墨考证腰斩那样的酷刑。当然，他才智发挥得最淋漓的地方，却在写六君子中的林旭。为什么要选中这个人，因为是他的同乡？也许更重要的是，林旭和林琴南有过联系。如果林旭不是 23 岁就牺牲了，而是活到 70 岁，那就是他的朋友林琴南的年纪。英雄林旭会不会变成另外一个林琴南呢？而且他还指出，陈独秀也只比林旭小四岁，鲁迅只比林旭小六岁。他的笔墨不在抒情，而在睿智地深思：谁会成为现代知识分子，而不是古代的士人，是不是必然的呢？是不是也有偶然的因素呢？林琴南如果不是因为新娶了一个娇妻，贪恋闺房之乐，而是随着林旭一起上北京，会不会成为另外一个林旭呢？南帆得出的结论是历史是一个巨大的迷宫，有许多事情是说不清楚的。林琴南的一个学生林长民，在今人的心目中，他的重要性只是福州美女林徽因的父亲，然而，事实上，他的最大功绩却是第一个在报刊上发表巴黎和会中国外交屈辱的消息：“胶州亡矣，山东亡矣，国不国矣！”时在 5 月 2 日，五四运动之所以在 5 月 4 日爆发，和他的这篇文章的关系是很大的，比他是林徽因的父亲不知重要多少，但是，至今却湮没无闻。读者可以想象，如果是余秋雨，他可能把这样的事情当作一个遗憾来大幅度地抒情，而南帆却由此而上升到对形而上学的思考：“我的叙述如此频繁地使用‘历史’一词。然而，许多时候这仅仅是一个虚的而又空洞的大字眼，一旦抵达就会如同烟雾一般消散。”从把散文当作抒情艺术的人士的角度来看，南帆好像不像是在写散文了。然而他的确是在写散文，不过，他不是在写传统式的、余秋雨式的审美散文，而是写另外一种散文，在这种散文里，不是把审美情感放在第一位，而是尽可能把审美感情收敛起来，使之与智性的审视结合起来。他是在运用他的学理来感觉历史。正是因为这样，他才接着说："其实，我看不见历史在哪里，我只看见一个个福州乡亲神气活现，快意人生。有些时候，机遇找了上来，画外音成全了他们，另一些时候，他们舍命搏杀，历史却默不作声地绕开了。多少人参得透玄机？"相信欣赏余秋雨的读者，再来读南帆，只要真正读懂了他的追求，就不难发现，南帆和余秋雨的思想和艺术的距离，不是地理的，而是时代的。

当然，南帆的散文的价值不但在于其经典性，而且在于他的影响力。至少在福建，一些散文家的作品中，我们看到了南帆帮助他们从狭隘的因循中，解脱了出来。萧春雷就其中之一。我在给他的散文集作序的时候，曾这样说道：

> 他和南帆一样是对于传统文化观念的突围。在不言而喻的地方，特别是司空见惯了的人的躯体上，揭示了文化成规的奇观……他所追求的，也是一种文化去蔽，而且也大都集中在人的躯体上。读过南帆散文的读者光看题目（如面孔、头颅、眼睛、皮肤、牙齿、骨骼、臂膀等等）想必有点似曾相识的味道。在极个别的地方，我甚至发现有南帆式的智慧。如："皮肤是身体的外壳，把我们囚禁在其中，仿佛一个贴身的监狱。"又如："手臂不思考，不懊悔，它只是把大脑的意志变成弯曲、伸展的一连串动作，手臂是思想的终点，希特勒在监狱中写《我的奋斗》时，没有人把他当一回事，再邪恶的思想也毒不死一只蚊子，但是当它摄取国家政权时，全人类都感到了疼痛。"在我们由于司空见惯停止思考，觉得没有趣味的地方，不能为文的地方，他和南帆一样，神思飞越，让思想和智慧，而不是情感发出异样的光彩。
>
> 南帆是从表面的视而不见的躯体现象中进行文化去蔽，揭示其潜在的文化成规。他所凭借的是罗兰·巴特式的睿智，进行了深入的颠覆以后，再回到感觉的表层来，对日常生活进行新的阐释。在南帆那里，除了偶尔一点文字和语源学的资料以外，他的目光往往就盯住人的现实的人生，很少作历史的追寻。而萧春雷却不然，他的法宝是文化历史的思考。两个人散文的主题常常有一种英雄所见略同的感觉，但是作为散文艺术，却是风格迥异的。萧春雷的看家本领是每当有所发现，就拿出他那丰富得叫人惊讶的文化历史文献。真是古今中外，杂学旁收，神话、传说、历史故事、文人逸事，好像飞蝗一样群集到他笔下，驯顺地听从他的思路的安排和调遣。真要比赛一下文化资源之密集，我相信不少老气横秋的学者是要汗颜的。密集的文化资源的有序性，使得他的散文充满了特殊的趣味，这不是流行的散文的情感趣味，而是智慧的趣味，他的资源，奇而异。然而，他的经典性的引述，却使这种奇趣增加了庄重的成分。就以关于头颅的话题为例，他以中世纪神学家阿奎那带着生物科学特点的议论破题，接

着就是庄子、阿拉伯民间故事、柬埔寨、马来人、爪哇人、意大利高卢人、匈奴人、商鞅变法乃至于本·拉登、西方神话中的两面神，隋炀帝、英格兰女王、日本、法国有关砍头的传说、大仲马笔下的断头台和中国《吴越春秋》中关于眉间尺的传说。很显然，这里不但有思想活跃的趣味，而且这些传说和故事，本身就是一种趣味，其纷至沓来，令读者享受到一种惊慌。文章最后写到人们往往以为：仿佛有了灵魂，即便失去头颅，不妨行尸走肉。笔记里记载了许多无头骑士的故事：汉豫章太守贯雍出界讨贼，丢了脑袋，还能上马回营，胸腹作语：'作战不利，被贼所伤。诸君看我，有头为佳，还是无头为佳？'将吏们回答："有头佳"，贯雍争辩了一句："不然，无头亦佳。"话音刚落，倒地而亡。

这种智趣，不但在于他的评述，而且在于故事的本身。而他这类的故事，有点滔滔不绝的味道。接下来，又是一个：南朝的一名将领，战败失头，来到一处，正要下马洗脸。一浣纱女断喝："无头，还洗什么脸？"此人立即倒地而亡。

如此众多的故事，对于一篇两三千字的散文，不免有一点过于拥挤之嫌，但是，每每在这类惊心动魄的地方，他的往往插进一些个人化的小规模叙事，平淡而简洁，在趣味上就形成了一种自嘲，构成对比的张力："写了这么多失头的故事，我起身，在镜子前张望了一下，我的脑袋还好端端安放在双肩之上，一个暗淡的中年男子，一张毫无特色的脸。"

这在内容上是自嘲，在趣味是反衬。这已经使得文章内在含量比较丰富了。但是，他还没有满足，接下来又来了一段评述："造物挺公平，再卑微的人都领到一颗头颅。无论外表如何猥琐，獐头鼠目，蓬首垢面，里面都是一个惊涛骇浪的小小宇宙。那里涌流出源源不断的生气，灌溉我们全身，我们变得机敏而温柔，轻而易举地完成劳作、计算、调情等和各种复杂的活动……让我补足前面的观点：每颗头颅都是世界的中心，所有的头颅构成世界；每颗头颅都是历史的起点和终点，所有的头颅则是历史本身。"这样强调头脑（思想）的作用，不是太片面了吗？不怕有点历史唯心主义的嫌疑吗？不，这不是知识小品，其可贵不在科学，而在心灵的自由，把焦点放在智慧和趣味的交叉点上，是传统的审美和现代的审智的结合……这不仅仅是为思想和趣味的纵横交错，而且是为智慧和才学交融。

难能可贵的是，当他稍微用心一点，就能通过文化风俗的洞察，达到南帆式的深邃，如在《乳房崇拜》的最后悠然自得地引申出这样的结论来：正如女权主义者所说，乳房也许从来没有属于过女人自身，它属于婴儿，属于男人，属于政治，属于商业。可是，我们现在发现：乳房的疾病属于女性自己，乳房的手术属于女性自己，乳房的缺失属于女性自己。没有乳房的女人，她的整个生命也消失了，那巨大的空虚属于自己。女人把乳房献给了世界；而乳房，只能以一种残损的方式复归女性。这不是女性主义者所希望的复归。我们说过，乳房是一种文化现象，必须通过某种文化，乳房才能被定义。如果我们将乳房的种种修辞扫荡干净，剩下的，只会是赤裸裸的生理病变。这不是我们想要的自由乳房。非洲土著女性袒胸，古代中国女性束胸，美国妇女隆胸，每种文化创造着自己的乳房。将我们古代的乳房崇拜层层剥开，也许要深深失望，因为最后没有内核，只有黑洞，癌细胞。很可能，乳房没有本领，我们看见的，都是风俗。

当然，在福建师范大学的校园中，写作散文具有全国性影响的不仅仅有萧春雷，比他影响更大的还有朱以撒。朱是著名的书法家，他的散文，也早就超越了杨朔模式，不以抒情为务。他独特的创造，就在于把中国源远流长的书法文化史和他的情智作深度的交融。我曾经指导过教育学院学生蔡福军写一篇论文，文章的开头，就很有气势地抓住了朱以撒的生命的特征：

朱以撒散文中的古典气息厚实得让人喘不过气来。他对古代书法名家名帖的朝圣，对古塔、古桥、古钟、瓦当等历史文化遗迹的膜拜和感叹，对山河湖海、井田阡陌、古树茂林等自然意象中历史谱系的回溯和追问，对具有典型文化意义的历史人物艺术生命历程的批判、反思和感悟，显示出他的心灵丰富，思潮汹涌，这一切是正是他作为一个有出息的散文家最丰厚的资源。他的古典文化感兴，纷至沓来，层层叠叠，浓得化不开。他对古典牵挂痴情得让人惊奇。在处处弥漫着商业浮华媚俗气息，后现代主义玩弄碎片游戏、解构历史、反对整体、嘲弄精英文化、黑色幽默横行的当代，也许有人会感到惊异，朱以撒如此虔诚地礼拜古典文化，是不是显得有些不合时宜？但是，朱以撒不是个追赶时髦的人物，他秀外慧中，不求闻达，我行我素，在当代散文领域中，经营着他自己的心灵天地，执着于他自己的追求。

对书法艺术、书法理论都有精湛素养的朱以撒，本能地、职业化地对古典氛围有着好感。“我是天生不喜欢热闹的……可是我却喜爱如清明、七夕、重阳这些带有清冷或高远意蕴的节日。”(《天籁》)也自然就对当代生活中古典失落深表遗憾“那种以前常见的，粗糙的，质朴的，天然的，本真的状态总是被金属的，机械的，人工的，雕饰的状态所替代……我们与自然交往的诚恳性正在消失”。(《明媚如水》)朱以撒对现代化、工业化、城市化的今人的精神栖居环境深感忧虑。正是在这样的深度上，朱以撒的古典情节给当代散文界带来了独具一格的、新异的生命。

事实上，我们正处于“有富裕但没有幸福，有民主但没有自由”(马尔库塞《单向度的人》）被精神异化的境况之中。面对刚刚崛起的工业文明的浮浅根基，朱以撒毫不犹豫地投入了古典的怀抱，从那里感受心灵的慰藉。

当然，说到散文，笔者不能回避孙绍振的名字。他是在德国进修时期，为了抵抗孤独，开始散文写作的。那是1990年，正是抒情的审美方兴未艾的时期，但是，他却厌倦了抒情，厌倦了诗化。他感到当时文坛上，小女子散文、小男人散文把抒情变成了滥情。他曾经为文曰："散文当以非诗者为上。"实际上，他也反其道而行之，追求审美的反面——审丑，也就是幽默。他讨厌诗化散文的自我美化，他偏爱自我调侃，不惜以种种手法把自己写得狼狈，写得弱智。他的《说不尽的狗》因为自我调侃而谐趣横生，妙语如珠，入选中学语文课本。

长安山文坛上，以学生刊物《南风》和《闽江》为核心，活跃的人士大多是诗人。当然，后来在离开学校以后，他们很少继续诗歌创作，但是毫无疑问的是，校园诗歌的熏陶为他们人文素质打下良好的基础，特别是培养了他们的对语言的敏感，这是他们一生受用不尽的。至今比较著名的就有：王性初、哈雷、蔡芳本、邵长武、阮克强、林浩珍、游刃、曾章团、李正光、李彬源、伍明春、赖彧煌、张嘉泉、巫小茶等。在创作上不断有所发展的要算哈雷，他的诗不无传统的格调，但也有反叛的思想闪光。这就使得他在诗中，不时发出惊人之语，他最著名的诗句是"女人是个好东西"。这一代诗人在艺术上的整体流派归属显然与协和大学时期大不相同。协和大学时期，基本上是抒情、诗化的一统天下，语言上，难免有些粗糙。而20世纪80年代的诗歌，前期受到朦胧诗的影响，还是以传统的抒情为主，到了中后期，后朦胧诗崛起，审美的抒情开始淡化，诗歌写作不约而同地追求某种情智交融的境界。从智性的价值观念出发，自然有不同于情绪化的联想，如阮克强的《弹钢琴的时候》：

大师们在墙上看我
他们每天不吃不喝在墙上看我
他们的眼神各异
我背部毛孔粗大汗水涔涔
敲自己的肺叶没有声响
敲户外的雨季没有声响
大师们
发悠扬地飘起又落下
……
大师们精力旺盛，喘气吁吁

敲我的床板冬冬地响

敲我的肋骨冬冬地响

……

这样面对面互视很久

……

这样面对面互视很久

真正够味

这里，用一个“敲”字作为联想的核心，衍生出一系列的“敲”，所渲染的，肯定不是某种强烈的感情，相反，有一点调皮，有一点煞风景，又有一点冷峻，渗透着一种怪异的、反叛的思考，那就是对大师的偶像的权威的解构，同时又是对自我美化的解构。值得注意的是，这里有一种鲜明的颠覆固有价值的倾向。从深层的意味来说，这是智性的，但是从表层逻辑来说，又是不讲理的，反智性的。这种诗的语言，和审美的抒情诗意象普泛化不同，是真正个人化的。读者要和诗人沟通，只能去猜测这种反智性的联想，如果猜测失败，也就是不能读懂而已。当然，在后现代的观念看来，诗就不追求完全的沟通，误读与正读的差别也并不可怕。

如果允许我以上述作品和七十多年前协和大学的文艺爱好者的笔墨相比较的话，我想说，两者的差异恐怕可以用天差地别来形容。协和才子们最高的成就，就是追随当时最前卫作家，而如今福建师大最有出息的师生们，他们所产生的影响，所达到的最高成就，早已超越了校园，他们作品的艺术水准，可以说在时代的水平线上，其中最为杰出的，则在横流的沧海上，已然成为寻找艺术新大陆的弄潮儿。

2007 年 10 月 23 日

在娓娓道来的叙事和宏大叙事魄力
——读卢文丽《大学里的小邮局》等中短篇近作

卢文丽从20世纪80年代作为诗坛新秀，诗作富有人文的温馨，受到业界广泛好评，被誉为“西湖女诗人”。进入新时代，她开始在各种文体间游走，不但写小说，长篇、中篇、短篇，还写散文、旧体诗、报告文学。新近发在《北京文学》第5期上的中篇《大学里的小邮局》以独特的情志引起了业界的注目。

据悉作者年轻时两次高考落榜，不能成为大学生，选择在大学里的小邮局工作，呼吸呼吸大学空气也好。这并没有窒息她的才情，她在诗歌创作上的成就，使她进入多少大学生进不了的复旦大学作家班，后来，又凭实力考进《杭州日报》成为文化记者。

大学入学考试的统一规格往往和作家的独具一格的才华和不无神秘的天赋并不完全统一，俗话说，是金子总会发光。因而我对并非先有大学文凭才成为作家的作品往往刮目相看。对于卢文丽的《大学里的小邮局》我怀着特别的兴趣，甚至可以说是偏爱，这是因为，我在大学从教六十多年，对于大学生活有着漫长的多方面的生命体验，但是，我从未从大学小邮局的窗口，从大学以外看大学的精神生态。

《大学里的小邮局》从作者来说，则是对青春岁月欣慰的回顾。初读时感觉头绪纷繁，来邮局办理业务的教师学生络绎不绝，柜内柜外，甚是忙乱，对于热爱诗歌的主角张小行来说，似乎很缺乏诗意。但就在这种世俗的琐事，平淡的细节中，冥冥中有一种大学的氛围对她激发出的顽强的、对于文学理想的追求。

小说一开始是邮局午休，他人休息，小行却趴在柜台上沉醉在《朦胧诗选》中。傍晚邮局下班，脱下工作服就奔向图书馆。好心的所长看到年轻人爱学习，托总务处熟人给她办了张阅览证。小行坐在图书馆里狼吞虎咽地阅读新到的期刊，觉得自己一天的忙碌和纷乱，像被泉水洗过一样感到神清气爽。就这样她开始了诗歌写作。

面对中文系教师杨桃的汇款单，竟是《诗潮》寄来的稿费，小心脏不由得怦怦直跳，顿时心生敬意，付款时在抽屉里特意找了三张新钞。后来杨桃送她诗集《呻吟集》，小行连夜读了两遍。尽管并不太喜欢诗里那种阴冷调子，但《呻吟集》却像面镜子，照出了她自己诗作的致命弱点——不是为情而生诗，而是为诗而造情。她顿悟到初学写作者的大忌乃是内心世界贫乏。等到她自己经历过爱的“触电”，有了真切的积淀，再拿起笔来，就有一种灵魂突围的感觉了。一直退稿的命运由此改变。随着《触电》在《中国邮电报》上发表，小行在小邮局里世俗的生活中体悟到了诗意的真谛，此后，不断感受着可以意会难以言传的生命体验，终于得到表达的灵感的来袭的喜悦，更没有想到诗的想象突然转化为幸福的降临。在生日那天，那个在小说开头的“刺猬头”，送她诗集《爱的箴言》，并不是第三人称的他者，而是他献给小行的诗，原来小伙子一直在暗恋着她，爱的花朵竟然是诗播下的种子。诗和生命一齐开放，小说就成了一曲照亮青春的颂歌！

她把诗的修养带进了小说，小说中往往有某种抒情色彩。在结构上，带上了诗行结构的跳跃性，不太在意所谓环环相扣的完整情节，特意将情节分切，像是闺蜜之间随意闲聊，只是自由铺展，但是其细节组成的群落，其间的关系，似断却续，然而其那些看似孤立、平淡细节就变得情绪饱和圆融而统一，类似中国画中那种笔断意连，又如古典小说评点所说的草蛇灰线那样不着痕迹地催化着读者的想象不同人物心灵成长的脉络。

也许因为是诗人，用字吝啬，小说语言相当精纯，行文简洁且富有表现力，细节富有雄辩性，稍稍点染，细节就组合为统一的群落，人物面貌便清晰地呈现。小说里其他几个人物，用笔不太重，有些是速写式的，明显是作者为主人公精心营造的现实的也是心理的环境。哲学系那位神经不正常倒在邮局条椅上荒谬死去的尹教授，生活在虚幻不存在的香港小姨的汇款单，其父是国民党的社会关系和来自福州加急电报等细节都可说点睛之笔；个性比较突出的人物如杨桃，用笔简洁，情绪难得颇有连续性：中文系教师，女诗人，穿着很有风情，我行我素，高傲得像著名外国油画里的“无名女郎”的神情，给人一种不食人间烟火之感，却爱上那个不该爱的外语系黄教授，成了第三者。而黄教授从外表到内里，又都不怎么讨人喜欢。杨桃的选择似乎不可理解。其实，作者意在揭示爱情有时就有点盲目性可能是必然的初阶。后来，杨桃和黄教授分手，嫁给了她本以为有点俗气的吴副司令，从梦想回到了现实。是错还是对？小说留下让读者思考的空间。在结局中留下思考的空间，还有那个校刊副主编许春花，说话咋呼爱吹嘘，对杨桃的态度有点变态，后来跳楼自尽，血溅校园，凶手是主编还是出资人？作者没有明说，反正主编后来锒铛入了狱。20 世纪 80 年代初，这种个人承包杂志捞钱，在文化部门比比皆是，被看作是有能耐的弄潮儿。然而没多久，这些人纷纷落马，成了过眼云烟。他们带着各自的故事，经作者匠心独运地安排，从后台一个个走到小行的窗口前，像一帧帧照片，建构出改革开放初期大学校园里知识分子生存状态。

作者一系列小说，所写大多与作者自身经历相关。带有抒情风格，好像又在逃避激情，更着重温情，叙述往往是娓娓道来，毫无刻意痕迹。综合起来，往往呈现出相当强大的、宏观的生命意义的概括力。在其长篇小说《外婆史诗》、中篇《廿四间头孤雁》（《中国作家》2023 年 6 月号）是这样，在短篇《芳邻》（《作家》2022 年 1 月号）、《暮春之初》（《作家》2022 年 9 月号）和《幽暗时刻》（《收获》2022 年 5 月号），都是这样。《暮春之初》写一个已有一定成就的单身职业女性，对待一次情感诱惑的经历，因为已有一定的社会经验和人生阅历，最后采取一种很明智的方式走出。当为立意不同凡俗之作《幽暗时刻》写了一位单身母亲和两个孩子的故事，也有着作者自己的生活影子。以护鸟为脉络，写一个江南村落的人情冷暖与世事沧桑。《廿四间头孤雁》有作者童年乡村生活和高中在乡村求学的影子，表面是写护鸟，其实关注的是人的际遇，拷问的是人类生存的意义。倘若将五篇小说连接起来，可以看作是作者本人从高考落榜的青春女生到已是成就斐然的成熟女性的心灵成长史。

有位名人说过，大意是小说家写小说是在窥视别人心灵，而诗人则是将自己的心灵捧出来展现给别人看。卢文丽特殊的小说创作风格，也许有人认为是驾驭小说文体经验不足，算是某种局限，然而，就风格而言，则明显是作者的长项。

2024 年 4 月 25 日星期四

第二辑　古典审美与现代意识的对话

台北现代派画家的突破与风险①

台北现代派画家于香港举办画展，嘱余为文，余以为台北现代画尝试，始于 20 世纪 50 年代，四十年来的摸索磨砺，塑造了独具特色的风格，其中的挫折与成功，对于新近崛起的中国大陆前卫派来说，别具启发意义。

一切艺术革新或革命，不但是对现成权威传统的一种挑战，甚至是一种亵渎。当 50 年代末台湾的一批青年艺术家刻意打破传统的写实作风和学院派的精确技法、形式规范，用崭新的材质，创造出一批非形象性的绘画性作品时，他们不但有些被视为异端而且十分寂寞。谁能想到三十多年后，他们的作品能够经受时间的考验，在艺术探险的艰辛历程中形成气候，竟引起国际上广泛的瞩目和赞赏呢？

不久前，台北十七位中青年现代画家的作品在泰国和中国香港等地展览，我在观摩之后，受到相当大的启示。不禁不惮浅陋，对台北现代派画风作一浅析。

强烈追求与国际现代绘画语言接轨

90 年代台湾的现代绘画显示，此辈前卫艺术家早就意识到不能满足于对西方前卫艺术的追随。正如李锡奇对《现代美术》记者所说的：“在绘画思想上虽然受西方影响，但其内容和感情上仍旧追求中国精神，例如在作品中的中国彩绘色调。”(《现代美术》第 55 期，台北，1994 年）这可能集中表现了他们的美学原则。夏阳的笔法是如此之暧昧，即使画人物也都以不稳定的“毛毛虫”式的飘逸表现他的神秘感，但是他画的是中国传统神话中的魁星和民俗的《力里进财》，虽然在画布上那车轮和招幅是几何线形的西方风度。顾重光的《瓷盘事件》显然具中国民间古朴瓷盘的装饰风格，至于陈世明的《水墨》，则是在西方抽

① 发表于香港《明报》月刊 1995 年第 6 期。

象几何方块和直线与中国水墨自由、即兴挥洒淋漓间，寻求突兀的冲突和微妙的平衡。

他们的抽象性绘画语言是中国传统绘画中没有的，几乎所有的参展画家都显示了一种与国际现代绘画语言接轨的强烈追求，但是中国画的精神仍然渗透其间，就是朱为白《武顺》那抽象得只剩下几条并行线的布切割，也都使人感到其中多少有些中国无言的禅意。

致力重建中国新的审美价值

后现代美术的精义在于对传统美学价值的怀疑或者颠覆，没有这种怀疑和颠覆就不可能冲击传统的惰性统治的僵化。深刻的革命不仅仅表现在向西方新思潮的模仿和移植，而且表现在对中国审美价值的重建上。艺术家们对于民族传统美学法式发出挑战的最深刻的动因，并不仅仅在于形式，而且在于他们的心灵，他们自由的感知，不受约束的知性。他们所感受、所领悟的宇宙和生命，迫使他们运用新的材质，创造他们新的意象和新的外部世界和内在宇宙。

李锡奇从 50 年代起就是台湾现代绘画的先锋，其艺术理念和风格相当广泛，素有“画坛变化鸟”之誉。近年来，他在传统的磨漆工艺中发现了心灵的对应形式，他的《挢黑之旅》是一个奇迹。大块的几乎占满整个版面的黑漆，表现了雄强的静默，当然并不是死亡的寂寥。浓漆的厚度，其螺纹一般，山脉一般起伏的凸凹纹理，给人一种自然和生命的律动之感，被论者誉为以“阳刚的气势”给视觉以震撼与冲击，“述说着原始图腾的诱惑与威权”。正是他对漆的这种特殊材质的自由驾驭，他才表现出自己相当雄强的内在宇宙。可惜的是由于照相制作的损失，印制为画册的黑漆的凸凹感就很难再现。

对于材质的驱遣，在表现艺术家多元的价值体验中起着不可忽视的作用。如果林文强在他的画布上不把塑形剂、沙子、亚克力、油彩那么狂放地混合起来，那画面上粗糙的质感就不可能存在，他那原始的生命和野性就不可能那么独特。

各自有不可重复的艺术追求和探索

对于台北这些中年的和青年的现代画家来说，他们所追寻的不是像友情那样的共同心声，而是像秋天原野上林鸟发出的纷纭鸣啭，是木车轮碰上石头的声音。卢天炎的《句号与逗点的经文》《土地公》，都有近似整齐排列的民俗偶像，也许是受了李锡奇早年《无题》用四色牌排列组合的一些影响吧，但已不是杜尚那种“现成物”的罗列，自有其反讽的民俗趣味。特别是《土地公》那表面刻板僵化单调的姿态与和善的笑容，给人一种亲切的喜剧感，而当中那两大块不成形状似石非石的物体，完全不会使人感到压抑，相反感到奇妙的轻松。

每一位画家的生命宇宙是不同的，每一位画家对工具和材质的驾驭也都各具特色。郭振昌的《新桃花源记》和《中国情意结》用了那么鲜艳的色彩，令人想起民间的剪纸的线条。在《新桃花源记》中，那处于画幅正中的朦胧裸体的金发女郎，正好处在两个似乎在打瞌睡的（蒙昧的）对称男人之间，表现了画家对古老理想的一种批判。在台北画家中，虽有卢明德那样取材于《圣经》的《临界系列》，但是更多的画家似乎更乐于作传统文化的追思、破译或反讽。潘丽红的《环的阻隔》画的是很具象，很古典的，没有缝的大门，门上有两只金属的兽衔的门环。本来环是可以用来敲门的，然而这环却是冰的，而且在环的底部已有了融化的水滴。世界在潘丽红笔下就是敲不响，也不能敲的门。而在刘献中的《我的儿子梦见庄周·梦蝶》和《我的儿子梦见庄周·鱼乐》，都是以一个图案式的人脸占据全部画面，但在眼镜中显示的却都是花朵，这可以说是对古典哲学的阐释，也是对现代人生的嘲讽。所有这一切都说明这些画家都有相当深厚的民族文化底蕴，对于生命和现实都有各自的价值取向，对于艺术形式的空间色彩材质都有不可重复的追求和探索。他们不同于一些盲目追随西方新潮的画家之处，是他们建构中华民族新的美学原则的使命感。

这就使他们处在冒险地位：一方面要突破颠覆传统艺术价值和法度，另一方面又要让西方前卫绘画的种种思潮与本土文化相结合。显然这不是一代人所能完成的历史任务，从历史的宏观眼光观之，这种结合不能不是初步的，本土文化的通俗意念和表现形式中西方烙印，还没有达到充分的和谐。这说明他们的内在宇宙和他们所驱遣的工具、对象、材质之间还需要调整。然而，20 世纪 70 年代以后，西方绘画的各种流派的实验已趋于停滞。中国现代画家，以东方深厚文化底蕴去冲击，去与之遇合，也许正是千载难逢的历史机遇。

困惑迷失中探索新的航路

在 21 世纪，我们或许不需要等待另一个毕加索从非洲艺术中得到艺术革命的灵感。在我们自己的队伍中，也可能产生东方的毕加索。当然，这需要新一轮的挑战或突围，新的探索和冒险。诚然，21 世纪艺术的新大陆、新航路在何方，谁也无法预言，但是，可以确信的是，在新的哥伦布被确认之前，将有大量的艺术探索者葬身鱼腹。

1995 年 1 月香港

漫画漫笔与文人诗书之统一
——读丰子恺的漫画

柱家先生：

日前收到惠赠彩画精装《子恺遗墨》，十分意外，草草翻阅，惊喜无以言表。先生与我素昧平生，赠如此宝贵精致之书册，阅读之，抚摸之，几不能释手。

子恺先生之漫画，上世纪四十年代末，吾小学时代曾甚着迷，家中即有《护生画集》六册。其中儿童相、古诗新画、战争相、都市相种种画幅，美好回忆，复活如初，翻阅之乐，有返老还童之感。

子恺先生为漫画，始于上世纪二十年代，留下经典杰作，近一世纪，仍然老少咸宜，作为艺术品，为中国漫画史上不刊之经典。

我国本无漫画，二十世纪初，报章始有单幅之讽刺画，后来发展为漫画，社会讽政治讽刺为主流。大师如华君武，米谷、方成等留下系列经典。

子恺漫画，虽于社会人生亦有批判之作，但是，其最高艺术境界乃在抒情与诙谐。

子恺先生上世纪二十年代留学东瀛，见日本竹久梦二之漫画，乃有触发。如一幼女正看照片，题目是《亡母》，留给读者的想象的空间甚大。又如，车站一角，一女子，手扶椅背，头部侧倚，题为“美丽的疲倦”。诸如此类，子恺先生回国作单幅漫画，有数幅之立意颇受影响，但其抒情性更为深厚，如画一女独自照镜，题为“贫女如花只自知”，诗意远胜梦二。由于子恺先生有更深厚的哲学和中国古典文学修养，在艺术和思想境界上拓展、提高了层次。如画一老年人之手执钢笔一如执毛笔，题目曰“父亲的手”（后改为“祖父的手”）胜于日人之处乃在时代烙印，老习惯跟不上时代变迁，笨拙而执着，含温婉之同情，于不和谐中蕴诙谐。又如，抗战胜利后，一空炮弹壳中插着鲜花。强烈反差，而不着一字，富有时代深刻意味。然而此等作品，究其思想艺术而言，尚不能列入先生之最高水准。

子恺先生艺术之独特，在另一方面，独树高标，特别抒发为童心童趣，天真无邪，清净纯情。讽刺漫画多严峻尖锐，而先生之抒情则融入诙谐，展示了另一番美学境界。

此类经典之作大都曾收集于《儿童相》。令人过目不忘者如画孩子持两蒲扇，一前一后，作骑马状，题曰“瞻瞻的脚踏车”。又写孩子将自己的鞋子垫于四脚圆凳之下，题曰“阿宝两只脚，凳子四只脚”。于儿童经验之局限中写其心灵之天真，于平常人视之不起眼，无所谓之现象中发现童心之美。令人印象最深刻者，写三个孩子，一女稍高，立于中，左侧男孩，戴英式礼帽，甚大，几遮其面，右侧女孩，头蒙面布。题目曰“瞻瞻新官人，软软新娘子，宝姊姊做媒人”（后有单线平涂之彩色画省略名字）。其事极不现实而孩子极其慎重。实用与童心之间显而易见的错位，全以儿童语言表现，于儿童则显示其童心、童趣，于画则表现了先生的爱心和幽默。

创造出童心谐趣这美学境界，并非偶然，先生自怀童心、菩提心，向往超脱尘世人生的精神污浊，坦然自白云：“对于世间的成人都为生活的琐碎事件所迷着，都忘记了人生的根本，只有孩子们保住天真。”“只有儿童天真烂漫，人格完整，这才是真正的‘人’。”（漫画创作二十年，载《子恺遗墨》第 89 页）子恺先生以艺术境界营造其思想境界。当然，这种儿童优越论，可以从西方卢梭那里找到源头，五四时期的郭沫若也曾大力渲染，不过郭沫若是用来反对封建教条束缚天性，张扬个性解放，而子恺先生则旨在其对童心世界的企慕，用今天的话来说，乃是对人生的异化的超越。

子恺漫画艺术生命长存，更主要原因，还在于他彻底将漫画中国化了。

简而言之，可以归结为：以诗为题，以诗入画，雅俗交融。

诗化不仅在儿童天真纯洁的诗性上，而且是直接以诗来表现。有一集漫画题目就是《古诗新画》。以诗写童心乃使画艺境界更上一层。如，男女两童于绿树下面问一成年妇女“儿童不知春，问草何故绿”。子恺先生对此命意偏爱，同题另有一幅，为一童问一女，表现儿童之稚气好奇之可爱。又如，男孩骑竹竿奔向女孩，题曰“郎骑竹马来”。诗句取自李白，但意味已经变化，在李白是写青梅竹马之情，子恺写儿童仅为游戏，孩子骑竹马本无关青梅竹马，与子恺先生题意之显然错位，情趣中之谐趣皆为子恺所赋予。

先生有画集名为《古诗新画》者，在艺术上可谓达到最高水准。当然，这也经日益精进之过程。初有完全以古诗写古意者，如，画山水，题为“不畏浮云遮望眼，只缘身在此山中”。诗句来自王安石，富哲理性，格调甚高，但作为国画，就笔墨而言，并无墨分五色之妙，可谓有笔无墨，在子恺先生作品中，不属上品，因其仅为古诗，而无子恺赋予之新意。但一旦以之为人物背景，引入诗语，则境界升华。如画三棵直立不知名树，远景为茅屋，近景为小土丘。于笔墨言，线条言，则难为高品，然树下一现代少女掩面而泣。诗题：

“山有木兮木有枝，心悦君兮君不知。”则树木、茅屋、小丘皆有超越时代之情致矣。

先生高水准之作，引古人大雅之诗入画，然其画不求雅，既不求随物赋形，亦不求传神写照，盖大雅之诗与漫画之漫异趣。故画笔不追慕古法，线条甚漫，尤其为人物，其线条往往以拙笔、稚笔取胜。盖漫画属性为俗，古诗之性属为雅，太雅则悖俗。先生运思于两极之间，持二法轮而不为法轮所转，妙在雅俗转化自如。比之同时漫画大家张乐平，用硬笔画人物，线条流畅，有笔速生风之感，子恺发挥毛笔软性，但求平匀断续之美。

盖漫画之漫，乃简朴而随意之谓。笔意在简而拙，迅而率，不求古画之“游丝”“铁线”之工细，但求漫画之漫笔随情，故其时有读者怪其画人，时有口而无眼，画人而不点睛，似有悖顾恺之之“传神阿睹”之经典之论，然先生循漫画形式，但取古人“意到笔不到”原则，自白云：“意在笔先，只要意到，有时笔到了反而累赘。”（漫画创作二十年，《子恺遗墨》89 页）有题名《星期六》者，孩子拉父亲颈背，父亲挣向女儿，三人只有身体姿态，有头发，皆无眼睛，这与鲁迅所说画眼睛，不画头发之说，似相悖。但在先生看来，如画三人眼耳鼻口俱全，则为累赘矣。然则柱上时钟却有鼻目笑口。漫画之漫之不在面目之全肖，而在仅以体态为意。合司空图“遗形得似”之理。

故《古诗新画》，诗虽古而画不求雅，其属上品者往往具平民性质，如画青山、茅屋、树木间四人共坐，题目曰“三杯不记主人谁”，所画皆粗具古人平民衣貌。有时，则似古实今。河边有船、树下，二童扶酒醉老人，题曰“田翁烂醉身如舞，两个儿童策上船”。其后有成人抱一巨大酒坛。酒意尚未尽也。平民性，草根性，雅中求俗，是子恺漫画精神。同样画竹林下茅屋，大幅画面下有二平民装束者，面目不清，其题目诗曰“年丰便觉村居好，竹里新添卖酒家”。又如，画一牛过村，题曰“年丰牛亦乐，随意过村前”。全似出自村民之口。以草根性抒平常情，平静心，逃避讽刺漫画之尖锐性、戏剧性，与童趣之天然、自然，纯然，息息相通，如画一女童对妇女指燕子，题为“垂髫村女依依说，燕子今朝又作窠”。

先生古诗写新画，雅中求俗，其俗乃新时代之俗。古诗有极高雅者，如“几人相忆在红楼”“人散后，一钩新月天如水”“无言独上西楼”，但画中人物，并非古代文人帝王，均为现代平民。如“贫女溪关自浣纱”，主角系一现代女生。先生《无言独上西楼》发于报章，有人质疑：诗中主人系李后主，当着古装。先生回答：“我不是作历史画，也不为李后主词作插图，我是描写读李后主词后所得的体感的。我是现代人，我的体感当然作现代相。”（同上书第 89 页）先生所言“作现代相”，结合其经典之作，当作“现代平民相”“现代草根相”。

先生艺术之成就还在将诗直接写入漫画中，乃中国漫画之一大发明，举世无双。

本来，中国有题画诗之独特传统，《四库全书》中题画诗多达九千首。为画作题，往往隐于边角，山石、花草之间，谓之“藏款”，意在不以文字干扰画意也。藏款变为诗乃始于北宋，清方熏《山静居画论》卷下说：“款题图画，始自苏（轼）、米（芾），至元明而遂多以题语位置画境者，画亦由题益妙。高情逸思，画之不足，题以发之，后世乃为滥觞。”

题画诗，与一般诗不同，其精妙处，不在对画的说明，而是超越画面。画为视觉直观，时间为瞬息，空间为尺幅，局限甚大。题画诗，如仅仅局限于对视觉的形象说明，于画无补，于诗弄巧成拙。题画诗之精绝在于把画不出的意蕴用语言表达出来。中国题画诗，逐渐发展出自觉的理论。宋蔡绦《西清诗话》：“画工意初未必然，而诗人广大之。”最重要的是诗人必须“广而大之”，突破画的视觉。查为仁在《莲坡诗话》中说，题画诗“不必太贴切”。提出“当在切与不切之间”，所谓“切”毕竟诗的意象要以画的主体统一，所谓“不切”就是要超越视觉形象的局限性，把语言艺术的全感官的优越性发挥出来。苏轼题惠崇《春晚图》“春江水暖鸭先知”，就因为写出画所不能表现的触觉之暖而成为名句。郑板桥写竹画：“咬定青山不放松，立根原在破岩中。千磨万击还坚劲，任尔东西南北风。”以表现了画所不能直接表达的坚定不移的硬汉精神而取胜。郑板桥以诗入画，尽情任性，占据了画面的相当部分，甚至充满画面的空间，不顾画中之留白，不忌喧宾夺主。盖其书法本身具独特之艺术品位，故其诗书画水乳交融。子恺先生的古诗今画，不求完全切于诗，但求广而大之，二者相得益彰，以不完全切画意的自由情志，提高了画的思想境界。

先生“古诗新画”之“新”，不仅在平民人物之新，之俗，更在赋予现代平民以古诗之旧，之雅。如画一现代女学生于垂柳下平台垂钓。如仅仅为画，则平淡无奇，先生题诗曰“香饵自香鱼不食，钓竿只好立蜻蜓”，意味增添了两个层次，第一，少女怀春，内心默默期待。第二，女性爱情焦虑能明言，人性古今皆同。

子恺先生不仅继承了以诗句阐发、拓展、丰富画意，而且继承郑板桥直接将诗写入漫画中。

但是，子恺先生本性清和，不似板桥放诞到以诗任意占据留白，子恺先生之题款，亦如画之讲究经营位置，画为主，诗为宾，诗句处于画中边缘留白之处。先生画笔墨简拙，画中行书则为子恺体，一笔不苟。即非以诗，而以白话语为题，亦下盖印红色章。诗书画结构乃有机自洽。

诗书画一体本为我国文人画高度发达的产物，而子恺先生却以之为漫画，将中国文人诗书画之三雅，转化为画俗而诗书雅之交融。

以诗入画，为中国所特有，原因可能中国为诗为画，皆用软性笔，水性墨，施于纸，与为诗同，而欧美为诗用鹅毛，书于草纸、羊皮，为画用刷子（brush）以油漆施于木板、帆布，故无以诗入画之传统，虽签名亦大体近于唐宋前中国画之藏款。待欧美有钢笔墨水之发明，乃有文字施于漫画，常置于主体之中，甚至在人物口头画出气泡，迫使读者先细读文字，文字为印刷体，不经营位置，毫无艺术性可言，是子恺先生所不屑为也，

子恺漫画世称漫画，为漫画抒情诙谐流派，从另一种意义上，也可堪称文人画之一格。独领风骚至今，本有开宗立派之高标，后世漫画家古典诗歌和书法修养不济，至今，能补足此严峻的课题者，几稀。不亦惜哉！

2020 年 9 月 26 日星期六

红黑境界中的顺道无为
——一个东方艺术家对西方后现代艺术思潮的回应与挑战[①]

一个纯属偶然的机会，我闯进徐应源先生的“自然门工作室”，目击他的根雕世界，他的“神奇的曲线”，我的第一印象是从直觉到理念都享受着一种冲击和颠覆，久久留在我的心头的是隐隐约约的感恩。经过很长一段时间，我才找到一种简明的语言来概括这纷纭的思绪，那就是“惊异”，这有一点像海德格尔式的“惊异”，既是哲学，又是审美的。[②]但是毕竟，这种惊异中更多的是中国式的虚静。

一

对于根雕，人们的感觉和话语已经格式化了，习惯了唯一的期待和永恒不变的预设：根已经死亡了，是艺术家以自由意志，变根的物态为神态，化腐朽为神奇，赋予死亡以生命，但是，在徐应源先生这里，却颠倒了过来。根雕的生命不是艺术家赐予的，而是根本身的潜在。形态并不是艺术家雕出来的，不朽的神态是从死寂中发现、“剥离”出来的。本来，关于根的常识是很简单的，根之所以被合法地从土地、大山里挖掘出来，被安置在工作室，就是因为它不可逆转的腐朽，先是树体的被肢解，然后是根体的腐化。然而，徐先生的“剥离”却让你惊异于它感性在场的“有”，更让你惊异于它抽象不在场的“无”。“有中生无”的造型横空出世，不能不归功于他自觉“服从道的力量”的“剥离”。[③]

① 发表于《福建艺术》2009年第1期。

② Heidegger: Gesamlausgabe，第45卷，163页。Frankfurt a，M.vittorio，klos，termann，1975. “哲学本质上就是令人惊异的东西，而且哲学越成为哲学，它就越是令人惊异”，同时，这种惊异，又不仅仅是理念的，而是感性的。在海德格尔的惊异中，还有诗的审美。

③ 徐应源：《神奇的曲线：中国·ZS·自然门造型艺术》，福建美术出版社2006年版，第7页。

从死亡中剥离出来的不朽生机，强大到足以冲破腐朽的外壳，全凭慧眼的发现。发现首先是一种遵循、透视，然后才是洞察，而不是创造，甚至不是改造，只是把死亡的绝望加以剔除、剥脱，毫无强加的修饰，修饰就是亵渎，就是神态的沦丧；而剥离出来的则是扭曲的肌理，正是这生命的筋络，抗拒紧紧收缩的空间，默默忍受柔芽嫩枝的惨痛，以足够的柔韧而卷缩，又以超凡的锋利向微隙探索，永不改变的是一往无前的态势。扭曲、转折、回环、延展、漫溢、流泻，是最无规则的，然而又是最精致的生长，在顽强、坚毅、灵动、生气的灌注中，宣告着不火的生机。

令人惊异的是柔韧的、扭曲的，又是坚毅的曲线，坚韧到令人联想到金属的永恒的光泽和当当的声响。那最不成形状的恰恰是最自然的生命。更令人惊异的是，艺术家的信念。不是以创造者的姿态狂妄地凌驾于自然天道之上。“自然门”的信条，赫然写在工作室的墙上：“无为顺道。”无为，就是“知虚极，守静笃”[①]的宁静，警惕着主体粗野的干扰，融入道家无为的境界。在自然之道、天道面前，艺术家只有崇拜和虔诚，只有无为。“天地有大美而不言，四时有明法而不议，万物有成理而不说。圣人者，原天地之美而达万物之理，是故至人无为，大圣不作，观于天理之谓也。”[②]“至道之精，窈窈冥冥，至道之极，昏昏默默。无视无听，抱神以静。”[③]此中之道，是天道，也是人道，以虚静之心，体悟天人合一之道，就是艺道，三道融通。

老子的“致虚静”和庄子的“抱神以静”，都是要达到一种境界，对于这种境界，庄子把它说得很具体，那就是“堕肢体，黜聪明，离形去智，同于大同，此谓‘坐忘’”[④]。庄子的文学笔法，可能把“坐忘”说得夸张了一些，但是，从根本上来说，就是把主体的一切知觉和意志统统忘却，这样的追求，并非仅仅是对古典哲学的沉迷，也不仅仅限于树根艺术的开拓，而是蕴含着对从当代西方艺术的包围中突围的战略。

正当他的根雕世界受到广泛赞赏，面临无限广阔的前景的时候，他却毅然暂时关闭，向“漆画”新大陆突进。这不是一般的冒险，从某种意义上说，可能具有破釜沉舟的性质。一种艺术形式顶峰上的凯歌，在另一种艺术形式可能变成挽歌。最初，他展示的画面，不能不令人忧虑。在一个正式的会议上，我对他在如此高龄，毅然衰年变法，表示了痛惜。

然而我很快发现了我忧虑的多余，他的实绩，宣示了他正遵循着顺道无为的准则对西方现代与后现代艺术的百年潮流作出回应，主要是向其代表人物杜尚，发出雄心勃勃的挑战。

---

① 《老子》第十六章。

② 《庄子·知北游》。

③ 《庄子·在宥》。

④ 《庄子·大宗师》。

他的“漆画”，给人的感觉好像不是“画”，它突破了中国“漆画”的具象形态预期，明显追求无形态、无方向、无固定的画意；但是，他的“漆画”，又很难说它不是“漆画”，因为，他的色彩语言，却坚定地秉承着中国“漆画”大红与大黑两大话语范畴。

黑可能是他的第一元的主题。他的黑是混沌的，并不单纯是黑。妙在黑而非黑，黑得丰富，黑得深邃，黑得沉重，黑得妩媚，黑得轻盈，黑得自由，黑得自然，黑得神秘，归根结底，一言以蔽之，黑得自足自如，旁若无人，不待欣赏的目光，黑成一个带着禅意的世界。一缕缕渺茫如往事的烟雾，作梦幻般飘逸，挟着缤纷飞絮，若有若无的踪影，轻盈而曼妙。如漶漫墨滴于水中扩散，又如大理石屏淡翳的幽隐，随月华淡出。在细芽羊齿镶穗的肌理之中，沉湎于蝴蝶之是我与非我的梦境。或寂然凝神，或稍纵即逝；或作星汉长河式回旋，豪迈辅以雄奇，或作龙蛇腾起，云蒸霞蔚。时而化作月廓蜿蜒于无水砂碛，斑驳如化石的叶脉之间，有细胞液的卵状鼓起；时而在兽性的放纵的狰狞之外，有人性的优雅忏悔。

一切固定的物态和形貌，成为挣脱的成见，经典的画意，法度、肌理被痛快地颠覆，黑块、黑带、黑点、黑线，忽聚忽散，随机掣动，进入天地玄黄、宇宙洪荒之起点，显得博大无垠，所向无碍，随变幻的灰色微黄不可避免地向黑海消融，透露出生命的、灵性的自在，超越死亡的、宿命的悲悯。在这个世界里，黑出禅意，黑得比一切色更有深度和内涵。

大千世界，共相殊相，如镜中花，水中月，羚羊挂角，无迹可求。无眼耳鼻舌身意，无色声香味触法，五蕴皆空，心无罣碍。从黑的变幻中得到大自在，大自由。

二

当然，黑色宇宙中形而上的古典禅意，并非主题的全部，与之相辅相成的还有他的第二元主题，那就是一系列腥红的卵状意象，占据优势的并不是卵壳之脆，而是超越视觉的卵化石的质感、量感和时间的沧桑感。艺术家显然意识到中国漆的优越，为其他一切绘画的材质（如水墨和油彩）所望尘莫及。腥红色的深而厚，厚而重的质感和量感，再加上时间感，构成了三维意象感，保证了意蕴的空间中具有足够的深度。黑色主题中那种轻盈和曼妙隐去，红色主题空显出宁静中骚动着磅礴的气势，鼓荡着当代生存的焦虑。在黑色主题中，老子的境界是飘渺的、虚静的，而在赤色主题中，老子却显现出另外一番风貌。虽然，近于浑圆，但是，条形的腥红色块的流动感富于热情，与黑色的微粒状隆起，既互相冲击，又处于和谐的肌理之中。正是因为他红黑话语是如此和谐，他才能得心应手，游刃有余地捕那电光石火、稍纵即逝的机遇，在红色的全景上，捕捉到黑色云絮的飘散着“梦中情人”的意蕴，反过来，他又能在黑色全景上，以红色的狰狞形表现的“海妖”的灵感。而在《地球在哭泣》中，他的红色和黑色，犬牙交错，令人想起西方现代艺术的不和谐的粗狂，如果这种粗狂还略带抒情的话，那么，从《新贵》的红色背景上，小面积的黑色丝缕，则看出其中以单调隐含着反讽。

不管是在红色主题中，还是在他的黑色主题中，无疑都交响着两个旋律，一个是形而上学的、哲学的境界，禅意的境界，这个境界，已经得到了饱和的发挥，但是，他太执着了，不免怀着某种不被当代读者理解的忧虑，在《仰望星空》中，不惜引用一位政治家的话语：

> 一个民族，有一些仰望星空的人，他们才有希望；一个民族，只是关心脚下的事情，那是没有未来的。

也许在许多明智的读者看来，这样的提示是多余的，但是，更明智的鉴赏家却可能从中得到更深的启示。因为，他似乎并不满足于一般古典的、形而上的参禅式的沉思，他并没有忘记现实的救赎感。不难发现，在许多作品中，流露出某种宗教色彩，最明显的，莫过于那幅《老外读懂了道德经》，在黑色的大色块上方，难得地出现了红色的十字架。这个十字架之所以值得特别关注，还因为它的几何线形。在追求无形的过程中，他似乎尽量回避直线，也许，在他的理解中，直线是西方抽象派的基本话语，而他的努力恰恰在突破抽象派的窠臼。（这一点，下文还要说到）在这幅画中，抽象直线居于画面中心，并非偶然，在《圣诞》中，红黑扭曲，带状交舞的空间上方，亦有向四面放射光芒的直线，而《光》中那在黑暗的孤峰之巅，唯一的光华也是直线。他似乎是把直线的功能严格地规定，只能作为思想符号，在一片混沌之中，这里是思想和希望的焦点，除此之外，直线是禁忌。

当然，他并不在画宗教画，他的画也不是宗教的图解，他的救赎观念与其说是宗教的，不如说是哲学的，他似乎试图把哲学和哲学意义上的宗教水乳交融地结合在一起。即使十字架也被他哲学化了。正是因为现世救赎的意向，他的形而上的追求，就不能离开形而下的关怀。这就给他的构想，带来特殊的难度，他不得不在西方的抽象派和传统的具象派之间寻求突围的道路。

逃避直线，拒绝抽象派老套，但拒绝了抽象，不言而喻的出路就是具象，而具象却更是他的畏途。很简单，具象就是定形，就没有无定形的意蕴和自由了。他的决策是在夹缝中求新，在无定形的红黑境界中，在色块、色条、色点、色斑的随意的运动中，抓住那瞬息即逝的机遇。当然像《吹泡泡》《禁果》《别怕，主与我们同在》那样人体清晰的具象是很罕见的，更多的具象是在暗处、在被无形掩盖处，远望则无，近察则有。总体则无，局部则有。在《月亮、大海、老人》《面具》《一千零一夜》《沙恭达罗》《俯视》《凤凰王》《出浴》中，画面本身就有足够的冲击力，标题仅仅起到温和的启示作用，二者之间有相得益彰之功。画面的意味如能因标题有所延展，则是锦上添花，即使不能，脱离画面，亦无大妨。如果画面的冲击力，不甚强大，标题如拘泥过甚，则结构功能丧失。当然，那些并无十分明显的具象者，这就不得不求助于标题，如《二战印象》《人间》《啊，女人！》等。但是，标题和画面之间的和谐程度，取决于其间的张力，当张力过大，标题的提示带有某种强制性，其单一性和读者的多元联想之间的矛盾就难以避免地激化。

三

当我说着他的画，他的"漆画"的时候，在"漆画"上加了引号，并不是为了强调，而是为了突出其中隐含着的悖论：号称"漆画"却不是"画"出来的。拿着画笔如此这般地画，是他所厌弃的。

他所追求的画，就是不画，不画之画，表面看来是荒诞的，但是，却是深邃的，这恰恰是20世纪初期、中期以来，现代、后现代几代艺术家孜孜不倦地寻求破解的艺术的"哥德巴赫猜想"。这种"不画"的首功，在中国，当然不能归于他。早在20世纪吴冠中就发出"笔墨等于零"的豪言，台湾刘国松则力主在笔墨工具以外求新，都可以说是用中国式的绘画语言对西方抽象绘画和后现代潮流的质疑和挑战。把徐应源的"自然门"纳入大师的麾下，并不一定有辱没之嫌。但是，"自然门"的追求不无异于大师之外。最根本的就是，"自然门"艺术强调的是"顺道无为"哲学美学原则。废弃笔墨的实践，在"自然门"这里，似乎更具哲理意味。从这个意义上来说，笔墨如果有一千条好处，那也不能否认其有一个局限，那就是主观强势介入，强制材质（油漆、溶剂和画板）服从自我，有悖于清静无为的虚静之道。

"自然门"正是以清静和虚静之天道、人道和艺道，作为一种美学原则，向西方现代与后现代艺术发起了新一轮的冲击和挑战。

造型艺术，从20世纪初期以来，就一直和诗歌一起，是西方文化叛逆和浪子们不断诡异地对传统、经典进行破坏的角力场。他们的离经叛道，大致可以归纳为两种取向，一个是在绘画内部，就是画得越是不像画，越是面目全非（如从具象变成抽象等），就越是能独领风骚，赢得喝彩；但是，不管如何诡异，毕竟还是画。另一种取向则把绘画艺术本身看成是作茧自缚，干脆废除了画，画就是不画。早在20世纪第二个十年之初，就有了杜尚的以“现成物”（诸如倒置的小便池）那样的作品，60年代到70年代以来，波普艺术、偶发艺术、表演艺术、躯体艺术、大地艺术、环境艺术等，走马灯似的轮番登场，尽管花样翻新，但在出发点上一脉相承，那就是拒绝艺术超越于生活的根本信念，奉行生活的一切莫不是艺术的原则。一些风云人物还声称吸收了中国天人合一、禅宗的理念。事实上，经过他们误读的，骇世惊俗的信条是：艺术应该最大限度弃绝人为因素，艺术的最佳状态，就是人的无意识与宇宙相通的境界。人不可靠，人的生命被传统文化、科学，甚至是经典艺术的潜在成见所污染，只有反抗这一切，生活才能自然呈现。哪怕处于无序状态，也不能强制规定任何艺术规范，随机性的无结构可能比之精心建构更有内涵。就连抽象艺术，也还是主观地对生活的粗暴干扰。生活中的“俗物”更能有助于率真地沉浸于生活。既然是生活的现成物、俗物，就没有高下之分。这就意味着绝对的开放，啤酒瓶、旧轮胎、废纸盒、报纸、照片、绳子、麻袋、枕头、布片乃至破烂零碎，均可入画。谁说垃圾集锦，就不是艺术?

这并不是发疯。他们声称，面对垃圾和美玉也感觉不到分别，这就达到了一种境界，这就是禅意。他们其实并不真正理解禅，只是把西方流行的心理分析学说的潜意识加以哲学化、审美化，笼统地归结为禅的深度精义。其目的不过是把意识层次的不言而喻的传统观念（好坏、善恶、美丑、主体客体），都看成是可恶的成见和生命的负担。他们想象，进入无意识层次，人就能解脱出来，达到一种无差别甚至没有主客体之别的境界，生命就能享受到最自由的感觉，在这种情境中，“现成物”就成为自由精神的载体，当然也就是艺术。

当然，从艺术史上来说，实物，或者现成物，在立体主义、达达主义、超现实主义中不乏入画的例子，但内涵不同。在上述流派中，生活之物是融入构图的因素。“报纸、包装纸以其特有的色调被结合在整张画面的和谐中，体现的是艺术家化腐朽为神奇的聪明。达达艺术中，生活之物被用来被作为嘲讽传统艺术的武器，体现的是艺术家的幽默感。”[①]这里的所说的和谐，其实，就是艺术形式的基本要义。但是，后现代艺术家们把和谐构图和一切艺术形式都看成是遮蔽，偶发艺术、极少艺术、大地艺术、观念艺术等变幻多端，但万变不离其宗，就是：否定艺术形式，对人类历史几千年的艺术形式积累一概厌恶，连抽象艺术所讲究的布局、安排、经营位置，都是颠覆的对象。“反形式的艺术则用垃圾来表明无论什么东西都可以拿来当作艺术品。……你无论做什么都可以被视为创造性劳动，你无论是什么人都可以视自己为艺术家。”在他们观念中，“这个世界正好是禅宗所主张的：视生

① 王瑞芸：《通过杜尚》：中国人民大学出版社2004年版，第84—85页。

存为艺术的境界”。[①]

当然，把禅宗的哲学境界和他们的艺术追求混为一谈，显然是严重的误读，但是，这并不妨碍他们的自信。在杜尚那里，随便拿起来任何一个“现成品”，一把铲子、一个梳子，乃至一个小便池，签上自己的名字，就是艺术品。这一切，在杜尚初登艺坛，还没有和禅宗结合时，并没有得到理论上的霸权。过了差不多三十年，一些号称深得禅宗精义的人士，突然宣称杜尚的“现成品”蕴含着一种新的美学原则：不但应该蔑视传统，而且应该蔑视艺术本身。这在西方艺术史上，如果不是绝后的，肯定是空前的。对许多艺术大师来说，反传统，亵渎传统，可能是义无反顾，可是反艺术，不要艺术，就是想想也可能令人倒抽一口冷气。连毕加索都没有走到这一步。毕加索再怎么伟大，怎么不同凡响，也只是反传统，并没有反艺术。他到非洲的原始艺术中寻求灵感，仍然是为了艺术，为了绘画，他的作品仍然是艺术之根上生长出来的花朵，充其量不过是贡献了前所未有的花朵。杜尚的艺术却是拔除西方艺术的老根，艺术为什么一定要花朵？这是成见。现成物（垃圾等等）为什么不是？只要你愿意把它当作艺术，它就是艺术。杜尚奉献了一种骇世惊俗的原则：反艺术才是艺术，厌恶艺术家才是最大的艺术家。他们就是要给世俗之见一记响亮的耳光。他们不怕孤立，在他们的理论家看来：只要有“禅师才会心领神会，和他们相视而笑”[②]，就足够了。

杜尚的反美学，当然不是绝对的荒谬，其中隐含着极其深邃的道理，他的矛头所向，与其说是艺术的局限、僵化、腐败的根源，不如说是针对人的想象力僵化、腐败的根源。正是在这一点上，许多人士，对杜尚缺乏理解，甚至对之大加挞伐。其实，墨守成规是艺术的地狱。杜尚在西方艺术界之所以引起激赏，就是因为有识之士，看出了他在悖谬中的深邃：艺术本身就是一种灵魂的探险，杜尚不过是有点超前的探险者。他的现成物，他的反艺术，不过是探险航程中的一个“好望角”。向艺术的、心灵的新大陆远航，应该有不止一个好望角。不同的好望角，不能孤立起来看待，应该看到“好望角”之间的来龙去脉。

在这以前，他认为艺术既定颜色和构图的经典准则，就是必然性，而必然性就必然程式化、僵化，而艺术不允许有一时一刻的停滞，时时刻刻必须突破。在《三个标准的终止》时期，杜尚开始了新的探险，那就是借助偶然性，他说这个作品：“弹响我的未来发展的主旋律。”这就透露了杜尚真正价值之所在。在绘画的必然世界里，他第一个提出“利用偶然的机会来削弱意识的主动参与”。《大玻璃》就是借助于偶然的，毛细管子借助于进取心引

① 王瑞芸：《通过杜尚》：中国人民大学出版社 2004 年版，第 94 页。作者在本文中论述后现代艺术的部分，参阅了王著的一些相关阐释。

② 王瑞芸：《通过杜尚》，中国人民大学出版社 2004 年版，第 97 页。

力，活塞借助于风力，九个“弹丸”也是在毫无意识的情况下出现了。[①]这在西方艺术史上，是划时代的大事。此后的西方现代艺术，莫不出于偶然性原则。当然，杜尚并不满足于这个好望角，也雄心万丈，可能太激进了。艺术的本质乃在于突破，包括突破自己刚刚获得成效的突破。他以为，偶然性不过是一个旧的好望角，新的好望角，也就是现成物，还在前面。在现成物中隐含着的准则不外是：人为艺术的确立的高下和人为自己确立的好坏、善恶的标准，恰恰是对自身心灵自由的窒息。他正是从这样的制高点上，怀疑一切貌似神圣实质荒谬的标准与逻辑，思考存在的意义。他设定：一旦还原到潜意识层次，人就不存在高下和等级，没有好坏的档次，甚至没有你我之别，这样的生命才可以从人身内身外的约束中解脱出来，到了这种境界，人生就是艺术，就是禅的境界。只有美国理论家（例如 Cage）才有这样的气魄，明明知道，杜尚不懂东方哲学，也不懂禅宗，仍然把杜尚称之为“高明的禅师”。

但是，杜尚的探险，像一切探险一样，要付出代价。极端反艺术，难免要导致走向反面。他为达·芬奇的《蒙娜丽莎》加上小胡子，以倒置的小便池（标题为《泉》）参加艺术展览，不能不把他自己的艺术推进悖论的深渊。如果说，当他把小便池这样的现成物当作艺术品，还可能是出于对现代文明某种挑衅心理，或者反讽，如果说，他精心伪造了一张支票作为付给牙医的费用，那也可能是恶作剧，但是他看航空沙龙时，对和他一起去的布朗库西宣言：“绘画完了！谁能比这个螺旋桨更出色？你？你能做到吗？”[②]这就明明白白地把自己的事业彻底埋葬了。这就是西方现代艺术理论从娘胎里带来的毁灭性的危机。首先，是哲学的危机。真正的禅宗，只有顿悟或者渐悟，是不立文字，不落言筌的，就是悟到绘画完了，也只能如迦叶尊者那样“拈花一笑”，一落言筌就有限了，就破坏了禅宗的无限意蕴了。

当然，杜尚的高明就在于，他对自己并不迷信，到了晚年，他几乎花了二十年的时间，创作了《给予》，这一幅绘画，造型元素，视觉的可感性，绘画的某种必然性，重新呈示。这也许可以说是，杜尚回归到旧的好望角，也许可以说是，历史的昭示。这一切是不是有着某种必然性的因素呢？至少，目前还不能否定。

对禅宗，也许我们中国人，更有发言权，可以确切地说，就是货真价实的禅宗画师，从来也没有对绘画加以绝对的否定。西方这种号称禅宗的艺术理论，和中国的禅宗艺术理论，差之毫厘，失之千里。中国造型艺术理论固然有“随物赋形”“意在笔先”的模仿客体和主体表现的理论，也有把这二者当作艺术的陷阱的“无为虚静”理论。石涛和尚的《画

① 孙矫雁：《杜尚》，中国人民大学出版社 2004 年版，第 44—46 页。

② 孙矫雁：《杜尚》，中国人民大学出版社 2004 年版，第 81 页。

语录》这样说：

劳心于刻画而自毁，蔽尘于笔墨而自拘，此局隘人也，但损无益，终不快其心也。我则物随物蔽，尘随尘交，则心不劳，心不劳，则有画矣。①

这里强调的是一种“虚静无为”创作心理，“心劳”就是过度的自恋，不顺遵客体之道，其后果就是“自毁”，包括绘画和自我的双重毁灭；只有达到“物随物蔽，尘随尘交”，也就是主体与尘世之物融通合一，无为顺道，达到“心不劳”的程度，这样才“有画”。这是因为，所谓心劳者，全因为“局隘”于模仿和表现的方法已经画出来的点、线、面、块以及在此基础上的法度，以为这就是全部，其实，此等笔墨只是沧海一粟。一代又一代的艺术家的“劳心刻画”，就是为已经发现的一粟所迷，所误。

不仅中国如此，西方也不例外。

20世纪早期以来，西方美术界，尤其是后现代的“哥伦布”们向东方的哲学美学境界前赴后继地探索艺术的新航路，寻找着心灵的新大陆。然而，他们，以杜尚为代表，于波谲云诡之中虽然英勇地弄潮，但是，一系列的“垃圾集锦”，难免不给人某种葬身鱼腹的忧虑。个中原委，首先就是哲学的误读。老子的“无为”并不是艺术家绝对地无所作为。老子曰：“道恒无为，而无不为。”意思是说，道经常没有什么作为，却又是没有什么不是它的作为。②这是消极中的积极，因为无为，才有更广泛意义上的有为。这是哲学的道理，也是政治道理，更是艺术的道理。西方后现代艺术家并不懂古代汉语，对中国道家哲学也很隔膜，却常常引老子为同道，就免不了自误误人。

当然，艺术的本性就是不断地革新，但是，反艺术的革新却取消艺术本身。把艺术的精心创造，颠覆为无所事事，比之颠覆其他任何文化形式的后果都要更为严峻。因为艺术比之科学，比之其他文化形式，具有更加突出的跨越历史阶段的积淀性，这就造成其形式的稳定性具有某种超越一定历史的特点。绝对颠覆形式就取消了积淀的载体，艺术革新就和恶作剧难以分辨了。

这样的悲喜剧对于中国明眼的艺术家来说，无异于皇帝的新衣，然而，整整一个世纪，中国艺术界，主要是理论家，习惯了对西方艺术思潮洗耳恭听，唯命是从，可以说是，一个个如箭穿了雁口，不敢说一个不字，完全放弃了对话的权利。就是在吴冠中、刘国松这样的大师的抗流而起之后，中国造型艺术界，在西方艺术家日益膨胀的权威面前，俯首帖耳者仍然比比皆是。就是不乏质疑的智者，在汹涌的潮流面前，也不免流露出缺乏自信的左顾右盼。当然，在多少有点难堪的冷场中，我们并未放弃对中西艺术对话、争辩的期待。

① 胡经之主编：《中国古典文学丛编》(一)，北京大学出版社2001年版，第156页。

② 张松如：《老子校读·第三十七章》，吉林人民出版社1981年版，第219页。

正是出于这样的心情，当我看到徐应源先生在对杜尚发出赞美的同时，以无为顺道的“自然门”回应杜尚的课题，就不能不感到海德格尔式的“惊异”。

他并没有低估杜尚的价值，他也完全理解，杜尚的价值在于，揭示了造成经典话语霸权的僵化的原因，不是缺乏画笔，缺乏刻画、表现的功力，而是缺乏人类自我批判的魄力。不管是模仿还是表现，都不外是追随着传统经典亦步亦趋，习惯于主体驾驭材质，不厌其烦地重复那种庸人都可以预期的“必然”，一代又一代地作茧自缚，甘当制造透明的牢笼的“西绪佛斯”。要冲破如此强大的惯性，就要反其道而行之，不是放纵主体，而是顺遵客体自然之道（包括油漆、溶剂这样的材质），不是驾驭它，而是服从它，让它自行在震荡、冲击，相互溶解、渗透，在万花筒式的无限可能中，迎接那种瞬息即逝的偶然。徐应源先生说过：“我不会画。”不能从道德意义的谦虚上来理解，他说的“画”，就是工具和材质被驾驭的必然。所谓“不会画”，就是不追求驾驭工具和材质的必然性。从艺术哲学来说，就是顺从遵循工具的性态，使材质在动态的大起大落中，突破必然，在无限的偶然中获得解放。

当然，偶然只是一种机遇，细菌的发现者巴斯德深有体会地说，机遇只青睐有准备的头脑，对于无准备的头脑，只能是等于零。在他的画作《命运女神》中，他这样引用德国诗人里尔克的话：

> 当你接住自己抛出的东西，只是匠工之技，算不上什么本事，只有当你迅速接住命运女神以神奇的弧线，恰好抛向你的东西，这才算得上一种本领——而且，这并不是你的本领，而是某个世界的力量。①

这里，所说的不仅仅是操作性的技巧，而是主体与客体的关系：表面上是主体的创造，实际上，是迎接客体世界的潜藏，二者本是分离的、对立的，但是，当你鬼使神差地接住命运偶然向你投来的彩球时，二者就合二而一了。当然，对于这种境界，还是国人说得更为透彻，庄子寓言中的庖丁解牛、郢人运斤，并不是主观完全不介入，而是入乎其内，得心应手，万物与我为一（或者如汉朝人所说，天人合一），主客融合。不知吾之为物，物之为我。②“忘我”“坐忘”就是物我两忘的境界。在中国艺术经验中，这样的亮点比比皆是。苏东坡《书晁补之与可画竹三首》：③

> （文）与可画竹出清新，见竹不见人。岂独不见人，嗒然遗其身。其身与竹化，无

---

① 见徐应源《命运女神》的画幅。

② 关于这一点，宋罗大经《鹤林玉露》有一则记载：云巢（无疑）工画草虫，年迈愈精。余尝问其有法乎？无疑笑曰：“岂是有法可传哉？某自少时取草虫笼而观之，穷在昼夜不厌。又恐其神之不完也，复就草地之间视之，于是始得其天。方其落笔之际，不知我之为草虫耶，草虫之为我耶？此与造化生物之机械，岂有可传之法哉！”

③ 《苏东坡集》前卷十六。

穷出清新。庄周世无有，谁知此疑神。[①]

本来，见物不见人，在世俗生活中，是一种贬语，然而，在艺术家这里，却要求"岂独不见人，嗒然遗其身"。达到"其身与竹化"，经典作家的形象的语言所描绘的恰恰是顺道无为的境界。在漫不经心的境界中，出现了那些画不出来的东西，恰恰就是这些画不出的东西，比画出来的东西，更具艺术的和哲学的开拓性。

徐应源先生常常感叹，西方现代艺术家之失，归根结蒂就在于没有解决好艺术的关键问题，那就是"统一律"的问题。首先是，他们把客体的道狭隘地归结为无需精神参与的"现成品""俗物"。其实，光是现成的俗物，才接触到了感知的最浅表层次。而禅宗的感知是多层次的，宋代禅宗大师青原惟信提出参禅的三重境界：

参禅之初，看山是山，看水是水。

从艺术创作来说，就是模仿自然，反映（用徐应源的话来说，就是"抄录"）现实。

禅有悟时，看山不是山，看水不是水。

从艺术创造来说，就是主体的自我表现。

禅中彻悟，看山仍然是山，看水仍然是水。[②]

这就是禅的最高境界了，此时的山，表面上是无为的，但是，又是充满了主客体深度交融的禅意的山，与一般人纯粹感知的山，根本上不同，在无意中是有意的，在无为中是有为的。也许这就是海德格尔所说的"人与存在的契合"[③]。西方艺术家，号称追慕东方的禅意，近一个世纪而不得要领，其原因就是，他们不约而同地把青原惟信的第一重境界当成了全部。

其次，对徐应源来说，这还只是哲学。他并不是哲学家，他追求的是艺术。传统所画不出来的客体，是偶然的，有时，视而不见，有时，瞬息即逝，一旦错过，永远消逝。从生活到艺术无异于从大唐人间到西天佛国，机遇要经历万千的错失，可在西方艺术家那里，却当成唾手可得的必然。在徐应源先生看来，机遇对于没有准备的头脑等于零。有准备就是有预期。人并不是像美国行为主义者说的那样，只要客体发出信息，主体就能产生反应。一切主体的反应、认知，一切的艺术和学术，都是主体心理预期（预设）模式的同化（assimilation），对于客体纷纭的偶然，艺术家的心理预期模式，有深有浅，有粗有精，

① 与之相似的观念，还可参考苏东坡《虔州崇庆禅院新经藏记》："婴儿生而导之言，稍长而教之书，口必至于忘声而后能言，手必至于忘笔而后能书，此吾之所知也。口不能忘声，则语言难于属文；手不能忘笔，则字书难于刻雕；及其相忘之至，则形容心术酬酢万物之变，忽然而不自知也。"

② 青原惟信禅师：《五灯会元》卷十七，中华书局 1992 年版，第 1135 页。

③ Heidegger：Gesamlausgabe，第 45 卷，163 页。Frankfurt a，M.vittorio，klos，termann，1975. 在海德格尔的惊异中，还有诗的审美。因而，他的惊异又是一种心境，兴致、在这种心境中，心灵开窍了，发现了，顿悟了，顿悟什么呢？用海德格尔的话来说，就是"人与存在的契合"。

并不是毫无高下之分的。高下之分取决于形式预期。当他把红黑二色漆和溶剂混合，在画板上打破静态使之在动态中震荡、流淌，自由地融合、渗透，使之其块、面、线、浓、淡、厚、薄发生诡异的变幻，而主体则紧张地在四个方面作好了预期的准备：第一，形式感的统一；第二，这种形式感是历史积淀的，也就是相对稳定的；第三，相对稳定的，并不是封闭的，而是开放的，也就是随时随地准备被突破，被颠覆，可能被客体偶然性所“调节”（accomnodation）；第四，有意味的，也就是，人的生存状态的阐释。这时的心理期待，从顺道来说，是绝对的，一任纷纭的偶然如电光石火呈现，不加干扰，艺术家无条件地开放，不错失任何有意味的偶然；而无为则是相对的，在千钧一发之际，主客体猝然遇合的条件就是万取一收，只有符合形式的历史积淀的开放性，艺术形象才能受孕投胎。无比丰富的色调统一于黑色和红色两大基础话语之中，这就是几千年历史积淀下来的形式感中统一律的凯旋。当我们拿起他的漆画，对于漆画的期待，既因为同化而亲切，同时又因为受到调节而感到兴奋。

所有这一切都被他概括在“顺道无为”的艺术哲学之中。

正是因为他把对“道”的理解从客体宇宙扩展到材质和工具中去，而且在实践到理论两个方面，为迷航的西方艺术呈示了一条新的航路，他才有本钱把和西方艺术大师争辩，提高到“道的较量”的制高点上去。

2008 年 6 月 13 日星期五

对重墨轻色的挑战
——读杨启舆的青绿山水[①]

世界上没有永恒的王国，艺术的形式和技法也没有永恒的兴盛期。任何一种风行一时的形式和技法，都不可永远雄踞艺术的宝座，在它高度的繁荣时期吸引了一代又一代艺术家的才智，造成人才辈出、星汉灿烂、蔚为大观的局面以后，总是不可避免地走向衰退，导致寥若晨星的寂寞，最后为另一种风格和形式所取代。

历史的发展是有规律的，而又充满了令人遗憾的偶然。许多形式和技法在似乎死亡了多年以后，往往又突然在另一种历史条件下复活，而且再次发扬光大。

原来衰亡了的形式并没有死亡，它不过是冬眠了一阵而已。在四言诗形式已经衰亡了几百年后，曹操写出了至今仍引起人们惊叹的四言经典，这种艺术形式的凤凰涅槃，至今尚未得到理论家充分的解释。

在艺术历史变幻的必然与偶然、衰亡与复活之间，艺术家的命运和他所驾驭的形式一起受到严峻的考验。随着历史的大潮前进，自然容易成为幸运儿。而对历史的变幻发出某种质疑，甚至提出某种挑战，难道不是更有可能出奇制胜吗？

20 世纪 70 年代后期，杨启舆已逾知命之年，坎坷的命运已经耗费了不可复得的宝贵青春。虽然从 1948 年他考入中央大学师从傅抱石、陈之佛、杨建侯等先辈，四十年来，其专业涉猎甚广，人物、花鸟、山水、书法、篆刻均有雄厚基础，但是他却毅然做出决定：专攻金碧重彩山水。

山水画自古分南北二宗，水墨、青绿二体。元以后崇南贬北，重墨轻色，文人画的写意淡彩有卷席之势，几百年来金碧重彩几成绝响。

这是历史的必然呢，还是历史的偶然呢？对于绘画史颇为关注的杨启舆光凭直觉就做

① 发表于香港《收藏天地》1990 年 11 期“艺苑撷英”版。

出了判断：重墨轻色是不公平的，工笔重彩的生命力绝不亚于大笔写意。水墨写意、重骨法用笔与线的节奏，写山川情势；而青绿工笔则以色与形的交融写山川神秀。在水墨写意已得到充分的重视和长足的发展以后，着意于青绿山水传统以求发展，也许能奏化朽为奇之功。

站在这样的历史制高点上，他知道自己的使命就是以丹田之气赋予沉睡了的历史传统以新时代的生命。

于是在他笔锋横扫之处，赭黄、碧绿、深蓝的层峦叠嶂，变幻着辉煌的色彩，带着挑衅的冲击性，勾金的线条挂着炫目的旋律，跳动起来，壮丽的山、神秘的云，因为色调的强烈反差似乎有了微妙的呼吸。潆回的水，沉稳的树，并未因色彩的强烈而失去沉着之感。

他致力于工笔青绿，但不甘于使自己的生命力受到限制，有时大笔写意与工笔青绿同时并举，泼墨淡彩与金绿重彩相得益彰。他受过严格的科班训练，这就使得他有可能从油画、壁画、版画中摄取营养。而当他把另一种生命力用在写意山水时，则显然于草书和剑术中得到颖悟，笔走龙蛇，洒脱沉雄，浩浩潇潇如秋风吹渭水，木叶辞洞庭。

他并未完全沉醉于色彩与线条，他的生命在壮丽山河中得到充分的自由。四十年来，杨外师造化，中得心源，遍游名山大川，养胸中浩然之气，在壮丽山川中，他发现了古老色彩的生命力，也发展了自己的生命力，这似乎使他的性格更加沉稳更加开朗。而今虽然已六丨开外，却仍然闻鸡起舞，仗剑练功，自号“公孙大伯”，其画亦有杜甫盛赞之公孙剑器之盛唐气象。

试论宋省予花鸟画的民间文化性格

大概是20世纪60年代，宋省予先生有一首题墨竹的诗云：

不袭今人与古人，自家有法写风神。

一枝一叶常观察，胸竹何如眼竹真。

这是宋先生的自述，作为研究其画作的资料，当然有其权威性，但是仔细对照宋先生的作品，却不难发现一些发人深省的矛盾。第一句和第二句，是说宋先生的追求在于不因袭任何人，不管是前代的还是今日的大家，完全遵循自己的独创精神。从宋先生的作品看，这个表白不乏根据，但亦似不尽完全。第三句和第四句则是说，宋先生的追求是一种真实，而且是客观的真实，这种真实来自对于生活的观察，这种客观的真实性（眼中之竹）是超越于画家主体的真实（胸中）之上的。从文字上看，似乎是宋先生追求的最高目标。

这能算是宋先生对于自己创作的正确总结吗？如果我们今天相信这就是宋先生作画的艺术精粹，去指导我们的研究，能得出比较接近宋先生创作的深度结论来吗？

看来未必。如果宋先生的全部创作完全是像《儒林外史》中的王冕那样绝对是依靠自己毫无依傍的观察和描摹，一点没有对于传统的师承，那恐怕是不会有今天我们看到的成就的。完全依仗眼中之竹，摒弃胸中之竹，宋先生为什么要与传统的眼中之竹非胸中之竹，胸中之竹高于眼中之竹的理论唱反调，作出明明与自己的艺术背道而驰的表白呢？这令我们想起了20世纪60年代那种占压倒优势的，带着机械唯物主义色彩的艺术理论。这种理论强调美的客观性，完全抹煞、藐视艺术家的主体的决定性作用，抹煞个性化的选择、同化、改造的过程。在这种基础上，建立起来一整套社会狭隘功利主义的方针，发展到极致就是政策图解式的导向。

从这首诗中，我们可以看到宋先生处在一种非常矛盾的心理状态之中。一方面，作为一个艺术家，他毫不含糊地坚持自己的独立的个性，另一方面，又不惜以对传统的藐视作为合乎厚古薄今的潮流的掩护，他不能不对当时的占据主导地位的理论作出某种妥协，在理论上作出某种表态，对风行一时的机械唯物主义表示认同。这种认同并非完全虚伪，我们不能离开时代去要求一个艺术家对于带着行政力量的主流理论保持清醒头脑。宋先生不是一个理论家，他不可能在理论上有超越时代局限。他的成就不在理论，而在与他的理论表述相反的创作。他的创作比他的理论表述要雄辩得多，但是任何一种理论一旦被哪怕是勉强的接受，也不能不对他创作产生某种影响。因而，我们不能不怀着遗憾的心情看到差不多同时，宋先生不无勉强地画了一些适应当时主流意识形态的作品，如画于 1960 年的《菜多猪壮大，肥足稻丰收》。作为一个花鸟画艺术家，舍弃了自己多年的追求去画自己并没有怎么钻研过的猪和南瓜，他的笔墨变得不听他的指挥，这对于一个艺术家来说，是一种多么痛苦的委屈，不是他指挥不了笔墨，而是他的思想指挥不了自己的行为。因而在这幅画作中，不论笔墨上还是在立意上都未免给今天的读者以浪费才华之感。

所幸，这样的作品数量极少。即使在那种时候，宋先生还有笔墨他特别自由的领域，在这个领域里，他是不受主流意识形态的束缚的。他的才气和他不无勉强地表述的理论相反，并不是完全来自客观的观察，更主要的是得力于他多年的献身于传统的学养中形成的不由自主的美学追求。纵观宋先生的山水花鸟，不论是松竹梅兰，还是鹰鹤鸡雀，他从来就不曾对客观世界亦步亦趋地屈从。他几乎把他最美好的年华用来获得驾驭中国水墨画特有的工具和材质自由。他的全部才能都用在了平衡他的心灵作为主观一方，与作为客观一方的花鸟，作为中介一方的笔和墨、纸和水的性能之间，三维错位的张力，他不惜用了他最好的青春，在传统笔墨的基础上，进行顽强的试验，每一次新的性能的发现，每一次传统方法的运用和发挥，都给他的作品风貌带来了新的生命。这种新生命不是别的，正是宋先生自己对于大自然和他自己生命的感性的一种不可重复的遇合和交响。这是宋先生对于大自然生命的某些特点的一种选择，同时又是宋先生对于所使用的工具和材料的自由的驱遣。在这驱遣的过程中，不可讳言，我们看到的，不仅是宋先生对于大自然的特点的精妙入微的观察，而且是文人花鸟画的趣味和笔墨传统的深厚传统的发扬。例如，在宋先生所擅长的墨竹中，不论是纤秀的《竹林鹧鸪》和《梨花竹雀》，还是挺拔瘦硬的《风竹》和《雪竹》，特别是晚年的丰茂彩墨竹，都不但表现了竹竿的固有的挺拔，竹叶的飘逸，而且在运笔的轻重、浓淡、干湿、徐疾中表达出特有的怡然、欣然的文化性格，读者所感到的不仅仅是完成的图形，而且还有作者在挥洒笔墨时的陶然的情绪节奏的起伏，甚至在笔墨浓湿处、空疏处感到类似戏剧性的高潮。

自然，宋先生并不满足于对中国传统文人画的继承，他也有不完全相同于传统文人墨竹的独特追求。比之传统文人画中劲峭的竹枝来说，他的竹枝不论是以尖劲的中锋还是以宽阔的侧笔画出的，都较之古人要丰润一些，就是被命名为《高风劲节》的那一幅墨竹，也没有传统文人墨竹中常见的孤独感，虽然其背景和传统文人画同样是处在怪石旁边和空灵的背景上，但是，他的竹叶，不管浓淡，常有一种丰满之感，于浓墨交集处，特别见出宋省予式的淋漓；他的竹枝，不管干湿，常有一种蓬勃的气势，尤其是在竹节上，分外现出充满水分的洋溢着的生机。这与宋先生用墨时又工于用水不无关系，但是更主要的是宋先生的不完全认同于传统文人画的士大夫气质的朴素性格得到比较充分的表达。

如果宋先生仅仅工于用水墨，是不可能达到今天这样的鲜明独特的文化性格的，为了说明这一点，我们首先从他的用笔着眼，只要仔细研究一下宋先生的兰花，就可以看出他深厚的功底。读者不仅可以在《九畹清香》和《幽兰》中看到他左右运笔的自由，而且可以在他的《芝兰之室》和《清供》看到他特意作全幅主要作向左运笔的高难度的挑战。难得的是，不管是向左还是向右他的运笔都能达到和谐的婉转，表达出一种自在、自适的生机，而没有传统文人画中竹的形象总是与环境对立的孤高之感，充满民间性的生机。这平凡的民间性格，不同于文人的恬淡自许，他没有那么多精神贵族的神气，他不藐视世俗，他的气质是怡然，流露出对于生命的欣赏和赞美，这种乐观主义的风格，正是宋省予先生自己的民间性格和20世纪50年代的时代气氛的猝然遇合的结果。

毕竟是新时代的一个平民出身的画家，他的特殊意趣在征服了工具和材质的性能，得到足够的水墨表现自由以后就不能不突破传统的趣味，自然地把自己的文化性格表现出来，这不仅仅表现在他画竹上，而且表现在他画的其他动物上，最明显的莫过于他画的鹤了。鹤在传统文人画中与松竹梅一起，常常是表现文人的孤高自许的情调的，但是在宋先生的画幅上，鹤却不是孤独的，而是群集的，或作高飞，或作静立，均呈一种欢快、祥和、合群的状态。其代表作《百鹤图》作于 1946 年，与作于 1964 年《万寿图》中的鹤虽然时隔近二十年，然而宋先生对于鹤的亲切和谐之感并未稍减。只是到了60年代，在用墨与用水处更来得淋漓一些，在色彩上也更为鲜明一些。

宋先生不但忠于传统而且忠于他的自我。他从传统中获得的是趣味和工具性能相结合的驾驭能力，他从自我表达的自由中得到的是文化性格的提纯的升华。他在文人花鸟的严谨法度中寻找到了他的自由，他的历史性的成就是把文人画从孤高的云端中拉到民间的现实的土地上来。从这一点上来说，他在师承传统的同时，又是带上一点叛逆性的执着的。

孙克先生为宋先生的画集作序时指出，宋先生的家乡上杭画家新罗山人和黄慎对他的影响。孙克先生注意到宋先生青年时代流寓广东，又指出了岭南画派对宋的熏陶。

这些都是事实，但是一个更鲜明的迹象可能长期被忽略了，那就是宋先生自己特有的民间文化性格和趣味，不仅是在孙克先生指出的任伯年的启示之下，更重要的是在当代一个更大的画家的影响之下得到发展的。

我说的是齐白石。

只要稍稍浏览一下宋先生的画册，就不难发现无论在用墨和设色方面，在情趣和水墨趣味方面都有齐白石的影子，这主要表现为文人画与民间审美情趣的结合上。

宋先生出身于民间，长期在民间作画，有着民间意趣的熏陶，这种民间趣味，是如此根深蒂固，以致深入到他的潜意识中去。除了在上文中已经指出的突破了文人画的孤高趣味以外，更为鲜明地表现在设色和笔触的圆润、鲜活上，作为一个大师，他将晚清文人的以崇尚褐黄为高雅的传统和民间画的大红大绿的通俗趣味结合起来。在齐白石以前，晚清的文人画是回避比较鲜丽的色彩的，当时文人画家曾经深深地感到这种倾向与民间趣味的矛盾，因而有诗云：

云里烟村雨里滩，看之容易作之难。

早知不入时人眼，多买燕脂画牡丹。

这里说的是文人画以不鲜明的黄褐色为高雅的规范，与民间习惯的鲜艳色调形成了颇为强烈的矛盾，遭到了民间的拒绝时的悲哀。齐白石的出现正是把这种处于两个极端上的色彩趣味在他的风格中统一起来了，除此之外，他还把工笔细描和大笔写意结合起来，因而开了一代画风。就是岭南画派也多多少少是在他的影响之下的，与其说是宋省予先生是受了岭南画派的影响，不如说是他在齐白石先生开辟的画风中，进行着自己的探索，这种影响有时表现得十分明显。例如一幅题为《西陆蝉声》（1965 年）的彩墨画，其中写意的竹枝和竹叶和工细到透明的蝉翼构成的对比，这和齐白石的一幅爬在一片枫叶上的蝉，其翅翼近乎透明，几乎是用了同样的构思和笔墨。另外像题为《葫芦小鸡》的画幅，其中的毛茸茸的小鸡，有齐白石式的天真，逸笔草草的水墨交融，都明显是齐白石式的简洁和轻快。

自然，这不能算是宋先生的代表作。宋先生从根本上来说，并不是满足于跟着大师亦步亦趋的，他固然师承了齐白石的民间文化趣味，但是在设色上更加强调鲜丽甚至明亮，他就是画墨竹荷叶也很少用枯墨，在他的菊、雄鸡、水仙、牡丹中，就明显地表现出和齐白石的不尽相同的风格来。他比之齐白石有更为浓厚的民间通俗趣味，色彩更为明净，更富欢快、融和的氛围，更接近于民间画的乐观的情趣。尤其是到了 60 年代的晚年，他的色彩上更加偏向于通俗，但是在笔墨上仍然保持着高度的传统风格。

这就构成了宋省予所特有的妩媚，在这种妩媚中，文人画的情调和民间的意趣已经浑为一体，雅中有俗，俗中有雅。

当然也有一些画幅，在分寸把握上不一定非常完美的地方，似乎是由于过分地强调了色彩的鲜明（如《和平富贵》中的和平鸽和牡丹），不免过艳，但是宋先生自有强处，他工细的时候比之齐白石更为工细，只是有时画得过满，在挑剔的画评家看来，不免多多少少有点琐碎。当他画芭蕉、荷叶时，所用的泼墨，不及齐白石的酣畅，缺乏一气呵成的气势。但是有一点却是特别值得我们重视的，那就是他在造型方面却有齐白石所不及的地方。如果在他逸笔草草的小鸟中还不能很明显地表现出来，看他姿态各异的雄鸡，看他飞扬跋扈的雄鹰，有许多地方可能比齐白石更具解剖的准确性。在这里他似乎是受了当代另一个大师徐悲鸿先生的影响，这可以从他所画的猫和鹅的头部可以看到一点痕迹。

但是宋先生并不满足于对大师的追随，他还有他自己的追求，不论是鹅还是猫都是他探索性的作品，到了他晚年画出了像《南飞》中的野鸭时，可以说写意的笔墨趣味和造型的准确概括到了和谐的统一。如今我们来看这幅作品，不禁要发出惊叹，这不像是一个出身于民间的画家的作品，倒像是出自一个受过西洋解剖训练的科班出身的画家之手。到了这个火候上，我们可以说，他的探索没有白费，他是在齐白石和徐悲鸿两位大师的基础上，不仅把中国文人画的概括和写意和民间的通俗趣味结合起来，而且正在把西洋画的写实和中国传统画法的写意方法结合起来，他似乎已经找到了他自己的道路，遥望着他自己的风格境界。这种境界的特点就是既有中国民间的鲜艳的欢快的色彩，又有中国古典文人画笔墨情趣；既有中国画写意传统的概括力，又有西洋写实的准确性，同时又不拘泥于西洋的客观的准确，而是进一步作自由的变形，这包括轮廓上和色彩上的变幻。这样我们就看到了宋先生画集中的完全不同于《南飞》中的野鸭的《鸭》。朴素的身躯和色彩鲜丽的红色鸭头形成一种张力，头部的折棱线条，令人想到八大山人的笔法，但是没有八大山人的怪异的表情。这无疑预示着在创作上一种更高的理想风格境界，很可惜的是这样的探索并没有得到一贯的坚持，在那山雨欲来的60年代中期，宋先生有时不得不作一些带着政治色彩的应景之作，虽然宋先生笔墨功底甚为深厚，但这毕竟打断了宋先生在艺术更加自由地走向成熟的进程。

正是从这个意义上来说，宋先生的全部作品向我们展示的是：一个有充分悟性的画家走向成熟的过程，然而这种成熟却只是一种显示，却未能充分展示。

宋先生的独特个性的获得是离不开这个时代的，宋先生在艺术的遗憾也是与这个时代的历史分不开的。宋先生是一个未尽其才的艺术家，这是一个令人遗憾的悲剧，但是，如果把宋先生的遗憾和中国当代文学史上许多大作家（如茅盾、曹禺、何其芳、田间）的中断了的艺术道路联系起来看，就不值得奇怪了。所幸，宋先生没有完成的境界，并没有完全中断，后来我们在他的弟子曾贤谋先生等近年的作品中，多多少少得到了展示。

在工笔法度中找到自己恬淡娴静的心灵

——读林任菁的画

第一次看到林任菁的作品便有一种惊异之感，首先是她那幅《潮》，画的是福建画家和摄影家不断重复的对象——惠安女，任菁的工笔细描的功力相当深厚，其水准并不是许多年轻画家都能达到的，更使我惊异的是幅面上五组惠女，不但抬石的姿态是相同的，而且其面侧的角度、表情、穿戴、服饰，甚至所使用的工具以及色彩都是相似的。这和我们欣赏达·芬奇《最后的晚餐》，列宾《伏尔加河上的纤夫》，甚至周昉的《簪花仕女图》、顾闳中的《韩熙载夜宴图》的人群统一而多变、顾盼中呼应的经验大不相同，就其线和形的高度统一性来说，令人想起徐悲鸿先生自海外捎回来的国宝《八十七神仙图卷》，又不完全相像。这幅图的平面结构，显示作者受到西方现代绘画的熏陶，而人物的姿态和线条的精致，又表现出作者所追求的中国工笔细描的情趣。

作者当时才 23 岁，凭着这幅《潮》她获得了福建省美展的首奖，从那时起福建省国画界开始对这个自儿童时代就屡屡得奖的年轻画家刮目相看。人们逐渐获知她的父亲是早故的著名画家林俊龙，她的母亲李淑华则仍然活跃在画坛上。父母的熏陶乃至遗传基因对于她的成长自然是极其重要的因素，但是，到了她在福建画坛上崭露头角时，她已经不满足于对母亲画风的师承，而是努力走出母亲的艺术世界。虽然在线条上，那游丝铁线式的流畅和严谨总有她母亲的风韵的影子，但是在线条的结构、流动，特别是在高度统一中求微妙的变幻，在气势的动向中追求韵律和节奏的和谐，她创造着与她母亲热情圆润的风格不尽相同的世界。为她们母女出版画集的台湾御殿画廊陈文通先生在《序》中说她母亲的作品造型“娴静”，其实李淑华的构图有明显的运动的气势，这可以从其代表作《凤求凰》和《海风》《清水湾的歌》《剑魂》等作品中看得很清楚，不论是外在动作、衣着的飘舞，还是内在心灵的情致，李淑华的作品都颇富动感，连描写夜间女清洁工的《夜里静悄悄》都充满了内心的激动。正是这种线条和人物的动势强化了李淑华在圆润线条下内在的热情。她毕竟是成长于20世纪60年代的画家，她的笔下往往有某种社会的热情和人物内心的隐秘的激情，她有时是在飞舞的线条动态构图，有时则是在垂直的静态构图中（如《醉》和《起点》）表现她的热情，而不是娴静。

林任菁显然并没有把她的才气过多地使用在和她母亲相近相似的风格的追求上，相反，她似乎逐渐意识到她的气质中与她母亲不尽相同的那一部分更加宝贵。从她最充分表现自己的早期代表作中，就表现得比她母亲更富于静感，像《潮》那样表现惠安女集体抬石头的紧张劳动，在姿态和构图上由于动作和服饰的统一淡化了动感，而突出静感的韵律，只有在细微的头饰和裤子颜色的深浅上才表现出有限的变化，正是这种压倒、动感的静感构成这幅画的装饰性。要说“娴静”，林任菁的气质才是真正娴静的，有兴趣的读者如果能把她母亲同样是画惠安女的作品加以比较就不难明确这一点。自然，她不是没有画过充满动感的《夏日》，三个孩子在草地上跳跃，但那不能称是成功之作，如果读者不嫌我武断的话，这幅画应该归入她更早期的习作之列。

在娴静的感觉中林任菁找到了自己。

不论人物画还是花鸟画，林任菁在娴静的意境中最能表现她自己对大自然对人物的瞬间顿悟，显示出她的心灵、对象，她的工具和质料的自由驾驭，这种驾驭的精妙在于娴静的心的自由和工笔画严谨的法度之间猝然遇合。《花开花落》画的是福建画家尤其是漳州画家画熟，甚至画俗了的水仙。水仙本身已经是够宁静的了，林任菁似乎不满足于对象原生的宁静。她的命意是花开与花谢之间的变化或者变动，她把统一形态色调的花分成三片，淡化鲜艳的绿叶与金盏的反差，代之以统一的灰蓝，把花叶的萌发与萎谢也安置不显著的两侧，把盛开的一片着意放在中间，而且在水平上错开，让布满大部画面的剑形花叶呈垂直状态，形成淹没一切的静感，给人一种屏风一样的装饰趣味。

这可以说林任菁把她的娴静气质发挥到极致了，如果一味耽于这种装饰风格，工笔花鸟的发展余地将可能是十分有限的。好在林任菁没有把自己关在自己刚刚创造的小天地里，为了更深入地探索自己的心灵世界和客观世界的某种更奇妙的遇合，她毅然放弃了人物画，而致力于工笔花鸟。

她自然明了工笔画“随物赋形”的严谨的法度是一种束缚，没有意笔画那样的自由，但是她又坚持在状物中写意，力求“以心写形”“不为形役”，避免拘于造型酷似而阻滞情感的自由，追求在工笔画中尽可能的写意，她意识到“情动而形移”“以情写形”的重要。而所有这些情和意都必须在自由驾驭工具和质料和在工笔画的形式法度中发挥。敏感的读者可能发现林任菁一连画了四幅《春》《夏》《秋》《冬》命名的花鸟画，在运线和敷色方面都颇具匠心，尤其是《秋》和《冬》花叶的线，白雪和红果的色都可入意。然而在林任菁的作品中显不出多少过人的灵气，在《花季》和《圣诞花》中，也有线色技法试验的性质，至于这位女画家特殊的娴静气质，读者在画面上则很难有强烈的感受。相反，倒给人一种印象，每逢林任菁的画面上出现比较热烈的色彩和比较密集的意象时（《初夏》除外），她的画就显平淡了一些，缺乏一点空灵之气。

就现在可以看到的作品来看，大凡充满热情具有富丽色彩的画幅（如以红蓝为主调的《美人娇姿》）都不及色彩淡雅、空白较多的作品给人的视觉有更持久的感染力。林任菁似乎也对此略有所悟，故她画的《圣诞花》《花季》中的牡丹,《一品红》《秋正浓》中的枫叶，其中的红色都淡得有点变成浅绛色了。

林任菁生长在不下雪的漳州，起初她在《冬》中画厚厚的积雪，并且用红果去衬托，然而，这种雪却显得有点概念化，从中很难看出她对雪有什么特殊的感受和独到的表现。幸而她后来到浙江美术学院去进修了，她不但看到了雪，有了强烈的印象，而且她临摹了一些宋画，在徐家昌先生的指导下，和同窗合作了《雪霁》，一下子就入选了全国花鸟画展。这时在她们笔下的雪就不再是笼统地以其厚与绿叶之轻，以其白与红果之红之对比取胜，而是在空白甚大的色调明朗的背景上，在几片轻巧的竹叶上残留着几小片正在消逝的雪，竹叶的淡雅浅绿与薄雪的淡白相映，竹叶的线条形态统一与残雪的线条若虚若实，形态不规则，形成自然的张力。从这里，可以看一个女画家细致敏锐的心不是在朦胧地看到到处都是雪，而是在纤巧的竹叶上，看到了正在消逝的、丧失威力的雪，大自然生命的光辉正在升起。如果在气质豪放的黄莱笔下，这种景象可能被处理成在洪荒宇宙背景上的充满激情的生命的颂歌，可是林任菁的设色却十分淡雅，她似乎尽量收敛着这种生命的欢欣。连那两只鸟羽毛也并不鲜艳，而且丝毫没有显出任何动势，甚至互不呼应，各自保持着稳定持续的心境。这也许是林任菁特别的追求，也许是她艺术气质的自然倾向，她的心灵能与这种微妙而恬静的世界猝然遇合，默默交融。

这个主题可以说她对自己心灵和笔墨境界的一种发现，在这以后（也许在这前后），她曾反复地探索过。像《湖畔》《腊月》《初晴》都是画雪的。不过《腊月》画的是冬雪，略略沉厚的积雪却挡不住兰叶的勃勃生机，在茂盛的叶丛下有两只鹌鹑，其中一只背向白雪仰天而鸣，似与白雪无关，而另一只则娴静地栖息，不但与白雪无涉，而且对同伴的鸣叫也无反应。这种恬淡自处风格，在任菁的设色、运线和布局本已表现得很明显，而在她用来作为花叶的陪衬的鸟身上，尤其是成双的鸟的漠然淡然的相互关系上表现得尤为突出。这种特色，哪怕是在《初晴》中，作者用比较温暖的色彩写春暖花开，花瓣叶片上略有残雪也不例外。大地春回，阳光和煦，然而那并肩伫立在枝上的鸟，虽然其中之一面对它的伙伴，然而另一只仍然保持自身的宁静。唯一的例外是《冬乐》，在充满冷色调的画面上，大雪积满竹叶，两只欢乐鸟在一角上比翼高飞。这一幅线条更为纤细，设色更为淡雅，不过层次多了一些，但总体韵味是宁静的，比翼的飞鸟，以动衬静，有时林任菁显然要让她的娴静、恬静风格有一定变化，有所丰富，但她的动势总是有限的。我曾经设想，这样的命意如果要让她的母亲李淑华来画，可能就要更流动一些，例如，让竹叶上有点微风；如果在曾贤谋笔下，那可能风就要有一点气势，那恐怕是意笔画的淋漓了；而让黄莱来画，那么这两只高飞的小鸟就不会在这一角竹园的上空而是在更为广阔的蛮荒的背景之中了。

调到福建省画院以后，林任菁在《水悠悠》中，她把自己娴静的艺术气质和工细的笔墨结合得更为自由而和谐。她淡雅的设色和静态意境通过静水中兰草的纤毫毕露的倒影，构成稳定的对称结构，奇妙的是黑颈天鹅却没有倒影，而水中的几朵落花显然打破了过分的平稳，而横贯画幅中央那两道平行的白光，显然为之增添了童话色彩。这显得有装饰意味，但又不像早期的《潮》和《花开花落》有图案色彩。林任菁显然是长进了，在原来已经紧闭的心灵和笔墨阵地上求发展。就目前而言，已经有过取得突破的迹象如《相憩》，把两个同态栖身的天鹅放于画幅的中上部，围以近乎几何线形，类似剪贴的湖中草洲画幅的中下部几乎全是空白。在右侧用三两枝无叶的树干纵贯上下，就显得平衡而又有一点失重的潜在动势。至于《恬》所画的鸟是工笔的，而无叶近于藤枝的树又有写意的概括笔墨，这些都是一种探索，或者说是冒险，唯其冒险才弥足珍贵。至于《巢》，那待飞的写实的鸟却栖息在略带抽象意味的如梦幻平面没有叶子的淡墨树枝上。这说明，她正在认真突破工笔画的局限，把意笔画的自由神韵吸收到自己的心灵中来。就目前来看，这些探索性的笔墨成功者居多，而那些拘守在传统笔墨和观念的作品如《和风》《春夜》《六月》等等，就逊色多了。

好在林任菁还年轻，她拥有比我省别的画家更多的青春去奉献给艺术。人的生命和大自然同样是无尽的矿藏，她已经勘探到的可能只是其中的一小部分。闻一多先生曾经说过，艺术是戴着镣铐跳舞，其实更准确地说，应该是戴着镣铐自由地跳舞。林任菁选择的工笔画是一种特别沉重的镣铐，但是在这种镣铐中得到的自由就特别珍贵，她今后自然要捕捉心灵与自然的猝然遇合的机遇，同时，还要解决对工笔法度和工具、质料的有限和自由心态的冲突。要把这一切自然地和谐地融合起来，让心与手都得到自由，她面前还有崎岖的道路等待她一步一步地前进。在艺术观念上，她显然主要是立足于传统工笔法度而求某种发展和突破的那一派，我们自然不能想象她可能像林容生那样变形到迹近西方现代派画风的状态，甚至也不能想象她像黄莱那样把当代西方的生命哲学环保意识和我国传统的花鸟美学结合起来，以雄浑大自然的宇宙性的背景衬托小花小鸟生命的灵动，就一定能比她现在最好的画作更成功。但我们也注意到了她的《朝夕相处》以硕大的榕根的浓淡浑化有致的黑色占据主要画幅，以反衬一两株色彩淡绿的小草几朵淡黄的花。从这样的立意中，我们看到了她与黄莱的相通之处，虽然二者的个性还是不能混同，林任菁依然保持了她的从容和恬静，在观念上的和技法上的试探是同样值得我们珍视的。

以抽象概括具象，神驰于蓝分七彩之间

——序蔡云程油画展

台胞蔡先生云程，吾闽籍晋江人氏。年逾古稀，绘艺多方，熔中西文化于一炉，汇古今诗情于一体。所创蓝色交响、六合一调换等，风靡法兰西、美利坚诸国。名重台港，饮誉海内，奖项丰硕，备表其难。

少遭国难，出亡菲国。师从东南亚国画名师，习点染之法度，积情志之底蕴。

旋入马来亚学院，习西画之技，修光影之学。抚中西文化于指掌，养浩然灵气于胸次。

年方而立，乃有所成。得菲国全国艺术协会主办之年展金奖（First Prize）。少年得志，声誉鹊起，此乐何极！

然不恋浮华，飘然而去，闭户潜修，大隐朝市。

一去艺坛，飘忽十载，长天碧海，杳如黄鹤。

然不出则已，一出惊人。笔阵森森，骨气奇高。

由写实而印象，由印象而意象，由具象而抽象，由朦胧而混沌，由繁复而单纯，由热烈而静谧，几番盘旋，历尽曲折，乃得西方构图逻辑与中原神韵之混一，于蓝色中发现天地性灵之交融，诗情与画意之契合。一时，巴黎、纽约、布鲁塞尔、香港、台北为之一惊再惊。

回眸五十年代少作，色彩古雅，风景神秀，美则美矣，然故土之脉难觅，独创之旨未显。梁园虽好，非我思存；他人圣殿，岂能久居？

而今笔走于几何形体之宇宙，以抽象概括具象；神驰于透明蓝色之世界，以灵气超越现实。徘徊有形无形之区，挥洒刚硬方块与迷蒙漶漫之域，驱印象派之光影点块，挟文人画之点染皴折，有 nuance 之细微，无 optical 之放诞，诸家法度沓来，一己性灵尽出。

古人云，墨分五色，吾则以蓝分七彩。

从蓝得发黑到蓝得发白，七部音阶齐鸣，从三角构图到圆弧四方，光色影线齐奏。

人擅多声部交响，吾标单色彩奏鸣，于有限中展无限，见人之所未见，细微中另有风神。单纯中求丰富，丰富中求和谐。以和谐淡化冲突，旨归于和合安详。身在大都会之中，境在林泉之外。有意于二度空间内，作无限立体之延展。动势从画内向画外飞越，宇宙从内心向天外延展。咫尺画框，有大千精微世界。

艺途诡谲，人世沧桑。虽逾古稀之年，探险之志未泯。

赤子之心未老，乃有文字入西画之举，以松竹笔墨入拉丁字母符号。众诉纷纭，人言并不可畏。

先生于艺事之忠，之勇，良可敬也，良可叹也。

呜呼，生也有涯，学也无涯，生难满百，艺术永恒。

诗无达诂，画无定则。

大道无言，知音为贵。

不惮浅陋，谬托通人，如履薄冰，乃奉一得。

文章与绘事皆为不朽之盛举，成败得失，固非一日之工，亦非一代所能尽解。

夏虫语冰，目力不能过秋冬，千秋功罪，留待百代评说。

率尔命笔于前，言不称意，意不逮艺；卒章不胜汗颜之至。

2000 年 1 月 18 日

论油画的写实性与表现性[1]

一、“主要特征论”及其局限

绘画的写实性最根本的要求是对客观对象的准确描摹。这包括客观对象的空间位置，形与色，质与量等等。由于绘画所使用的线条、色彩及明暗，有直观性，所以具有语言艺术所不及的优越性，那就是它在某种程度上接近人的感觉器官的直觉。又由于线条、色彩和明暗都只能接近于相似于客观对象而不可能等同，因而一切绘画都有某种假定的性质，而非现实的照相，正因为如此，它才是一种“逼真的幻觉”(莱辛《拉奥孔》)，它才是艺术，才是画家艺术的创造。画家不仅是自然的儿子，同时又是他所创造出来的第二自然的母亲。

客观对象与绘画作品之间的关系既相统一，又相矛盾；中国古代画论往往强调了一个片面，例如传说中张僧县画龙点睛的故事，赵孟頫画马的故事，以及《儒林外史》卷首王冕画荷的故事，都把绘画艺术与现实生活的同一性绝对化了。古希腊亚里斯多德的模仿自然说，同样具有机械论的色彩。但在另一方面，中国古代画论又很早意识到绘画与现实是不可能等同的，魏晋时代就提出了形似和神似的关系，而且把这二者的关系放在互相矛盾的地位上。顾恺之为裴楷画像，眼角添三根线条[2]只是一个传神细节，可能比全面模仿更具艺术效果。原因就在于这三根线条更能勾起观者对于裴楷平日言谈举止之动态的而非静态的记忆或想象，在中国古典画论中，传神高于形似的观念在后来一直占据着统治地位，这不但影响了日后的绘画，特别是文人画，而且影响了中国高度发达的古典诗歌。但是对形

① 发表于《福建艺术》1991 年第 5 期。

② 晋书《顾恺之传》：“尝图裴楷像，颊上夹三毛，观者觉神明殊胜。”

似与神似的关系问题，中国古代画论长期带着某种经验主义的直觉色彩，在理论上，没有严密的阐述和系统的分析和论证。相似的情况在西方画论也同样存在。

绘画的写实性并非对象全部空间状态和质量的照相式摹写，客观对象的各种情况各种细部在画家眼中也非一律平等，画家对纷繁的视觉信息也非一视同仁，这种不平等几乎成了中外历代画家的普遍经验。一代又一代的画家感觉到这一点，然而不能准确地阐述，也不能严密地论证。直到 19 世纪，一位研究意大利绘画史的法国艺术理论家丹纳，在他的《艺术哲学》第一次用明确的逻辑语言作出了理论的表述。他把他的艺术观念归纳为：

> 艺术的本质在于把一个对象的基本特征，至少是重要的特征表现得越占主导地位越好，越明显越好；艺术家为此特别删节那些遮盖特征的东西，拂出那些表明特征的东西，对于特征变质的部分都加以修正，对于特征消失的部分都加以改造。[①]

自从亚里士多德模仿自然说雄踞西方艺坛以来，丹纳是第一个把改造对象作为表现对象的先决条件，他作了系统阐述和反复论辩，从而使他的观念带上理论的森严性。

主要特征论的出现，是一种历史的标志，纯粹的写实论与绘画实践的矛盾，已经达到了不可调和的临界点，其特点是要么让模仿理论永远失去实践性的生命，要么让它作出变革以获得新的生命。丹纳迈出的正是使模仿论起死回生的历史性步伐。

丹纳的理论观点集中在主要特征论中，一方面主要特征导向不可动摇的写实的客观性，在这一点上，丹纳不愧为一个坚定的唯物主义者；一方面主要特征又导向艺术的主体创造性，他指出，主要特征，同时又是艺术家的“主要观念”，实际上，他的主要特征是客观和主观的结合，艺术家提炼主要特征是根据客观和主观互相对立又互相统一的双重准则的。从这一点上来说，丹纳的观念很接近我国古典画论中“外师造化，中得心源”的要旨。

本来丹纳满可以从主客观的统一的角度去深化他的理论，但是却没有。原因是他所说的主要观念，并不真正是主要特征的对立面，而是从属于客观对象的主要特征的。在这方面，他显得有些摇摆不定，在对具体画家作具体分析时，他十分强调画家主观的理想在改变客观对象的某些特征时所起的作用，例如他认为米开朗基罗的典型是在自己心中，在他自己性格中找到的。为了表现他自己备受奴役之苦，他才在梅提契庙堂的雕塑中，把那个雕像的躯干与四肢加长，把上半身弯向前面，眼眶特别凹陷，额上的皱痕像攒眉怒目的狮子，肩膀上堆着重叠的肌肉。背上的筋和脊骨扭做一团，像一条拉扯太紧，快要折断的铁索一样。(《艺术哲学》第 21 页）这好像是把画家的主体创造性凌驾在客观对象的主要特征之上了，然而具体分析时如此，他在作理论表述时，始终把主要观念从属于对象的主要特征。

---

① 丹纳：《艺术哲学》，人民文学出版社，第 27 页。

当然，他也不是那么机械刻板。他不止一次地指出并不是一个或一种对象只有一个主要特征，他特别指出，特征可以是各种各样的，各有其重要和有益的程度不同，那些表面的容易消失的特征是不重要的，而那些稳定的不容易在短时间内消失的特征才是重要的，而一个民族的最原始的本能与才具，或人性中的某个片断和心理，才是人事变幻的重要原因。一个民族的肉体的结构与本能的变化是很慢的，因而它和表现出一种文化的结构与精神倾向有同样的重要意义。他得出结论说："越是伟大的艺术家，越是把他本民族的气质表现得深刻。"

丹纳的理论对中国绘画和文学，自 20 世纪 30 年代以来就发生了强烈的影响，直至今日，我们仍然可以从"越是民族的就越是世界的"这一相当风行的命题中听到丹纳的回音。

然而丹纳的这种写实性理论存在着潜在的困境。由于他强调的民族、时代，环境，对于画家来说都是一种普遍性，他无法回答，在同样时代，同一民族，处于共同环境中的画家，他们的作品，是只能有同一特征，还是多种多样。如果是只有一个共同的特征，那么就很难避免公式化、概念化、雷同化；如果各有不同特征，跟着而来的问题是，以何者为贵，是统一的特征还是多种多样的特征呢？如果以多样的特征为贵，这多样的特征从何而来呢？

丹纳之所以陷入困境其原因在于：他只充分强调了艺术家主体的普遍性，而忽略了比普遍性更重要的个性。

现代绘画的写实正分化为许多不同的风格，就连新古典主义也是在理性、庄重和典丽中作新的探索，这绝不是它过去历史的重复，不是回到 19 世纪古典主义。今天的写实性正向个性化发展，并融进了现代精神，事实上，个性化不管在什么样的风格和流派中都是艺术创造力、艺术感染力的源泉。忽视个性就是忽视艺术本身。没有个性的作品就从根本上失去了写实性的生命。

二、写实性与表现性的结合

所谓写实性，是一个有复合内涵的范畴。从表面上看来，它只是对客观对象的写实，但是，从根本上来说，绝对客观的写实是不可能的。正如闻一多所说："绝对的写实主义便是艺术的破产。"任何一种写实都是艺术家的个性，对客观对象主要特征的选择和改造。同时任何一种写实性都是由于工具和材料的不同产生的不同的特殊效果，每一种工具和材料都有其特殊的优越性和局限性，画家没有绝对的自由，他的自由就是在优越性和回避特殊局限性之间。

在此基础上产生了每一种绘画的特殊表现性，因而从最严格的意义上讲，纯粹的写实是不存在的，每一种写实性又都是特殊工具的特殊表现性，这就是说一切写实性都是与其表现性结合在一起的。不但客观对象的主要特征是写实性和表现性的统一，而且画家的个性也是写实性和表现性统一。

具体来说。油画的生命就存在于写实性与表现性的互相矛盾，互相制约又互相依存的过程中。它具体表现为油画的造型和色彩效果的有限统一。任何油画家都不可能指望自已在造型上和色彩上达到最大的成功。任何色彩上丰富的追求都只能以相对超脱其造型性为条件。追求大色块厚油彩炫目斑斓的效果不能不牺牲某一些细腻的造型。油画家如缺乏把自己情感从琐碎的造型细节中解放出来的气魄他就很难自由地驱遣他的色彩达到某种出奇制胜的效果；在大色块的对比和细节精确的矛盾中，明智的艺术家不能指望“两全其美”，即使努力争取某种程度的兼顾，其结果大抵趋于造型和色彩两者都趋于相对概括。造型和色彩的矛盾双方不是绝对平衡的，半斤八两的，二者总是有一方处于主要地位，另一方处于辅助地位。处于主要地位的一方往往能强烈显示出油画家的特殊个性，特殊匠心，如果造型和色彩上平起平坐则意味着在这两方面均无特别可观之处，这种作品不管多么准确地传达了客观对象，仍是平庸之作。

不管造型还是色彩都离不开油画家的笔触和肌理，从客观对象来说本无笔触可肖，笔触不仅仅是客观对象的色彩形状的一种描摹，它同时又是画家的情绪和创造，在用笔的粗、细、干、湿，在运笔的轻捷、从容，甚至用刮刀的刚柔长短之间，表现出一种创造的激情和温情。艺术家献给他观众的不仅仅是他描绘静止的结果，而且有描绘的过程，有时连运笔刹那过程也会留在画布上，以激活观众的想象，让他们也体验到生命创造的喜悦。而这种笔触肌理乃至韵律和线条的生命，不仅取决于物象的特征，更重要的取决于艺术家创造时相对超越物象的自由，正是在这种自由中表现了艺术家驾驭物象笔走龙蛇的个性。

不论是客观物象还是主观心象都是通过造型、色彩、笔触、肌理、线条、韵律等表现性因素传达的。因而离开了造型、色彩、笔触、肌理、线条、韵律的刻苦磨炼，而想在艺术上有所成就，那无异于缘木求鱼。某些新潮画的一个最大失误就是离开油画艺术特殊性追求创新，其结果是它们的求异性不但针对传统艺术，而且针对艺术本身。

一切油画家的审美理想都不能离开油画艺术的写实性与表现性，没有这个基础就谈不上对人物面部表情和姿态的深邃理解，也谈不上人物精神生活的关注，失去了这个基础，艺术家不但画不出对象的肖像而且也画不出他自己个性的风貌。

从这个意义上说，油画艺术首先是写实性与表现性的统一，在此基础上艺术家主观个性特征与客观对象的主要特征才能统一。光是惊叹同样的裸体在达·芬奇和米开朗基罗的笔下大不相同是不够的，更重要的是钻研达·芬奇用什么的造型和韵律去表现人体的肌肉，骨骼的和谐平衡，而米开朗基罗的人体又用什么造型。线条和笔触去表现暴突的肌肉和扭曲的骨骼。光是跟着人家说伦勃朗的《花神》表现人的美感，自然的丰富感，细腻的情爱以及纤细崇高的抒情风格，而怀斯则把正面强光照射而呈现出平滑状态形体表现出了他对人的内在精神的透视，对于油画家来说是太肤浅了。只有把他们的表现性语言学到手甚至达到某种程度的普及化的程度，中国年轻的油画才能赶上西方的普遍水平。追求新潮去探索，自然不能说没有必要，但是丢了这些基础则可能南辕北辙。

三、内在真实：征服对象工具与解放自我之统一

说到写实性，往往离不开真实性，而真实性往往很难与奴隶式的描摹划清界限，在西方古典绘画理论中有“逼真不是真实”的命题，后来被许多画家发展为外部真实和内在真实互相对立，又互相统一的范畴。许多画家都十分注意观察的训练，追求朴实，回避任何理想化的意图，他们关注的核心是质感、量感、形体结构的关系，这种诚实的观察和描绘，是现实主义绘画一贯遵循的原则，但是这只是问题的一个方面，与此相对的另一个方面是即使现实主义的画家，也不满足这些外部真实，而更醉心于内在真实，也就是把肉体当作爱和理想的对象，作为表现自己个性的媒介。在这种情况下，平凡的对象中可以变成了不起的东西。在粗犷或微妙的笔触中，自然感和稳重感表现得出神入化，丰富的色彩使得质感、量感、肌理效果得到变幻多端的表现，每一个局部的微妙和精细，和整体的统一和谐结合得天衣无缝，每一个局部和细节都组织在一个生命体中，正是在这样的创造中，形象具有了客观的特征性和主观的个性互相融合的升华了的意义，即使是无生命的自然也具有了某种人格化的意义，达到了雄辩感和端庄感的交融，使外部的逼真化为内在的真实，不但是客观对象各个要素之间结合，而且是主观个性的真诚。

每一个走向成熟的画家要达到这种境界，都要经过几十年的磨炼，才能克服种种外部逼真的诱惑，走向内心的真诚。表现画家自己的个性和人生的经历，是一切画家的愿望，但是能够走向胜利的寥寥无几，这是因为画家不但要征服对象而且要征服自己。就像对象的外部逼真可能成为走向更深刻的内在真实的障碍一样，画家表层肤浅的热情和理想也可能把他自己的个性简单化，概念化。一切别人已经表达出来的固然是一种成就，但是也可能成为表达自我的屏障。要把历史的成就变成自己的成就，那就意味着把大师的造型、色

彩、笔触、肌理、线条、韵律变成自己的，要进入别人的境界是困难的，要从别人的技法中走出来则更难。那些最流行最有权威的造型、色彩、笔触最容易被接受，也最容易成为枷锁，被这种枷锁所束的画家，往往一辈子拿着自己的画笔，却重复着别人已经画过了的灵魂肖像。

要找到内在的真实，就要找到画家自己的个性，一辈子找不到自己的个性的悲剧，并非偶然的事例。这是因为他们找不到自己的色彩、笔触和造型原则，更不要说他自己的线条和韵律了，许多人自以为找到了自己的个性，然而那是假的，因为仍然有一只无形的权威的手在代替他画，而他自己的手虽然能画出色彩和造型来，但却不艺术。于是他养成了扼杀自我个性的习惯，这些画家不是从来没有作第一手的观察，而是他的眼睛从一开始就被最权威的画家征服了，无限的崇拜和陶醉，使他自己心灵的视觉瘫痪了，而且一瘫痪就是一辈子。有时他们虽然用自己的眼观察了，而且有所发现，但是他们却没有相当的油画语言，只好借用现成的权威的油画语言。久而久之，他们就舒舒服服地失去了自己的感觉，舒服到一点痛苦也没有地用别人的、死人的眼睛去看生活和绘画，他们的感觉背叛了他们自己，而且他们从此再也征服不了自己麻木了的感觉。

究其原因，是这些画家无法征服自己的工具和材料。他没有自己的造型、色彩，也没有自己的笔触、肌理、线条和韵律。他们一开始从流行造型和色彩学到了一种或几种技法以后，就被这些技巧捆住了手脚。自然，这些技巧，使他们绘了画，但是这些技巧也同时窒息了他们对工具和材料的潜在能量的想象。他们之所以不能有自己的个性化的感觉，是因为他们不能有自己的造型、色彩、笔触、肌理、线条、韵律技法和形式。他们没有战胜有限的形式和技法，因而最后困死于其中，其结果是他们的绘画，不但失去了写实性，也失去了真实性，失去了内在的真实性，最后连外部的逼真性也荡然无存。正是因为这是一种相当普遍的悲剧，因而就引起了职业性焦灼，而某些新潮则不过是这焦灼的一种表现形式。正如焦灼不能解决任何问题一样，某些新潮除了冲击性以外也不能从根本上解决中国油画的出路问题。中国油画的出路在于抓住表现性与写实性互相制约、互相依存的关系不放，而不是浮躁地逃避它。有了对工具的征服，才能有对对象的征服。只有征服了对象和工具以后才能有对自我个性的征服，现在有些同行恰恰在这一点上把问题弄颠倒了。他们的功力还没有达到走上征服工具、对象的程度，就忙着去解放自我了，这样的倾向也许只是在少数人那里产生，但是很值得我们认真研究。

沧凉的大自然中精致的花鸟
——序黄莱

对于中国画面临的挑战，从 20 世纪 80 年代以来，争议一直没有中断。褒之者曰：中国画已经吸收了当代世界艺术的精髓，又坚持了自己的法度，有了很大的突破。贬之者曰：中国画拘守于传统的框架，只在笔墨上做工夫，仍然缺乏当代的人文精神，尤其是哲学基础，实际上已经陷入了一种危机。这不仅仅是艺术的危机，而且是精神因袭的危机。

当然，中国画这几十年来在艺术上的巨大革新，显然是有目共睹的，不论是在笔墨上，在线条上，在特殊材质的运用上，在艺匠经营和趣味的构成上，都有许多超越了古典情趣的突破。西方当代绘画的某些意趣和构图，一些曾经被视为“光怪陆离”的笔法，在青年画家中，颇有一些追随者，其任意性的潇洒，乃至亵渎，至今仍在不断引起怪骇，甚至还出现了把西方现代实验观念和中国水墨交融起来的特殊风格。但是，这毕竟是少数，对于大多数国画家来说，这样的国画只能属于“另类”，遵循严谨的中国画的法度仍然是基本规范。

这就产生了一种现象，革新者走得太远，而知音寥落；守成者严谨有余，而缺乏时代精神的冲击力。在我看来，两种倾向虽然在形式上背道而驰，但根本上却一脉相通，那就是对于当代人文精神的忽略。

在绘画技法和精神的关系上，不仅在实践中进行着探索，而且在理论上进行着系统的思考的，长期保持着清醒的头脑的，在中国国画家中是为数不多的。所幸，黄莱就是其中的一位。他在一篇画论中以相当激烈的批判态度表示了他的观念：

> 现实中，中国画确有不少既无民族精神支撑，又无外在视觉效果的所谓“传统中国画”，这样的作品在技巧上程式化、内容上形式化、效果上雷同化。被视为审美“疲劳”的作品，十分普遍，是到了视觉审美应该要“革新”的时候了。

这样的姿态无疑是相当直率的，带有挑战性的，但是，黄莱的挑战并不是轻率的、肤浅的，而是相当深沉的。因为，他所挑战的首先并不在于形式，不在于技巧。他的眼界很高，就是在技巧上有所革新的，他也持冷峻的分析态度。他说：

单纯地从外在体貌上求变，或一味彰显形式上的创新，而不从内在精神的层面上去提升作品的内涵，不仅无助于视觉效果的提高，反而落入了内容苍白、俗套、程式化、形式化的窠臼。

他所追求的，这是这样一种境界：

只有理解了中国画的本质，不断地超越内在精神的生命表现形式，通过外在技巧的提炼由里到外，形成大气雄浑、实实在在的视觉张力，才能真切地体现出民族艺术精神的精髓，方可具有审美文化品格上的意义。

当然，在强调了精神层面的超越的时候，黄莱并没有忽略对于中国画的传统的尊重。

正是因为这样，读黄莱的画，读者无疑会受到两方面的冲击。是精神上的也是艺术上的，二者水乳交融。可以看出，他以一个当代画家的雄心，驾驭着、突破着传统的笔墨，表现着对生命宏观概括结合着微观的体验。

黄莱以画花鸟起家，其笔墨之微妙，显然与传统一脉相承，然而，他对于花鸟的欣赏，却不局限于传统的规范，他拒绝仅仅把花鸟当作环境的装饰，他的花鸟很少出现在诗化的田园和闲逸的庭院的背景中，而是出现在广阔的大自然或者宏大的原始的荒野之中。在蛮荒的大自然背景上，他表现他对于自在的生命的赞叹和惊异。

他早期的画幅，给人一种印象：他似乎情不自禁地追求山水的宏大和花鸟的精致的强烈的对比效果。他善于把充满画幅的气魄雄浑的群山和微小的、精巧的花鸟融为一体；让精致的花朵和雾气氤氲的山峦构成张力。早期，他笔下浩大的山峦是青碧的，在空濛的云雾中生机蓬勃，而小花则在鲜艳地开放着。值得注意的是，这里没有人，既没有文人，也没有建设者的足迹。花和鲜艳的叶，有时是成片的，成簇的，有时就是一枝一叶，自在地生长着，开放着，没有什么目的，并不为了欣赏者而存在，这好像带一点禅意，令人想起王维的诗：

木末芙蓉花，山中发红萼。涧户寂无人，纷纷开且落。

这种自生自灭的、自在的花鸟，并不因为没有欣赏者而推动价值，相反，它恰恰是一种价值的发现，这显然带一点“禅意”，有一点形而上的意味，比之纯粹从技巧上把山水花鸟结合起来，在思想境界上，就从世俗的层面升华到了哲理的高度。

这样宏大的精神力度，纯粹以传统的笔墨来表现显然是不够的。他不像一般的画家那样完全埋头于实践，他致力于对中国画系统的审视，对其优越和局限进行全面的分析。他的技法革新，提出“中国画的审美功效是感心而非感目”，因而，一切的笔墨、擦去雾水的革新，必须服从于精神的彰显。为了表现他对于大自然浑茫的气象的感应，他别出心裁，以独创的擦法令人耳目一新，最近又提出要“让宣纸吃饱”，都是既在传统的法度之中，又是对传统的突破，甚至“颠覆”。但是，这一切，并不是为了表现古人已经表现过的情趣，在他的画幅中，洋溢着当代人的自觉感受，他显然在捕捉着自己对于大自然和他个体生命的交融感，他最为珍惜的是，与古代文人所没有的特点，但是，又与当代环境保护主义的现世功利拉开了距离。

他虽然还算年轻，面对大自然，却有着一种现代山水花鸟家难得的沧桑感，他情不自禁地把他所钟爱的精致的花鸟放在一种沧凉的大自然背景之前。青绿的山，往往并不能完全表现他的深沉，他更喜欢把花鸟放在荒寒的山岭之间，从这里，他似乎找到了自己和自然史的共鸣点。生命的精致和珍贵，不仅仅在于他的存在，而且在于他对抗蛮荒的时间的历程。虽然从空间来说这些是微小的，但是，生命的延续却显出不可抑制的美。在画动物的时候，黄莱调动的色彩也和传统的花鸟不同，他的动物没有华丽的外表，也很少张扬的动态，静态的自然、自由、自在、自如，在他笔下更具一种禅意的美感。外表的宁静，是内心对于时间进展静观的表现，有时，连主体内心的感受的性质他都回避作任何的提示，小动物只是大自然的一部分存在而已。他的《浮生系列》画了荒漠上的几只类似鹤的禽类，只是呆呆地站立着，没有娱人，也没有自娱的迹象，它们只是存在。生命的存在，就是一种美，发现这种美就是生命体验的提升。另一幅题为《荒寒》的作品，在一片昏暗的山岳和荒原上，最突出的是一匹野狼，应该说在黄莱的美学意境里，这是一匹美丽的狼，但是，这匹狼并没有什么特殊的社会寓意，它不像八大山人的鸟那样白眼看人，也不像齐白石的鹰一样有着盖世英雄的气概，这仅仅是一匹狼，一种生命的意象，它甚至比用精细的笔触勾勒出来的花卉还要震撼人心，传统美学的边界就在这里突破了。

他偏爱以荒寒的、严酷的大地和山岭，特别是被损害、被摧残的大自然的背景展示花鸟的精致生命。他的立意在对比，但是，他并不追求表面的冲突，与其说他着意矛盾的对峙，不如说他更在意对立之中的和谐。这种与自然的和谐相处，是更具中国画的传统诗学意味的，显然和西方诗学强调人与自然的冲突，是两种血脉。

在被烧焦的枯枝上，站着两只小鸟，悲剧性的大自然和无邪的小生命之间，不但没有悲痛感、悲剧感，相反，在对立中又有一种无言的静穆，二者似乎没有直接的联系、关注和对话，张力并不明显，更多的是和谐的默契：再严酷的自然灾难也遮掩不了渺小的生命的迷人，也许其力量并不伟大，也不恢宏，但是，生生不息的力量是如此坚韧，哪怕是在一片荒漠上，高级生命绝迹的地方，只有一些漶漫不清的苍苔、荒草，他也会注意到一只不知名的蛋壳在破裂。这幅的题目叫作《永恒》。

这里所蕴含着的就不仅仅是古典文人画的恬淡的抒情，而是一种当代的生命哲学，但是又是画家的智慧和情感的结合。生命是永恒的，哪怕劫难重重，处于被毁灭的边缘，黄莱总是提醒读者注意到表面上并不显赫的生机，读者在这里看到的并不是世俗的、一线苟延残喘的希冀，作者精神的博大与精致的纤巧的线条相对，更具不着痕迹的韵味。

黄莱的画，有时具有一种无声的力量，这种力量并不仅仅来自感觉的惊异，而且来自思想的震撼。黄莱对于荒漠的山峦、粗糙的沟壑、丑怪的朽根，总是慷慨地给予广阔的空间，而对于野草和闲花、自在的小鸟，赋予的空间总是相当吝啬。在最近完成的《神游系列》中，在宏大的画幅上，把全部空间都给予了蛮荒的、枯黄的、灰暗的，然而又是雄浑的山峦，再加上暴突的虬根，其怪异、其多姿，充分表现了潜在生命和死亡冲突中，生生不息的哲理，正是这一切，使得他的画面，从视觉的冲击力转化为心灵的冲击力。

他是一个不以视觉冲击为满足的画家，他总是努力把视觉的冲击转化为心灵的冲击。

在中国画追求现代性和当代性的历史过程中，以思想见长，以气魄撼人的画家实在是太少了，因为，大气魄、大构图，要求多样化的手法和多层次的思绪的交融，其难度比之小品式的山水和花鸟，不可同日而语。正是因为这样，黄莱的每一幅新作，都是一次冒险，既是灵魂的冒险，又是艺术的冒险，失败和成功的转化，有时就在瞬间，有时，则要付出毕生的代价。对于一个真正的艺术家来说，唯一的选择是无怨无悔。正是因为这样，黄莱的作品，他的每一个脚印，都值得关注中国画命运的人士珍视。

2006 年 1 月 2 日星期一

序黄莱“狼之美”

吾友黄莱，献身山水花鸟，面其作无不感其气韵逼人，豪情如沸，笔下山水不以妩媚娱人，而以蛮荒、苍凉、混沌摄人心魄。其花鸟则工笔精致，妩媚灵动，玲珑剔透：宏大与微末相得益彰，为黄氏独创之宇宙。意者非故作惊人之笔，乃胸中浩气、造化天理与传统法度三者猝然遇合，不得不发也。其才其气，非拘守笔墨者可比，然以余观之，于今尚未尽也。忆昔尝见黄氏尺幅写月黑风高之夜，苍凉荒野之中，有狼对月而啸者，怦然心动。何者？其中有野性，有蛮气，黄氏峥嵘性灵，一现端倪。乃谓黄氏曰，此诚可谓君找到真自我矣。花鸟之灵反衬山水之酷，为君第一层次之性灵，狼之美，乃君潜意识最深层次之风格也。当如白石之寄情于虾，悲鸿之凝神于马，黄胄之赋媚于驴，君其以余生奉献于狼之美，美之狼之课题乎？诸友以为余戏言也，而黄氏则寂然凝神，悄然而悟，日后乃有此作。变法之初，如有所不称其蛮而野之气者，有识者当拭目于来日也。

2010 年 6 月 6 日，星期日

序黄莱：画与论之交融

画家黄莱，二十年前，萍水相逢，惊喜其画，为文称之，当其时也，本省某画坛权威不以为然，不以为快，而余数度为文继赞之。非为意气，一为，目睹国画界，泥于笔墨，精于用水，拘于法度，而无思想之画匠比比皆是；二为，黄君笔下造化，有浩然、悍然之气。故其画山而无水，有天地苍茫之广，宇宙洪荒之旷，枯树乱石之野，云雾漶漫之玄，其花微，其鸟闲，姿态恬然、宴然，间有大鹏之翩然、飘然，有俯视千古之雄。曾为文赞其“气韵逼人，豪情如沸，笔下山水不以妩媚娱人，而以蛮荒、苍凉、混沌摄人心魄……宏大与微末相得益彰，为黄氏独创之宇宙……非故作惊人之笔，乃胸中浩气、造化大理与传统法度三者猝然遇合，不得不发也”。其异于画匠者：有生命之哲，宇宙之思，于当今国画，实属深山之玉。当其时也，窃以为天下唯吾尽知黄莱之才。然今日读黄氏之文字，不意有管窥之叹。黄氏之笔参造化，非仅为偶发之灵感，实植根于其思理恢宏。其苍茫艺术，出于对时代文化之反思。面对高新科技空前丰富之“宇宙自然的影视图象”，既为外部视觉的大解放而鼓舞，又深深警惕被“写生”遮蔽，成为“内心之枷锁”。乃刻意对之“澄清”以“获得主体艺术创作的自由”。此种自由，乃是将大自然，不当作客体物象，而视为文化意味沉郁的生命符号，以胸中造化，升华为精神与宇宙反衬的苍茫气象。此等主题，为古典绘画所无，亦为传统法度所阙。拘于笔墨法式，则不能不牺牲自我。有此理性之深邃思考，乃“毫不顾忌，忘掉国画画种的界限，全然不受任何画种的约束，忠实于自己内心的感受”。好在当代艺术氛围勃郁，吴冠中先生之“笔墨等于零”想必对之有所鼓舞，增添其颠覆勇气，经多年形式语言的历险，他找到了、巩固了统一于苍茫主题的笔法、墨法、皴法、擦法。如今观其风格，已具某种一望而知之悍气、狂气、野气、蛮气。然此等一望而知者，乃其表层，其更深层者，实为其哲理之气。读其题跋，不难知其具有诸多画家所缺乏之学养，其于老庄之无为而无不为，其于狂与不狂，其于无人自芳而万物皆为人设等，其思维，其文字，既有西方对立统一之模式，又有中国古典有无虚实之情韵，于两极平衡中求和谐，又不陷于折衷。故观其评画文，亦如其画。吾国画评家往往满足于普遍性，乃造成一时难以挽回之颓风。如权威画评家范迪安评福建画院孙姓画家之作，开宗明义即曰此君之画“是抒情的”，其“笔力概括，细节省略”等等，诸如此类，大而化之，空而洞之，可谓放之万千画家而皆可。黄氏之文，于哲理之普遍中追求特殊，于宏大构思中逼近细节，独立概括，鲜有陈言，层层推进，旨在揭示所评之画之唯一性，不可重复性。从立意到笔墨，从线条到空白，可谓句无虚言。如对杨启舆先生之孔雀（《骄子》）之评，从大处着眼，言其纯用水墨表现华丽之孔雀，不用斑斓，表现出“任何色彩无可比拟的墨气淋漓，刚柔有韵”的效果。从细部而言，分析其头部、背部皆不取具体形象，而“用浓淡墨边勾带写，一气呵成”。“翅膀用浓墨重笔”，“层次丰富，又富质感”，于腹羽则以“干笔拖擦”，笔线遒劲内敛，起讫分明，波折有致，与前者之墨色淋漓形成强烈对比。尤为到位者，进一步指出，对比并不生硬突兀，缘于其间有“随意点写的眼状斑纹在转折之间自然地过渡”。黄氏用笔之精，还在于指出孔雀身后的石块，空白题款，相互呼应，构成有机统一。真可谓语称意逮，文脉条贯，非一般笔力穷拙，以十数固定话语应付万千面目画作之伪画评可以望其项背也。

2013 年 10 月 28 日星期一

传统水墨汁和现代泡影的遇合
——《曾贤谋国画》序

虽然我把我最美好的年华献给了文学，文学也给了我的心灵以极丰厚的报酬，但我老是不能忘记少年时代我多么想当一个画家，自然这不过是一个梦，年长日久，少年美好的梦变成了中年以后的亲切的怀念。也许正是因为这点因缘，对绘画，特别是国画的爱好和欣赏成了我生命的一部分。有时我对画家的倾慕大大超过了对作家的倾慕。

我从没想到过有一个机会来给一位成熟的国画家作序，然而，机遇不期而至，而且显然这不是梦。

贤谋的画册在我面前，我自然是它的爱好者。

我同意他自己和别人的说法。他善于花鸟、山水，尤工于写竹。他的笔致相当自由，往往于逸笔草草间达到一种境界，现出一种潇洒不群之概。

有时他浑厚的笔墨被他丰润淋漓的色彩所掩，倒是在那纯用墨色的兰叶竹枝中更突出他用笔的自如挥洒的气势和奔放情致。我特别欣赏他那题为“九畹香清”和“盛兰”的两幅墨兰。激情洋溢，而又没有过分外露的“火气”，分寸把握得相当好。我甚至感觉到他用笔的力度和速度，那横跨全画四分之三的一笔兰叶使我想起了罗丹笔致简练豪放的速写。自然，这也许并不是他最好的作品，但这无疑为他最好的作品提供了良好基础，有了这样的笔墨，才使得他笔下的竹洋溢着不凡之气。

他很有中国文人的传统气质。每当言及自己的创作时，总要先提自己青年时代的老师宋省予先生，这自然是一种可贵的情感。宋先生用墨用色的风韵时时使得他的花叶充满活力。他的作品间或流露出宋省予式的妩媚，颇使人感到亲切，但是我以为，学生纪念老师的最好的方法并不是简单的模仿，而是突破。

贤谋毕竟是贤谋，他所受的熏陶不仅有中国传统的笔墨技法，其中不乏西洋的光影透视解剖素描功底。自然贤谋在为画时，并没有将此二者简单生硬地相加，他知道他画的是中国画，他的追求是以西洋画法渗入中国笔墨韵味之中或者用中国笔墨技法消化或同化西洋技法。我在他的《海角天涯故岛情》中看到二者的相融。

中国画非常强调传神写照，这与西洋画法是一致的，至少在基本精神上是一致的，这点已经为大家都认识了；但是还有另一面，都并没有充分引起注意，那就是中国画也非常强调用笔用墨的自由，其极致之处，并不亚于西方现代绘画，不过没有他们那些不近人情的东西。

贤谋画的一些花鸟精品，特别是山水，常常得力于笔墨的漫漶和迷离。郑乃珖先生称赞他善于用水，说到了点子上。他笔下的最好的竹不同于先贤之处，主要不在于用笔用墨，而在于用水。由于工于用水，他笔下的竹往往富于层次：不论彩竹，墨竹，不但有传统的浓淡相映，而且有现代的远近相间和冷暖相融。传统画竹很少有两个层次以上的，我在贤谋的竹中看到了浓淡白三个层次井然有序的相叠。既有西洋的透视效果也有中国传统的深远意境，可谓创格。

至于他的山水，时人较少道及。其实，在山水中，他用水有时用得很野，好像在追求某种不稳定的形态。他画得最好的山是云气氤氲的，显出其空灵虚静的情趣。墨与水的效果相当自由，既像不可重复的偶然遇合，又像漫不经心的随意洒泼，形象半吐半吞，半隐半现，妙在有形与无形、有意与无意之间。最摄人心魄莫过于那些几于失去形状，有某种抽象意味的存在，占优势的已经不是山水而是画家胸中的逸气。这也许是贤谋在《通变无穷》中说过的“通外域以滋补自身机体的一种实践”吧。我以为正是在这里我看到了传统心态与现代意识的结合。

艺术是复杂的，不等量的吸收不等量的融化，引起不等量的变异。只有这种变异达到一定指数之时，才会产生质的飞跃而构成新的艺术式样。这个式样是否“合身”“合时”，关键在于各自不同的适度。很显然，贤谋正在追求不等量的变异，同时他也很谨慎地探求变异的适度。什么是中国传统画艺与现代意识猝然遇合的适度变异呢？台湾的国画家已经作了那么多尝试，他们有时把西方抽象性引入国画以求某种自由变异。贤谋自然是看到了的，但是他要追求自己心灵自由的“适度”——也许这还是个未知的“哥德巴赫猜想”，贤谋正在用他的创作去解开这个谜，去摘取他所认定那颗自由的创造的气象。

1989 年春

油画家沈克龙二题

一、当代眼光和古典审美的默默对话

献身艺术就意味着探险和竞争，成功的秘诀，在于超越同行，就是踩着前辈的足迹亦步亦趋，也只能是甘于平庸。别出心裁，独辟蹊径，灵魂才能获得自由的空间。已有的经典，既是前进的阶梯，又是飞跃的障碍，突破藩篱者比之安于现状者要冒更大的凶险，失败者比之成功者占着更高的比例，但是，逆水行舟，不进则退，安于现状，就等于等待被淘汰的命运。

把生命奉献给艺术比之献身任何事业更加严峻。画家的探险是没有终点的，不但是对于表现对象的探险，而且是对于自我心灵的深层探险，成功的希望在于抓住自我与对象之间遇合的契合点，但是，这种遇合并非召之即来，往往是猝然而至，瞬息即逝的。机遇往往只青睐付出全部生命作准备的头脑，既是毕生的苦苦等待，又是电光石火的机缘巧合。

沈克龙选择了婺源，说他是有意的追求也好，说他心灵福祉也好，总之是妙在有意与无意之间；如梦如幻，如痴如醉，他的笔在寻找着古典美学价值的当代注解，天可怜见，他不但发现了婺源的美，而且发现了自己潜在气质和不期而遇的格调。超越了日常生活，艺术的生命、美学的自我才能诞生。婺源在他笔下，也已经不是照片上的景观，读者看到的不仅仅是婺源原生的状态，同时是他的心灵肖像，作为一个画家他用当代色彩和笔触和古色古香的婺源的山水和民居作默默的对话。

读者的视觉受到如此深沉的冲击，神思受到如此温馨的抚慰，个中原因，不能不令人陷入沉吟。

生于金陵，对于江南山水和民居有着深厚的情感积淀，当然是原因之一。但是，光凭这一点，要跻身当代画家的行列显然过分天真。

他有过师承（名字我忘记了），但是，他的笔触，如果和老师一样不避干焦，个性就不像这样水灵了。

他似乎更加着迷于一种诗意的意蕴去征服、去同化、去发现自我与婺源的猝然遇合的脉息。

而这种诗的意蕴，不在意气纵横，不在豪情激发，而在宁静致远，婉约温馨。

黛瓦粉墙，翘角飞檐。

民居栉比鳞次，而无人迹，无鸡犬之声，无车马之喧。简洁的垂直构图，更增加恍如隔世的静谧。

斑驳门楣外长天一片，深深古巷旁杂花生树。

不由得令人想起王维的《辋川集·辛夷坞》：

木末芙蓉花，山中发红萼。涧户寂无人，纷纷开且落。

花木不待人，民居亦不待民，只待艺术家的慧眼一瞥。

是艺术家诗意的心灵把这一切安排在青山隐隐，碧水迢迢，烟气氤氲之内，山色有无之中。

从时间到空间，从历史到人文，都被这颗宁静的心推开了距离，又拉近了感觉。

不但在意趣上，而且在笔法上堪称丰姿绰约，汇古通今。那大片白色块，单纯的黑线，醒目的对比，中国的文人山水的笔墨，种种蛛丝马迹，无异于透露一种宣言，正是在这里，接通了当代与中国传统艺术的血脉，开拓了自我飞跃的生命。

从这里可以看到作为一个当代油画家所追求的境界，所沉醉的价值，并不是对于传统和西方疲惫的追踪，而是用中西交融的技法对传统审美作自己的阐释。

正是因为这样，读者感受到的不仅仅是婺源民居的古色古香，而且是作者栖息于传统艺术境界安详的、不事张扬的凝神。具备了这样不浮躁、安详凝神的文化心境，哪怕是面对民居的斑驳、残破、败落，他的沧桑感，也常常用大幅度均匀的平涂，显示他的平静。这样，他就营造了一种以心对物，以静对静，无声对话的诗境。

诚然，物极必反，否极泰来。如果一味平，而且静，静到极点，就成为寂，寂到极点，就可能是孤寂、苦寂，甚至是死寂。当然，从前卫的审美探索来说，这也未免不是一种境界，并不一定是一种禁区，但是，显然，与作者个性不合。毕竟他江南才子气质根深蒂固；很明显，他静则静矣，但静而不冷，也可能意识到了一味平静可能变成平淡，笔墨寡淡的危险可能颠覆了诗的梦境。故在写人文景观时，以大幅度的单纯、朴素的色调平涂，而画自然景观时（如梨花），则不惜敷以狂舞的、厚重的油彩，有时还辅之以淋漓而精致的巧笔。显然在这种局部，作者是有意抑制温情，放纵激情。

不管是飞舞的色块还是朴素的平涂，都统一在作者对美的陶醉之中，从当代的眼神看出来的古典的清纯，格调分外的妩媚。

当然这并不是沈克龙心灵的全部，在他的漆画里，读者会看到他古朴而前卫，奔放又雄强的另一个侧面。

2005 年 1 月 20 日

二、出没于意象和抽象之间

当沈克龙走上中国油画前沿，他所面临的压力相当严峻。已经占据了主流的正统写实和当代波普，拥有着某种不言而喻的意识形态的和国际商业资本的话语霸权。不屑寻求官方意识形态的庇护，也不甘于向国际商业资本投靠，就得蹚出自己的路，这当然有风险。所幸他有足够的主体性信念，淡定面对，用自己的作品与之作默默的对话。

这就意味着一种高度，同时也是一种难度。

难就难在和对手拉开距离的同时找到自我，不是一般艺术的自我，而是油画形式的自我。油画，是一种西方的形式，追随西方权威，这本身就是以挑战权威为荣的西方大师所不齿的。实现油画的中国化，并非纯粹出于民族自尊心的冲动，也是对世界油画艺术历史和逻辑发展的洞察。俯伏在西方流派面前顶礼膜拜，洗耳恭听的历史应该结束了，是直起腰杆拿出自己的东西正面挑战的时候了。当然，挑战并不单纯取决于主体鲁莽，要看主体的内涵的深度。没有专业的内涵，不能在工具和材质的操作中落实，就不能掀动民族文化记忆与艺术记忆的深层。不可回避的问题是，对于中国读者和民众，既要调动其传统文化积淀，引起审美的共鸣，又要冲击其审美心理的古典定势，将其提高到当代世界艺术的高度。

在最初阶段，他曾醉心于恬静的田园的写生。一旦发现了徽州，他豁然开朗，触发了诗意沉积层，他选择了婺源的民居，进行古典的美的阐释，同时也是自己潜在淡定基因的唤醒。自我和意象的密码猝然遇合，当然这得力于他对工具的和材质的征服。油画最适用于意气纵横的粗硬的笔触，在他的驱遣下变得像毛笔一样温柔了，豪迈的大色块、厚重的油彩变得像水墨一样淡化了。没有这种柔化和淡化，古典意蕴的山水、民居，就不可能变得如此轻盈、雅致。如此宁静致远，如此婉约温馨。

黛瓦粉墙，翘角飞檐，斑斓驳蚀，自在自如，毫无炫世之意。

民居栉比鳞次，层次丰富，然而青山隐隐，碧水渺渺，层次单纯。在婺源原生的状态的意蕴之中，心灵肖像隐约显现。不但无鸡犬之声，而且无车马之喧。更令人震撼的是，他的构图中，根本没有人物，杳无人迹，斑驳门楣外长天一片，深深古巷旁杂花生树。并不等待欣赏的目光，更增加恍如隔世的静谧。《意象江南》投胎的过程，也是他自己婉约气质逐步生成的过程。

但是，对于这种以意象为主的追求，他似乎并不十分满足。这毕竟只是一种可以直接感知的“象”，而象只是形象的一个翼。在中国古典诗画中，还有一个不可直接感知的“意”，有了这一翼，才能比翼齐飞。

他显然意识到，如果满足于驾驭“象”，无异于作茧自缚。虽然“象”最容易和当代油画遇合，在读者中，也最容易得到认可。民族的记忆基因，在这里有双重的现成性，首先是文人画以象写意的深厚传统。其次是，中国诗画合流的传统，甚至还形成了诗中有画，画中有诗的理论。

不断地进取，就意味着不断地对自我作深度审视和批判。

意象其实是意象的矛盾统一体，象是有形的，而意是无形的。象最容易被构成，过分着重于象而忽略了意，是想象的窒息。越是深邃的意就越是飘渺无形，越有精致的意蕴，也就越具某种抽象的性质。要将无形的意蕴表达出来，就要从有形的写实的形态和趣味中解放出来，向抽象突围就有了更大的迫切性。这对于个人的才华，无疑是极大的挑战。一些前卫的抽象画家，往往容易沉醉于从具象解放出来的自由酣畅，耽溺于西方抽象笔刷的横扫，线条的奔放和色块的淋漓，他们由此而获得了和正统写实和当代波普的主流话语对话的平等权利。但是，从严格意义上，这还很难算是民族独创，读者很难将其与西方前辈作起码的区分。

疲惫的追踪，并不是不可避免的，沈克龙有自己的选择。

他把生命投向抽象境界进行艺术的探险。但他的追求不是那种凌空蹈虚的反叛，而是从民族的艺术记忆中寻根，在此基础上，为艰难的重构而呕心沥血，有时，干脆挣脱了具象的固定形态，把色块瓦解成云雾漶漫氤氲，以烟雨迷蒙超越定型的物象，但，不管以什么形态出现，都以如梦如幻，飘逸轻盈见长。他把自己具有抽象意味的系列叫作“徽韵·清梦”不是偶然的。有时，又以传统意象为基础，于其内外，赋予抽象的几何性的块面，与之形成反差。在他这里，形和彩不是无序的杂陈，而是中国绘画法度和西方油画观念的搏斗和媾和。传统的诗意、画意，和当代艺术的理念浑然凝成一体。

也许，这里的抽象成分，已经不再是西方式大师艺术观念的呈现，抽象的元素与中国传统诗情画意一旦交融，就成了抒情的抽象。理解了这一点，我们才能读懂他的魅力和能量。徽州民居屋顶的黑色和墙壁的白色被他提炼得具有一定的抽象性，成为表现性的构成元素。在他笔下，黑色，不是单纯的自然色，即使墨黑一团，压在画面的上方，也黑得不重，即使黑在古老的屋宇，也不显得沉郁，虽然黑得沧桑，但也黑得亲切，甚至黑得轻盈。白色，在他笔下，也带上了符号性。和黑色的轻盈相反，白色显得衰老，和轻盈的黑色相映成趣，当白色处于静态，它显得沉着，而处于横飞状态，又显得严峻，有点凌厉，甚至有点狂暴，但是又是潇洒的。黑是成片的，有形的，而白是不定形的，挥洒的。黑白相映之妙，甚为丰富。在空蒙的水雾之上一叶笔触精致的小舟，上方有大片随意的白色斑块，或片片吹落，或纷纷飘洒，黑色参差的屋顶，被白色不规则的色斑迷离掩映。屋顶的黑色水平线的宁静与纷纭散漫的白色块的动势，相映相衬。尤其是白色作横向之飘飞，竟不让读者分清是雪花还是梨花，融严酷于潇洒之中，显示了沈克龙并不仅仅沉迷于温情的江南才子。

当然，他的基本元素，还有蓝色，淡淡透明而朦胧，其中白色的渗入而显得透明，成为大全景的底色，画家的匠心目的不过营造毛玻璃的效果，构成水乡的氤氲，把现实世界推向远方，推向古典的想象境界。在抽象的世界里，色彩是如此之单纯，除了白色与黑色和蓝色，值得一提的就是黄色块了。在黑白的民居的具象中，黄色往往是抽象的几何平面。它不像黑色那样厚重，也没有那么白色那样苍茫，但是，它往往是作品中的最亮点，又并不是光明的象征，似乎是奄奄一息的夕阳的返照，显示出一种凄凉的艳丽。这种艳丽有时块面相当大，但，并不单薄，因为时而有突兀隆起的厚块，和灰黄和白色交替。从这里，读者可以体悟到，即使在抽象的色块中，也有统一而多变的色彩的互补和交响。

毫无疑义，当他在具象和抽象之间进行灵魂的冒险的初期，他的水乡意境和淡雅色彩中每每流露出吴冠中的痕迹，最近几年，特别是他从德国归来以后，可以说，已经走出了吴冠中。这应该是他走向新阶段的一个标志吧。他不迷古，不媚洋，熔中外于一炉，驱古今于指掌，似乎终于找到了自己，主要是找到了自己的绘画语言。他比较抽象的笔触中，其色彩的流动，很少中国水墨画的笔墨的照搬，但是却有传统文人画的泼墨、泼彩的痕迹，工于用水到了他的手中变成了巧于用油，以油的渗透造成水的漶漫效果。他所理解的创造不仅仅是观念的图解，而是以中国的具象与抽象意蕴，对油彩、画布、笔刷、刮刀彻底的征服，特别是以木板的平刮，营造出干墨的皴擦的意趣，使其在效果上向笔墨、宣纸、绢布的效果趋近。是不是可以说，当代中国油画中发生了中国传统的基因突变，西方抽象油画到了中国，其遗传密码正在重构之中？这在沈克龙身上显得特别意味深长。

榕城恢宏的历史在花岗岩中交响

——话说福州历史文化长廊

在福州北江滨大道的系列的景观中，最具人文性的要算是“福州历史文化长廊”了，如果说，闽水园、江滨公园和望龙台以自然景观为依托把传统园林与当代西方造型互相渗透见长的话，“福州历史文化长廊”无疑以闽人恢宏的历史气象震撼人心，使整个江滨艺术造型系列增加了历史的纵深感。

文化长廊 220 米的花岗岩空间是有限的，然而，面对闽江不舍昼夜的浩浩波涛，却不能不令人想起苏东坡“大江东去”的历史浩叹。山人艺术雕塑创作室把江面开阔的空间和人文精神深度感结合得如此自然，自然景观与文化景观，时间与空间在这里水乳交融。

无声的石头在这里响起了 2200 年历史和现实的交响。

融入其间的音符不仅仅有历史人物的群像，而且还有书法，墙体、仿古石亭，翠绿的草坪、灌木和斑斓驳蚀的块石更加突出了沧桑感。

历史是连续的，然而，历史人物却是各自独立的，为了解决这个矛盾，艺术家采用了类似平行蒙太奇的手法，把最有代表性的人物作了突出的处理。像历史是跌宕起伏的一样，石头的高低起伏也提示着人文精神的跌宕。如果说，“闽族图腾”的男性的形象近乎平雕的话，而女性的裸像则近乎圆雕（也许是母系中心的暗示罢）。越是到近代，艺术家的胸襟越来越有磅礴的趋势。从朱熹、张元幹、郑和，到林则徐、林祥谦的面部都从浮雕向雕塑过渡，块与面，越来越加深了深度与力度的张力，艺术家的浪漫情感达到了高潮，而到了冰心的面部近乎圆雕，转化为轻柔的抒情，到了当代，著名的科学家侯德榜、陈景润则逐渐趋向平面雕的宁静。艺术的多变和统一，情感的紧张与缓和，精神的绵延和冲突，恢宏与苦难，庄严和圣洁，尽在丰富而统一的完整的结构之中。

为了解决历史人物的平行板块与时间的连续性，尤其是文化的传承性的矛盾，艺术家们从一开始的“先民拓土”就以地域性文化符号，水的意象，榕须的意象，海鸟的意象，加以相对平面化、装饰化的处理。平行的板块转化为连续性的整体，然而这种连续并不是机械的，而是疏疏落落，虚虚实实，变幻多姿的。其疏处，接近于空白，令人有心事浩茫之叹，而实处则有密不透风之感。

视觉的冲击感变为心灵的冲击感。

这种冲击感，还来自抽象与具象之间的张力。

历史人物的面部是充分写实的，而人物的衣着却常常带着抽象性的几何线形，这样不但使历史的画面具备了现代感，而且使分割画面由于线条的自由伸展，形成跨越画面的联系。这就构成了面与块、块与线的断续、联接、呼应。而在所有几何线形中最具连续性的要算水的波纹，其曲折、贯通、起落，似乎是偶然、自发，而又必然地表现出整合，乃至融合的功能，使得先民拓土、开基建业、闽学渊薮、海洋文化、左海雄风、迎接曙光、走向未来等九大板块，成为整个蒙太奇有机的艺术整体。

最不可忽略的是浮雕的凸出与汉字书法阴刻的结合，林则徐的名言：

苟利国家生死以，岂因祸福避趋之。

是抽象的书法艺术，也是具象的造型艺术。阴阳相生、相辅、相成，也许可以说是对于法国人发明的电影蒙太奇结构的一种超越。

正是凭借着中国式的蒙太奇结构，上下千年的历史和人物才能被浓缩在如此有限的空间中而不感到仄逼，任何一个游人都可以在十分钟之内穿越时间的隧道，聆听到福州的最古老的祖先无诸建城夯土之声，触摸到欧冶子铸剑的炉火的炙热，在琢磨闽王的威猛和朱熹的宁静中，体验八姓入闽的艰辛，三山两塔的历史的意味和现实的内涵，顿时有了深邃张力。

郑和和林则徐衣角上如果没有那来自海洋的雄风，没有那流畅而凝重的线条和平坦的块面，没有那本土色彩的风帆、汉代风格的狮子、唐代神采的骏马、平民市井的石桥，没有那些图案化了的鱼、芭蕉、荔枝叶，怎能把福州的乡土氛围和千年的精神传承融入如此统一而又丰富的旋律之中？

福州的精神传承是像是石头一样厚重的，又是像闽江的水一样柔软的。

但是，花岗岩是唯一的手段，没有石头所不能表现的，从最坚硬的到最柔软的，一切语言都是石头的语言，连流水都是用石头表现出来的，海洋文化的风也是用石头表现出来的，一脉相承的历史的主题是用石头演奏的。这是石头一样永恒的精神长城，也是精神的长河，福州人精神的赞歌在无声的石头中才显得如此永恒。

2015 年 1 月 24 日

在有限的空间中展示千年时间

——福清城雕《八骏图》

随着经济的迅猛发展，不少城市的自信和自豪达到了一定程度，就产生了一种共同的追求，通过城市雕塑，把城市的精神气质表现为看得见摸得着的、令人振奋的物质形态，于是各种各样的城市雕塑出现了。虽然比起那城市雕塑空白的历史来说，新出现的城市雕塑，多少也曾使人一度兴奋。但是，城市雕塑不是一般商品，不仅是为了一时之虚荣和好奇，而是千秋万世的文化大业。它的长期存在，决定了它免不了要受到不止一代人的鉴赏和批评。正是因为这样，城市雕塑就其根本质量来说，应该是城市的历史文化的永恒的象征；它应该具有某种经典性。那些匆匆忙忙地放置在城市广场上的一些雕塑，不可能一下子达到这样的要求，不久就遭到非议，遭到批评，甚至遭到痛斥，就不是什么奇怪的事了。

制作城市雕塑，在现今这样的文化趣味和物质条件下，不但对于领导而且对于雕塑家而言都是某种程度上的冒险。以我不算苛刻的标准，目前十个城市雕塑，有三到四个成功就很不容易。越是早期上马的，越是容易暴露出文化水准上的局限，最容易犯的错误就是概念化和制作上的粗糙。不少失败的城市雕塑往往满足于在字面上图解城市的典故，缺乏真正的精神内涵。闽南某个城市广场上的一座白色的巨兽，之所以经不起十多年历史的考验，就是因为它对闽南人的精神气质理解得太简单化了，没有挖掘到闽南人特有的那种从贫穷中百折不挠、在困顿中崛起的精神内涵。雄姿英发的巨兽本来就是百兽之王，和闽南人从不甘贫困、忍受自卑、备受歧视中奋起的文化性格不能构成准确的类比和象征，再加上制作的粗糙，缺乏独创的艺术追求，就使这座较早出现的城市雕塑随着时间的推移，越来越令人遗憾。

对于福清市的城市雕塑《八骏图》来说，要避免流行的概念化，最大难题是把福清古城的文化特点表现出来。这里就有一个矛盾：雕塑是视觉上以三维空间展开的，是一种空间艺术，而古城的文化主题却要求有时间的第四维度，难能可贵的是，艺术家范英海在现代性和古城的历史性的结合上进行了成功的探索。

《八骏图》在构图显而易见的特点是：在整体轮廓上，充分强调向上向前冲击的动势，相当淋漓地表现了福清人在当代两个文明创造的过程中那种奋不顾身、一往无前的气概，但是，又很有分寸感，没有把这种奋发的精神极端化为自发性的嚣张。为首的那一匹马在向前腾跃的极点上，好像受到了缰绳的制约，把动势转而向空间上升，这不但没有削弱其冲击性，反而把动势的内涵提高了。马的胸部被夸张地拉成一个弧形，令人想到是一张弓，而那向前方空间伸出的前蹄，则有意拉直（另一只前蹄则有意地弱化了），构成一种箭在弦上的强大的视觉冲击力。

与整体相呼应，在细节的处理上，几匹主要的马的鼻孔和嘴巴扩张了。值得庆幸的是，这种扩张没有弄到概念化的程度。像古希腊的拉奥孔雕像表现拉奥孔父子被蛇缠至死时，并没有张大嘴巴发出骇动天宇的哀号一样，艺术家范英海小心地将写实的线条适当地抽象化了。抑制了无限度的剑拔弩张，才在雄豪中留下了优雅的余地，也给观众的想象留下了空间，隐隐约约令人想到汉唐的奔马的凝括。正是从这个细节上，时间的维度，古城的主题有了切入契机。

从这个契机出发，八匹马的写实性从前部向后部逐渐减弱，而其抽象性逐渐加强。到了最后的两匹几乎就只有头部具有写实的形态，而其躯体却融入原生的石块之中。这就形成了一种暗示：从原始洪荒到现代文明，福清人不改其艰难奋斗、百折不挠的创业精神。

这样，雕塑的形象从具象走向了抽象，而文化古城的主题却从抽象走向了具象。

为了强调这个主题，主体的两侧，设置了两匹小马，一前一后，作为陪衬，可以说是副主题；在它们身上，特别强调了从原生的石块中挣扎而出的姿态，艺术家特意将马身不合比例地拉长，并将头部特意地以弓形降低，以强调前进的力度和弹性，暗示从古代到现代文明创造的艰苦卓绝。

为了强调时间的主题，艺术家还别出心裁地在写实的基础上，将马群的躯体加以不规则的块状处理，布满马身的大块状的凹凸和写意的直线相结合，把古老的风化感和现代的飞速感结合了起来，给人一种浑厚、豪壮又明快、凌厉之感，这种感觉还由于飞扬的马鬃也作了大块状处理，而得到加强。

艺术家在制作马群的过程中，充分利用了福建特有的花岗岩的坚硬的质感和沉重的量感，所有这些感觉都集中表现了福清人所特有的原始的生命力的强大和坚韧。在生命力的原始性得到表现的基础上，福清人在现代化过程中那种深沉奋发、不屈不挠、咬紧牙关、只争朝夕的创业精神才得到深刻的而不是图解式的表现。

正是因为这样，在我所见到的新兴城市雕塑中，《八骏图》不论在构思上，还是在制作上都可以算得是上乘之作。当然这也不是说它已经十全十美，例如，时间的感觉充分，但是文化的感觉却还不足。如果能在骏马的后部适当加强其与汉朝的砖刻和唐朝的三彩马在形态和线条的概括上的相似，则可能使文化传统的色彩更加充分，如果这个意见不错，则后部形态的原生性状的抽象性和现代雕塑的写实还可以突出一些。

1999 年 1 月 27 日—2 月 2 日

序陈云贵人物瓷雕系列

吾人皆言国粹，往往限于文道，而不及为器，然以世界眼光观之，英语之中国 china，其意为瓷，以瓷为器，以瓷为艺，此乃国人为世界文苑贡献之珍。18 世纪，欧人视之为宝，拥之为贵，与画同美，然于国人，与画不可同日而语，画与书琴棋同为文士修养之大端，故俊彩星驰，流派纷呈，百代不绝，而瓷乃百工匠人之业，正史稀有为传，瓷者之杰，虽于文人笔记亦鲜。故画论纷纭，瓷论阙如。囿于视瓷为器，不为道，其艺亦卑之于工艺。此论虽偏，然亦非无理。瓷多为实用器皿，不可否认，然不乏人物偶像，如观音、如来等，其与西人之神塑何异？然瓷像造型，沿袭模式，鲜及人生百态。及至改革开放，西洋文论观念冲击，景德、德化等重镇，乃有人物造型，超越工艺之模式与匠气，追求个性姿态、神情之独异，其夺目者多为屈原、司马迁、杜甫、李白，皆古典文士之属。间亦有现实人物如惠安女之类，实为小品。与新时期之金石城雕之盛，其思想、气魄皆输。究其缘由在观念囿于古典写实之美。

有陈云贵者，以前卫艺术观念，为系列瓷雕，作灵魂之探险。突破写实具象之美，以抽象之块、面、线之自由流动组合，超越古典美，为艺术之“丑”，如罗丹所言，“丑”中之美更为深邃。陈氏此举，非为惰于造型之艰，观其陶瓷头像、人像（如齐白石），其写实功力甚为可观；亦非挟洋自重之浮躁，其“迷香”仕女系列，宽袍大袖，高贵风雅，其体态肥硕，面庞丰腴，轮廓流畅，皆具唐俑之风神，以空间之立体，显时间的之古老，然其情志却一反泥古，深邃洞察古典仕女精神重负：不在一望而知之外部表情，更不在千古认同传神“阿睹”之局部，而在整个体态之弯曲，颈部之紧缩，头顶怪异之“云”，化无形之心灵压抑为有形，虽然如此，仍然有抚胸仰望远方者。此系列驾驭白瓷质地，以轻匀之体表现内在之沉重，高洁而郁抑。现代观念与传统法度遂相得益彰。

陈氏观念与现代抽象技巧之融洽，得力于对瓷质之驾驭。“青瓷仕女”系列更具风神。

与“迷香”系列稍异，不以单纯、简洁见长，而在单纯与复杂之间显示其丰富。同为宽袍大袖，衣褶时而繁复无序，然杂而不乱，赖其皆为下垂状得以统一。与之相映者，有简洁平面，构成有机张力。更具匠心者，整体以景德镇影青釉着色，色调典雅，虽为凝固之质，然具流光之感。化静为动，疑瓷为液。至于造型相似之青铜系列，奇在化铜如泥，化坚为柔。机巧能事，得心应手，神与物游。

以各系列分别观之，各有所长，互见可较其短，如人体之概括与手指之精细，又如，无形之压抑与有形之怪云，皆有协调之空间，以此观之，则陶瓷《戏剧 · 多彩人生》，则可谓古典传统与现代观念，抽象与具象，宽袍大袖与戏剧动作，无过细之干扰，有和谐之浑然，足供观者挑剔。此等成就，诚不负陈氏生命之耗费，灵魂之探险，材质之驾驭，足见其具瓷雕历史之使命感，可为一叹矣。

2016 年 4 月 27 日　星期三

梨园戏《董生与李氏》和当代文艺的审美价值观念

中国传统戏曲情节的最大特点乃是审美评价与道德评价的统一，劝善惩恶的情节构架和道德人格的理想化成为一种无形的模式。不论是秦香莲的故事还是《打渔杀家》的故事，都是在善恶和美丑统一的范围中展开人物的心灵活动和外部动作的。自从20世纪50年代以来现代京戏和各地方戏曲都没有在根本上超越这个模式。但是从那以来，特别是七八十年代以来，首先是中国传统的道德观念发生很大的变化，其次是现代小说和影视对人的心灵的探索在许多领域中不但早已突破了传统的僵化的道德原则，而且就现代道德角度来看，对人物审美的探索在很大程度上扩展到了道德的规范与情感的自由相互错位的领域中，而不是完全局限在二者完全同一的范围中。最突出的例子就是路遥的小说《人生》被改编成电影以后所引起的轰动。主人公高加林到了城市工作以后抛弃了农村中曾经有恩于他的巧珍，但是高加林并没有被当作陈世美而是作为一种新人来处理，广大观众也接受了这样的处理。

就在这一点上，表现了当代文艺的审美价值观念的发展，然而就在当代文艺以它的新的审美价值观念重新审视，检验传统的道德准则，推动着新的道德和审美心理规范的重建的时候，传统的戏曲文学包括京剧文学却基本上踏步不前。在对于人的心灵的理解和探索方面，当代文学吸收了全世界多方面的学术成果，包括20世纪的性心理学和文化学，以及西方现代文学各种流派如现代派、意识派乃至魔幻现实主义的诸多启发，形成了多种风格，从许多新的方面对当代人的心理进行了探索，在此基础上形成了相当繁荣的局面。

就在这个时期，中国的传统戏曲包括京剧舞台艺术，和当代文学艺术包括戏剧文学甚至话剧文学的发展完全脱节，因而在价值观念上，对人的心灵的探索上拉开了很大的距离。正是这种距离使得传统舞台艺术和它的慢节奏一起成为它脱离城市广大观众的根本原因。

要从根本上改变这种状况，必须清醒地认识这种在艺术观念上落后的关键，而不是仅仅把目光盯在某些舞台表演程式、布景、道具的点点滴滴的改良上。

很可惜，直至今日，中国的地方戏曲的编剧队伍，对此还没有足够的认识，虽然不少作者在苦苦追求，但始终没有抓住这个纲领，以致他们从剧本的构思、人物的设计都很少跳出传统审美价值与道德理性同一的狭小天地，而不能不显示出在陈旧模式中艰难地跳舞的窘相。

很令人高兴，并不是所有的地方戏曲编剧都甘于忍受这种传统舞台艺术落后于当代文学发展水平的窘境的。有许多迹象表明，一些有雄心、有才华的地方戏曲编剧正在努力改变这种令人不安的现象。

福建泉州梨园剧团的王仁杰先生就是一个应该引起特别注意的人物，在他的新作《董生与李氏》中就很鲜明地体现出他的历史性追求。在这个作品中，最富于突破性的地方，正是他有意识地吸收当代文学审美价值观念的结果。

《董生与李氏》所表现的，虽然在外表上看来，是一个极其传统的故事：老员外、年轻的妻子和书生的关系。但是作者没有在传统的善恶、美丑统一的有限范围内表现他的人物。很显然，在美学准则上，他把人物的情感作为人的最基本的生命冲动，包括异性的吸引，不是放在道德理性的基点上，而是放在审美情感价值的基点上，这样的人就不同于传统戏曲中的人。在传统戏曲中人首先是道德和义务的体现者，而在王仁杰先生的笔下，人不但是社会义务和道德的载体，而且还是一个有个体生命的人。作为道德和义务的载体，人的许多自然的生命冲动，常常是作为恶的某种根源的，而这种恶又是很容易在艺术上用丑来加以表现的，无条件的克制、麻醉乃至扼杀、根绝这种生命的冲动又常常作为美的精神而被赞美。然而在《董生与李氏》中，这种传统的模式被动摇被突破了。当彭员外临终向董生嘱托监视李氏时，他自然是遵循传统的道德规范不无真诚地答允了，并且，在彭员外死后，相当忠实执行着朋友的嘱托。如果王仁杰先生光写到这里，这仍然是在传统的道德理性的善与美统一的领域里展开他的想象的。王先生的不同凡响之处就在于他让这位有点呆气的书生，从传统道德观念看来是相当纯洁的文人，在异性的青春和生命力面前感到某种诱惑的困扰，让道德理性与他自己作为人的生命的自然属性发生了冲突，而且在生命的自由与扼杀生命的礼教互相交锋的反复进程中，主人公发现了自己的生命冲动和他所执行的任务之间的矛盾。这以后，他服从了自己的生命力量，那礼教教条在堂皇外表下才显得分外荒谬和腐朽，这种腐朽性还因为彭员外的自私和凶残显得更恶劣。而董生与李氏的情感突破，不但在反抗旧礼教、旧道德的意义上获得了道德规范更新价值，而且在情感的自由和冲破内在的自身的精神束缚中获得了审美的价值，董生和李氏的最终结合不但是合理的，而且是可爱的。

王仁杰先生的创造就在于他的主人公不像在许多戏曲剧本中那样只有一个自我也就是主人公自己意识到的自我。这种自我在很大程度上是和主人公的理性相统一的，王仁杰笔下的董生的心理结构，不像某些地方戏曲剧本中常见的那样带着单层次平面性的特点，主人公的行为和思绪都在他（她）的意识领域之内。这种意识到了的善和动机明确的善，往往很难转化为情感中的美，因为情感就其本性来说有很大一部分是在意识阈限之下的，它能遵循的感觉和逻辑也都与意识的理性不尽相同。王仁杰先生笔下的董生的心理特点在于，他起初意识到了，并且带着并不虚伪的情感去监视李氏的。自我，亦即与“道德理性”同一的自我，并不是他的全部自我，甚至于不是他真正的自我。相反，却是他真正的自我的一个虚伪的外壳。而李氏却窥破了他意识阈限以下的自我，并且反复机智地挑逗，才使他那个真正强大的情感力量更加真实的自我冲破传统教条的束缚，获得了自然的自由的能量。勇敢投入李氏的怀抱之中以后，他才发现了自己还有另外一个自我，这就使得董生的心理结构不再是平面的，而是具有纵深感、立体感的。

这自然使我们想起了给予中国20世纪80年代文学创作以极大震动的弗洛伊德性心理学说，尤其是他的“本我”和“超我”、意识和潜意识学说。虽然在当代文学创作中，对于这种性心理学说的运用早已司空见惯，但是在地方戏曲剧本中，运用这种心理学的成就，对人物心理的表层和深层作立体化的透视，却是王仁杰先生的首创。尤其是在董生与李氏发生性关系时，由于李氏提到“彭员外”三字遂使董生产生性心理障碍，致使欢会不谐，而后来在扫墓期间，彭员外阴魂强制董生杀害李氏逼得董生与之最终决裂，性心理障碍遂消除。这不但在戏曲编剧法中堪称惊人之笔，而且在当代文学创作中也多少带一点新潮的味道。王仁杰先生的这一笔，其意义并不在性心理的某种运用，而在于运用20世纪性心理学说作一种方法，去改变地方戏曲剧本对人物心理的单层次的简单模式，从而对人物心理的多层次的综合结构进行开拓性的探索。

当然，对于王仁杰先生的剧本的主要成就，不能简单地片面地从文学方面去估量，他的文学成就离不开对于戏剧审美规范尤其是梨园戏特殊行当身段唱腔的自由把握，而最主要的是他把这种心灵探索不是一般的戏剧化了，而是相当精巧地梨园戏化了。

很值得一提的是剧本中对于丑角的运用，例如彭员外临终，两个鬼差作为丑角给整个场面带来相当浓郁的喜剧性。又如，董生发生性心理障碍交欢不谐时，作者匠心独运地以一场花神三人舞出之，用花神的口侧面交代了正面无法表现的情节，既符合梨园戏长于抒情的特点，又有相当喜剧性。

自然，这样的构造情节方式，虽属新潮，但在小说领域中正走入俗套，我们在《废都》的庄之蝶身上、《白鹿原》的白孝文身上都看到同样的性心理模式和情节模式。

事实上，梨园戏的细腻抒情，使它在很大程度上显得缺乏动作性，这也许是梨园戏走向城市大众的一个最大障碍，但《董生与李氏》总的说来，节奏不像一般梨园剧目那样拖沓，其原因主要就在于王仁杰善于利用丑角，善于利用梨园戏的传奇色彩，上至天堂、下至地狱地自由调度空间，展开神奇的想象。自始至终作为陪衬人物随侍李氏的老旦梅香，也以丑角的特殊口语为许多场景增加了许多世俗的情趣，与主角典雅的唱词相对照形成了亦庄亦谐的氛围。

当然，不同角色的喜剧色彩是有区别的，鬼差和梅香作为丑角是一种闹剧的喜剧性，而李氏对董生的诱惑是轻喜剧的抒情，花神对他的调侃则富有幽默的趣味，三者的结合，大大减轻梨园戏典雅抒情可能产生的沉闷。不过，使人略感不足的是对于董生起初的迂阔虽然有调侃的意味，这在音乐和唱腔上可以感到（有此唱法类似老先生念文），但总的来说，在比较重要的场景中典雅的抒情还是占了优势，轻喜剧的调侃和幽默感还是缺乏一以贯之的线索，不够统一和谐，如果允许我吹毛求疵，董生的性格中的喜剧性没有得到充分发挥，尤其是在进入高潮之前的一些场景过分细腻的抒情，看来显得有些沉闷，加上唱词的典雅，其中还有不少距离口语太远的古典诗文的典故，说明作者对于董生性格的主要特点和《董生与李氏》这个剧本统一风格的把握还不是很充分坚定，对轻喜剧的亚形式规范的遵循还不够自觉。对形式风格的自觉和坚定，这对于一个比较成熟的作者并不是一种苛求。

这也许并不单纯是对形式的掌握和驾驭问题，这里有一个美学准则问题，作者似乎并不回避表现董生的不智，但是这种不智只是相对于理性的不智，而缺乏某种超越智性的荒诞逻辑和情感的真诚的结合的性格线索。董生的思绪从想象的超越上总不够荒谬，在逻辑上达不到显而易见的荒谬，因而其喜剧性不足，其结果是作者舍此而求助于典雅的抒情甚至书面的诗文语言打动听众。其实，这样的语言固然有充满诗情的一面，也有脱离现代城市大众心理的一面。这样的语言，不管作者多么擅长，多么热爱，本该节制，相反董生那些傻乎乎的语言、呆头呆脑的思绪、不通的逻辑如果能更强烈地加以表现，则更能产生某种通俗喜剧的趣味，有利于冲淡那节奏缓慢的典雅的抒情所带来的沉闷。

《董生与李氏》演出的成功，并不完全依靠王仁杰先生有水平的文学剧本。导演的调度，尤其是半抽象化的布景设置，一块高出舞台不到二尺的斜面平台在不同的场景变成不同的道具，含有不同的意味，这不但节约了开支，而且使演员的表演在这虚拟性很强的空间中获得了更大的自由。

特别值得一提的是饰李氏的演员曾静萍的表演，她充分理解了王仁杰先生对于李氏心理结构的解剖。在这个女主角的心理表层，她和许多地方戏曲中聪明美丽，然而又极其不幸的女人没有什么不同，她的痛苦，她的悲抑，甚至她的某种麻木都是我们在传统舞台艺术中常见的，在这方面，王仁杰先生似乎并没有比别的编剧为曾静萍提供更多施展才华的天地。但是到了李氏窥破董生的内心矛盾，并且反复机智地挑逗他，对他采取某种调侃、嘲弄，甚至引诱兼而有之的姿态时，曾静萍的表演可以说达到出神入化的程度。

观众可以非常明显地看出来曾静萍对全套梨园表演手段，不管是唱腔还是身段都有娴熟的驾驭，对于这个角色所应该遵循的舞台表演程式，她掌握得是得心应手，但是应该指出的是从根本气质来说，她不是那种善于在自由驾驭程式的过程中表现自我的创造力的布莱希特式的表演派演员，也不是那斯坦尼斯拉夫斯基式的一切从内心体验出发，进入角色，进入规定情境就忘了演员自我的体验派演员。在她做出某种放浪的姿态时，她似乎相当大胆，许多动作都有生活化的痕迹，很容易使观众联想到现代城市风流女郎的某些风度和作态，但是曾静萍的分寸掌握得很好，她没有以原先的生活形态来取媚城市观众。相反，她只是在梨园戏程式规范允许的范围内，扩大了现实生活、妇女生命体验的纵深容量，使这个原本看来似乎被不幸和抑郁压倒了的少妇内心深处潜藏着的另一个层次以一种反差的形式被揭示出来，给观众以莫大的惊异。

不论在表演方面还是内在的体验方面她都达到一定的饱和度，而且把这二者结合得比较自然，熔表演与体验于一炉，这在年轻演员中似乎还不多见。

中国的传统的舞台要在现代城市经济文化的大浪潮中维持自己的生存，并争取在将来得以发展，光靠外部的社会力量的抢救甚至体制改革，均非根本，最根本的是在艺术本身，在审美趣味、形式规范、表演程式、音乐等等方面进行谨慎的改革，也就是寻求解决古典超稳定的甚至可以说是僵化形式、趣味和现代城市生活和大众心态的矛盾的切实方法。

传统舞台的危机，从表面上看是个经济危机，但从根本上看是个艺术危机，过分稳定的趣味和形式对日新月异的生活和情趣有一种封闭性。梨园戏在这方面比之高甲戏更甚。要解救梨园艺术就必须让梨园的风格、语言表演程式、音乐有更大的开放性。曾静萍的表演由于吸收许多体验派的成就，因而就有相当的开放性，因而她的成功的意义并不限于她本人。

曾静萍的开放性并没有给人过度之感，因为她的一切体验，包括最具当代性的性冲动都没有以原先的生活形态出现，相反都转化为梨园的音乐语言和身体语言。原先的生活要转化为特殊戏曲形式的表演语言，必须经过形式规范的改造变形，乃至可以说是歪曲，这极其艰难，否则不是破坏了传统艺术，就是使生活变成粗糙的毛坯。

关于这一点我们可以从饰董生的龚万里先生的表演中看出来。由于董生的个性所包含的心理层次较多，其性心理的当代意味也较强，因而董生的形象与梨园传统的音乐表演手段的严谨规范之间的矛盾也较为突出。龚万里先生所面临的角色比之曾静萍要复杂一些，因而任务就要艰巨一些。龚先生对这个形象的把握总的说来是准确的。（至于说喜剧性不足，主要是剧本的一种缺点，这是不能苛求于演员的。）龚万里在可能范围做到了对董生的表层心理与深层心理的全面把握，有许多地方，很明显地有生活化的倾向，这一方面给我们以惊喜，让我们联想现代男性心理某些类似的方面，另一方面，又不免感到生活化与梨园化的矛盾处理得不如曾静萍那样不着痕迹。

总的说来，董生的表演是丰富性有余，和谐性、单纯性不足。对一出戏的欣赏来说，我希望龚万里先生今后的表演更梨园化一些，更单纯一些，动作更舞蹈化一些，语言更诗化一些。但是对一个在历史转折关头的剧种，我又希望龚万里先生的表演更大胆一些，更多地吸收原先的生活形态，更世俗化一些，暂时显得有些粗糙，有些芜杂，也在所不惜。因为从长远的眼光来看，梨园艺术的历史发展不可能不触动它某些僵化的程式，梨园艺术必经解放，梨园戏作为一种艺术，要原封不动地保持它一切的程式规范而又能在城市大众文化生活中占有一席重要地位，那是不可能的。这对于梨园戏的爱好者也许是很痛苦的。早在 1981 年 3 月，我在《诗刊》发表的一篇文章中就说过，一切思想解放和艺术解放都不免导致传统革新者和群众的互相折磨，不想忍受这种折磨就不能前进。

“西风东渐”关于“第五代”电影变化的评说

——和颜纯钧等的对话①

颜纯钧（福建师大中文系教授）：新时期以来，第五代导演一直是领头的先锋角色，是领潮头的。从《黄土地》开始，他们较集中地在中国的西北部寻找电影的灵感、题材以及审美上的对应，拍出了一批很好的电影，引起了国内外的广泛关注。这两年来，情况出现了显著的变化。他们中的代表人物纷纷把目光转向了东南的商业城镇，接连出现了像《家丑》《红粉》《摇啊摇，摇到外婆桥》《王先生之欲火焚身》《三毛从军记》《风月》等一批从题材、地域及审美上都和过去明显不同的影片。这个现象确实有令人玩味的地方。比如，张艺谋拍《大红灯笼高高挂》时，小说《妻妾成群》完全是以江南水乡作为背景，但他却有意识地把这一背景改为中国的西北部；再比如，张建亚在同学们拍出很好的片子时，他一直在等待，而他后来拍出的《王先生之欲火焚身》和《三毛从军记》，是完全与第五代总体风格不同的。他作为一个上海人，基本经验不在西北，所以没有太多的灵感；现在，“西风东渐”了，他就出来了。这个趋势，不必看作是一种潮流，也不必看作是一种发展的方向。我们只是把它当作一种电影现象来概括和讨论。

余岱宗（福建师大中文系研究生）：第五代特别注意造型、光影、色彩等电影因素的地位的增强，这仅是从艺术方面讲。从他们个人经验讲，有人说是“乡巴佬”情结，这种情结特别崇尚一种人与自然的抗争，很容易受人文环境的影响，这就产生了《黄土地》及《红高粱》中农民式的英雄、土匪式的英雄，无形中给观众一种误导，好像中国人的生命力在其他地方不复存在。到了张建亚开始颠覆，主要是通过小市民的目光，质疑所谓的西部英雄到底有多少英雄内涵。张建亚的片子中的英雄就是伪英雄，所谓生命力的张扬能体现民族文化内涵的部分是很可疑的。

① 发表于《电影艺术》1996年第2期。

张建亚力图用小市民的视角来颠覆第五代寓言电影的苍白。在第五代的寓言电影中，土匪式的英雄是民族生命力的最好载体，爷爷奶奶的故事以最壮观的仪式反衬现代人的卑琐渺小与患得患失。可张建亚偏偏不买寓言电影的账，他的《王先生之欲火焚身》明目张胆地让《红高粱》中蔑视人间法规的狂欢式的“野合”变为王先生在高粱地里怎么也解不开马褂扣子的尴尬。这种“戏拟”并不能单纯地理解为“反经典”就了事，城市中人际关系的紧张，城市文明的脆弱，城市中小市民的狡黠与西部英雄们的伟岸、纯朴格格不入，处于迥异的两个语境之中，所以，所谓人的野性，所谓人与自然的严酷抗衡，在东南都市的市民视野中，只是奇闻逸事。而怀着一时冲动，小市民欲模仿西部英雄，顷刻间便捉襟见肘、畏首畏尾，这意味着张建亚有意识地为第五代电影的“还俗”打开了缺口。当第五代导演将目光盯住东南都市之后，他们再也无法剑拔弩张，再也不能处处以独特的造型、光影和色彩的夸张来显示其自觉的电影意识，而是要有意识地与东南都市的敏感、细腻、局促相融合，否则，仅仅是题材的改变，第五代导演进入东南都市，仍有重复自己的危险。

张应辉（福建师大中文系助教）：第五代导演的叙事模式在较长的一段时间内不可能取得突破性的改良，但是，既然有“西风东渐”这一现象的存在，我们就不得不去观照他们风格上的某种变化。过去，他们的叙事是封闭的，这种封闭性不仅仅是外化在环境的封闭，更重要的是其文本叙述是封闭的。这种封闭导致了电影故事情节的单一和薄弱，从而给观众以导演主观意识很强的印象；而且出现了一系列类似伪民俗的东西。不可否认，导演主观性在艺术上营造了大量的奇观，同时也诠释了许多寓言，但这种叙事在第五代导演中已经呈现出不断循环的怪圈，第五代本身也陷入尴尬境地。那么“西风东渐”是否在给第五代制造一个叙事上变化的契机呢？以往他们叙述的是一个游离于历史和现实之外的模糊的人生故事，其实是在回避着什么，他们不肯给某一生活具象以影像界定。现在，他们的摄影机扛到了东南部，把焦点聚到江南水乡、城镇市民发生的故事中，无疑给他们自己出了难题；但是，在叙事上，却隐隐约约让人感到第五代的焦距与现实拉近，虽然他们仍然不愿以明确的时间概念来规定电影文本。第五代东移后首先遇上了经济这个问题，不管他们把时间虚化到哪个时代，东南地区的经济仍然是繁荣的，一个有创意的电影艺术家不会不关注这个变幻莫测的“精灵”。就算第五代今后表现的重点仍在人性方面，在人生态度、人的生存状态，我想在经济繁荣、社会复杂的东南部可挖掘的东西必然会比单一的西部更多，而且并不见得表现出的人性会流于肤浅，人生意义会不厚重。

孙绍振（福建师大中文系教授）：更精确地说，环境是自然环境、文化环境和政治环境，而第五代给人震惊的是自然环境；东向以后逐渐淡化了自然环境，而由自然环境造成的人文环境特征对人物心理的冲击更重。第五代以前的导演往往是人的本性给政治环境掩盖掉了。如《黄土地》表现一个具体的心理，政治性就把人的个性给淹没了。像《这里的黎明静悄悄》里讲的："这里没有男性只有中性，战争中没有性。"在第五代前人性在中国传统电影中的表现历来不强，而且有些扭曲。到《黄土地》后渐渐淡化了，政治压力解除了，尤其到了《菊豆》时，小说《伏羲伏羲》是有政治背景的，土地改革前把地卖了买个女人。地卖以后变成贫农，买了地的则变成地主，到了电影里都没有了。到后来变成了一种文化环境。西部电影的崛起，西部的自然环境和人文环境与东部不同，人的野性易暴露，礼法之类的传统较少。

颜纯钧：西部环境比较粗犷、质朴，像《妻妾成群》中江南水乡的柔美，与张艺谋所要表达的不太一样。

孙绍振：艺术上不去，政治就变成讨厌的东西，如果有一个大艺术家，他的艺术达到一定的高度，写政治性很强的电影也可以达到艺术独创的目的，但我们正缺乏这样的大艺术家。第五代导演首先就是从政治中冒出来的。《一个和八个》就是写政治与人性，土匪、汉奸等坏蛋都有新意。现代导演不知道是否站到了一个历史的高度，尤其是人性的高度去处理题材。西部也好、东部也好，他们的共同追求就是文化心理，但从文化心理看，西部比东部来得更好。

颜纯钧：这点我不太同意，实际上东南城镇的电影对文化心理的追求是很少的，更强调故事性和商业性。很深层的文化心理揭示，在《家丑》《红粉》《风月》《摇啊摇，摇到外婆桥》中表现得都不是那么明显。

孙绍振：从西北到东南可以说是从农村走向城镇，就可能牺牲一点已经积累起来的人性探索，因为城镇需要更强大更有魄力的艺术家去解开人的深层奥秘。

颜纯钧：第五代拍西部电影，环境因素在文本的表达方面占很大的分量。这就把观众的注意引向了人和环境的关系上来，使地域文化及所产生的生活方式给人留下更多的思考。西部的环境相对严酷，抽象出的人格样式是坚韧执着的一类；到了东南，比较乖巧，甚至阴险的人格就多起来，他们很善于迂回游弋于这种环境，善于利用环境而不是采用对抗的毁灭自己的出路。这种变化甚至还包括从粗布棉袄到艳丽柔软的旗袍之间感觉上的区别。服饰本身也是一种文化。不同的服饰会有不同的人物故事及影像基调。转向东南后环境在电影中的作用越来越弱，在戏剧性中所占的位置也越来越小，反过来，人与人关系的复杂性代替了人与环境的关系，冲突相应多一些。然而，他们在空间上变化了，时间上还是没有变，还停留在20世纪二三十年代或较模糊的概念里，讲述一种观众不熟悉的、带有奇观性的东西。

方健文（福建师大中文系研究生）：不仅时间上是这样，而且很明显还脱离不了乡村。

《摇啊摇，摇到外婆桥》《风月》更多写乡下人到城里去，又回到乡村。一离开，他们好像就站不住。

颜纯钧：《家丑》也是写一个乡村出来的人物，怎样在城市里站住脚。秋菊的不断走出家门进入城市是一个过渡，是值得玩味的。周晓文也拍《二嫫》，情节框架与《秋菊打官司》是非常相似的，同样是传统和现代的冲突，阴盛阳衰，不断地上路，回来；结尾的失落感都很类似，无新意。

张应辉：大家都说第五代是反传统或逆传统，这是指手法和技巧方面。确切地就他们的根而言还没离开传统。我认为，中国电影的根是在东部。20世纪三四十年代的电影，如《一江春水向东流》《十字街头》等都是很出色的东部片。西部相对比较单一，而东部则呈现出复杂性。尤其是经济环境多变，我想第五代以后的片子还是有可能趋向拍与现代经济、现代生活接轨较紧密的新东西。从经验上讲，越是熟悉的，我们才有可能去做更深一层的认识。第五代导演对现代城市是很熟悉的，“西风东渐”可以视为他们电影创作的一种回归。从电影深层挖掘，东部较西部有更大的潜力。

颜纯钧：20世纪三四十年代的导演对东南城市的发掘，其表现与第五代有可比性，严格地说第五代不如他们。张艺谋的故事多为种姓承传的故事，有传宗接代的问题。陈凯歌的多是文化承传的，如民歌、说唱、京剧，这些故事都在父与子、老师和学生承传的过程中来表现。从文化上讲是回归的，承传的，对今天的生活比较淡漠。西部电影继承性的东西到了东部后逐渐地消失，变成对过去的奢华生活的一种怀旧。所谓怀旧就是消失了，才可能怀旧，现实还保留着就不存在这个问题了。东南的影片有一种怀旧，带有伤感的情绪。

余岱宗：相反，我觉得他们是为了获得某种自由。因为当你把电影时代放到20世纪二三十年代的上海，这种评判标准已经固定了，那种勾心斗角理所当然地被理解，较轻易获得一种是非标准；可能在那种环境中得到一种艺术上的自由发挥，可以写得非常糜烂，非常风月。第五代刚开始很严肃，东移后用怀旧来迎合电影的特性，是电影意识的一种转化。开始认为造型是电影，把人放在画面上边边角角，人作为符号来使用；现在只能是一种手法。

颜纯钧：为什么他们东移后的激情仍不在当代呢？像夏钢这批人物的“新都市”电影有很强的当代气息，而当代又不是第五代所不熟悉的。时间上的滞后，说明什么问题？如果作为设想，第五代导演会选择什么样的人物作为他们的对象呢？当代都市中夏钢等导演选择的是飘零人、边缘人，表现当代人的一种困惑、交织中的一些烦恼。第五代我想不可能去寻找这些人的。在当代的都市中第五代还找不到他们的对象，但在怀旧题材里他们比较热心。

孙绍振：审美价值的生产需要个积淀的过程。最好有个时间过程，其次要有空间距离。现实题材靠得太近，不利于作家自由想象和对人性的自由探索，容易为表面现象遮蔽。同样一个导演面对历史题材和现实题材，无疑前者更容易想象。虽然张艺谋不懂历史，但他敢去拍武则天，却不敢去拍邓小平，历史距离太短。拍当代人用报告文学形式，生命太短。许多电视，拍的是现实题材，《北京人在纽约》很好拍，因为有个空间距离。能把当代的、现实的人写得突出，需要很大的才气。鲁迅写得最好的是“怀乡病”，而不是他所住的北京、上海。张艺谋是西北人，表现东南时，他的“怀乡病”的感情就开始被拆解。茅盾20世纪30年代写《子夜》，显示很大的才气，时间长了，就发觉有概念化毛病。写当代题材需要更多的才气。画人难，画鬼易。假如大家都对唐朝的礼仪、宫廷十分熟悉，京剧就没法演了。距离拉开了，观众也允许导演有自由。

颜纯钧：再有，在座的对“西风东渐”这个现象有什么展望?

孙绍振：我认为谈不上什么出路，只是一个螺旋。主要目的是从西部文化转向东部文化，在提高过程中加深文化成分。由西部到东部可能是暂时现象。“西风东渐”不一定是一个直线的运动，也许只是探索一下，从表面的背景、文化心理、说话、破嗓子唱歌已经到一定层次了，暂时休息一下，到东部来看一看，是否有东西比较新鲜一点，而且能否把电影探索得更深一点，更细致一点。我们可以把它视为一个曲线，是螺旋状的。不能认为“西风东渐”以后西方就丢掉了，这不可能，有个性的艺术家并不这么傻。第五代导演肯定要分化的，因为任何一门艺术，当它发展到了顶峰，便会分化出很多流派。就现有的水平说他们探索的人性并没有特别的地方，不像第一次看“妹妹你大胆地往前走”那样有人对生命力的体验的震惊。《家丑》的艺术探索不但没有前进，而且平缓了，指的是对人心灵的探索。我们看《林家铺子》里的江南水乡，它的洗炼和干净程度不亚于第五代电影。表现败家子的巴金的《家》、曹禺的《雷雨》，也是20世纪30年代的中国南方，但他们都没有像《红高粱》那样表现人性本来的面目，所以我感觉到这是一个曲线。

电影艺术本身的手段、形式、操作方面要有新的发展，对人性的心理深度要有新的发展，才是它的方向。进入东部文化后，我认为不是进步了，从电影艺术的操作、创新，以及对人的理解，对人的心理成分、文化氛围、人的关系的理解并无多大进步，他们不会停留在这个方面。我不赞成用文化背景来划分他们发展的阶段。他们从西部到东部，追寻的主要是文化，但尚未达到文化背景的深度，所以还要深下去。如果产生超过张艺谋的新的导演，那么将持续一阵。尤其东部文化东西很多，电视已经上去了，但水平很低，达不到电影的高度。如果提高了，可能成为未来发展的一个支点，这个支点必须在对人性的理解，对人的深层心理的理解，在电影艺术微观方面有新的进展。超过顾长卫、张艺谋，那么无论在西部，还是东部，都是发展。如果还是这么几个人，那么艺术生命就到此为止。像卓别林那样维持二十年是很少的，但实际上他是在不断丰富自己。第五代转向东部，说明西部的深度已经碰到了石头，而东部的泥土比较松，打下去可能不是石头是水。他们转向后，对人的理解和对艺术的驾驭没有什么新的东西。

方健文：从西北到东南的转变，是一种选择，只代表了选择的一种可能性，还可以有多种选择，比如可以表现北方，也可以表现南方。这在电视里已经看到很多。如表现深圳，表现北大荒，显示了选择的多元化；还可以表现国外，《画魂》就有欧洲拍摄的部分。主要在于导演要表现出自己的一种观念。西部为什么能在中国电影史上留下浓重的一笔？因为表现了文化的观念。像张艺谋的种姓承传，陈凯歌的文化承传，而且都有作品在那里发言。东向后，放弃了一些东西，主体风格模糊了，平面化了。虽然东南部影片表现了许多可能性，如电影的形式，文化的背景，人的内心情感的多元，但是还缺乏更深层、更自觉、更有力的挖掘。导演对都市生活缺乏亲身的经验和认识，只能通过想象来表现，容易表面化。“西风东渐”可以，关键在于转移的过程中不要过于局限，因为文化背景是多元的，表现形式是多元的，同时要向深层次开掘。只有这样，不管在西部，还是东部，都能拍出好作品。

孙绍振：我认为如果没有新内容的话，就要有新的形式感。西部用大写意的笔法，东南用工笔，与之衬托起来。

余岱宗：东移后局限于梦幻般怀旧的叙述，走向了模式化。关键在于能否摆脱原著的限定。《菊豆》《大红灯笼高高挂》摆脱了，有自己的理解，东移后被束缚了。导演对20世纪二三十年代能否提出新感觉，能否展示迥异于过去的叙述手法，是一个难题。单就创造性地改造所依据的小说文本来说，就表明第五代导演面对黄土地充满了艺术的灵性，充满了再创造的激情。第五代导演似乎面对贫乏的黄土地更可能升腾出一股自由驰骋的想象力。面对东南都市，他们对小说文本的改编就显得缩手缩脚。《红粉》几乎是小说的视听阐释。这可能是因为第五代导演缺乏对都市的独特理解，尽管将故事安排在20世纪二三十年代，这给导演的想象力提供了较大的自由，但电影导演对都市的感触如果只能局限于小说文本之中，而不善于以自身对都市的理解去改造小说文本，那么这是电影的悲剧。鉴于此，我们希望第五代能够拍出他们自身对东南都市的个人化感受，并且超越他们的过去。

张应辉：我认为第五代的“西风东渐”可以视为他们在艺术追求上做出的一大努力，也是他们在当下新的电影环境中重新寻求定位的尝试。婴儿钻出母腹的一刹那可能是痛苦的，东向以后要获得更新的审美向度、更深的艺术追求都需要付出代价。虽然眼下他们在艺术上还是没有新的起色，但作为一种契机，人才济济的第五代导演群体已经在努力架构自身的坐标。张艺谋的《秋菊打官司》、张建亚的《王先生之欲火焚身》已经在观众眼前划过一道亮色，我想他们一定会拍出更好的作品以证明第五代的多向性思维和创作实力。

孙绍振：他们运用了一些在当时看来较新的形式和手段，对形式的探索告了一段落。文化反思是内容，《红高粱》中高粱地的视觉效果是过去没有的，这是在旷野上的手法。而一旦换到小桥流水的江南，必须有新的技术手段来表达对人性的文化理解。

颜纯钧：电影语言的更新不像想象的那么快。第五代导演近几年大大淡化的就是过去的造型。张艺谋、陈凯歌造型的意味大大淡化了，《秋菊打官司》中已经不明显了。这批导演的成就建立在他们相应的经验积累上，在西部片，他们对自身经验的发掘达到了极限。题材的变换不是自由的，艺术家对生活的立场、感受方式并不那么容易变。问题是在东部影片，除了题材变换、影像的效果变化外，还看不到新的东西。特别是文化意味越来越淡了以后，商业气息未免浓了；故事性强了，人际关系复杂了，但影片变肤浅了。对第五代导演来说，这就显得有点堕落，就不大像大艺术家的作派。东移现象，我也持怀疑态度，且拭目以待。

想说爱你不容易
——关于中国商业电影的讨论[①]

颜纯钧：大家都看到，这几年中国电影的形势显得越来越严峻了。好莱坞巨片在大举入侵，国内的文化市场又被电视等娱乐方式所分割，电影业的处境相当艰难。我觉得这几年中国电影的一大问题是没能形成一个资本运作的良性循环局面。前些年还拍了一些商业影片，特别是跟我国香港、台湾等地区联合拍片，多少赚了些钱，现在反倒又沉寂下去。这里面包含着不同层次的一些问题，我们有必要围绕中国商业电影目前的状况来讨论。

南帆：我觉得这个问题不太明确，今天为什么要讨论商业电影？是不是就建立在怎么挽救中国电影的立场上来谈？问题是不是已经很严重了？如果是真的，那倒闭一些电影厂倒是很正常的。我们的电影厂建制不是按照市场，而是按照行政区域来设立的。例如一个地区不需要电影制片厂，它却偏有一个。中国有三十几个行政区域，就有二十几家电影制片厂，或许更多一点。

颜纯钧：据说除了西藏以外，其他各省都有一家电影制片厂。

南帆：这本身跟市场不符合。如果真正强调商业，强调市场，那么市场需要几家电影制片厂，就必须做好倒闭其他一些多余的制片厂的准备。凭什么行政区域就是文化单位的划分依据呢？例如出版，不能说浙江的书只能发行在浙江，福建的书只能发行在福建。书的市场是全国性的，更不用说电影是全球一体化的。各地的电影制片厂按行政区域建制，这本身就是计划经济的产物。如果要回到电影和市场的关系，那么，倒闭一些电影制片厂是很正常的。

孙绍振：在中国，完全不考虑商业回报的电影是 20 世纪 50 年代才出现的，只有在计划经济、市场垄断的条件下才有可能长期地、不惜工本地制作这种影片。市场经济那只看

① 发表于《电影艺术》1999 年第 2 期。

不见的手，绝对是要扼杀不顾血本的盲动的。从这个意义上说，就是纯粹艺术电影，甚至探索电影，不是和计划经济联系在一起，就是和某种特殊的垄断市场经济联系在一起。

还有另外一个方面的问题。我以为，既然当代的中国已经进入商业社会了，既然中国电影已经开始被推入市场了，那么我们就要考虑，电影本身应该与过去有什么变化？是什么样的电影形态可能会更适应这样的时代要求？现在中国电影基本上是三种形态：一种是原本就有的艺术电影，一种是现在才有的弘扬主旋律的电影，一种是商业电影。奇怪的是，电影要走向市场，电影制片机构却还在拼命拍第二种形态的影片，还在几百万几百万地往水里扔钱，反倒是那种本来就定位于向市场要回报的商业电影不拍了，这是什么问题？！商业社会与商业电影之间的关联是一眼就分得清楚的。如果来研究商业社会和弘扬主旋律影片的关系，那还算得上是一个问题，现在本来不是问题的倒成了问题了，这就是中国电影的怪现状。

颜纯钧：我觉得中国导演目前解决电影危机，基本上都是采取《红樱桃》这样的方式，就是在艺术影片的框架里加进某些流行的因素，以题材的神秘感、奇观性、欲望满足来吊观众的胃口，像《风月》《摇啊摇，摇到外婆桥》《红河谷》《红色恋人》等都是这样。一方面要顾及意识形态上或个人表达的目的，一方面又要迎合观众的某种需要，把电影的不同形态或类型当作一锅来煮，这是不是解决电影市场危机的有效方式？

孙绍振：说到这个问题，历史的经验很值得总结。20 世纪 30 年代的电影工作者是肩负着革命的使命来到电影战线的，他们的任务本来是革命，但是他们又受雇于资本家，所以又不得不从票房出发。难得的是，这二者结合得似乎很不错。既很好承载了民族救亡的使命，又有相当不错的市场效果。这和当时的民族危机有关系。这种危机感不是少数知识分子的，而是广大群众的。当时没有一点抗日救亡的呼号，就很难有市场。这样的历史事实告诉我们：商业性和意识形态的矛盾是可以调和的，也是可以结合在一起的。关键是，这种意识形态不是人工制造的，而是从大众和电影家心眼里冒出来的，不存在要歪曲自己、改造自己、扭曲自己，没有不相信自己的眼睛、耳朵、鼻子的必要，在创作过程中也没有把自己的思想感情和某种标准意识形态的样板去对照的压力。服从意识形态，就是服从自己的良心，为意识形态服务，也就是为自己的良心服务。

孙绍振：这里就有一个对于商业电影来说很重要的问题：电影的商业性与社会情绪的问题。电影的商业性如果能跟社会情绪、民族情绪相结合，就不存在水火不容的冲突。一些小市民电影的商业性比较明显，如《假凤虚凰》，在谈情说爱的过程中，男女双方都伪称自己在社会有比较高的地位，互相欺骗，出了许多洋相，闹了许多笑话，耍了很多商业性的噱头，但多多少少也揭露了社会上贫富对立、世态炎凉，小知识分子在都市中的贫困和无奈。还有，当时著名的笑星韩兰根和殷秀岑体形一胖一瘦主演的《从军梦》，是模仿美国的劳来与哈台（一胖一瘦）的搭配，拍成了市民容易接受的闹剧，但其中也带着当时一些意识形态的色彩。

孙绍振： 电影没有商业性是不可想象的，没有意识形态的含量也是不可想象的。就是《泰坦尼克号》和香港的武打片也是有一定的意识形态基础的。20 世纪五六十年代政治电影和 70 年代的“样板戏”电影的虚假市场传统很强大，可以说至今没有完全绝迹。

谭华孚： 意识形态是可以分层次的。

孙绍振： 粗浅地说，商业化的意识形态的特点，第一，是与某种模式化联系在一起的；缺乏在一个时代思想前沿的探索性、创新性和突破性。第二，是在这种模式中，并不是没有任何创新。成功的商业电影多多少少在思想意识上是有一点创新的；虽然是在流行的模式中创新。从《冰海沉船》到《泰坦尼克号》，在意识形态上是有它深化、创新的特色的，这一点刚才大家已经谈到了，但似乎更多地是从意识形态内部去研究它。大家注意到了它对爱情的至上主义、爱情超越金钱这种浪漫空想，对理论前沿所强调的终极关怀来讲是退却了，但从世俗意识形态来讲，它又往前进了一步。这里有一个被忽略的问题：商业电影的意识形态创新与艺术电影不同，从认识的角度来说，它也许并不是创新，但对于社会情绪来说，它如果没有一点创新，也就不可能占领市场。《泰坦尼克号》中包含的意识形态，它的爱情至上主义，对于古典浪漫小说，对于 20 世纪 30 年代的好莱坞电影来说，并没有什么新的刺激点，但是对于 60 年代肯尼迪“解放思想”以来的欧美来说，它是新颖的，有刺激点的。30 多年的“性解放”弄得西方产生了家庭危机，艾滋病流行，使得本来就处于危机阴影下的爱情更为暗淡。在这样的社会思潮和社会现状的临界点上，《廊桥遗梦》应运而生，但是还不够过瘾，它还太现实，还不够浪漫。这种社会情绪现在被《泰坦尼克号》充分表达了，可以说是对于现实功利主义恶性泛滥的浪漫超越。商业电影中意识形态的特点，不能简单地看成是模式化的空壳，要看到它在模式化的空间中也可以说有一种“召唤结构”，这种“召唤结构”所召唤的是社会情绪的潜在热点，其特点是时效的相对短暂性。当然，任何一种艺术都有它的时效限度，但商业电影的时效周期更为短暂。同样一种思想情绪，在一年以前可能大获成功，在一年以后，甚至几个月以后就可能全军覆没。在模式中创新除了意识形态的内部机制更新以外，这种外部时间、地点上的猝然遇合也是同样重要的。

张煊： 艺术的时效性与时代背景及政治时尚、文化时尚互为关联。

孙绍振： 商业电影有它本身的东西，包括意识形态的特点。它的内部特点和外部特点都很值得研究。而我们往往一提起意识形态，就以为是教条。

孙绍振：不过我们也不能把问题简单化了，紫禁城影业公司的《离开雷锋的日子》除了配合“向雷锋同志学习”题词 20 周年外，还有其他一些东西。这里不能忽略一定的意识形态的历史反差。如果它完全讲述一个陈旧的故事，完全以当时的价值观来拍，就像福州白马河公园里 20 世纪 60 年代的雷锋雕像一样不协调。而影片还有一种从现代观念来审视的一个奉献故事的意义。就此而言，它在处理商业性与意识形态的矛盾上是比较成功的。不过，它还借助了目前没有消失的政治化、组织化的意识形态市场的巨大份额。这种市场是一种扭曲市场，生命力是有限的。

向声言重拍《水浒传》者进一言①

电视连续剧《水浒传》把家喻户晓的传奇领袖宋江，表现得极其窝囊、猥琐，引起的反感是如此强烈，以致中国水浒学会和河南宝贵影视有限公司已经筹备重拍；水浒学会副会长张国光将作为该片的顾问。他们的主要观念是宋江不是叛徒，相反，以宋江为首的梁山好汉是“人民心目中忠义双全，有胆有识的农民起义英雄”。为了充分表现这一点，他们不用一百二十回本《水浒》，而选择了七十回本《水浒》作为改编的底本。

事情正在走向另一个极端，不由得我不担心：耗资 1500 万元以后又将出现一个光彩夺人的理想化、概念化英雄。长期以来，影视评论大都是在作品拍摄完毕以后，以“马后炮”的形式出现，这一次，天赐良机，我且在张国光教授马前放一炮。

电视剧《水浒传》改编者对宋江的评价如此之低，其实质是囿于政治的实用价值，而忽略了审美价值。一些论者敏感地指出了其中有“批林、批孔、批宋江”的影子，据我看，还有与《水浒》唱对台戏的《荡寇志》的影子，尽管二者有根本的不同，但是，从政治上延伸到道德上对宋江加以尽情糟蹋是一致的。

且不说审美价值，就是从政治的角度来看，电视剧《水浒传》的编导的理解也是很肤浅的。他们忽略了最后受招安的深刻根源并不是宋江个人的卑怯，而是“农民起义”(《水浒传》是不是表现“农民起义”另当别论，也许可以说是脱离了土地的农民和城市游民以及在野的官家人士的起义）的历史局限性。李自成、张献忠都曾受过招安，黄巢也为招安进行过讨价还价。不受招安，最多也不过是像李逵那样幻想的“杀到东京，夺了鸟位，晁盖哥哥当大宋皇帝，宋江哥哥当小宋皇帝”，充其量也就是像朱元璋那样重新建立一个换汤不换药的专制政权而已。何况，梁山当时的力量根本不可能实现这样的幻想。因而连武松、林冲他们在上梁山前后，也有过“一枪一刀，博得个封妻荫子”的想法。小生产者对起义、

① 发表于《文论报》1998 年 10 月 8 日。

对前途的暗淡感，对于多数头领（以李逵为代表）来说也许是朦胧的，但是，作为宋江这样的“第一把手（第一把交椅）”却是不能不深谋远虑的。正是因为这样，受招安不但有一定思想基础而且有群众基础。这一点，我希望河南宝贵影视公司和张国光教授在重新改编的时候不要回避。我现在很有点杞人忧天，再次改编，如果单纯地从造反有理的角度出发，把七十回以后的篇幅和受招安的潜在思虑一起生硬地割掉，塑造出一个金光闪闪的、现代化的理想农民英雄形象，同样很难为观众所接受。

张国光教授强调了宋江在水浒英雄中的崇高地位，这是不错的，但是，这种崇高的理解不能停留在表面情绪上，需要作深层次的分析。《水浒》原著反复渲染了对于宋江的人格崇拜是绝对的，无条件的：不管是谁，不论在什么地方，一听宋江的大名，马上“纳头便拜”。这不仅仅是艺术夸张，而且是因为宋江代表着水浒英雄的一种社会和人生的理想。他们反抗的，从表层来说是贪官；从深层来说，是一种社会和人生的不平。这种不平的根源在于：第一，政治权力等级；第二，财产贫富不均。这是“王法”所保障的。贪官不过是在法律允许的范围以外恶化了这种不平而已。

从消极方面来说，梁山英雄反抗的是贪官；从积极方面来说，他们的理想是铲除不平，达到一种平等的社会理想。为了实现这种理想，有两种办法：一方面让那些财富多余的人，主动地把钱财奉献出来，这就叫“仗义疏财”；另一方面，就是具有超人的勇力和智慧的人，主动把力量和智谋奉献出来。劫富济贫，是经济上的；路见不平，拔刀相助，则是政治上的。“杀尽不平方太平”。所有能够这样做的人，都叫作“义士”。不管是忠义堂还是聚义厅，都是以义为最高原则的。在江湖上，被无条件认同的这种义的原则是与官方所奉行的权力和财产的等级制相抗衡的。“替天行道”大旗下所建立的，就是这种义的理想国。在这种理想王国中，人人在精神上都像兄弟一样平等，但也不是没有等级，不过不是以财产和政治权力，而是以义的程度来划分。在两类义士（仗义疏财的、拔刀相助的）中以仗义疏财者占有最崇高的社会等级。因此，毫无武功的宋江占有了第一把交椅，对于梁山事业毫无贡献的卢俊义也占了第二把交椅。这不仅是一种军事等级，而且是一种道德荣誉。道德感召力作为团结的旗帜远远要超过军事的约束力。

显然，与其说这是一个空想的政治王国，不如说它是一个现实的道德王国。义的道德律令决定了一切：它不仅是政治旗帜，而且是一种执行纪律的森严规范。它的最大作用在于保持农民起义思想上的内在凝聚力，即使投降，在组织上也要保持统一。

就水浒英雄投降状况来看，有一个非同寻常的特点。他们不是像历史上许多农民起义那样，在军事上面临败亡，组织上发生分裂之时，而是在军事上获得节节胜利之时，保持了组织上的完整走向投降的。在《水浒》的作者看来，投降固然是悲惨的，但是实现了同生共死的义的誓言，忠于义的原则比之暗淡的死亡更为光辉。这种义的英雄主义，在进行反抗的时候是很光彩的，改编者是容易注意到的；可到了走向悲剧的结局的时候，就被粗心大意地忽略了。其结果是越是到了悲剧的结局，本该越是丰富、复杂，也越是有戏的地方却越是被弄得简单、肤浅，越是煞风景。原因在于，改编者到了这里满足作政治上的判决，而不是作艺术上的发掘。

正是因为忽略了这一点，孤立地强调了投降主义，电视剧《水浒传》的改编者把宋江刻画成了一个窝囊废，其他英雄好汉也无例外地演成一批武打机器。

义的崇高性被影视剧的第一轮改编者忽略了，然而，这种义的卑琐性也可能被声言重新改编的人士忽略。如果不看到这种义的盲目和凶残，再次改编也可能走向肤浅的美化。

应该看到，梁山英雄的崇高是从义的观念中产生的，而卑琐的方面也是从义的观念中产生的。导致他们走向毁灭的根源不在于宋江一心想投降，而在于空想的义原则的内在的矛盾。在梁山义的王国中，享有最高的权威的是最主动地仗义疏财的义士，而那些拔刀相助的义士常常是跑龙套的角色。但是，越是仗义疏财的义士就越可能是最大的财主，而财主恰恰又是经济上、财产上不平等造成的。财产的不平等，又造成了文化上组织才能上的不平等。武松、解宝、解珍、李逵等等（大都是失去了土地的农民），在个人搏斗方面是真正的强者，但是“替天行道”的大旗恰恰是为了把个人的搏斗变成集体的武装斗争而树立的，因而它不能没有思想的统一性和组织的约束力，恰恰是在这一方面，这些真正的强者变成了没有头脑的弱者。他们不但不能为自己的事业树立意识形态的大旗，反而常常不能约束自己具有破坏性的自发行动，他们的反对招安也就不能成为一种组织力量，而是个人的盲动。

不能把历史的功绩归功于个人，同样，不能把历史的挫折归咎于个人。即使是投降了，也还是一个主动的，其英雄精神具有历史深度的悲剧。

宋江是这个义的平等观、义的道德律、义的社会理想的代表，他成了义的人格的一种精神典范。

宋江和许多拔刀相助的英雄最大的不同在于政治上的自觉。宋江具有大将风度，下棋看五步，他的一切现场表现大都不是为了现在，而是为了未来。早在和造反英雄发生任何关系之前，他就和他的父亲脱离了父子关系，在父亲家里挖了一个随时可以藏身的地窖。他结交江湖上的好汉，形成自己的势力，也不是为马上造反，而是为了未来。他有政治上的雄心大志，不过，在一般场合，他掩藏得很深。他反反复复动摇，凡事总是留下后路，这不仅是由他的社会地位决定的，而且是出于政治谋略的考虑。甚至到了“三山聚义打青州，众虎同心归水泊”，他还是走到半路又开小差了。他的个性特别鲜明的一个侧面，就是政治化的复杂思虑：即使在轰轰烈烈的时候也想到下一步的出路。所有这些反复都使他的形象充满了丰富的矛盾：他一直避免造反，可是他又甘愿为掩护造反者承担最大的风险；他最不像一个坚定的造反派，可是他却有最深刻的造反战略。

艺术感受力精致的读者，谅必不会忽略《水浒》的定稿者，每逢写到李逵，并不是像对宋江那样强调其正剧的崇高风格；相反，往往是伴随着喜剧性的调侃。他任性而天真，自作聪明常常造成弄巧成拙的荒谬后果。李逵的荒谬性总是在宋江理性的目光俯视下，这种目光是批判性的，同时又是充满人情味的、喜剧性的。这一点正像夏志清先生在评论《三国演义》时指出的“关公老是在诸葛亮更为睿智的审视之下”一样，没有宋江人格权威作为理性规范，没有宋江的绝对权威作为纪律约束，英雄们在反上梁山以后的打家劫舍与土匪、强盗是很难有根本的区别的。

然而宋江并不是诸葛亮，却享有着比诸葛亮更绝对的权威，悲剧就是这样产生的，而且没有任何力量可以克服。这就是在一百回本和一百二十回本中所表现的，也是声言重新拍摄的编导们不应该漠视的。

这是因为，义的原则本身就带着某种程度的盲目性，带着某种行帮性质。其破坏性在今日以行帮为基础的黑社会中仍然不难看到。正是这种思想上的盲目性和组织上的行帮性，和神化了的（和九天玄女娘娘沟通了的）宋江的个人崇拜融为一体，导致了梁山事业毁灭的不可避免性。宋江的错误决策没有引起整体的抵制，没有导致组织的分裂，相反被全盘接受，保持着组织的完整，走上征讨方腊的道路，这带有某种必然性。所有这一切都显示了宋江形象的丰富内涵：他在政治上是最理性的，同时他在义气观念上又是最行帮的。他的可爱就在于不管他是处在什么样的危机之中，不管他是如何盘算梁山的前途，他都不由自主地把义的观念，兄弟们的出路放在自己的命运之上，他自始至终都是在两个极端中徒劳地挣扎。理性的一面使得他作出了最窝囊的选择，为梁山的前途着想使得梁山兄弟走向死亡，他的人格魅力使他成为梁山的精神领袖；甚至他所犯的错误也都把义的原则，亦即组织统一的原则、牺牲个人的原则（让李逵喝毒酒就是最为突出的一例）推向了极致，也推向了毁灭，这种毁灭不但包含了李逵，而且包含了他自己。

他像一炷精神火炬，当火炬烧到他自身的时候，他没有逃脱，还把结义的兄弟抱在一起，不惜以全体的毁灭来成全义的不能同生、但愿共死、行动一致的庄严的信念。

虽然这时，这把火炬的思想光辉暗淡了，而且发出刺鼻的气味，但是为信念而自毁的精神仍然放射着光芒。不管是他的光华还是他的浓烟都构成了中国传统精神文化的一个历史坐标，我们只能肃然起敬，虽然也不无痛惜。

从审美价值来说，即使宋江政治上是一个“投降派”的代表，也不是在艺术上丑化他的充分理由。作为一个文学形象，即使他是一个政治上的反面人物，也决不意味着他就是一个猥琐的家伙。反面、正面人物只能说明善与恶的分别，但是善与恶属于道德理性，政治、道德的恶并不等于审美的丑。它与审美价值既有统一的一面，同时又有错位的一面。当实用理性价值和审美价值统一的时候，作者是容易把握的；但光是这样，很难显示出作者的才华。对于改编者艺术功力的考验，在于政治的实用价值和艺术的审美价值错位的时候，对二者的错位关系的把握，有更大的难度，需要更大的才华。

《水浒传》电视剧的编导在美学上犯了一个基本的错误，这种错误之所以不可原谅，是因为很肤浅，死死地从政治的实用价值上去评价人物，在美学原则上就大大地落后于当代文学乃至电视文学已经达到的水平。在这方面，导演的肤浅比之编剧、演员，更为触目惊心，居然为宋江设计了女人式的小碎步，在外部动作上把一个深刻的历史悲剧英雄丑化为一个精神上的武大郎，这不但浪费了演员李雪健的才华，而且也暴露了编导是如何地不知顾惜来之不易的投资。但是，我要劝告即将投资第二次拍摄的河南影视有限公司和张国光教授的是：如果无视宋江渺小的一面，反其道而行之，把宋江写成一个“高大全”式的人物，那也可能第二次把电视剧搞砸。

对于艺术家来说，任何人物，首先不是英雄还是狗熊的问题，而是活生生的人的问题，就是有什么绝对的反面人物，也应该有和正面人物同样的权利展示自己感觉、情感、思绪以及自己的意志、才智、幻想和他独特的行为逻辑，他的心灵也应该有立体空间。如果单纯用政治上的反动和进步，英雄和狗熊来划分，就意味着把人物平面化，甚至单线化，不管有多么值得同情的雄心壮志，也不能逃避对自己才智的自我扼杀。

第一次改编是把宋江渺小的方面强调得过分了，出现了一个窝囊的宋江；第二次的改编者，如果完全不顾宋江比较渺小的方面，就很可能又一次浪费投资，制造出一批光彩照人的纸人纸马来。

贬低宋江和抬高宋江，两种倾向表面上针锋相对，可是在美学思想上，一味从政治出发，忽略英雄人物审美价值，则是如出一辙。

1998 年 8 月 20 日

突破和败笔

——电视剧《大明宫词》的可喜和可叹

《大明宫词》对于电视剧，尤其是古典宫廷题材的电视剧无疑是一个突破。

在电视剧中，用如此现代人的价值观念来表现历史人物，这还是第一次。它明显和前几年刘晓庆主演的《武则天》形成对照。《武则天》追求的是传统意义上的历史的价值，它和许多历史题材的电视剧一样，对于历史政治人物，习惯于从政治价值上衡量其功过。因而笼罩着整个《武则天》的几乎只有一种话语体系，就是政治话语体系；唯有一种价值观念，那就是政治的、功利的价值观念。

这不仅仅是《武则天》，而且是许多历史题材的电视剧乃至电影的共同倾向，举个最近的例子，就是《雍正皇帝》，好像舍此之外别无他途。

《大明宫词》剧作家的勇敢就在于，在价值观念上和一般的历史题材的电视剧拉开了距离。它不从古典的政治立场来表现历史人物，而是从现代人的存在哲学来提出了一个相当深刻的问题：权力和人的生存的关系，特别是权力的争夺和人的生命价值之间的矛盾。

在《武则天》中，武则天是政治实用的辉煌象征，而在《大明宫词》里武则天的权力价值就遭到了太平公主自始至终的挑战。武则天在政治权力和争夺上是成功了，而且成就了辉煌的业绩。为了突出这种辉煌，《大明宫词》有意地淡化了武则天执政期间残酷的杀戮，一系列的文治武功淹没了王朝更迭的血腥和凶残。身处政治权力的顶峰，武则天无疑在政治业绩方面，可以算是一个成功人物。但是，身为一个女人、母亲、妻子，她却是孤独的，生活在无爱的荣华之中。她没有丈夫的爱，也牺牲了亲子之爱。她利用权力本是为了女儿获得幸福，但却导致了薛绍和太平公主之间惨烈的悲剧，以致她自己最为疼爱的女儿处处与她作对，和她作生命的较量。

太平公主，这个形象所引出的是与政治价值相对立的生命主题。太平公主主观上不为权力而生活，而是为了自己的情感而生活。与太平公主从另一个侧面对比的，则是她童年的友伴韦皇后。这是一个为权力欲所异化了的自我毁灭的形象，为了权力，她竟不惜杀死自己丈夫。

如果满足于简单地对比，可能变得相当概念化。《大明宫词》的难能可贵之处在结尾处表现得最为明显，就是纯情的太平公主也没能实现自己的人生追求：她不能脱离绞肉机一样的政治环境。她越是为情而活，下场越是悲惨。最初她的爱情是毁于分享最高权力的母亲，最后她赖以生存的亲情又毁于她所视为生命的、视同已出的儿子崔缇。崔缇的形象是一个副主题，是韦皇后的副主题的延续。他为了让自己所爱的人——太平公主走向最高权力顶峰，在道义上完全毁灭，不但毒死了小皇帝，而且还毒死了即将即位的李旦，为了进一步扫清太平公主登基的障碍，又去谋杀自己的密友李隆基。

李隆基深刻地理解太平公主，尽最大可能让她避免登上权力顶峰，而这一切导致了他和崔缇的冲突。两个最爱太平公主的人，因此而势不两立，最后一死一伤。

最后悲剧的结局，不但在价值观念上，而且在编剧艺术上，很有水平，很有深度，很精彩。不少评论由于没有看完全部电视剧就匆促为文，往往只是皮毛的感想。

《大明宫词》是很有思想光彩的，但是，这样的思想，这样自觉的人的生命哲学，这样明确的价值观念，显然是相当现代化的。把这样的观念放到古人，尤其是宫廷贵族内心去，需要将历史真实与艺术的虚构水乳交融地结合在一起，这在艺术上可想而知是一个相当艰巨的任务。很可惜，《大明宫词》的编剧和导演对这一点却莫名其妙地掉以轻心。他们没有像电视剧《武则天》那样，十分细致地追求全面的历史真实，相反却粗野地践踏历史。对于历史人物毫无节制地虚构，达到了胡编乱造的程度。

睿宗李旦在历史上并不是被什么人毒死的，而是登了基，当了几年皇帝，封李隆基为皇太子，后来又让他监国，最后是禅位于李隆基的。取消了这一点就使中国帝王历史年表发生空缺。我们国家有悠久的历史演义的传统，但是到现在为止还没有一个作家自由化到随便取消一个皇帝的程度。剧中其他一些情节，于史无据的虚构，也相当离谱。如在反韦后的武装政变中，崔缇一刀刺进李隆基的腹部；又如，帮助李隆基发动军事政变的，的确有太平公主的儿子，但是他的名字叫薛崇简，和崔缇绝对是两个人，等等。这样的虚构即使避免了，也不至于对剧本有多少损害。观众完全有理由怀疑：如果历史事变的关键可以任意捏造，历史人物的号召力和市面上的假货还有什么根本的区别？

艺术的力量当然在于“逼真的假定”。如果光有了假定，而毫无逼真可言，是不是有损于艺术可信度呢？这本不是个问题。但是，近年宫廷戏影视剧高产，《还珠格格》现象冲击了人们的艺术真实的观念。但是，《还珠格格》毕竟不是历史戏，其传奇性质和幻想性质还有游戏性质，对于虚构有较大的宽容度。《大明宫词》却不是历史的戏说，而是观念比较严肃的历史戏。历史人物的虚构在一般观众中可以蒙混过关，但是在现场表演和对白中，要把现代的生命观念化为古代贵族的行为方式、性格逻辑，起码的真实感是可信性的条件。

然而，《大明宫词》的编剧和导演却没有耐心在这方面付出心血，他们走了一条捷径：让人物把自己的内心的情感有系统地宣泄出来，还美其名曰：莎士比亚式的对白。这种莫名其妙的自我吹嘘，掩盖不了《大明宫词》在艺术上的严重的虚假。司马光在《资治通鉴》中肯定武则天“挟刑赏之柄以驾御天下，政由己出，明察善断”，可是，在《大明宫词》中，武则天公开在大臣面前让男宠大摇大摆，在宫廷中大叫大喊什么永恒的爱情之类的胡话。即使他肆无忌惮地烧毁了国家大礼堂，亦不加追究。其实政令很是严明的武则天就曾经杀过自己的男宠，而薛怀义那样的人物并不是一个无聊的小丑，他是有带兵打仗的才干的。

就是不从历史的真实的角度来考察，《大明宫词》的败笔也比比皆是。这种败笔不仅仅是由于历史的随意性，而是出于对不同艺术形式的审美规范之间的巨大差异的藐视。这种藐视在电视剧中并不鲜见，但是达到《大明宫词》这样荒谬的程度，还拉莎士比亚的虎皮来遮羞是少见的。不管是太平公主和薛绍，还是她和武则天之间的对白，也许可以令人想到莎士比亚的对白和独白，但是，莎士比亚的权威艺术声望帮不了《大明宫词》的忙。莎士比亚的剧本是诗剧（五步无韵素诗——blankverse），在歌剧、诗剧里，在京剧里，人物可以有系统地剖析自己的心灵。罗密欧初见阳台上的朱丽叶，可以大声朗诵：我的太阳！但是在生活里这样做，可能被误解为流氓；在电视这样追求微观逼真的艺术中，可能令人肉麻。

这本来是常识，可是近来的电视剧目，似乎有点走火入魔，越来越无法无天，完全是把观众当阿斗。本来是以商业的炒作来愚弄观众，反复炒作，便不觉得炒作，没想到反过来愚弄了导演和编剧自己。

2000 年 4 月 21 日

电视谈话节目的悬念和灵魂的深度

谈话节目兴起在20世纪90年代，可以说是盛极一时，尤其是地方台竞争力逐渐加强了以后，呈现了风采各异的局面。但是，观众在多样化的选择面前变得越来越喜新厌旧，节目的更新速度总是跟不上观众兴趣的变化。往往是一档子很有创意的节目，也只能风行一年、两年，如果没有太大的变化，就可能受到观众冷落。最明显的就是崔永元主持的《实话实说》，初出来的几年，众口交誉，奔走相告，过了几年，就不免有些挑剔的言辞了，不那么红火了。

福建省的节目自然有许多颇有轰动效应的，如东南台的《银河之星大擂台》，在本省的反应并不见得有多强，但是到了外省，就令人自豪了。不过美中不足的是更新的速度和力度，还不能尽如人意。等而下之的当然也有，像某电视台几个主持人，随便抓一个题目，没有什么特别的准备，也没有专门的修养，有一搭，没一搭地闲聊，这样低水平地模仿港台节目已经引起了许多观众的烦厌。

就在广大观众期待创新的急迫心理变成有了一点疲倦感的时候，没想到真正的创新节目一下子冒了出来。

看了《有你有我》第一档节目，打假尖兵王海与他打官司的对手的唇枪舌剑，强烈的新鲜感扑面而来，观众习惯了的谈话节目的模式在这个节目中遭到了挑战。

一般的谈话节目比较平静，节目主持人和坐在台上的嘉宾，轻松地发表评论，不管是相同的意见还是不同的见解，不管是友好地交谈，还是有某种程度的争辩，都不过是一种看法，一种见解，大体都是神聊海侃一番。其特点是温文尔雅，保持着某种距离感，与自己人格灵魂并不能直接发生关系，反正这年头，商品和话语同样供过于求了，碰到任何事情，谁没有一套自己的看法啊。观众也保持着一种距离感，他们欣赏的只是嘉宾的思路和观点，还有主持人的口才。

妙语惊人也好，故作蠢言也好，都无损嘉宾的地位形象。

但是《有你有我》却有一点出格：表面上是谈话，却并不就某一个观点发表不同的看法；王海和南京的那家公司的代表，不但观点有对抗性，而且他们的利益、他们的品位和灵魂都有层次，有点刺刀进深的味道。两个互相敌对的，正准备在法庭上见的当事人，在事先毫无思想准备的情况下，在摄像机面前展开了辩论——但是这又与大专辩论赛不可同日而语，这是触及灵魂的，每一次答辩都把自己的灵魂暴露在观众面前。

正是从这样的节目中，我们感到了商品大潮对人的心理的冲击，同时也感到了一个打假的“英雄”其内心深处的微妙。这是在一般谈话节目中不可能看到的。

整个节目具有空前的紧张度，不但观众不知道下一层次如何，连他们自己也不知道下一步将会如何应对。这就有了一点戏剧性的悬念，而在经过了一番唇枪舌剑之后，还拒绝握手，把悬念提高。整个过程中充满了悬念，在悬念中相当有层次地揭示双方的灵魂，不但有戏剧性而且有心灵的深度，是这档节目最值得称道之处。

不论从揭示人物心灵深度还是从悬念的戏剧性来看，这都是当前电视谈话节目的一大突破。

主持人：美人出丑和丑人出美

由于写了一本关于幽默方法的书《你会幽默吗》，又加上《镜报》的介绍文章，我居然被中央电视台当作幽默专家被请到那里去合作拍摄一部教人学会幽默谈吐的电视片。在拍摄过程中正巧中央电视台奖励节目主持人的晚会播出。晚会的主持人之一，是一个漂亮得耀眼的女郎，据介绍是广东最漂亮的女主持人，曾经主持过亚运会的晚会。

但是这个漂亮女郎却出了一次不大不小的洋相。

洋相出在她对台湾著名节目主持人凌峰的介绍。凌峰是个光头，五十岁上下，其貌不扬，甚至可以说有一点“丑”，他一上台和女郎握手说：“很高兴，又见到你。很不幸，你又见到我。”然后他转向观众，说“掌声，随便”。其结果是掌声大作。这时，女郎完全没有意识到凌峰在运用幽默技巧，使得观众与他之间形成了一种无声的交流，或者用凌峰自己的话来说，叫作他与观众之间的“互动”。我是研究幽默技巧的，我自然明白，凌峰善于利用他长相不好的不利条件，进行自我调侃（特别是他的光头），以缩短自己和观众之间的心理距离。他一调侃自己，观众就笑了，他与观众之间的距离就消失了，所以有人说笑是心灵之间最短的距离。

早在几年前，他在春节电视晚会上第一次亮相时，就用过自我调侃的方法，夸张地嘲笑自己的长相，赢得一片掌声。他把帽子脱下来露出他光得发亮的头说，他来到大陆走遍长城内外，大江南北，受到男同胞的热烈欢迎，可是却使女同胞感到“忍无可忍”，底下一下子哄堂大笑起来。今年这一次，他仍然利用他的长相来构成他与观众的心灵“互动”。不过，他在自我调侃之前，先来一个小插曲。他把那个那么年轻、那么漂亮的小姐称为“老人家”，而且连称了两次；第一次，女郎没有反应过来，第二次则更糟，作出了错误的反应。她说：“你称我为老人家，我心都发颤了。”看到这里，我就感到凌峰的幽默感对观众起了作用，而对这位漂亮女郎则如水浇在鸭子背上。

其实，凌峰在这里用个最起码、最浅层次的幽默技巧，在我的幽默体系中叫作“颠倒黑白”，或者叫作“指鹿为马”，也就是心照不宣地名实不副。这种幽默是一种超越逻辑的“歪理”：是不能以常理去应对的。然而这位女主持人却有点傻乎乎、死心眼，说什么“心里发颤”之类，这句话完全没有幽默感，本来她只要歪理歪推就成。歪理歪推最简单的窍门就是违背人所共知的事实，不要那么一本正经，而是把事实歪曲一下，他叫你“老人家”，你就叫他“小朋友”好了，比如说：“我老阿姨看到你这样的小朋友就有一种返老还童的感觉。”这样讲至少比“心里发颤”要漂亮一些，智慧一些，心态自由一些。可是这位小姐显然没有任何幽默谈吐的训练，就这样被动地、懵懵地站在那里展示自己心灵的贫乏。

凌峰接下去拿出了自己的看家本领，开始调侃自己的长相了。他对漂亮女郎说：我这个人主持节目，比起别人来有一种“优越性”。这本来是一句反话，可这位女郎仍然没有听懂，居然“嗯”了一声表示同意。接着凌峰说：因为我的长相使得大陆男同胞一个个“自命不凡”起来。话没有说完，台底下掌声雷动，说明听众完全领会了他的自我调侃。凌峰即兴发挥对女郎说：“你看你看，这些自命不凡的都在这儿。”于是欢声四起鼓掌声更加热烈了，这时候，凌峰完全达到了他追求的目标，他与观众之间心灵积极地“互动”起来，台上台下的距离完全消失，达到心心相印的程度。

很可惜的是女郎到此仍未醒悟过来，在接下去的一轮对话中，完全惨败，以致凌峰不得不轻轻提醒她：你理解错了我的意思。

看完这次晚会以后，我的第一个感觉是节目主持人的素质要提高，不提高素质，光是讲究脸蛋漂亮，其结果是在高素质的对手面前免不了演出“美人出丑”“丑人出美”的喜剧。其次，幽默的研究要深入。目前有关幽默的书出了一百多种，但大多是中外笑话、故事集锦之类，只有极个别是研究幽默理论的，但大都写得很玄。很少把幽默的研究推进到实用的层次，想到这后，我不禁惭愧了，从某种意义上说，我们这些幽默的研究者是没有权利去责怪那个漂亮的女主持人的，我们中的有些人把理论写得那么玄乎，本来很幽默可爱，经我们一写反变得可恨了。

赵忠祥和“泡沫明星”现象

赵忠祥和山东记者张琳（揭露他借文化之名作商业炒作）的官司，终于和解了，撤诉了。赵大叔那第一金牌主持人的霸气，泄了一半。从气势汹汹变得彬彬有礼的关键是，北京十个文化大腕给张琳写了一封信，鼓励张琳继续写，反映真实情况。显而易见是给张琳鼓气，明明白白站在张琳这一边的。赵大叔从中得到了信号，不能跋扈下去了。这是一个好兆头，不能不称赞赵大叔明智，真是识时务者为俊杰。但是，他是不是真正地总结了教训，从此就把自己放到了恰当的地位上？很难断言，至少在目前，他还给人一种就事论事的印象。

毫无疑问，这是大众文化中普遍的“泡沫明星”现象。有许多深邃的人生道理需要总结。问题不能孤立地看。为了把问题说清楚，我们不得不联系到与此风波毫无瓜葛的宋世雄先生。

记得前几年《羊城晚报》“娱乐世界”版上曾经连续两次发表了批评宋世雄先生的文章，说他在担任亚特兰大奥运会主播期间，除了报告一些新闻消息之外，几乎全是一些慷慨而空洞的东西。“宋老师”所擅长的一些运动员的身高、体重（还不知是否是从电脑资料上念下来的）已经应付不了广大体育爱好者。最后的结论是“该换人了”。

人生也真有点残酷。宋世雄先生20世纪60年代开始在北京电视台（中央电视台前身）播音的时候，一台黑白电视机500元，就是在月入在三四百元的大学教授家里也是很稀罕的，与之相应，球迷的水平也有点可怜，有点傻气；说得直率一点，那时的观众是比较好糊弄的。宋先生就碰上了这样的千载难逢的大好时机。他是中国电视广播第一代明星张芝先生的弟子。张先生口齿伶俐，语言比宋先生流畅、自如得多。60年代初张芝先生解说在北京举行的第26届世界乒乓球锦标赛，时常有如诗的妙语。徐寅生对付日本运动员星野放高球，连扣十三大板，张芝的形容是“像拍苍蝇似的”，对原联邦德国运动员绍勒尔的发球的形容是："像烟一样地飘过来。"当时电视机很不普及，大多数球迷只能从收音机里聆听，因而张芝先生也就没有今天宋世雄先生这样名满九州的幸运。宋先生的优点是嗓音响亮、有激情，可在语言的生动方面，比他的老师大为逊色。但是，时势造英雄，电视机的普及使他名震遐迩，享尽成功人士的精彩。

宋先生本来是以讲解乒乓球而出名，随着当代体育热潮的高涨，他的名声却超越了专长。在随后的几年，不知不觉之中，他成了第一号体育解说明星，给人一种万能专家之感。有一段时间，几乎所有重大的国内和国际比赛似乎非宋先生莫属。但是，以火箭速度发展的体育运动也以卫星的速度提高着全国球迷的体育科研水平，这就使广大热爱过宋先生的听众逐渐感到不过瘾。非常可惜的是，在这样关键的时刻，宋先生没有清醒地意识到自己，从根本上来说，难逃盛名之下其实难副的规律，很快成为"泡沫名人"。

宋先生实际上已经落后于形势，更严峻的是一代新的讲解员如孙正平、韩乔生已经成长起来（在足球方面还有张璐），他们的修养和水平、幽默感，已经超过了宋先生，这时宋先生的"泡沫名人"效应却大大膨胀起来，他仍然占据着最重要的体育焦点席位，这就不能不激起观众的烦厌之感。然而，不但宋先生，而且连传媒，对此都没有感应。前几年连浙江省小百花越剧节都要请宋先生去主持。宋先生对于越剧毫无修养，他那满脸的沧桑，在满台丽人之中，实在显得不伦不类。在这样多少有点滑稽的情况持续多年之后，无情的辩证法使得人们对宋先生反感达到相当情绪化的程度。《羊城晚报》曾报道说，北京有人一听到宋先生那慷慨激昂的声调就把电视机关掉。

社会心理学上的马太效应造成多少"泡沫明星"，但是，达到名实不符的极端就走向了反面：现代大众传媒加速了"泡沫名人"的兴趣，也加速了其衰亡。不是名气越大越是受到宠爱，而是越是出名越是惹人烦厌。其实，宋先生的水平并不见得有多差，只是名与实之间的矛盾太强烈，就特别容易激起反感。人们为什么不去挖苦水平比宋先生低得多的黄阿原呢，因为黄没有宋先生这样大的名声，并不占据大众视线的焦点。

这种现象之所以值得谈谈，并不是因为宋先生有什么特别的重要性，而是因为这在各行各业有普遍性。这在我们这样一个有着长期论资排辈传统的国家，这是一种特殊的文化现象，权威和年龄之间的正比关系被视为天经地义。

电视主持人的水平常常是在青年时期创造的，在创造力最强的时期往往很难得到充分的认同，而到了中晚年，明明相对甚至绝对水平已经下降了，乃至落伍了，可是其权威性却大大地提高了。这种现象在一切领域里可以说是铁的规律。此外，在电视行业中，成就往往很难有直接的可比性。由于地缘政治学上的优势，中央电视台的主持人的成就和同行很难有基本公平的可比性，因而其名人的"泡沫性效应"一旦显现起来，令人感到分外荒谬。

这几年来赵忠祥越来越遭到观众挑剔的根本原因是他的泡沫性日益显露。赵忠祥即使在他最红的时候，成就不过就是在播音和朗诵方面。他的真正创造和他的名声之间差距比之宋世雄还要大得多，而赵忠祥为一时的虚名迷惑了。从他出书（注意：我回避了说他“写书”——原因由读者自己去想象）的那一刻起，这种矛盾就越来越激化。当他出到第二本书的时候，已经没有什么正面效应，相反，在明眼人看来，除了暴露他的弱点以外，不可能有任何其他的后果。赵忠祥太迟钝，自从有了崔永元、白岩松以后，他的神话就结束了，泡沫早就破裂了。赵忠祥和那些真正的主持人来比，就根本不大像一个主持人了，充其量不过是一个有特点的播音员而已。他和倪萍在春节联欢晚会上的表现更像是一个司仪。

这一点道理足以解释倪萍以自己的名字命名的访谈录惨遭失败的必然。

这是用多少明星自述的发行量来掩盖也是无济于事的。

我想，任何作出过成就的人，不管是出了名的，还是没有出过多大名的，都是一样，迟早都要碰到这种尴尬的处境。凡是有头脑的智者，都应该从宋世雄—赵忠祥现象中得到教训，我想最佳的选择是及早为年轻人铺路而不是等到人家喊“让道”“换人”“下课”才开始感到困惑。至于遭到观众挑剔，不是反躬自问，而是靠打官司来挽救自己的名声，那只能越来越暴露自己的浅薄，在这方面，余秋雨比之赵忠祥有底气多了。

探索福州城市建筑的文化历史个性[①]

从宏观历史的眼光来看，在建筑文化方面主要是西方的，因为他们是主流的、强势的。他们有一个城市美化运动，可以追溯欧洲16到19世纪的巴洛克城市设计，经典的例子包括拿破仑三世的巴黎重建和维也纳的环城景观带的建造。真正全面的城市美化运动发源于美国，始于1893年芝加哥世博会，随后以城市的中心地带的几何设计和唯美主义为特征的“城市美化运动”席卷全美。

城市美化运动作为一个专门名词，出现于1903年，其发明者是美国专栏作家Mulford Robison。他借芝加哥世博会的契机，呼吁城市的美化与形象的改进，倡导以此来表示解决脏乱差的问题。后来人们便将所有城市改造活动称为“城市美化运动”。

当时城市的美化在性质上是古典主义，强调把这种城市的物质环境和社会秩序道德统一起来。在20世纪前十年中，“城市美化运动”不同程度地影响了几乎美国和加拿大的主要城市。

这个美化运动在美国虽然只风行了16年（从1893年的世博会到1903年的美国第一届城市规划会议），但是这一阶段在城市规划和景观设计史上有重要作用。从积极的方面讲，它促进了城市的设计专业和学科的发展，改善景观和城市规划设计，促进了人才专业队伍的形成。从倡导者的愿望来说，“城市美化”应该包括以下几个方面的内容：

（1）城市艺术，包括建筑、灯光、壁画、街道装饰。

（2）城市设计，即将城市作为一个整体，为社会公共目标，而不是个体的利益（如中国的私家园林）进行统一的规划。融合纪念性和整体形象及商业和社会功能于一体。

（3）城市改革。包含社会改革和政治改革。城市的腐败，如豪华的大厦和触目的贫民窟的对比，极大地动摇了对城市的信念。城市改革就要解决城市贫民的住房，保持社会的

① 本文为2002年10月8日在福建省建设厅的演讲底稿。

安定。

但是，西方花了上百年尚未完全解决这个问题，美国无家可归者至今比比皆是。发展中国家印度、巴西等大城市的贫民窟，规模庞大，令人触目惊心。对中国人来说，上海解放前的棚户区，已经成为历史的遗迹，福州的洋头口倾斜的木屋，摇摇欲坠，连下水道都没有，每天把马桶放门口，由粪车来收集，在近年已经消失。

（4）城市修饰。强调通过清洁粉饰来创造城市之美。

在德国有住房法，每人住房不得低于16平方米，而且立面及住房均须定期粉刷；否则就要没收代为拍卖。

但是，西方的城市改造也带来了根本的问题，那就是以人为中心，还是以物为中心，以景观建设服务还是为人服务。这是一对矛盾。

威尼斯作为资本主义的发祥地当时是最好的，现在已经不适合人居住了，城市下陷，海水污染到发臭的程度，但是，为了旅游的利益，人们还是居住在臭水之中。

四合院最适合大家庭居住，现在却处于消亡过程之中。

我们福州的三坊七巷有深厚的文化历史资源，但是，其历史文化景观的保存与商业开发利益的矛盾，没有很好地解决，一度走了很不小的弯路。问题至今（按：指演讲时的2002年）还没有引起系统的、全面的重视。

北京大学景观规划设计中心主任俞孔坚为文《警惕城市化装运动》提出几大问题：

首先景观大道作为车流道，却成为步行人的屏障，隔断道路两侧的交通。干道功能混乱，效率低下。

其次，轴线性的大道粗暴地划破了原有城市的有机体交流网络和纤细机理。

再次，拆迁面很大，耗资巨大，毁坏传统风貌。

最后，最关键的是，由于纪念性的雕塑，再加上繁复的立体花卉，往往只有视觉效果，而不是市民可以亲近的。西方的公共雕塑开始从广场上移向人行道。在德国波恩，原联邦德国首任总理阿登纳的街头雕塑，行人可以摸到他的头。北京也开始在王府井人行道上，有了人力车的雕塑，可以作照相背景。福州四面有四个名人（包括林则徐）纪念性雕塑都是孤立的、高高在上的，有专家戏言，好像让林则徐他们为福州当交通警察（按：后来接受了专家的意见，在林则徐雕像四周建设了街心花园）。

当年集美建陈嘉庚雕像，项南与雕塑家潘鹤有一次争论，潘鹤主张把台座放低，可以平等直视，项南反对，要求高大。后来项南觉得自己不对，写信道歉。这是20世纪80年代的事。现在我们的领导鲜有项南这样的睿智，却非常勇敢地拍板，造成许多视觉污染。

当然伟人可以高高在上，但是，也可以平易近人，不要有任何片面性误解。但是，最好是不但可以远望、仰望，而且可以使人与景更为亲近，可以进出。

由于对公共设施的功能在理论上缺乏自觉，我们在城市规划中出现了对于广场的幼稚的盲目性。

我们城市中有不少所谓的世纪广场、中心广场，但是，不以市民休闲为目的，草坪不准上去。这和西方的草坪很不相同。草坪就是让人上去睡觉晒太阳的。西方许多大学的围墙都是没有的，不管什么人，早上晚上都可以在它的草坪上面坐下来谈天，小孩子游乐，乞丐讨饭也可以。正是由于缺乏对人的关怀，在总体设计上，就绿化缺乏高大树木，在我们这个亚热带地区，广场白天没有人敢去。尤其是夏天，反过来，冬天，在北方建设那么大的广场，如大连，摆在海边。那里一年有相当长的冬季，往往 10 月初就下雪了。大连的广场起码有四五个月没有人敢去，那里的风太大了。南帆去了五分钟回来冻得嚷嚷："脸没有了。"大连把广场弄得比天安门广场还要大，这不仅是僭越，而且是不讲实用。

城市广场在欧洲都是市中心，街道以之为中心辐射：巴黎凯旋门、协和广场、埃菲尔铁塔，莫不如此。

我们模仿性的图案化和形式化的城市广场，往往是没有广场功能和地方特色，实际上是公式化、概念化的，没有个性，有人苛刻地批评这样的广场和图案化设计是视觉污染。尤其是文化古城，没有一点文化自觉和自豪。福州和厦门比什么？不能比海，要把 2000 年的历史和民居的黑瓦白墙拿出来。可惜的是，八一路，稍稍弄了几座民居式的房屋，只是个布景，孤零零的；台江的"榕城古街"又变成了假古董。

福建省图书馆倒是有一点现代和传统的结合，但是绝无仅有，以至福州建城 2200 周年，只好把长乐的冰心纪念馆拿去当作中央电视台的节目的标志性建筑。

至于城市河道美化，这里欠账就更多，当务之急不是美化，而是除臭的问题。为美化而建造的公园和环境不协调：公园变成了盆景，围墙收费，幸亏我们的江滨公园没有办法砌围墙。一味以人工取代天然，殊不知自然生态是更大的美景，美国是第一个把天然景观当作国家公园的国家。当然也有城市中的公园，如纽约的中央公园。

人造的旅游景点，往往缺乏气魄和人文价值。到目前为止，还没有几个可以指望成为埃菲尔铁塔、自由女神那样的人造景观变成历史景观。

我们暂时没有必要怀着那宏大的野心，目前最为切实的是要把公园意识拓展到居民住宅小区去。现在是有了一点，但是，还处于展示性阶段。小区要有老人活动中心、健身设备、儿童游乐、体育设施，阅览室、图书馆这样的综合性的文化设施。没有空间这是个问题，城市区域太小，因而地价居高不下。其实应该扩大地域，降低地价。这种宏观认识不解决，小区的文化公园功能问题很难从根本上解决。

还有一个很大的问题，就是城市绿化中大树移植之风。朱镕基批评过不能一味把山林中的树移植到城市中来。这就是说，不能一面在城市绿化，一面在山区破坏绿化。

总结历史教训，不难总结出两条城市建设的根本准则：一是人文景观与自然景观的统一，二是突出城市个性鲜明的主题。

我们自从城市改造以来，出现了严重的公式化、教条主义，弄得城市面貌同质化。“一张图纸从深圳抄到哈尔滨”，说的是城市个性丧失的悲剧。个性不是凭空产生的，而是在各自不同的条件下发展起来的。条件是不平衡的，应该因地制宜地发展城市个性。比如自然景观，厦门、珠海、大连、青岛有优势；如说文化景观，北京、西安、福州，得天独厚。有了自然景观和文化景观并不是个性的极致，还可以造景，如埃菲尔铁塔、凯旋门、妈祖像。不一定要让自然和历史景观束缚住自己的手脚。贝聿铭设计的卢浮宫前的现代几何线型的透明的金字塔形的建筑，与背后的古典皇宫对比，就突出了个性。这种个性就是古典与现代性的对立统一，与众不同，这才谈得上旅游资源，才有经济效益。据说，意大利国民收入的三分之一来自于旅游业。等于每人在家里坐收 5 万元人民币，比上海人的还要高，高于福建的 3 倍到 4 倍（按：这是当时的情况）。

对于福州来说，保护历史文化景观是当务之急。

几年前，我在福州环境艺术学会的年会上说过：城市建设发展得如此之快，高楼大厦鳞次栉比，看惯了玻璃立面上的天光云影，以致一到台北，居然有一种很旧的感觉。这感觉自然很令人兴奋、鼓舞。但是，在兴奋鼓舞之余，反思一番，也不免有所忧虑。许多城市的大楼的风格，趋近于雷同，从深圳到上海，从福州到广州，建筑风貌几乎没有什么区别，大抵以模仿香港为务，不要说与欧洲各国的建筑相比，就是和美国那些多多少少有点假古董色彩的建筑相比，也显得缺乏民族传统和地方风格。我曾经在福州城市和环境协会上说过，德国的建筑特点是花园文化，美国的建筑特点是草坪文化，中国香港的建筑是海洋文化，我们福州建筑的性格是什么呢？至今仍然处在自发幼稚的模仿阶段，福建建筑学界如果不能回答这个问题，将是一个历史的耻辱。

两年以后，我到了泉州，两次造访了泉州的东街，尤其是状元街，我看到了闽南建筑传统与现代科学技术的结合，民族传统与时代风格的交融，感到真正的鼓舞。这才是福建建筑学界的光荣。

泉州自然也有福州一样的玻璃立面的钢筋大厦，但是泉州人不满足于与其他城市雷同，他们像美国科罗拉多州首府丹佛一样，发挥了红砖文化的优长。但是，在闽南民居的红砖作为墙体的基础上，又把闽南的花岗岩作为墙体的边缘装饰，造成了一种闽南特有的红砖文化风格的建筑。

那是一个夏日的傍晚，车子开进泉州东街的时候，我并没有思想准备。突然那扑面排闼而来的闽南民居风格和时代精神水乳交融的神采，好像给我一个精神的洗礼。在这里，突然涌起了闽南民居、民俗的亲切怀恋，泉州人真是好样的。好就好在他们在全国的建筑都失去了话语自由的时候，奇迹似的找到了自己独特的充满了传统自豪感的语言。光有乡土的自信和自豪感是不够的。厦门人的乡土自豪和自信并不亚于泉州人，但是在建筑文化的自信心和创造勇气方面，似乎并没有完全从强势的西方建筑权力话语中解放出来。

福建的城市建设日新月异，人们的眼睛已经习惯了迎接高耸入云的、玻璃立面的宏大建筑，福建人去到广东、浙江、江苏，20 世纪五六十年代留下来的心理压力已经消失，潜意识里增加了日益积累起来的比较的资本，就是来到京城，也有了特区的自豪感，甚至去到台湾的人，也有一点自慰。所有这一切都是福建人，尤其是福州人的心灵的资本，那洋头口“纸糊的福州”，早已成了历史的陈旧故事了。福州也有值得夸耀的，如闽江两岸的江滨公园。

但是，从另一个方面来看，崭新的福建，簇新的福州，又露出一些令人不安的倾向。

一个城市的建筑，最为形象、最为坦率地表现了它的文化性格，不仅仅是一般的文化性格，而且要有着历史的深度。人们说，建筑是凝固的交响乐，对于文化历史古老的城市来说，则是一首古老的史诗。任何一个城市的动人之处都在于它的旋律和风格与众不同，从宏观的文化资源和旅游资源来说，最为可贵的并不是日新月异的、宏丽的高层建筑，不是建筑技术和财富的炫耀，而是现代化的建筑和文化历史风貌的水乳交融。

在西方现代城市建筑史上，完整地保存城市的历史建筑文化是最高的命题。一般是把古城留在河的这一边，在河的另一边建设现代化的新城。连在法西斯主义肆虐意大利的时候，墨索里尼都力主把罗马古城完整地保存起来，到河的另一边去建设新城。巴黎的古典建筑保存完好，使它成了世界旅游中心；直到近年它才在一个新区——拉德芳斯建设现代化的玻璃大厦。从莫斯科到布达佩斯，从维也纳到伦敦，都因把古典建筑留在河的一边，增加了河对岸现代文化的深度。就是在第二次世界大战中毁于战火的法兰克福，原来是一片废墟，只剩城市边缘的两排二层楼的小建筑，外加一个教堂的塔尖。后来德国有计划地重建，但是它建新如旧（去看看歌德的故居罢，那古色古香的感觉，简直分辨不出有任何复制的痕迹）。现在，昔日一片瓦砾的法兰克福变为“欧洲建筑的博物馆”，欧美建筑系的毕业生都要到法兰克福去参观、写生，这不能不归功于日耳曼人城市建筑文化传统的明确和坚定。

用城市统一主题的和个性鲜明的准则来衡量，不能不承认我们与人家在建筑文化上的差距了。令人气馁的是，从 20 世纪 60 年代西方人发动的“建筑革命”，把几何形体作为建筑样板，取消了窗饰和屋顶，此法迅速风靡全球，第三世界就忙不迭地模仿，到了 80 年代，我们在这方面可以说是后来居上，模仿到麻木的程度。一味追求玻璃钢筋大楼，放弃城市历史文化个性到了发疯的程度。

当然，福州的旧城改造并不是没有一点历史文化的追求，孔庙的周围环境的廓清，在东街与南门之交，在现代商业大厦之间露出了古老的红墙和飞檐，这是福州旧城改造最为成功的一笔。于山广场临时建筑起来的矮墙，配以琉璃瓦和墙顶，围以竹林花卉，多少有一点古典园林趣味。六一路靠二桥的北侧，本来还有几座门面有一点明清民居的白墙、黑瓦、飞檐的苗头，由于规模小，不足以构成商业效应，更是由于缺乏现代感，同样成了失败的遗迹。可惜的是，其他的方面就乏善可陈了。①

探索本可以成为成功的先导，但是，福建省的建筑学家无法抗拒 20 世纪八九十年代全国性的盲目追随香港和西方的大潮。“榕城古街”悲惨的失败以后，福州的城市建筑遂从一个极端走向另一个极端，在舒舒服服的自我陶醉中失去了文化历史的个性，满街都是建筑文化的败笔。最大的败笔是南门兜的省广播电视大楼，简直是插在乌山乌塔与于山白塔之间的一把刀子。许多专家不止一次地提出过，把冠亚广场那个商业区域推平，把五一广场与于山面前的广场联系起来，作为福州的中心广场，让商业中心围绕历史文化中心辐射，把购物与休闲结合，其商业价值绝对要高于目前的这个拥挤而杂乱的水平，东街口也不至于陷于目前这样交通窒息的地步，也就用不着东一座西一座地“见缝插针”，建造互相重复、又互相干扰的大楼了。如果不把福建大会堂建在西湖大酒店那样一个憋气的地方，而是五一广场那个本来破旧的体育馆址上，我们的城市该有多么宏伟的气魄。很令人丧气的是，现在树立在那里的竟是建筑风格上毫无生气的香格里拉大酒店。这里本该有一座福州文化历史传承的标志性建筑的，而现在这个俗气得要死的酒店成为中心，实在是对福州建筑文化匮乏的嘲弄。

有了规划的中心，风格的基调，才有辐射的依据，品位才能上去，许多难看的建筑就可能避免了。东街口百货大楼位于市中心，在负有本市标志性的地位上，本应有表现福州文化历史个性的任务，但是，人们除了感到它一味追随时髦、炫耀豪华以外，拿着放大镜也找不到任何地方文化的和历史的影子。在它的对面一座商业大厦又在崛起了，在照搬西方建筑风格方面，没有多大的改变。最可笑的是中亭街突然耸立起来一座所谓“法国式的步行街”，连什么叫作“法国式的”都没有弄清，你有法国巴黎那满街的古典雕塑吗？你有凯旋门，有埃菲尔铁塔吗？有卢浮宫和宫前贝聿铭的玻璃金字塔吗？就是现代化的拉德芳

① 这里说的是 2002 年的情况，此后福州的城市建设有了长足的发展，如三坊七巷的改造，但是就其精神来说，造成的破坏已经无法恢复。

斯，你也没有它的现代抽象文化的景观，更谈不上多种多样的休闲空间。工业展览中心根本没有现代工业的简洁和抽象的风格；华联商厦、天福大楼像一个初学习字的孩子对于碑帖的拙劣描红，如此等等，一味用胡吹来代替建筑文化的千秋大业，实在是令人扼腕叹息。

全世界的建筑比较粗俗的一面都在福州的新建筑上留下了烙印，从美国到中国香港，从中国台湾到新加坡的建筑伤痕比比皆是。这么长时期以来，福州的建筑家东抄西拼，拿来了人家不少小儿科的东西，还当宝贝，就是对福州本身的文化历史视而不见。潜意识中无非是一种现代化的炫耀，决心表现出自己不是没有见过世面的乡巴佬。老是讲旅游，中国旅游者到福州来看什么呢？看那些和他们自己的城市一样的赝品吗？而西方和港台地区的旅游者到福州来难道是为了看这些在豪华和气魄上不如他们的小玩意？小桥那边“欧式”的商城，一味着眼商业化肤浅的炫耀，从一开始，其文化的贬值就是命中注定的了。这使我想起美国科罗拉多州的丹佛，人家没有历史，也没有像依阿华的迪·摩依斯那样弄一些假古董的圆顶建筑来骗人，他们以当地特有的红砖取胜。凡是建筑，包括马路和商场的地板都是红砖的。它炫耀的就是红砖文化，这是独一无二的。独一无二就是美，这就是现代建筑文化的基本准则，可是，我们却背离了这一条基本的建筑美学准则，以随大流为美，殊不知千篇一律是丑的准则。这一点，很起码，福州的小区开发商至今还没有充分觉悟，他们造出来的别墅式洋楼，为什么门窗台阶都要是一样的？难道他们西装革履，气宇轩昂，连统一中求多样，在和谐中示丰富的起码美学原则都不懂得吗？

在城市建筑方面唯一令人欣慰的是泉州和武夷山。泉州人真是好样的，他们在改造规划旧城的时候，丝毫没有忘掉闽南建筑的传统，整条街道都是红砖镶嵌花岗岩的立面，一看这样充满地方特色的新街道，就不能不让人感到它作为文化古城的深厚历史传统。尤其是人家的状元街，更是成功地抵抗了肤浅的暴发户炫耀心态的丰碑。至于武夷山市，那里的规划绝对拒绝没有民族、民间创造力的浮华的高楼大厦，有的只是朴素的黑色屋顶，白色粉墙，桁架外露的立面，简直是朱熹时代的文化传统的文化证书。如果允许我给泉州和武夷山市的建筑规划思想打 90 分的话，那么不要说别的城市，就连厦门，恕我直言，也最多只能得个及格上下的分数。

城市建筑无疑是一篇传之千古大文章，它与一切文章的不同之处就是不能打草稿。道理很简单，因为打草稿的代价太大了。但是，我们目前大多数的建筑都只能属于打草稿的性质，我不能不补充的是，就我所看到的而言，很少是成功的草稿。

在作城市改造这篇大文章之前，应该在宏观上确立它独特的主题和个性。但是由于历史的局限，我们既没有西方殖民主义者那样雄厚的（但是抢来的）资金，不能拥有他们那样的大手笔、大气魄，把旧城丢在一边，因而也就不能设想，到螺洲去建设一个新福州。

“见缝插针”的手工业的作法几乎成了历史的宿命。其结果是，在庆祝福州建城 2200 周年的时候，我们为中央电视台制作的电视片片头的标志性建筑，被指斥为缺乏福州文化特点遭到拒绝。编导煞费苦心，居然在福州城里找不到一座具有福州文化古城的建筑，最后，不得不到长乐去以冰心文学馆的建筑来代表福州建筑风貌。其实福建师大校部的建筑，也就是原来的美国人造的华南女子文理学院，那飞檐和红砖墙体，花岗岩的墙棱，就既有民族特色，又有历史沧桑感。

中国人自己造的房子不及洋人建筑有中国民族特色，难道还不够我们建筑界惭愧多少年的吗?

找到自己独特建筑文化性格、建筑话语，是摆在福建建筑学界面前的历史课题。但是，满足于追随的惯性却在干扰着我们的思维。最近，草坪在福州，乃至在整个福建的四面八方冒出来了。这自然是现代建筑文明进步的标志，但是，草坪文化是美国的特点。那里地广人稀，不但公共场所，就是家居都以草坪为大背景，在土地相对比较狭窄的欧洲，宽阔的草坪是不可能与家居联系在一起的，因而欧洲的城市环境以公共广场和家居的花园文化为特点。把草坪文化照搬到中国来，尤其是搬到福州来，是不是要考虑一下福州盆地、空间狭小、人口稠密的局限呢？可不可以把它和中国江南的园林假山的小品式的结构结合起来呢？我们对于这样的重大课题给予的关注太不够了。

在福州小区里随处都是一些小里小气的所谓的“草坪”，有的只有巴掌大小，没有一定宽广度，还能成为真正意义上的草坪吗？有没有人注意到引进的马尼拉草种到了冬天又带来煞风景的枯萎，把绿化变成黄化呢？本来福建四季常青的，可是草坪在福建还没有到冬天，就提前枯萎了。长乐机场和闽南高速公路旁边枯黄的草坪，和四周满眼青绿的田野形成的对比，难道不是对我们环保教条主义的嘲笑吗？还有好好的一个中洲公园在解放大桥中央，现在又建成一个什么商业城，没有停车场，弄得密不透风，既没有商业效益，又把江滨的风景完全给糟蹋了。

所有这一切都在无声地向我们的想象力和创造力挑战，我们付出的学费已经太多了。首先应该提供一个论坛，让全体福州人、福建人来对自己城市的建筑评头品足，如果今天还没有这种做的自觉，日后就只能让子孙忍受建筑文化垃圾的视觉污染了。

第三辑　挑剔文坛

香港三联版《孙绍振如是说》[①] 自序

还是在1989年夏天，我突然接到香港《新晚报》吴淮青先生的来信，说是请我“加盟”每周为他们写专栏书评。我写惯了长文章，一下子不知如何在1500字左右的篇幅中施展。好在淮青曾经是我的学生，他给了我一个简洁明了的提示：文章是理论性，但要有相当的“感情色彩”。

这以后，我就循着在感性与理性的夹缝中前进的路子，一写就是4年。这期间包括我1990年在德国特里尔大学和1992年在美国南俄勒冈大学的时光。出乎意料的是这些“小块文章”居然受到香港读者的喜爱，从编者和读者那里不断传来溢美的赞词，使我深受鼓舞。不知从何时起，淮青把书评专栏变成了“孙绍振如是说”，题头上还画一个乌纱帽、八字胡、戴一副眼镜的书生。起初，淮青把报纸剪下来寄给我的时候，还小心地把这幅小漫画裁去。也许，他以为这种漫画会引起我的不悦吧。其实，我从张诗剑先生寄来的剪报上早已看到了，并且十分欣赏那一脸的天真。在西方，给总统、大名流作漫画肖像乃至漫画塑像被视为时髦。我自然不能贵如总统，但也十分欣赏那老气而又天真的戏谑色彩；那乌纱帽掩不住天性的自由和自在，和我是息息相通的。可惜作漫画的那位先生不认得我，也没有见过我的照片，因而那幅漫画和我只限于神似，毫无形似之痕迹。

我写作这些文章时的心态，正如这幅漫画的风格所示，是比较自由，同时又是比较认真的。虽然篇幅限制很大，但我力求做到感性、理性兼顾。香港读者甚为忙碌，不可能有太多的时间读书，因而我的分析都力求有充分，至少是必要的细节为基础。这样，对于已

① 该书多系香港《新晚报》上连载之书评专栏，由香港三联书店于1994年出版。福建人民出版社在篇幅上作了删节，加入笔者后来在该报和香港《文汇报》以及内地报刊撰写的书评，改名为《挑剔文坛》，于2001年出版。此次编集对香港三联书店之删节有所恢复，对因原发表于香港报纸而产生的一些用词差异予以保留。

读过该书的，是一种回忆的提示；对于未读过该书的，也可以就事论事，获得思考的资料。

至于论述，我比较着重证明和证伪的结合，对于报界流行的那种例证法，即一个观点加两个例子的模式，我避之犹恐不及。我年轻时受过黑格尔哲学，尤其是他的正反合思维模式的熏陶，成年以后又沉醉于波普尔的“证伪说”之中数年，故我从来不满足于正面论证而力求作正反合证。因而我的观点常常能层层递进，螺旋式上升。近 10 年来我在康德的哲学和价值之不同间游离。在我的美学著作《美的结构》中，我得出了真善美并非统一而是互相错位的结论。于为文为诗之时，我深感情感的美在逻辑上、价值上必须超越于真和善，而在评析艺术形象时则相反，我自觉地从超越中还原。我称这种方法为“还原法”，从知还原、逻辑还原，直到价值还原。而在还原时，我又习惯于把逻辑的微观分析和历史的宏观概括相结合。

4 年来，我把做学术论文的方法尽可能缩微地运用在 1500 字左右的短文之中。这本是一种戴着镣铐的跳舞，可喜的是我越跳越感到自由，越来越能想象出在一颗米粒上雕出数百字的艺人为什么感到幸福。愿读者和我分享这种幸福。

1993 年 7 月 14 日

附：

《孙绍振如是说》出版前后①

吴淮青

1993 年底，本港三联书店的舒非告诉我，因《新晚报》读书版中的《孙绍振如是说》专栏深受读者的欢迎，三联书店打算选择其中的部分文章结集成册。当我听到这一消息时，感到兴奋莫名。毕竟这证明孙老师 4 年来的辛勤写作功夫未曾白费，《开卷》版还是取得了一丝成绩的。对此，作为编者，我虽不敢自满，但喜悦却是难以掩饰的。

孙绍振在这本《孙绍振如是说》的自序中说是我曾对他的文章写作给予提示，这是客气话。事实上，作为他的学生我只有荣幸的份儿。如果说提示，那不过是因为我邀其写稿，需要什么样的稿，自然要告诉人家而已。

记得 4 年前，《开卷》版需要一位权威性的书评家压阵。尽管孙绍振以前是文学理论、文学批评方面的权威，不过，写书评却是少有的事，但我对自己的老师还是有一定的了解的，我深信他能将书评写得和其文学评论文章一样好。当时担心的只是他未必肯写，好在孙绍振接到我的信后，便爽然答应“一试”。出乎意料的是，这“一试”竟然“试”出一些

① 发表于香港《新晚报》。

成就来。以其书评写作的水平、写作的成果来说，我觉得，除了文学理论家、文学评论家、文学美学研究家等众多头衔之外，还应加上一个“书评家”，才能完全说明孙绍振的身份及价值。这绝不是随随便便的“加封”，只要看到孙绍振的书评文章的人，都会承认深受吸引，获益匪浅，拍案叫绝。试问有些功力者在芸芸书评写作者之中有几个？在我看来，给予他“书评家”的美誉一点也不过分。

孙绍振曾对我说，他写作书评喜欢用“剥竹笋”的方式去写作，即首先细心阅读，吃透书中的内容，然后从正反两个方面加以推敲、思考、分析。下笔时则采用层层递进剖析的手法，引导读者逐步地随着文章去对作品加以回味、鉴赏。他最反对常见的那种举例说明自己的观点的书评写作方式。他认为，这样做将会导致偏颇、论证牵强的情况出现，而且说服力亦不够，所以，他反对这种“传统的方式”。事实上，他的“反传统”是深受欢迎的。虽然是“反传统”，但审美观点、评析准则的基础却是十分“正道”的。正是在他的雄辩、客观、使人信服的推证下，读者读其文章更有新鲜感，更有所得，影响力当然亦就更非同凡响了。

由此可见，孙绍振的成功在于其态度的严谨，修养的深厚，触觉的敏锐，思想的深邃上。正是因为有了这些东西为其文章打下坚实的基础，他才能在其潇洒随意的幽默之中，一针见血，准确无误地指出书中的利弊。这在他评论贾平凹的《废都》、陈忠实的《白鹿原》、顾城的死因等文章中，都为我们作出优秀书评的范例。他的“大家”气派亦因此在书评文章——“戴着镣铐的跳舞”——中淋漓尽致地表现了出来，其魅力亦因此醉煞了读者的心田。

在此，我除了要再次代表孙绍振对三联书店表示感谢外，亦想作一个说明。孙绍振在《开卷》版写作4年共有180余篇书评，三联书店在选择时，当然不可能做到有文必录，不过，仍有一些较为早期、亦较精彩的文章未收入此书中。因为孙绍振的书评一周发表一篇，在搜集方面的确有许多不便及困难，这当然不能责怪编者。不过，这在我来看，始终是件美中不足、令人遗憾的事。

《挑剔文坛》自序：关于本书使用的艺术分析方法

自 1994 年香港三联书店将我发表在香港《新晚报》上的书评以栏目的名称《孙绍振如是说》作为书名选编结集成册以后，我继续为香港《新晚报》撰写专栏书评，后来又在香港《文汇报》上写《新如是说》，直至 1998 年秋。这里删去了香港三联版的部分文章，增加了许多后来要求所写的关于本书所使用的艺术分析方法印在书前，权作序言。

证明和证伪

普通论证的基本原则是“观点与材料的统一”，亦即论者根据自己的论点组织（事实上是选择）与论点一致的材料去加以“证明”。这种“证明”是很不可靠的，因为根据论点选择与之一致的材料，就意味着排除与之不一致的材料。既然把与论点相矛盾的材料都排除了，怎么还可以论证论点的可靠性呢？英国哲学家罗素说，要防止自我迷惑。他举例说：几乎所有的英国男女都相信自己的性别优于对方，男性可以举出无数与自己观点一致的材料，例如几乎所有的大政治家、大哲学家、大科学家、大军事家乃至大厨师都是男性；而女性可以轻而易举地列出几乎所有的大贪污犯、江洋大盗、大独裁者、大流氓等等也都是男人。

这说明自古以来普遍运用的例证法是极其危险的，之所以至今未被废除，绝不是因为它可靠，而是因为它能起某种说明作用，因为论点都是抽象的，而恰当的例子能把抽象的观点具体化，让读者能够看得见，摸得着。但是这却造成了误解，一些粗心的论者居然把举例说明当成了举例证明。

其实，不管举多少例子都是无法证明任何一个论点的。第一，例子并不是绝对中性、绝对客观的；第二，即使例子是客观的，不带作者的价值标准、文化心理、理论取向、人生经历等的片面性和狭隘性，它总免不了的是人类在时间上和空间上经验是有限的，而要论证的却是普遍的观念，任何一个普遍性的观念都需要无限的经验。这似乎是一个怪论，其实是我们既忽略了黑格尔的辩证法，又漠视波普尔的“证伪说”的缘故。按黑格尔的说法，普遍和特殊是一对永远不会消失的矛盾。任何文章都不可能穷尽特殊事物以满足普遍概括之需，普遍的概念永远只是特殊的一部分，特殊永远比普遍观念丰富。吃了苹果，可以知道水果的味道，可我们凭着水果的定义永远想象不出苹果是什么味道。按波普尔的说法，所谓证明永远是不可靠的。一个最著名的命题是：一切天鹅都是白的，即使你列举古今中外一切资料证明天鹅都是白的，你也不能排除在你经验之外或者未来会出现一只天鹅是黑的。而一旦一只黑天鹅出现了，你的命题“一切天鹅都是白的”就不能成立。相反，“并非一切天鹅都是白的”却因此而成立了。正因为这样，波普尔特别强调，只有证伪才能发现真理。当然，他的这种理论难免偏激，正确的说法应该是证明和证伪、正例和反例同样重要。

我曾经受过黑格尔正反合思维模式的长期熏陶，又受了波普尔证伪说的深刻影响，所以在写作时往往习惯于运用爱因斯坦所倡导的“两面神”思维方法，亦即总是把事物放在正反两极中检验，举例也通过正例肯定论点，通过反例发展论点。细心的读者在读我的文章，如《徐志摩的诗和现代作家的包办婚姻》时，可能会感觉到，就是这种方法的彻底性使我得出了自由恋爱的局限性和包办婚姻也并非绝对后果不佳的结论。

应该这样写和不该那样写

一般的论者，都把对论点的肯定当作论证的主要任务，这自然不能说错，但也不能算完全对。这是因为不论黑格尔还是波普尔，都把证明和证伪、肯定和否定看成一回事，当我们说人是动物时，实际也就说了人不是植物，也不是矿物。

当许多论者追随着现成的说法说戴望舒是一个现代派时，却没有十分清楚地考虑过他为什么不是一个浪漫主义者。正因为这样，我专门写了《戴望舒为什么不是一个浪漫主义者》，不是从我的概念或者直觉来说明，而是从他诗中的感觉和语言的特点来说明他为什么不是一个浪漫主义者。这不仅是一个为文命题的问题，同时也涉及了思想方法、读书方法。对于任何事物不能满足于它是什么，更重要的是应该弄清楚它不是什么。鲁迅有关文学的许多论述，也许从今天看来并不见得仍然百分之百正确，但是他在述及文学创作时正确地说过，不应该满足于了解应该这么写，同时应该弄清不应该那么写。他认为学习写作最好的办法是研究作家的修改稿，尽管大作家修改稿传世者甚少，但是我仍然从苏联文学史家研究托尔斯泰、肖洛霍夫的诸多文稿档案中，尤其是《复活》和《静静的顿河》的多次修改稿中获益良多。我在《文学创作论》中分析了这些文学大师刻画艺术形象走向完整的过程。我特别分析了聂赫留朵夫第一次到监狱中去探望沦为妓女的卡秋莎（玛丝洛娃），哭着求她宽恕，并且向她求婚的场面。在原来的稿子上，玛丝洛娃一下子认出他来，立刻非常粗暴地拒绝了他，说："您滚出去。那时我恳求过您，而现在也求您。""……如今，我不配做您的，也不配做任何人的妻子。"后来在第五份手稿中，改成玛丝洛娃并没有一下子认出自己往日的情人来，但是她仍然很高兴有人来看她，特别是衣着体面的人。在认出了他以后，对于他的求婚，她根本没有听进心里去，很轻率地回答道："你说的全是蠢话……您找不到比我更好的女人吗？您最好别露出声色，给我一点钱。这儿既没有茶喝，也没有香烟，而我是不能没有烟吸的……这儿的看守长是个骗子，别白花钱。"说完她哈哈大笑。

相比这下，原来的稿便觉得不够精彩。卡秋莎原本是纯情少女，由于受了聂赫留朵夫的诱惑而沦落为妓女玛丝洛娃，在看到往日的情人时，她的感觉和记忆是表面的；一下子认出了他，往日的记忆全部唤醒了，并且把所有的痛苦和仇恨都发泄了出来（这正是我们许多缺乏才气的作家天天做着的事情）。然而在后来的修改稿中，托尔斯泰把玛丝洛娃的感知、记忆、情感立体化了。

首先，她一下子没有认出他来，说明分离日久，也说明往日的记忆深入情感深处，痛苦不在表层。

其次，最活跃的是眼下的职业特点，见不了认识的男人，只要是有钱的便高兴起来，连对求婚这样的大事都根本没有听到心里去，这正说明心灵扭曲之深和妓女职业对这个姑娘的表层心灵的毒化、麻木之深，即使往日的情人流着泪向她求婚，她也仍然把他当作一个顾客，首要的目的，是先利用他一下，向他拿点钱买烟抽。

最后，说到不要向看守长白花钱时，居然哈哈大笑起来，她为自己的聪明而得意非凡。这更显示了玛丝洛娃的表层心理结构完完全全地妓女化了，板结了，即使在这样重大的意外事件的冲击下，也依然密不透风，可见这些年来她心灵痛苦之深。

在定稿中的"哈哈大笑"，之所以比初稿中严词斥责精彩，就是因为更加深刻地显示了她心理结构的表层感知、记忆、情感、行为、语言的化石化，在读者记忆中的那个青春美丽、天真纯情的心灵被埋葬得如此之深，好像是已经死亡了。

一般的读者光是读定稿中的文字，虽然凭着直觉也可以感受到托尔斯泰笔力的不凡，但是却很难说出深刻在何处。一旦将原稿加以对比，平面性的描述和立体性的刻画，其高下、其奥妙就一目了然了。

这里，最重要的不但是对多种修改稿的对比，而且在于在对比中显示了一个道理：不弄清不该那么写，是很难真正体会到究竟为什么应该这样写的。

不同艺术形式的不同规范

要弄清“不该那么写”，凭借文学大师的修改稿自然是一条捷径，非常可惜的是这样的资料凤毛麟角，因而这种方法很难直接实现。但是它是如此有引诱力，以至于人们很难完全放弃。于是许多经典评论家往往采取间接的办法，例如莱辛在他的名著《拉奥孔》中评希腊著名雕塑“拉奥孔”时，创造了一种办法，那就是从相同内容、不同形式的作品中寻求对比。拉奥孔父子被蛇缠死的故事，在维吉尔的史诗中被描写得很惨烈，他们发出了公牛一样的吼声，震响了天宇。可是在雕塑中，拉奥孔并没有张大嘴巴，声嘶力竭地吼叫，相反，只是如轻轻叹息一般，在自我抑制中挣扎。莱辛由此得出结论说，由于雕塑是诉之于直观的，如果嘴巴张得太大，远看起来必然像个黑洞，那是不美的，而用尽全部生命去吼叫，在史诗中却是很美的，因为诗是语文艺术，并不直接诉诸视觉，而是诉诸读者的想象和经验的回忆的，没有直观的生理刺激。

莱辛给了后代评论家以深刻的启示：在雕塑中行不通的，在史诗中却非常成功。一个人只有在明白了雕塑中不应该做什么才会真正懂得雕塑中应该做什么。用评论的术语说，就是只有把握了一种艺术形式的局限性，才能理解它的优越性。这正是我在读书时，特别在为文时寻求分析线索的一种方法。用同题材而不同形式的艺术形象作对比，找到矛盾的端倪，分析下去就不难了。这种方法的适应性比较广泛，无论是莎士比亚的剧本，还是《三国演义》，或者是白居易的《长恨歌》、王实甫的《西厢记》，都有不同形式的作品可供参照，不难从中找出意味深长的差异，作为切入艺术奥秘的突破口。我把这种方法叫形式比较法。正是运用这种方法，我写了《从小说〈伏羲，伏羲〉到电影〈菊豆〉》，此外，还写了《诗人眼光和小说家眼光的交织》，比较了白居易的《长恨歌》和鲁迅打算要写的同题材小说的构想。在抒情诗人白居易看来，李隆基和杨玉环的恋爱一见钟情，生死不渝，才有充分的诗意；而如果小说家也这样写，他们一见面就好，心心相印，直到杨玉环死了，还在想象中念念不忘，那么就不但没有性格可言，而且没有东西可写了。如果林黛玉和贾宝玉光是爱得死去活来，没有任何互相试探，互相不理解，甚至没有互相猜疑、误解，互相折磨，那还有什么《红楼梦》呢？

这种方法只要运用得彻底，无所畏惧，不为现成的印象和固定的权威见解所惑，一往无前地分析下去，就不难发现，同样一句话，在小说家看来是一个意思，而在抒情诗人看来，又是一个意思。例如，同样是在长生殿，李隆基与杨玉环盟誓：生生死死，永为夫妻。在诗人白居易看来这是非常浪漫的真情，而在小说家鲁迅看来，在这种对话的表层语义之下，恰恰掩盖着相反的东西。两个人的爱情弄到要靠赌咒发誓来证明，肯定是陷入危机了。

由此引申出小说的对话原则与诗的对话原则不同。在诗中，可以把人物内心的愿望、激情像莎士比亚那样，有系统地用美妙的词句，甚至严整的格律讲出来，而在小说里则肯定是幼稚的。正因为这样，托尔斯泰才批评莎士比亚剧本中的人物所讲的话根本不是人话，连莎士比亚本人都不会那么矫揉造作地、刻意求工地发表演说。尽管如此，莎士比亚仍然有莎士比亚的伟大价值。这是两种艺术准则，不可互相混淆。

正因为这样，我在《三毛作品中蹩脚的对话》一文中批评了迷住不少内地少男少女的三毛的小说，并且举她一篇作品为例说明她根本不懂小说对话的艺术准则，对于小说对话表层意义与深层语义的分化，亦即所谓“对话与潜对话”，可谓茫然无知。

中国小说艺术常常有这样的悲哀，影响相当巨大的作家的基本艺术观念居然有根本的错误。这不仅是文学的悲哀，而且也是号称过分发达的评论的悲哀。许多素有盛名的大评论家，在宏观理论上出语不凡，但是到了微观的切实的分析时，常常掩饰不住外行的模糊。我们在有关《白鹿原》的评论文章中看到了太多的艺术的外行。

因为在艺术的真正要害处缺乏自己系统的、自觉的、独立的观念和方法，为数不少的评论家才如此容易在艺术上动摇，不是追随流行见解，就是沦为传气筒，包括一些品德并不差的人都免不了一时沦入吹喇叭、抬轿子的行列。

艺术分析的“还原法”

选择同题材不同形式的作品加以比较，找出其间的差异，从而探求艺术的奥秘，这种方法适应性比较广泛，尤其是一些经典作品，不论是中国历史、传说，还是西方《圣经》、神话题材都曾反复地被大师加工成不同的体裁。但是，即使这样，这种适应性也是相当有限的，不仅对绝大多数的现代和当代作品不适用，而且对许多古典作家也不适用，有时即使适用，也可能由于一时手头缺乏齐备的材料而无法进行分析。

在这种情况下，显示形象内在矛盾的线索不见了，并不等于形象的内在矛盾不存在了。

要揭示其内在奥秘，得用另外一种方法，不是凭借现成的资料，而是依靠抽象能力把构成艺术形象的原生要素想象出来，作为分析的起点，我把这种方法叫作“还原法”。

要理解艺术，不能被动地接受。成熟的艺术形象都是高度统一和谐的，天衣无缝的，呈现给读者的是自洽的完整结构，好像既没有多余的成分，也没有不足的成分，即宋玉所谓“增之一分则太长，减之一分则太短”。

一般读者满足于赞叹，但光是赞叹是被动的，满足于赞叹，就无法改变阅读的被动状态，而要达到一种主动的分析境界，就得不但充分欣赏浮现在眼前的形象，而且得把作家构成形象时排除掉的成分想象出来。当然，有时并不需要想象，被排除的成分就在作品当中，作者已老老实实地告诉你了。朱自清在《荷塘月色》中创造了一种宁静、幽雅、孤寂的境界，相当出色地描述了清华大学校园一角的宁静安谧之美，但这并不是清华园这一角的全部景象，那里并不完全是一个寂静的世界；相反，喧闹的声音也同样存在，不过被朱先生排除罢了。

一般作家总是偷偷摸摸地、静悄悄地排除与他的感知、情感不相通的东西，并不作任何声明；他们总想把自己创造的形象当作客观对象的翻版奉献给读者。说得不客气一点，就是总想骗骗读者，让读者相信，他所感知到的变幻了的世界就是客观世界。但朱先生在《荷塘月色》中却不同，他很坦率地告诉读者，清华园里还有十分喧闹的一面。他说：“这时候最热闹的，要数树上的蝉声与水里的蛙声；但热闹是他们的，我什么也没有。”这说明了一个非常重要的艺术原则：作家对于自己感知取向以外的世界是断然排斥的。许多论者对此理不甚明白，或不能自觉掌握，因而几乎没有一个分析《荷塘月色》的评论家充分估计到这句话的重要意义。这是近乎天衣无缝的意境中难得露出来的一条缝，忽略了这句话，也就失去了分析的切入口，而不能揭示矛盾的分析就会失去主动，蜕化为印象式的赞叹。

所有这种被动的赞叹都以降低评论家的水平乃至人格为特点，以傻乎乎的空话，没话找话说，把话说得令聪明的读者恼火为特点。

连作者明白揭示的线索都视而不见，何况在不留下这样老实的提示的文本面前。对于没有任何提示的艺术形象，分析的难度就更大了。因为这时要求你把作者省略了的，被感知和想象排除了的，用你自己的推理和想象还原出来。举一个最简单的例子：李白的《早发白帝城》中说，“千里江陵一日还”，被动的评论家是不会提出问题的，因为他不会还原这样的速度在当时是绝不可能的，这是第一；第二，即使可能以这样高的速度航行，当时长江三峡中的巨大礁石还没有炸毁，越是快速，越是凶险，越有可能连船带人被撞得粉身碎骨，哪里可能“轻舟已过万重山”呢？这时，作为一个评论家的起码本领乃是敏锐地通过还原，分析出李白感觉知觉的特点：正是高度夸张了船的速度而排斥了由于速度带来的凶险程度。这个道理并不神秘，和朱自清的感觉排斥蝉声和蛙鸣的喧闹一样，高速飞舟在三峡间航行的凶险也在李白的感知世界以外。

不还原出艺术家感知世界以外的东西就不可能真正理解艺术家感知世界以内的特点。理解了朱先生如何选择排除，就不难明白李白如何创造了诗化的境界。

艺术家感知世界以外的东西是不会在作品中出现的，但在作品中出现的东西恰恰是感知世界以外的东西的索引，能不能把它还原出来，是衡量一个评论家是否真正够格的准则。

情感逻辑的“还原法”

艺术家在艺术形象中表现出来的感觉不同于科学家的感觉。科学家的感觉是冷静的、客观的，追求的是普遍的共同性，而排斥的是个人的感情，甚至智性导向；一旦有了个人情感色彩、主观智性的导向，就不科学了，没有意义了。可是在艺术家，则恰恰相反，艺术感觉（或心理学的知觉）之所以艺术，就是因为它是经过个人主观情感或智性“歪曲”的。正是因为“歪曲”了，或者用我的术语来说“变异”了，这种表面上看来是表层的感觉才成为深层情感乃至情结的一种可靠索引。

这一点，已经为大多数评论家意识到，他们凭着直觉就能从变异的表层或感觉想象出艺术家潜在的情感状态。但是绝大多数评论家还没有自觉的理论意识，也没有感觉到把这种想象转化为另一种分析方法，即使是艺术直觉相当强的评论家也常常以感想代替分析。方法比之经验更全面、更深刻。光凭经验也许能还原比较单纯的形象，但却不能还原比较复杂的形象。有些作品，往往并不直接诉诸感觉，尤其是一些直接抒情的作品，光用感觉还原就不够了。例如“在天愿作比翼鸟，在地愿为连理枝。天长地久有时尽，此恨绵绵无绝期”，好在什么地方？它并没有明确的感知变异，它的变异在它的情感逻辑之中。

这时用感觉的还原就文不对题了，应该使用的是逻辑的还原。白居易这几句著名的诗句说的是李隆基和杨玉环的爱情是绝对的，不论在任何空间、时间，在任何生存状态，爱情都是不变的，都是永恒的。这是诗的浪漫逻辑，爱情是无条件的，甚至是超越主体的生死界限的。这种逻辑的特点是绝对化的。用逻辑还原的方法，则是不以正常的思维逻辑，亦即理性逻辑。理性逻辑是客观的、冷静的，是排斥感情色彩的，对任何事物都取分析的态度。按理性的逻辑的高级形态，即辩证逻辑，任何事物都不可能是不变的。在辩证法看来，世界上没有永恒的东西，一切都随时间、地点、条件而变化。把恋爱者的情感看成超越时间、地点、条件是不合理性的，但是不合客观的理性之理，可恰恰又是充分符合人的情感激动的特点。清代诗话家吴乔把这叫作“无理而妙”。为什么妙？因为无理。无理对于科学来说是糟糕的，是不妙的，可对艺术来说则是妙极了。因为无理了才有情，理的一个特点是分析，不能绝对化，而情感的一个特点恰恰是绝对化，不绝对化不过瘾。所以宋朝诗评家严羽才说：“诗有别趣，非关理也。”

当然，情感并非完全没有逻辑，只是与理性的逻辑不相同罢了，绝对化就是情感逻辑特点之一，不经过逻辑还原，是不能揭示情感逻辑与理性逻辑的矛盾的。

自然，情感逻辑的特点不仅是这一点，至少还有一点，那就是它不像理性逻辑那样，它可以自相矛盾。人真动了感情就常常不知是爱还是恨了，明明相爱的人偏偏叫冤家，明明爱得不要命，可见了面又像贾宝玉和林黛玉那样互相折磨。臧克家纪念鲁迅的诗说：“有的人活着，他已经死了；有的人死了，他还活着。”这按通常的逻辑来说是绝对不通的。可要避免这样的自相矛盾，就要把他省略了的部分补充出来，如后一句：“有的人死了，因为他为人民的幸福而献身，因而他永远活在人民心中。”这很符合理性逻辑了，但却不是诗了。这种情况，越是到当代文学中扭曲越明显，成为一大特点。在小说中，情节是一种因果，一个情节原因导致层层放大的结果，按理性逻辑来说理由必须充分，这叫充足理由律。可是在情感方面是充足了，在理性方面则不可能充足。说贾宝玉因为林黛玉反抗封建秩序，思想一致才爱她，理由这么清楚，就一点感情也没有了。叶兆言的小说《蜜月阴影》写一个新娘和丈夫蜜月旅行，住到丈夫的前情人家中，莫名其妙地尿床导致了许多变故，后来经过丈夫多方探询，双方吵了一架，又不尿床了，理由是谁也说不清的，这才有神秘感。

价值的“还原法”

《儒林外史》中“范进中举”的片段是脍炙人口的。这不完全是吴敬梓的发明，而是他对原始的真人真事改编的结果。清人刘献廷的《广阳杂记》原来是这样的：明末江苏高邮有一名姓袁的名医，号称神医。一江南秀才中举了，喜极而狂，大笑不止，求袁诊治。袁一见说，病没法治了，你的性命也就是几十天的事。赶快回去，迟了可能来不及回家。如经过镇江，务必请一位何姓医生诊治，并附致何医生书信一封。此人到达镇江时，大笑不止的病就好了，但仍然把信拿到何医生处。原来信上说：“这位先生高兴过分，以致心窍开张，不可复合，没有什么药可治。所以我说他死到临头，让他心怀恐怖，估计到你那里心孔就闭合了。”病人看了信向北方磕了两个头就回家了。

这段记载的本意是袁医生的医术高明，心理毛病不能用生理药方治疗，而只能用心理法治疗，其全部价值在于科学的实用性，很严肃。而在《儒林外史》中却变成胡屠户给范进的一记耳光，重点在于出胡屠户的洋相。范进的这个丈人本来极端藐视范进，可一旦范进中了举人，为了治病硬着头皮打了他一个耳光，却怕得神经反常，手关节不能自由活动，以为是天上的文曲星在惩罚他，连忙讨了一张膏药来贴上。这样一改，就把原来故事科学的、实用的理性价值转化为情感的非实用审美价值了。这里不存在科学的真和艺术的美的统一问题，而是真和美的错位。如果硬要真和美完全统一，则最佳的选择是把刘献廷的故事全抄进去。那样一来，《范进中举》的喜剧美将荡然无存。把科学的实用价值搬到艺术形象中去，不是导致美的升华，而是相反，导致美的消失。

以上说的是创作方法——其过程是从科学的真的价值向艺术的美的价值的转化。因为理性的科学价值在人类生活中占着优势，所以审美价值常常处于被压抑的地位。正因为这样，科学家可以在大学课堂中成批成批地培养，而艺术家却不能。只有那些少数情感审美价值异常强大，强大到很轻易超越科学的理性的、真的价值的人，才可能轻松地构成艺术形象。

由于艺术形象的强大感染力，大多数读者都成了被动的接受者，又由于主体心理模式的同化作用，他们往往把艺术形象的情感价值和理性价值混为一谈。因而作为艺术欣赏的方法首先就是通过想象把科学的感觉、逻辑还原出来，找到二者的差别，然后进行分析。分析到最后就可以看出，艺术形象的感觉、逻辑虽然不科学，但并不是没有价值；相反，在一定限度之内它越是与科学的真拉开了距离，越是有艺术价值。

而要欣赏艺术，摆脱被动，就不但要善于从艺术的感觉、逻辑中还原出科学的、理性的感觉，而且要看出这种感觉和逻辑表现出人类情感的价值。为什么李白在白帝城向江陵进发时只感到“千里江陵一日还”的速度，而感觉不到三峡礁石的凶险呢？因为他家在江陵，妻子和孩子在江陵。为什么李白感到并不一定很轻的船很轻呢？因为他流放夜郎，“中道遇赦”，用今天的话来说，就是解除政治压力，他心里感到轻松，因而即使船再重，航程再险，他也感觉不到了。这种感觉的变异和逻辑的变异成为诗人内心激情的一种索引，诗人用这种可感的外在的强烈的效果去推动读者想象诗人自己情感的原因。为什么阿 Q 在押上刑场之时不大喊冤枉，反而为圆圈画得不圆而遗憾？按常理来还原，正是因为画了这个圆才完成判成死刑的手续。通过这个还原，益发见得阿 Q 的麻木。阿 Q 越是麻木，在读者心目中越是能激发起相应的焦虑和关注，这就是艺术感染力，这就是审美价值。如果阿 Q 突然叫起冤枉来，而不是叫喊“过了二十年又是一个（好汉）”，就和逻辑的常规缩短了距离，这样，喜剧的效果就消失了。正因为此，逻辑的还原最后必须走向价值的还原，而从价值的还原中，就不难分析出真正艺术的奥秘了。

综上所述，分析艺术形象的方法，是寻求差异的方法。按西方当代前卫哲学来说，有差异才有意义；按传统的辩证法来说，事物的深层奥秘在于矛盾。寻求差异极其不易，是方法的方法。我把它们统一为“还原”的方法，又分为感知还原、逻辑还原和价值还原。

所有这一切都不过是分析艺术形式的静态的、逻辑的方法，一种初级的入门。入门以后对于艺术的内容还有一个历史的、动态的方法问题，因而还有一个历史的还原问题，不过，这是另外一篇文章的命题了。

2000 年 12 月改定

小说情节的构成：把人物打入第二环境 ①

不管什么样的小说，其最后的目的，都在解开人物的心灵结构，为此，抓住感情结构的临界点，是关键的关键，但是，能获得成功，有所创造，有所突破的则属凤毛麟角。

有时作家借助于情节，但并非情节的一切组成部分都有利于人物心灵结构的解剖，过分完整、过分繁琐的外部动作可能掩盖内心的复杂层次的显现。

郁达夫在论及小说艺术时曾提出一个具体的办法，叫作“偶然事件”（incident），对于一切强调“必然性”的现实主义小说来说，郁达夫的这种“偶然性”有一点浪漫主义的色彩。

但是完全依仗于偶然事件，也可能变成胡编乱造。

问题在于：第一，什么样的偶然事件；第二，用这种偶然事件来达到什么目的。

如果纯粹为了编造离奇情节，满足外部动作的大起大落，那就不可能进入艺术创造的高级层次。

高尔基说文学是人学。这句话虽然在传统文学理论中常常被引用，但是说得并不很到位，文学的任务不完全在于人的外部行为，而在于决定外部行为的内在情感。

由于情感类似于一种内在机体的综合体验，它不像外在动作和感觉可以准确定性、定位、定量，因而被称为“黑暗的感觉”。这一切，已经被 20 世纪的构造主义心理学派说过了。对于一切科学手段来说，它是一个神秘的世界，甚至于现代尖端科学手段对它都很难奏效。它的大部分是处于潜意识领域，然而它又有非常强的能量。弗洛伊德甚至认为人的一切意识的根源都在潜意识之中，长期受到占优势的道德和科学价值观念抑制的情感不是一种单层次的结构，而是一种多层次的结构。在通常情况下我们看到的常常是人物情感的表层，那深深埋在意识底层的、处在无意识中的情感，是对人的行为起决定作用的，但是

① 发表于《名作欣赏》1999 年第 4 期。

当人处在相对静止的环境中则很难显现，因为人的情感的表层是相对稳定的。

抒情文学往往把人物放在静止环境中，因而很难深入到情感的底层；而叙事文学则把人物放在动态环境中。它最常用的办法是设置情节，而情节的特点就是事变的偶然性。偶然性就是打破生活环境的正常轨道，迫使人的表层情感结构发生动荡，以考察人物心理深层的奥秘。

张洁在《沉重的翅膀》中说过：“人是多面体的，有些侧面，非在必要的时刻是看不到的。”

早在 18 世纪法国启蒙主义思想家卢梭就说过，人类成功地创造了许多学问，但是关乎人本身的学问却是最没有水平的。卢梭显然忽视了文学在探索人的内心世界方面取得的成就。

从某种意义上说，小说家考察、研究人的情感结构和自然科学家研究物质结构，在方法上不是没有共通之处的。小说家不满足于对人物心理的静态考察，自然科学家也不满足于对客观物质作静态的研究。英国自然科学家何非说：科学研究的工作就是设法走到事物的极端而观察它有无特别现象的工作。只有使事物走到极端，才能观察到事物非常态的、非熟知的现象。但如何使事物走到极端呢？弗朗西斯·培根说：正如在社会中每个人的能力总是在最容易发生动荡的情况下，而不是在其他情况下发挥出来的，所以同样隐蔽在自然界中的事情，只有在技术的挑衅下，而不是在任其游荡的情形下，才会暴露出来。科学家要借助“技术的挑衅”，使研究对象发生动荡，使之达到一种“极端”的状况，才能打破常规的、静态的封闭性，观察到“隐蔽在自然界中的”奥秘。

小说家在以下三点上与自然科学家是一致的：

第一，以“技术的挑衅”（即偶然事件）打破情感结构的稳定状态。

第二，使情感处于某种“极端”状况。

第三，捕捉那些常态以外的“特殊情况”，发现情感结构深层的奥秘。

从这个意义上说，文学家表现人，正等于科学家研究物。不过，文学家不能像科学家那样给他的研究对象加温、加压、通电，加入催化剂，而是以一种生活的变故，迫使人物进入“极端”的、不正常的生活。正如对金属的加温，不达于极端（熔点）它不会从固体变为液体一样，人不达到某种极端，不可能打破情感的稳定结构，显示出复杂的多面的心灵层次来。

有人说，川端康成的方法是把人放在试管中的方法。其实，这种方法并不是他的发明，左拉早就提出了“实验小说”的理论，并以巴尔扎克的小说说明巴尔扎克的方法是“通过情况和环境的加工修改”，好像用“试剂法分析感情”，作出了一份人物的“实验报告”。

左拉不是信口开河。《贝姨》确如左拉所说，是把人物情感放在某种试剂中加以分析的范例。

这主要表现为把人物打出环境的常轨和心理的常轨。首先是把人物置于一种“极端”的境遇，残忍地、像科学家那样毫不动情地把于洛放在越来越极端的情境中，将他的情感结构一层又一层地剥开，指出他的心灵一层比一层低劣，其根本特点一层比一层更龌龊。

这正是19世纪西方古典小说共有的特点，那就是用外部情境的步步紧逼，推动内心世界的层层逼进。

左拉所说的情感实验就是这样以层层推进为特点的。

对人物心灵的表层的突破，是19世纪西方小说家的共同倾向。左拉不过是用自然科学语言，说得比较尖锐。与左拉可以媲美的陀思妥耶夫斯基，比左拉更执着于人物潜在精神状态的探求。他固然没有提出像左拉那样把人物情感放在试管里的理论，但是他在他的著名作品《罪与罚》中则比左拉更彻底地把人物灵魂放在特别设计的情境中“拷问”（鲁迅语）。

《罪与罚》的主人公拉斯柯尔尼科夫是一个法律系的大学生，贫病交加。他经过长时间的苦思冥想，形成了一套独特的“犯罪论”。他把世界上的人分为两类：“平凡的”和“不平凡的”。平凡的人不过是“发抖的畜生”，任人宰割，不敢触犯法律。不平凡的人则是一些建功立业的“拿破仑”，他们不受道德法律的约束。他认为要做一个不平凡的人，就必须敢于跨过别人的血泊和尸体。他觉得在这个世界上，“谁的头脑和精神坚强，谁就是世界的主宰，谁胆大包天，谁就最正确”。

他立志“试验”一下，看自己的心灵能不能经得起做一个不平凡人的种种考验。于是他去杀死了一个被他视为“虱子”的放高利贷的老太婆和她的妹妹，并抢走了老太婆的钱财。但是劫到钱财以后，他却不能忍受精神的苦刑，不论在狡猾的警局侦探面前，还是自己的朋友和亲人面前，他觉得那种精神的痛苦和分裂，比贫困更难以忍受，最后只好去警察局自首。

陀思妥耶夫斯基在这部小说中，以惊心动魄的笔触刻画了拉斯柯尔尼科夫两重人格的冲突，极尽心灵戏剧化突转之能事。他是现实主义大师中对心灵深层结构剖析得最不留情的人，正因为他最不留情，所以他在人性解剖的某些方面比托尔斯泰更深刻。

其实用极端情境逼迫人物的办法不独为巴尔扎克和陀思妥耶夫斯基的特殊嗜好，而是许多情节小说家共同遵循的潜在成规，不管是曹雪芹还是川端康成，都不约而同地在这样一种无形的磁力线的诱导下展开天才的想象。

不管是现实主义还是浪漫主义小说家，一般都是把人物打出常规环境使人物进入“第二环境”，再来展开其内心情感结构的变动。

张贤亮在《绿化树》的题记中曾引用托尔斯泰《苦难的历程》中的话，大意是：在清水里煮三次，在碱水里泡三次，在血水里漂三次。他用以说明：对人生真谛的追求得经过十分苦难的历程。其实若用来说明：把人物放在“第二环境”中，使之经受超过情感结构稳定限度的考验，使人物的情感越出常轨，倒是非常适合的。

张贤亮说的是以环境的层层逼进为特点。层层逼进常常是单方面的。如果人的情感老是从单方面被挖掘，其深刻性可能是有限的，除了像《唐·吉诃德》《阿Q正传》那样带着喜剧性的作品，把人物放入层层逼进的极端环境考验的结果，若能引出情感的两个极端，而不是一个极端，则人物的性格就显得异乎寻常的深刻。巴尔扎克作为一个艺术家又必须回避情感的简单化导致概念化的危险。作为一个艺术家，他有一种直觉，就是把人物的情感看成一个复杂的结构。这与自然科学家把研究对象放在相反的两极之间加以实验的方法基本上是一致的。如果把金属放在油中不起什么反应，放在水中就缓慢地起氧化反应了。但这不是全部，再把它放在火中去，它就熔化了。或者先放在酸溶液中，再放到碱溶液中，从相反两极中得到的信息要比放入一极的信息多得多。

让人物越出正常轨道，进入“第二环境”，目的是让人物的情感越出正常的、稳定的状态。但是情感并不那么容易越出常态，若把它放在相反的两极之间，失去稳定性的可能就大得多。中国古典小说很强调情节的一波三折：一次打不破情感表层结构，再来一次，二次打不破，再来第三次。就是为了达到那揭开情感深层结构的奥秘，所以才有三打白骨精，三打祝家庄，三气周瑜，三看御妹，三难新郎，三请诸葛亮。诸葛亮甚至要六出祁山、七擒孟获、九伐中原，所有这些都是以层层递进从一个极端逼出另一个极端的效果，达到更深地揭示人物心灵奥秘的目的。

从情景的两个极端逼迫出人的情感的两个极端，这是小说艺术发展成熟期的表现。在早期人类并没有意识到这一点，那时，人类（和他的代表作家）对人的精神世界的理解比较单纯，常常是以不变的观点来看待人的情感。这在表现人的恋爱情感方面特别明显，往往是一见钟情，生死不渝。唐宋传奇和早期意大利小说（以《十日谈》为代表）都是单色调人物，忠贞和淫邪黑白分明，互相之间毫无瓜葛，感情一旦产生，不管条件发生多大变化，都不发生改变，从《倩女离魂》到《碾玉观音》都是一见钟情，在任何危机面前都不会改变。

这事实上是一种诗化了的爱情，在诗歌中，它被反复表现过，诸如“在天愿作比翼鸟，在地愿为连理枝。天长地久有时尽，此恨绵绵无绝期”，说的是一种超越时空的、绝对化的、永恒不变的爱情。事实上人的情感是一个变幻多端的复合体，它不断受周围的环境和人物的影响，唯其是活跃的、变幻多端的，人才是有生命的。虽然，人类在诗中把自己感情的稳定性表现得那样绝对化的美好，但是仍然只能满足人类体验自己情感世界的部分要求，而不能满足人类情感更具体、更深入的要求。

正是由于这一点，小说在受到诗歌的重大影响以后，逐渐地摆脱诗歌美学的概括性，而走向心灵层次分化的道路。

也正因为此，小说情境的两个极端的目的是逼出人物情感的两个极端。这种端倪我们在《三国演义》和《西游记》中还比较罕见，而在《水浒传》和《西厢记》中就屡有所见且不以为奇了。

温文尔雅的林冲，老婆被人家调戏，自己吃了冤枉官司，差一点给暗害于野猪林，都坚持逆来顺受。到了“火烧草料场”，发现高太尉派来害他性命的人，正是自己往日的朋友陆虞候，他终于改变了那一贯忍让的处世态度，奋起杀了仇人。从此以后他就变成了另外一个人，处处主动反抗，甚至有点不讲理——他挑了酒葫芦，在风雪中来到柴进庄前，向并不认识他的庄客要酒吃，人家不给，他就毫不客气地把人家打了个落花流水。

林冲性格中与温文尔雅、逆来顺受相反的一极——义无反顾、主动出击的特点，就给逼了出来。

这样，人物形象就有立体感，而不是平面的了。

《金瓶梅》的叙事和海明威“电报文体”

历史有时很有意思，好像专门爱跟人类开玩笑，有时还不是跟一般老百姓开玩笑，而是跟大人物开玩笑。太远的不说，就拿文学研究来说，历史的发展就跟教授专家们，特别是美国的汉学教授们开了一个很有意义的玩笑。

早在20世纪50年代，由于当时的政治空气，很少有美国汉学家赞扬中国古典文化。现在我找到的资料中，不乏对中国古典文化的非难之作。就文学方面而言，有一位汉学家认为：中国古典小说缺乏艺术的统一和完整（integrity），有些小说中包括着与主旨无关的插曲（指话本）。另外，还认为中国小说缺乏个人的独创性，许多故事都是从前人那里借来，总是改编来改编去。

到70年代末，80年代初，政治形势变了，于是就有汉学家起来反驳这种论断。他们以口头文学（话本）的具体临场表演为由，说明没有抽象的统一性，只有在不同的具体情况下不同的统一性。话本的统一性，不能由后来欧洲的书面小说的统一性来衡量。至于个人独创性，则不能以故事情节的借用抹煞。一位汉学家很是雄辩地说：“在本世纪很少有什么书的独创性能像乔伊斯的《尤利西斯》那样得到更多的仰慕。但是人们往往倾向于忽略在这部现代小说背后的荷马的故事。就是乔伊斯独创性也不完全是从这位作家脑子里蹦出来的，而是在仔细研读古典作品后产生的。如果乔伊斯在波甫和德莱登时代写作，《尤利西斯》无疑会被认为是‘模仿之作’。”

所有这些问题，由于提出时缺乏深度，因而也就很好解决，但是有些问题却不那么简单，提出时有一点深度，因而就不可能随着政治形势的变化而三言两语地被解决掉。

我说的是，在西方人看来，中国小说缺乏第一人称传统，而且即使是第三人称的叙述，也越来越不是作为故事的见证（所见、所闻、所观、所感），而是全能全智的第三人称叙述者。

对这种传统，即使完全站在为之辩护的立场上的汉学家也不是没有保留的。有一位汉学家甚至不管《左传》并非文学作品，大加赞赏《左传》第三人称叙述者的客观，很少主观的评论和介入。这种完全是“实录”的语言达到非常精练的程度，他举出周天子送给齐桓公一块肉的场景——《左传》只写了齐桓公四个动作：“下，拜，登，受。”他说《左传》把“无关要紧”的语言排除掉的能耐是令人惊叹的。在整本《左传》中几乎没有什么形容词，而副词就更少了。

但是，他又提出这种叙述方法也有缺点，那就是作者只报告人物的行为和语言，并不深入直接进入人物的内心，这就使读者怀疑人物在行动后面的真正动机何在。他举出了郑庄公的有关片段说：许多评论者几乎一致谴责郑庄公“虚伪”“阴险”“毒辣”，但是，从《左传》所记的他的言行来看，对于他心怀偏袒的母亲以及他野心勃勃的兄弟已经很宽容了。郑庄公顺从了他的母亲，给了弟弟许多特权，直到这位弟弟造反了，他才把他击败，并一怒之下把他母亲送到别处去，后来立刻又后悔了，想方设法把她迎回来。在他看来，郑庄公不但不虚伪，相反，充满了真正的人性的困扰。他这样说，本来是为了证明中国第三人称叙述的局限，但其结果却显示了它的优越，那就是这种不涉及内心世界的叙述包含着现实人生更多的复合性和多元性的内部关系，为读者提供了多种理解的可能，这是现代文学理论已经大加肯定了的一种高度的艺术效果。西方文学很重视内心感觉动机的分析和描述，从他们的这种文化背景出发，往往对中国古典小说的第三人称叙述，不是忍不住发出微词，就是对其艺术效果大惑不解。1971 年英国出版了全译本《金瓶梅》，译者爱格登（Egerton）在序言中也说：

> 《金瓶梅》是用一种电报文体写成的。
>
> 在文学技巧的运用上，它最经济地传达了必要的东西。
>
> 它的叙述是如此详细以至不需刻意追求气氛的描写。

在中国古典小说的传统叙述方法面前，许多西方理论家都放弃了理论的解释，其实这是因为他们忘记了他们自己的海明威。海明威就是以“电报文体”著称于世的，他也主张尽可能用动词和名词，少用形容词和副词，西方的心理分析和描写的传统到了 20 世纪 20 年代在海明威那里已经走向另一个极端，而西方的汉学家至今还没找到海明威和中国的古典叙事方法在逻辑上的联系，这似乎是一个玩笑，然而又不是。

散文当以非诗的追求为上

有时我为散文而感到大惑不解，为什么那么多人几乎是不约而同地追求诗呢？远的不说，就说中国当代散文，在20世纪60年代几乎是追求诗意的散文占据了主要领导地位，刘白羽、杨朔都自豪地宣称，他们是把散文当作诗来写的，杨朔说得更绝，他说他是把每一篇散文都当作诗来追求的。

然而从文体的自觉来说，这是一种怪事。

散文之所以能存在，能够成为独立的文体，就是因为它不是诗。

散文与诗，在一切文体中，区别是最根本、最不可混淆的，有如人可分为男女，文可分散文与诗。二者是性别的区分，把二者混同起来的两性人是畸形的，是不健康的。

然而在丧失了散文本性的“两性散文”却一直占据要津，以致许多读者，甚至许多作者都误以为散文的本性就是抒情的，散文命中注定就是要追求诗意的，散文的生命就在于诗。

这是一种幼稚的天真误解。

散文的生命不在于诗，而在于非诗。

真正的散文、本色的散文是排斥诗的情感渲染和文字夸张的。许多在诗里是令人感动的语言到了散文中就显得做作，甚至令人作呕了。50年代贺敬之回到延安，他写道：“几回回梦里回延安，双手搂定宝塔山。”看到欢迎的人群，他写道：“白羊肚手巾红飘带，一头扑入亲人怀。”作为诗的想象，读者接受起来毫无困难。但如把它翻译成散文，用写实的笔法，描写他一看见欢迎的老乡，不管男女老少，一律拥抱一番，这就不成其为诗，也不成其为散文了。事实上，他在写同样的事情的散文中，他就写得很实在：“人们簇拥着我走上大街”，并没有“一头扑入亲人怀”那样的浪漫姿态。

对于许多年轻的散文作者来说，至今散文的这点子奥妙还未被参透。他们总是不由自主地把想象用在浪漫的、夸张的、情感的强化方面，而不知道不浪漫的、煞风景的、毫无诗意的东西，也可能成为艺术性很高的散文。

几年前，内地散文家梁衡在一篇文章中这样说：

> 有一种理论，认为散文必须创造出一个美好的意境才称得上好散文。许多评论大谈意境，我觉得这可能是画地为牢，人为地束缚散文的手脚。

梁衡还认为，散文刻意追求诗的意境可能产生虚假和做作。他说：

> 事实上，那些刻意追求的意境也常常因为其虚假而讨嫌。朱自清并没有让他父亲过铁道时去拣花，而是佝偻着肥胖的身子，先放下手里的橘子，再爬上爬下（《背影》）。这个意境大概不美，但却催人泪下。

梁衡先生是内地少有的散文理论家，他的理论确实抓住了散文的要害，他的文章发表了已经好几年了，内地散文比之他发表文章的当年也发生了许多变化，一个明显的迹象是诗的追求在散文中已非主流，倒是非诗的自我调侃、冷峻的写实、人情的练达和世事的洞明成了散文艺术追求的主导倾向。以孙犁为代表的一批老一辈散文家，正在为散文恢复五四散文艺术的正宗风骨作出贡献。

反抗盲目的权威崇拜

比之作家，文学评论家的声誉是相当低的，这种现象不仅仅存在于当代中国，而且在世界各国，自古已然；一些评论家因此而不平。我看，总的来说，没有不平的必要。原因是，以创造才能相比，评论家常常远远弱于作家。

这就使得一些作家很神气，甚至很傲慢起来，连素以善良著称的契诃夫都公然对于评论家表示不敬。有人问他对评论家有什么看法，他说：作家是耕田的马，而评论家则是忙碌飞舞的牛虻，当作家在专心致志地耕耘时，评论家却落在它的屁股上猛刺，逼得作家不得不停下来用尾巴把它们赶走。

把评论家比为碍事的牛虻本来很刻薄，可是由于契诃夫先把自己降格为动物，而且是有点可怜的动物，这就有点自我调侃的幽默感了。接着下去才笔锋一转，把评论家也当成一种动物，不过并不可怜而是可恶，这样就比单纯地指责评论家可恶显得平和而中正得多了。

年轻的时候，我对于评论家曾经有过相当热烈的期待，许多权威评论文章，我莫不细心研读再三，然而其结果不免是大失所望。我所期待于评论家的是艺术的奥秘，但是那些权威评论家常常对此毫无兴趣，每当涉及艺术特点之时，辄以三言两语搪塞过去。

后来，自己也会写评论文章了，才知道那不是因为他们对艺术的真正特点不感兴趣，而是因为他们之中的绝大部分对艺术实在所知甚少，哪怕是学富五车的教授也可能对艺术的真谛麻木不仁。

在他们笔下，所谓“艺术特点”，既不是艺术的，也谈不上什么特点。杰出的理论家朱光潜教授有过一个著名的美学观点，叫作“美是想象”，我始终大惑不解，这怎么能讲得通！首先，想象并不一定是美，也可以是丑的。其次，想象也不一定是艺术的专利，自然科学、政治学、经济学同样需要想象。问题不在于想象，而在于什么样的想象才是美的，什么样的想象不美；或者说，美的想象、艺术的想象有什么不同。这就叫作特点。不讲不同点，只讲科学和艺术的想象的共同点，就不是特点，也就谈不上艺术。

许多权威的学术命题经常显得武断，其原因都是不能逆推。曾经威震中国20世纪五六十年代论坛的俄理论家车尔尼雪夫斯基，有一个著名的论断叫作“美是生活”。这个命题是周扬文艺理论的核心，也是我的老师蔡仪“新美学”逻辑的起点。说实在的，我当时作为一名学生就不想买他们的账。原因很简单，那就是这个命题不能逆推为“生活是美”。生活并非全是美的，不美的人、事、物比比皆是，但是这个命题雄踞中国文坛几十年，至今未见有人正面挑战。

盲目的权威崇拜再加上行政力量往往把一个民族弄得非常幼稚可笑，哪怕把一个粗糙的命题改正到符合常识也可能要付出可怕的代价。我曾经在一篇文章中嘲笑过这个命题，我说：如果有人问花是什么，我们回答说花是土壤，我们会遭到嘲笑，因为这混淆了花和土壤起码的区别。或者用哲学的语言说，掩盖了花之所以为花的特殊矛盾。同样，如果有人问酒是什么，我们回答说酒是粮食，我们也会遭到嘲笑，因为粮食不是酒。这个回答没有触及粮食如何变为酒的奥秘。然而在文艺理论领域中，当人们问及“形象是什么”“美是什么”时，我们都不惜花费上百年的时间去重复这样一个命题“美是生活，形象是生活的反映”。在我看来美是生活的逆反命题（即“美不是生活”）可能更深刻。

令我惊奇的是一些学者、教授、作家怎么也转不过弯来，要让他们的学术符合生活常识，好像简直要了他们半条命，他们会神经质得叫人感到恐怖。起初，我还以为他们是出于对既得利益的迷恋，但到后来，我不得不承认，他们之中除了把保卫自己的既得利益放在学术生命之上的一小部分人以外，其余的，不乏诚实之士。他们的最大缺点是失去了思考力，而之所以失去了思考力，则是由于他们失去了将一切权威命题逆推的能力。

解构主义在吃自己的尾巴

20 世纪 80 年代是西方文论大冲击的年代，由于思想解放的需要，几乎是西方近一个世纪以来的文学、哲学思潮在十年左右的时间里一下子涌到了中国大门口，这使年轻一代的学子感到无比的惊异。一切都是新鲜的，哪怕是在西方早已并不新鲜的结构主义语言学、弗洛伊德性心理学，也给中国年轻学人以公开尝试禁果的兴奋。一时标新立异之风席卷大江南北、长城内外，唯新是务、唯新是从成为压倒一切的风潮，然新潮更迭过速，昨日还是新派的，今日就可能被嘲为守旧。

最明显的莫过于刘再复的新时期文学新潮为人道主义之说，举起大旗才不到一年，就有他的部下，中国社会科学院文学研究所的两位年轻人靳大成、陈燕谷起来加以批判，说是过时了。

对于这种后浪推前浪的声势和速度，特别是年青一代学者向权威挑战的勇气和魄力我是十分敬佩的，尤其是刘再复在他自己主持的权威学术刊物上醒目地刊出了这两位年轻学者的文章《刘再复现象批判》，我更是赞叹不已。

靳大成和陈燕谷都是我的朋友，我对他们这一代的新的知识结构向来抱有敬畏之感，他们对于西方文论吸收和消化，实在非我辈所及，尤其 20 世纪 60 年代以来的解构主义，许多方面，我们还难以消化，甚至抱着怀疑态度之时，他们已经加以运用了，这常常使我感到要奋力直追，以免抱残守阙，变为落伍者。

但是，他们也不是没有缺点，这一点是不用讳言的。由于他们年轻，未免热情甚于冷静，追求思想解放的冲动甚于客观从容的反思，因而他们的文章也不免有疏漏、薄弱之处。最显著的是他们对于西方哲学文学的理解并没有十分有效地帮助他们更深刻地去触摸到艺术的奥秘，相反倒是有一些人钻入了反文化、反语言、反诗、反小说的牛角尖。

更为隐秘一些的弱点是他们对于西方文论本身的某些局限缺乏清醒的认识，以解构主义（deconstructivism）而言，它主张对一切既成的观念都要加以解构，但是解构主义本身也是一种既成观念，难道就不需要加以解构吗？有一个有趣的故事很值得深思，一位解构主义大师向来对一切都满不在乎地加以批判（解构），可是有一回，另一位学者写了文章去批评他的学说，他就大为恼火起来。

这说明解构主义学说陷入了一个很奇怪的悖论之中，它的生命，它的理论生气来自对一切权威的或者非权威的学说的彻底批判，但是它却把自己的学说排除在被批判、被解构的可能性之外，那就是：他们的理论特色是，一切学说都是相对的，但是他们的却是绝对的。

回到靳大成和陈燕谷的文章上来，也有这个问题，他们说刘再复的文章，其核心是人道主义，而这种人道主义的大前提，按解构主义的学说，是应该先加以批判才能加以运用的。

"一切大前提都要加以批判或解构"，从理论上来说，是很彻底的，但是这里有一个悖论，"一切大前提都要加以批判或解构"，本身又是解构主义者立论的大前提。按解构主义者彻底的理论，这个大前提本身也要加以解构。解构的起码结果，无非是两种。一是一切的大前提并不一定需要解构；二是并非一切大前提都绝对需要解构。

这就是说，用解构主义的理论和方法可以得出反解构主义的结论。

这是解构主义的致命伤，它对一切理论都采取绝对的相对主义立场，而这种绝对的相对主义越是彻底，越是挖掘了它自己的理论墙基。这好像饥饿的蜻蜓在吃自己的尾巴。我把这个意见一直藏在心里，因为我不愿让正常的、友好的批评的氛围，受到干扰。长期以来相互批评都多少有点敌意，上纲上线的不说，就是流派间的圈子外的批评都有互相贬低的倾向。但是，后来中国社会科学院文学研究所当代文学研究室主办的一个内部资料刊物请了一个记者来访谈，我把这个意见说了出来，文章登了出来，靳大成立即写信向我表示感谢，并说，他看了意见之后，出了一身冷汗，从此，他要把我当成中年学者中在思考力上相当强劲的对手。

这事已经过去四年了，但对于解构主义的致命弱点，仍然未引起充分的警惕，正因为这样，我才有兴致重提这件旧事。

南帆《隐蔽的成规》中的“历史语境”

南帆在《隐蔽的成规》中考察的是中国现代、当代文学史写作中所遇到的矛盾，甚至是悖论。

文学史只能是一种历史的叙述，叙述的内容是不断发展、变化的，一劳永逸的结论只是一种幻想，因此，文学史一再被改写的现象，观念被颠覆，评价被推翻，是历史的规律。写文学史必须具备宏观的历史眼光，可越是宏观的历史眼光，就越是缺乏确定性的成分。纷纭的、变幻的历史面貌与作者的真理的追求、独创的自信存在矛盾。

南帆为了解救当代相对主义被绝对化的潜在倾向，提出了“历史语境”的准则：“文学史作者必须企求这个历史语境之中的最高认识水准。这样的认识水准将尽可能消除个人的视域盲区，利用科学规范摒弃个人私欲导致的偏见，将个人的趣味提高到历史文化的水平线上。”南帆以他深邃的分析，实际上不仅仅为文学史，而且为当代文学评论，从理论上廓清了基础，和相对主义、无是非论、折中主义划清了界限。

在这个前提下，南帆还考察了一系列传统和现代的文学相关范畴，如“长篇小说和历史叙事”“传统与文学传统”“民间的意义”“边缘的声音”“性格和典型”乃至“电子时代的文学”等等，都是以历史语境为核心的理论辐射。

所有这一切都表明了他善于利用前沿理论资源，以开阔的视野进行理论阐释，从习以为常的文学、文化现象中揭示出潜在性的、制约性的力量，揭示出常常是被忽略了的、深刻的规律性。从他独创的阐释中不难看出：作为一个理论家可贵的原创精神，完成了本课题的任务。

系统论并不真正系统

我根本不能理解一些年轻朋友为什么那么迷信一些西方文论家的权威性，其实他们崇拜的那些个权威理论家，互相之间就并不承认对方的权威，在他们眼中好像拉康、德里达、福柯、罗兰·巴特是铁板一块，没有任何争执和矛盾似的。

其实，这是十足的粗心大意，是对西方文论家不了解的表现。西方文论向来强调自己的独立价值，从来没有一个有影响的文论家以引用别人的理论为荣的，在他们那里连 18 岁的孩子都以离开父母为荣，80 岁的老人都羞于依附自己的儿女，何况学者！有谁会傻到像我们这样把别人的牌子举得那么高，自以为把对手压低了，很是痛快，其实首先被压低的正是自己。

借着别人招牌来抬高自己，正是封建社会人身依附的自卑心理的反射。

正是这种变态心理作怪把近年来的中国文艺理论的探索引上了歧途。

早在 1985 年新方法论热的时候，就表现了一种中国根底很浅的知识分子的轻浮和狂热。在厦门大学召开的新方法讨论会上，居然有一个主持者为了强调所谓系统思维方法的重要，不惜把我们通行的思维方法简单地贬之为线性思维方法，即单因单果的思维方法。

这明显不符合事实。当时，我虽然衷心拥护系统方法的提倡，但也有保留。首先，系统方法首先是一种数学方法，它能把多种因子综合在一个数学模式之中，但却没有演变成把一切因素综合在一个切实可行的思辨模式之中。其次，我们通行的思维模式也不是线性思维，而是黑格尔的正反合思维模式，这是中国的人文学者通用的方法。

之所以通用，是因为它比较简便，而且又比形式逻辑的同一论（线性逻辑）深刻，这种模式，简略化为“两点论”，即正面一点，反面一点，结合起来又是一点。我们不但在政府文告中，而且在学术中，更多地在日常中看到它的具体运用。其实，这也并不是毛泽东的专利，而是现代人思维的一个历史水平。就连爱因斯坦也把他的思维方式概括为：“两面神思维”。两面神即罗马门神。既可以看到未来（正面），又可以看到过去。就是在世界各国的外交文告中，我们也可以看到这种把正面、肯定和反面、否定统一起来的巧妙辞令和变通实践。这是中国古典哲学著作用“一分为二”和“合二而一”相概括起来的思维模式。

真理、事物都不是片面的、线性的，而是全面的，什么叫“全面的”，简明地说，正面一点，反面一点。毛泽东把它叫两点论，这很便于运用。基辛格的思维算是犀利，算是出类拔萃的了，但也逃不脱由正到反的模式。有人归纳说，每逢美国西海岸发生什么事变，许多人都依线性思维想着西海岸，然而基辛格却想到了它的反面，即对美国东海岸可能产生的影响。

自然，这种正反两面的思维只是比直线性的思维全面一点，其实，它并不全面，因为事物并不只有正反两面，事物是多面的：对于有些事物来说还是无限多面的（如球体）。正因为这样的一分为二，或者合二而一只是大体上的划分，而且实质上，并不是取事物的全面，而是取事物的两个互相矛盾的极点，以之取人则优点、缺点，以之分析社会则光明、黑暗，以之区分政治则敌人、朋友。事实上，这是很简单的、很幼稚的划分，有时是很粗暴的。因为事物的两个矛盾的极点并非普遍存在，事物还有两极间的过渡中介，硬要一分为二，就不得不把中介间的许多层次向两极硬推，这在学术上就会产生粗暴的分析，在政治上就会产生硬性地划分地主、右派、反革命等等。

正因为这样，乃有对于辩证法之反抗，企图超越一分为二，以多分法代替二分法，所分越细则越接近真理，但所分越多，则越不成为方法，二分好用，二百分法，则无法运用，正因为作为思辨模式系统方法，在离开了数学的人文科学中，至今仍然不得其法。最后，还是二分法成为普遍运用的不是方法的方法。

关于鲁迅的“多疑而易怒”

几年前我在一篇文章中谈到，由于艺术形式规范的不同，同样一个题材，在不同作家的想象中会有不同的样子。例如，唐明皇李隆基和杨贵妃的爱情故事，在诗人白居易看来是永恒的。“在天愿作比翼鸟，在地愿为连理枝”，说的是坚定的爱情不受空间限制，不管上天下地，都不会发生变化；“天长地久有时尽，此恨绵绵无绝期”，说的是真挚的爱情不受时间限制。这和苏格兰诗人彭斯在《一朵鲜红的玫瑰》中说的爱到“沙子石头都熔化，海都枯干了”，是一样的意思。我在那篇文章里强调的是在诗人看来，情人所说的话都是真诚的，故“七月七日长生殿，夜半无人私语时”，其语义的表层和深层是一致的，这种表层与深层语义的统一，是诗的概括性（对人的热情的概括）所决定的，与诗的形式规范是一种对位，所以是动人的。但是在小说里就不同，如果作家让他的人物心里想什么，嘴上就说什么，心口没有误差，就不但没有性格，而且连场面都很沉闷了。

现代小说家强调对话和潜对话，演员强调台词和潜台词，人物的口头语言和其内心动机都要有错位才能动人。因此，鲁迅当年一度想创作李隆基、杨贵妃的长篇故事时，就认为：

> 以玄宗之明，哪里看不破安禄山和她的（暧昧）关系？所以七月七日长生殿上，玄宗只以来生为约，实在是心里已经有点厌了，仿佛是在说：“我和你今生的爱情是已经完了！”到了马嵬坡下，军士们虽说要杀她，玄宗若对她还有爱情，哪里会不能保全她的性命呢？所以这时候，也许是玄宗授意军士们的。后来到了玄宗老日，重想起当时行乐的情形，心里才后悔起来了……

这是鲁迅亲口对郁达夫说的，郁达夫记录在《历史小说论》中。

在我看来是小说形式规范，尤其是小说对话的艺术法则推动着鲁迅作出对人物这样的理解。

近日读王晓明教授在上海和台湾先后出版的《无法直面的人生——鲁迅传》，其第九章中作了完全不同的解释。王晓明认为这是因为生活逼得鲁迅先生“多疑而易怒”，对李、杨之事，他也是如此。鲁迅在给老友许寿裳的信中曾说：“在爱情浓烈的时候，哪里会想到来世呢？”王晓明这样评论鲁迅的这一论断：

对人心阴暗面的挑剔，似乎太厉害了。我以前读他的文字，常常佩服他这种特别“毒”的眼光，有时候甚至心生羡慕，希望自己也能练出这样的本事。可我现在觉出了事情的另一面，他这副特别的眼力正是一个危险的标记，表明他在怀疑人的思路上已经走得相当远了。

王晓明认为，在经历了辛亥革命的失望和五四运动的分化，“他对现实的改革越来越不抱希望”，对年青一代也越来越有“戒心”，与周作人反目，又使他“不会再轻信骨肉之亲”。“他甚至将母爱视为一种累赘”，因为这种爱给了他一个既没有情感，又没有肉体关系的妻子（朱安女士）。“在茫茫天地之间，上下左右，竟看不到一样东西，可以寄托生存的意义。”这正是《野草》写作时期，这一章就叫作“从悲观到虚无”。

王晓明写作这本书的时候才三十几岁。我不由得惊叹，他从哪里练出这种老辣的文章和无情的洞察力！

但我又不得不有所保留，他至少不太全面，忽略了鲁迅在思想批判和启蒙方面的伟大业绩；另一方面，我觉得更重要的是，王晓明忽略了作为艺术家的鲁迅的特殊艺术眼光。如果他像诗人白居易那样去理解长生殿夜间密语，作为小说家，那不是太天真、太浅薄了吗？如果我们以为他这样看太阴冷、太多疑，不信任何人，那么在《阿Q正传》中不是更阴冷吗？都绑赴刑场了，还是那么麻木，还要出风头喊什么“过了二十年又是一个（好汉）”。这不是更绝望了吗？但是决定阿Q这样想，这样感觉，这样喊叫的，不完全取决于现实生活，也不完全取决于作家的思想，还取决于喜剧性的形成感。

以喜剧的形式写悲剧的结局（把枪毙叫作“大团圆”）有一个不可须臾忘却的原则，那就是以悲为喜，用荒谬绝伦的特殊逻辑把人物推向可笑的极点。

如果不让阿Q可笑，非得像祥林嫂那样不胜悲戚，孤独地死去不可，不是在艺术上自我禁锢吗？至于李隆基与杨贵妃的关系，在白居易的抒情诗中，情感是永恒的。归根到底，艺术之美不同于哲学之真的地方就在于不仅仅是主客观的直线对称关系，而是主客观和形式的三角关系，而这种关系的处理是有难度的，就是大艺术家一不小心也难免有败笔。

诗人眼光和小说家眼光的错位

郁达夫对历史小说的研究不但在他为文的当年是相当深刻的，他的眼光和见地即使在今天也使年轻的研究生们惊叹。但是今天我之所以重读《历史小说论》，并非为了他的论点，而是因为他在这篇文章中所引用的一条很值得重视的材料。他说：

朋友 L 先生（指鲁迅）从前老和我谈及，说他想把唐玄宗和杨贵妃的事情来做一篇小说。他的意思是：以玄宗之明，哪里看不破安禄山和她的关系？所以七月七日长生殿上，玄宗只以来生为约，实在是心里已经有点厌了，仿佛是在说："我和你今生的爱情是已经完了！"到了马嵬坡下，军士们虽说要杀她，玄宗若对她还有爱情，哪里会不能保全她的性命呢？所以这时候，或许是玄宗授意军士们的。后来到了玄宗老日，重想起当时行乐的情形，心里才后悔起来了，所以梧桐秋雨，就生出一场大大的神经病来。一位道士就用了催眠术来替他医病，终于使他和贵妃相见，便是小说的收场。

这条材料所说的事实在冯雪峰的《鲁迅先生计划而未完成的著作》中提到过，鲁迅在给山本初枝的信中也有过类似的意思，大意是：1924 年因为想写关于唐朝的小说，到西安去了一次。可见，鲁迅这个念头动了很久，创作的冲动很强烈，很可惜，这篇小说并没有写出来，而且连带着这条重要的思想材料也被研究者们忽略了。

从这条材料看来，鲁迅对于李隆基和杨贵妃的恋爱关系的看法和脍炙人口的《长恨歌》大相径庭。粗粗看来，这仅仅是不同作家的不同风格所致，但仔细研究其间的差别则不然。在白居易看来那最富诗意的是生生死死、超越了时间和空间、永恒不变的爱情；可是在鲁迅的眼中恰恰是爱情已经不可挽回了，已经死亡了，而且在关键时刻被出卖了的表现。至于后来的天上人间的寻觅，只不过是神经病和催眠术（骗术）而已。很显然，在诗人白居易眼光中，以情感的永恒来强调诗意的地方，在鲁迅看来恰恰是情感走向反面、绝对煞风景、毫无诗意可言的地方。

白居易和鲁迅对同一题材的不同理解，恰恰是诗意和反诗意的、追求诗意和逃避诗意的矛盾，在诗人看来感情的永恒，是令人震惊的，叫人感动的；可是在小说家看来，一见钟情，心心相印，不但毫无性格可言，就是连情节也无从发展。如果两个人不闹别扭，不发脾气和拆穿，则永远是心灵的表层现象，两人的性格恰恰是潜藏在深层之中。

形式主义者斯克洛夫斯基分析了一系列小说之后，提出一个爱情小说的模式：当A爱上B时，B觉得她并不爱A；在A经过努力，使B终于感到她已经爱A时，A却觉得不爱B了。这不是心心相印，而是心心相错，不但可在成熟的古典小说中，而且可在现代、当代的小说中得到广泛的印证。它不但可以解释安娜·卡列尼娜与沃伦斯基的关系，而且可以解释美国的小说《飘》中男女主人公的关系。说起来有点奇怪，那些写得越好的爱情小说，男女主人公往往越是陷于互相折磨的恶性循环之中。相反，如果男女主人公一点矛盾也没有，没有心口误差，没有动摇和变态，小说就没有什么看头了。然而在诗中，特别是在古典诗歌中，情形则恰恰相反，所以在诗人白居易看来，唐玄宗在“七月七日长生殿”讲的话是心口如一的：这一辈子爱不够，下一辈子再爱。可是在小说家看来，这只是情感的表层（如荣格所说的“人格面具”），其深层的意思则是：宣布今生甚至永远爱情的死亡。在汉堡，我把这个意思说给一个已经加入了德国籍的朋友听。他认为鲁迅比白居易深刻，白居易骗人，但骗得人很舒服，鲁迅不骗人，可人觉得不舒服。他年轻的儿子却说今天在西方已经没爱情，因为谁都保不定谁在什么时候会变，所以德国青年不想结婚的越来越多。他们就是怕固定的婚姻把情感变幻的自由束缚了。当然在德国仍然有人在结婚，这说明，他们仍然相信情感的可靠性和稳定性。也许可以这么说，那些不愿结婚的是属于小说家类型的，而愿意结婚的则是属于诗人类型的。据说在德国二者各占一半。

就我而言，我倾向于小说家的眼光。如果感情真是永恒不变的，那又何必要结婚呢？结婚从本质上来说是一种契约，契约就是用法律的强制来束缚感情的，在非不得已的时候，不能放任情感的变化，一旦到了不得已的时候，同时要准备付出代价。

关于鲁迅内心的“绝望”和“虚无”

长期以来，我对大陆的鲁迅研究有偏见，这大概源出于我病态的自尊，总觉得把自己全部生命奉献给一个人，不管是大人物还是小人物，明星还是圣人，代价太过昂贵。同时，又有点扭曲的自卑，极不愿以研究巨人而抬高自己。再说，论材料，连日记和书信都早已公开发表了；论观念，虽然五花八门，但都逃不了对他的赞美和崇敬。

我自然十分崇敬鲁迅，大家一窝蜂地赞美他，已形成了全国性的大合唱，我就觉得少我一个也无妨。最近听说有本《无法直面的人生——鲁迅传》，是上海华东师范大学中文系教授王晓明写的，还列入有关部门推荐给“希望工程”的中小学生阅读的100本书之中，这就不能不引起我的好奇。关于鲁迅的传记已经见过好几本，不乏和鲁迅同时代的当事人或晚于鲁迅的前辈参加编写的权威本，为何都不能入选，偏选中这个在鲁迅去世差不多20年才出世的年轻人的作品?

一看那序言就有点震动：他立意“为鲁迅写一部传，一部凸现他精神危机和内心痛苦的传”。鲁迅的形象向来是与耀眼的光环联系在一起的，然而王晓明却暂时撇开人所共知的外部的光华，去细致地解剖他内心的“痛苦”。这不是一部我们习惯了的社会学的传记，而是一部充分个人化的精神的“苦难的历程”。王晓明在《阿Q正传》中看到的是“痛苦”“居高临下的批判”和“深陷愚民重围的不自觉的紧张”，而鲁迅自己的呐喊，如一箭射入大海，不能激起浪花的“悲哀”。在“他对历代专制统治的轻蔑背后”，有的是“思想和文字远远敌不过屠刀和监狱的沮丧”，而在他对形形色色的知识分子，尤其是对魏连殳、吕伟甫一类颓唐者的批判中渗透着“他对自己的深刻的失望，对心中挥赶不去的‘鬼气’的憎恶”，在他“斗士”的姿态中有隐藏得很深的“文人习气”。在王晓明看来，鲁迅一生始终没有摆脱对未来的怀疑，对希望的“绝望”，乃至“虚无”。甚至就是在“五四”新文化运动期间，他对运动能起多大作用仍持悲观的估计。他在1920年给朋友的信中说：“于中国实无何种影响，仅是一时之现象而已。”这本不是什么秘密，明明白白地写在《呐喊》的《自序》之中。他和金心异（钱玄同）的争论，集中于希望的有无，他本以为醒了，“铁屋子”不一定会打破，徒然增加醒者的痛苦；而金心异则以为，既然有人醒了，就有“毁坏这铁屋的希望”。最后他妥协了，对于希望之有无，他内心保留着，而在行动上，他则遵奉先驱者的将令呐喊。“说得明白一点，就是干脆戴一副面具。”所以王晓明写五四时期的鲁迅这一章的标题就是《戴着面具的呐喊》。

王晓明虽身为新派评论家却不像另一个“晓明”（陈晓明）那么锋芒毕露。他作心理的微观分析，许多为僵化的流行观念所掩盖的奥秘为他犀利的目光所洞察。他所使用的方法是历史的文化心理的还原方法，与我常用的审美感知和价值的还原方法有一点不同。正因为这样，他对历史人物深层潜在心理的洞察，往往令我有发现的喜悦。这部著作无疑是继北京师范大学王富仁有关鲁迅的学术著作之后的又一部力作。虽然书出版在 1993 年底，但至今仍未引起争议，这颇令我纳闷。也许自《废都》出版以后，我国学术研究的宽容度已经达到这样的程度，那些把不同学术观念的争论上升为政治批判的做法已经没有市场了。

我倒是认为王晓明的著作不可能是尽善尽美的。

首先，他对鲁迅的思想艺术成就的分析就不很充分。他过分着重于鲁迅的内心世界，把那《野草》式的“怀疑”“绝望”“虚无”充分加以强调，我们固然不可否认其确凿性，但是这并非鲁迅的全部。[①]其次，他的价值取向似也有偏颇之处。他在序中强调：写下所理解的鲁迅的一生，“已经不止是指向他人，也同时是指向自己。或许我最后写下的，已经不止是对鲁迅和他那个时代的理解，也包含对我自己和这个时代的理解了”。这就有点“我的批评就是（表现）我”的味道。

王晓明对于鲁迅当年的“绝望”和“怀疑”以为是出于“愤激”，在我看来，这里还有一种对不能实现的崇高的人生追求和对现实、未来的超前性的焦虑。

听说此书台湾已出版，日后如能弄到，比较其中的异同，一定是很有趣的。

---

① 本文完成以后，我将这个意思告诉了王晓明教授，他来信对我的看法表示认同。他说本书原为台湾一出版社而作，不意给人造成片面之感，待本书再版时，他将补充有关鲁迅在思想和艺术上伟大业绩的论述。

鲁迅为何不理睬元配朱安

直至今日，许多年轻的大学生，而且是读中文系的，还不知道鲁迅有个元配夫人叫朱安，要知道直到鲁迅和许广平结了婚，朱安还和鲁迅的母亲住在一起。鲁迅并没有像一些大人物那样和元配夫人离婚。正因为如此，这样一个人物，直至 20 世纪 80 年代，还是鲁迅研究中的一个不言而喻的禁区。1981 年薛绥之先生主编的《鲁迅生平史料汇编》中出现了一张朱安女士的照片，还引起了一场风波，有人认为“这是辱没鲁迅的行为”。其实，这个事实早就见诸文字。1936 年许寿裳先生撰写的《鲁迅年谱》中就写到 1906 年鲁迅与朱安女士结婚之事，并且是得到许广平的同意和支持而写的。

今天，朱安女士的存在虽不是禁区了，但是鲁迅与朱安结婚以后为什么一直形同冰炭，而又未曾离婚，这仍然是一个谜。

朱安女士是鲁迅母亲看中的，1906 年暑假刚刚开始之时，鲁迅突然接到家里的来信：“母病速回。”鲁迅赶回绍兴发现母亲好好的，家里却张灯结彩。母亲要他结婚，他并没有表示反对，还同意安上了假辫子，接受老式婚礼的种种安排。但是婚后第二天就赖在母亲房间不回新房，后来干脆躺在书房里。婚后数天就借口“不能荒废学业”回日本去了。

鲁迅既然同意结婚，又为什么对朱安女士如此之无情呢？

许多研究者都已指出，鲁迅虽然是个反对封建孝道的勇士，但是对于自己的母亲却很有感情，自从祖父下狱，父亲久病而故，周家全靠鲁迅母亲操持。鲁迅自己说过母亲是“苦过来的”，而且她个性极强，甚至有旧式的自尊，鲁迅一时无法违拗，遂作了牺牲。以后即使到北京，鲁迅对自己的母亲也恪尽孝道，每逢出门都要对母亲说声：“阿娘，我去哉。”

至于鲁迅为什么不爱朱安，研究者也有种种说法。有的说，朱安缠脚，是鲁迅不爱的原因，然而在当时（1906 年）在绍兴到哪里去找一个不缠脚的女子呢？有的说朱安没有文化，和鲁迅无法交谈，所以鲁迅在新婚之时就拒绝与她同房也不足为怪，可是在旧式婚姻中，新娘与新郎都是第一次见面，也不可能有多少话谈。当然，也有相反的情况，在新文学大师之中，茅盾、闻一多、叶圣陶都是经家庭包办结婚的，闻一多的太太是个文盲，连闻一多写给她的信都看不懂，可这对夫妻一直伉俪情深。没有文化并不一定是缺乏感情的唯一原因。

有一个研究者用“南江秀一”的笔名提出了一个说法：朱安的身材与容貌“近乎丑陋”，“使鲁迅对这门婚事内心抱有一丝希望也幻灭了”（《书城》1994.2）。我在绍兴的鲁迅故居看到朱安女士四十多岁时的照片，在我看来仍堪称端正，不过脸似乎方了一点。《书城》杂志上所载的一幅，虽然南江秀一先生挑了许多毛病来证明她“近乎丑陋”，但在我看来那五十上下的妇女形象，无论如何也可列入中等水平，至少也不比许广平五十上下时的照片差多少。

在我看来，几乎所有的研究都忽略了一件事：鲁迅母亲为什么要突然袭击，骗儿子回来完婚呢？因为当时有一个传闻说是鲁迅已与日本姑娘恋爱而且双双携手，出入于闹市。当时，朱安婚事已订，鲁迅母亲不堪忍受婚变的压力，乃决策骗鲁迅归来。如此说属实，则鲁迅于日本早已另有所爱，正因为有所爱，才对朱安的其貌不扬、谈吐不够水平产生格格不入之感，遂造成变相的逃婚。

从后来的事实看，鲁迅那场恋爱很快结束了。本来他有可能在长期共同生活中与朱安达到感情上的某种妥协，如果在五四以后，感情仍不能沟通，还可离婚。但是，他们既未妥协，亦未离婚。未离婚的原因，不出于鲁迅而是出于朱安，即使在许广平出现在鲁迅生活中以后，朱安仍然选择了一个鲁迅、周建人、周作人都在场的时机，当众下跪要求不要将她休弃，这就造成了日后的局面。从表面上看，鲁迅和郭沫若同样有一个包办的、挂名的妻子，两个人都没有离婚，但朱安是主动要求保持这样的不尴不尬的地位的，而郭沫若在四川家乡的妻子却是被动地接受事实的。

周氏兄弟失和的原因

许多研究鲁迅的著作都把鲁迅当作一个伟大人物来描述，什么都是伟大的，从思想、作品到人格莫不光辉无比。自然，鲁迅的成就不同凡响，但作为一个人，他总也有和我们凡人百姓相近之处。很可惜，许多鲁迅学的学者对鲁迅的平凡，甚至某些不可避免的平庸之处是避而不谈的，因为他们害怕一旦涉及鲁迅并不伟大的某些方面，会影响鲁迅形象的光彩。这只能说明当前的鲁迅研究在许多方面还没有突破把鲁迅神化的框框。

但是，也不是全都如此，也有一些学者以非常严谨的态度，十分小心地去分析鲁迅的平淡之处。我说的是北大教授钱理群的《周作人传》，在这本颇得文艺界好评的著作中，钱先生以不少的篇幅正面分析了周氏兄弟这两大文坛泰斗失和的问题。事情发生在 1923 年 7 月，兄弟失和，周作人叫鲁迅不要再进他住的后院；1924 年 6 月，鲁迅到八道湾取东西时突然遭到周作人和他的日本太太的辱骂和殴打。据说，周作人拿起一尺高的狮形铜香炉向鲁迅的头上砸去，幸而未中。事情如此之严重，而兄弟二人在以后一直没有作过正面的解释。周作人因为活得比较长，还留下了片言只语。他在后来的某些文章和书中反复暗示有些隐秘，说出来“会使双方都陷入被动”。难能可贵的是钱理群对所谓隐秘作了十分细致缜密的考证。钱理群引用鲁迅的朋友许寿裳的回忆：事情坏在周作人的日本太太身上，她不愿和鲁迅一起住。据许广平回忆（自然是鲁迅告诉她的），当时鲁迅全部薪酬连同周作人的共约六百大洋全都交给那位日本太太，但她的排场铺得太大，入不敷出。鲁迅就要向朋友告贷，有时钱才借回来就看见日本医生为周作人太太看病，汽车来去，鲁迅就有意见。他想：这样花法，就是用黄包车运进来，哪里赶得上用汽车运出去呢？许寿裳在回忆中也说，周作人太太羽太信子“有歇斯底里”的症状，而郁达夫在《回忆鲁迅》中则说到有人认为鲁迅对羽太信子“有失敬之处”。郁达夫、许广平、许寿裳的文章都在，均有案可稽，但皆语焉不详，仅可猜度一二。

钱理群的考证不限于已有的书面材料，他还采录了一些口头材料。他引用了鲁迅学生、北大教授章川岛先生生前对鲁迅博物馆工作人员说的话："事情的起因可能是周作人老婆造谣说鲁迅调戏他。周作人老婆对我还说过：鲁迅在他们的卧室窗下听窗。这是根本不可能的事，因为窗前种满了鲜花。"章川岛认为，鲁迅和羽太信子关系紧张的原因，"主要是经济问题，她（羽太信子）挥霍得不痛快"。

钱理群由此得出结论，鲁迅与周作人的失和不是出于政治、思想人生道路的不同，而是一种家庭内部纠纷，要想从中判明是非是很困难的。

虽然如此，钱理群却认为研究者应该从中得出自己的结论。他的结论的确很精彩。他说：

> 现代最具有智慧和独立个性，最相爱，也最相知的兄弟俩，都为被最爱的人"欺骗"与"利用"的幻觉而痛苦得不能自制。他们最相知，一旦发生误解就永远不可解；他们最相爱，一旦失去了爱，就只会转化为恨；他们最具有智慧，一旦为情感所左右，失去了理性，就会盲目得看不见一切，以致做出了最愚蠢的行为而不自知；他们最有独立个性，都是"决定了什么就要干到底"的男子汉，一旦开始错了，就只有一直"滑下去"，不会转弯，甚至也不会想到弥补，自然也无悔恨可言！……这里毫无是非曲直可分，只能说是同样美好的人性，同样强大的个性彼此冲突，而不可解脱的悲剧。

在这样的结论中，自然包含着对双方的颂扬，也包含着批评，批评周作人已经司空见惯，但批评鲁迅却难见。所以，钱理群以一个人人可骂的周作人来"陪绑"，这样就比较容易被接受了。但是，我却感到多少有些沉闷，为什么在中国会产生这样的怪事呢？为什么一个十几亿人口的大国还需要一个超人呢？其实这种现象，在后代人看来将会是再荒谬不过的事了。

窥视许广平的情感生活

中国现代文学史上关于在上海沦陷以后，在美、英、法等国“租界”上的文学活动的资料一直是很零碎的。也许正是有鉴于此，上海社会科学院编了两大册的《上海“孤岛”文学回忆录》。从资料来说，自然是提供了不少，但是总的说来，有一种印象，好像并不太全面，似乎是朋友间的回忆，只讲自己一伙的，对于不同流派，特别是思想上有分歧的（如张爱玲），就撇开不管。我想，作为史料性的回忆录，这是不相宜的。

另外，许多回忆录文风甚糟，不必要的夸张、形容，显然有意的拔高等等，读来使人有泥沙俱下之感。我想，文学的生命是真诚，而以回忆录为最，如果所忆之事为真，而所为之文有浮夸之迹，则可能失去读者之信任。我在翻阅的过程中，时时因看出作者的不诚实而感到趣味索然。

然而，也有例外。

蒋锡金先生所写《长怀许广平先生》就给我一种特别清新之感。在他笔下，许广平的为人，不是作者用今天的观点去重新改造、加工提高的，而是在相当程度上保持当年的原始的真实，虽然也不免有些地方有些曲笔。

最使我惊异的是蒋先生写到她与鲁迅的关系时的坦诚。原文中有这样一段：

> 她的谈话使我很感兴趣。我又问她，她对自己的婚姻生活是如何估计的？她说，这是一种牺牲，是一种自愿的牺牲，并不是受了什么恳请或逼迫。

在蒋锡金的追问下，许广平解释说，起初是出于对鲁迅的敬仰、求教之心，后来产生了当忠实的助手的愿望，最后感到互相不能离开了。但是蒋锡金先生的诚实就在于，虽然如此，许广平仍然有牺牲之感，这就是她和鲁迅之间爱情生活的一个特点。

而且，这种特点不仅是在情感深处的，在某些方面还见诸行动。作为一个追求独立人格的女性先锋，并不以牺牲为满足。因为牺牲，在某种意义上，就是对自己独立价值的否定。如果是完全的、绝对的否定，就与封建的妇道没有明显的区别了。但许广平毕竟是许广平，即使牺牲的意向已定，仍然要保留她自己的某种独立性。她向蒋锡金透露一个小小的细节。在处理家庭经济收支时，始终把鲁迅收入和她自己曾经有的一笔收入严格地分开，这是她在广州教书时积蓄下来的，有三百元大洋，放在她自己的存折上。

这是她要保持自己的独立地位，她是反对妇女婚后成为男子的附属品的。她说，当然，她不会和她的周先生离开，但也要设想，万一发生不得不离开的情况，她就可以不依赖别人的资助，用这三百元维持自己几个月甚至半年的生活。

我很少看到回忆录涉及这么隐秘的心灵深处的活动。很多回忆录都不把当时的人当成一个平凡的普通人来描述，更谈不上对人物的特殊个性、独特的内心活动的披露了。特别是对于一些在历史上有些声名的人，许多回忆录作者都在不知不觉之间“造神”。

当然，蒋锡金先生所写鲁迅与许广平的家庭生活，仅此而已，或许他的所知，只限于此，也许他还知道更深的奥秘，只是不便于行文。不管怎样，他总算给我提供了一个线索，让我们能够由此去想象许广平与鲁迅作为一对普通夫妇之间的那些“非神化”的关系。也许他们相爱甚深，然亦不无矛盾，也许他们至死都很平静，并不如一些浪漫主义的小说所描述的那样热烈。也许许广平很自然地接受了这种现状，也许她偶尔也有所不满足，于是便触发了她用自己的名字存起三百元大洋的动机。很可惜，这一切由于历史的原因，是永远不能得到第一手材料加以阐释，加以分析了。

这是非常令人遗憾的，因为这就意味我们对于许广平，作为一个历史人物的理解，永远是不完全的、不充分的。

周作人的散文大师称号是否名副其实

由于历史的原因，我年轻时很少接触到周作人的散文。直到20世纪80年代初，上海古籍书店影印了一本薄薄的《知堂散文》，我邮购了一本。但翻阅之余，十分失望，觉得没有什么可看的，名噪一时的《乌篷船》，好像是一篇平淡的说明文。

一晃又过了十年，先是有北京大学钱理群教授的《周作人传》出版，后有中国社会科学院文学研究所研究员楼肇明，在他的论文中提及在五四时期周作人与其兄周树人乃散文界的两大风格的代表。周作人长于闲适，而鲁迅则长于幽默、讽喻和论争。然而，由于周作人有失民族大节，其闲适散文也被冷落。不过，周作人散文选之类的书籍近年又一本一本出现了，考其原因，当是不以人废文之故。

然而，当我细读他的散文时，仍然觉得枯燥无味者多，尤其是他后期一些散文，绝大多数都是援引书面历史资料，说明性多于趣味性。就拿早期名著如《乌篷船》来说，我虽反复排除一切先入为主的成见，研讨再三，仍然觉得水平不过尔尔。周作人追求的不是朱自清式的浓郁抒情，他所追求的是“平和冲淡”的风格，在可以强化情感的地方，他却抑制情感，在可以铺张排比的地方，他却十分吝啬笔墨，但是我总觉得他的这种吝啬笔墨并未恰到好处。实在说，他的全部功力的叙述，他所回避的是一种西方现代文学所嫌弃的滥情主义（Sentimentalism），他所向往的则是西方现代叙述学所推崇的抑制性的叙述，但抑制过分，则要付出代价，那就是枯燥。周氏早期已有此弊端，晚年则更甚。

但也有例外，周氏早期之作《初恋》赢得了广泛的赞赏。早在几年前苏州大学中文系范培松教授就对我说，这是一篇杰作。这次特地拿来一看，果然不凡。

虽然，这仍然是一篇以抑制情感、回避情感渲染的文章。

在这篇文章里，周作人写他第一次被一个平平常常的女性所吸引的经历。周作人首先强调在意识的表层，他的感觉是朦胧的、模糊的，强烈的字眼很少，最强烈的字眼，不过说是自己被这个女孩子的“光辉所掩”，以至“睁不开眼”去端详她。但是在意识的较深处的影响却比较大，他总是在女孩子来到时，努力把字写得好一点，用尽了最大的力量，但同时又并没有想到男女之事上去，也没有什么“希求”，功利的目的性还谈不上。

这种微妙的感觉在他心里埋得多深，他是不知道的。直到过了几个月，他家的仆人告诉他，这个姑娘死了。他的反应竟是：“我那时也觉得不快……但同时却又似乎很是安静，仿佛心里有一块大石头已经放下来了。”直到这个时候，他才发现这第一次“淡淡的慕恋”，原来潜意识中竟是一个非常沉重的精神负担。这种负担是如此之重，以至这个姑娘死去所引起的悲哀，反倒不如解除这种负担那么强烈。这倒是不失为大师手笔。很可惜，这样精彩的散文在周作人的文集中比例太小。至今，我对那么多文学史家、文学评论家对周作人的散文推崇备至而感到大惑不解。

鲁迅研究中的两种病态

说来惭愧，差不多有 30 年，我一直关注着现代文学研究，可是竟不知道有那么一本《鲁迅正传》，作者郑学稼，是对鲁迅持某种反对立场的。自然，在台湾把鲁迅说得一塌糊涂的文章，并不值得细读，但是像郑学稼这样以学术研究的姿态，从政治上反对鲁迅的著作，我觉得还是值得研究的。

郑氏这本书早在 20 世纪 40 年代在重庆就问世了，我看的这本是 1978 年 9 月台湾时报文化出版事业有限公司的改版本。其中有些观点十分怪异，论证也薄弱。例如郑先生的基本论断是鲁迅身为光复会会员，但在辛亥革命期间并无多少革命行为，而在辛亥革命以后却变成了一个小小的北洋军阀政府的官僚。从 1912 年到教育部任职，直到 1926 年“三一八”惨案以后离开，这期间的总统、执政总理走马灯似的换了不下十余人次，洪宪皇帝袁世凯、贿选总统曹锟和官僚政客徐世昌、黎元洪、段祺瑞等等在任时，鲁迅都安然地做他的小京官，甚至还被提拔为“佥事”（科长）。只有张勋复辟时期，他曾愤而辞职。这个观点本来并不十分新颖，它来源于鲁迅与陈西滢论战时期，陈给徐志摩的一封信，但陈只是攻击鲁迅的人身，并没有以此作为鲁迅不是革命家的论据。

郑先生用来说明鲁迅不是革命家，表面上也无不可，但是，郑先生毕竟还是学者，他又不能不承认在五四时期，鲁迅的作品，特别是《呐喊》和《彷徨》的重大思想和文学价值。为了避免陷入自相矛盾，郑先生充分肯定了鲁迅在批判旧文化、旧传统方面的深刻和犀利。虽然对一些意义重大的作品一笔带过，但是也可看出郑先生作为学者还是有相当的艺术眼光，而且这种艺术眼光并非在任何情况下都遮蔽他的政治视野。

读郑先生的这本书，会感受到郑先生作为一个学者往往在行文时不能不和自己作战。作为一个学者的最起码要求是论述的一贯，逻辑的统一，不得自相矛盾。郑先生很谨慎地避免着可能出现的矛盾，例如分析到 20 世纪 30 年代的鲁迅，他又指出鲁迅并没有真正从事过地下活动，如飞行集会之类，因而在“左派”看来，他也不算是革命家。

但是，这样一来表面上逻辑一贯了，可是实际产生了两个问题。首先，鲁迅性格的特点，恰恰是不主张表面上激烈的行动，力求避免对革命力量的无谓的损害的；其次，如果只有在战火纷飞的战场冲锋的才算是革命家，那么思想文化战线上就再也没有什么革命家可言了。

自然，郑先生完全有权利坚持鲁迅不是革命家的基本立场，但是作为学术著作，起码得遵循亚里士多德早就强调过的概念的同一律，首先得交代清楚革命家的内涵，如果在这个基本概念、基本的大前提上不细加讲究，那么，再新颖的立论也可能使读者惶惑，而双方在学术争鸣中难免变成“聋子的对话”。

因而，问题的关键在于郑先生承认不承认有思想革命家。如果只有参加敢死队、上街散传单的才有资格当革命家，那么很可能导致郑先生所完全不同意的一种推断：那就是在30 年代，革命家只可能在中国工农红军和上海的飞行集会的参加者中产生，但是在郑先生看来，这些人绝不可能是革命家，而只可能是“反革命家”。

话说回来，我对郑先生的全部立论也并非完全不能接受。在郑先生的行文中有一种反对把鲁迅神化的精神，我想我是体会到了的，我是有共鸣的。如果说，从 40 年代以来鲁迅研究有什么缺点的话，那就是越来越把鲁迅神化了。至今，鲁迅仍然是一种“绝对精神”的象征。至今还没有一篇文章来讲讲鲁迅有什么毛病，有什么没有改正，导致严重损失的缺点。好像鲁迅所做的、所说的都是正确的。鲁迅的语录至今在某些权威人士的文章中，仍然被脱离时空地引用，而且不加论证地作为立论的大前提。我想这是另一种病态，比之这种病态，郑先生的著作也有另一个极端的病态。非常不幸，我暂时还不能预见这两种病态消失的时机。

陈衡哲的《一日》能够算是现代文学的“开山之作”吗

最近从德国特里尔大学的图书馆借到夏志清先生的文学评论集——《新文学的传统》，台湾时报出版公司印行，在内地是不太容易看到的。夏先生的文学史著作为我所爱读，又因为有英文本的，要在外国图书馆中查阅并不困难，但夏先生的文学评论只有中文版，在外国大学里就不太好找。因而，偶尔碰到，要赶紧抓紧时间阅读。

通篇还没有读完，其中一篇文章就引起了我极大的兴趣：

那就是夏先生的《小论陈衡哲》。

在这篇文章中，夏先生提出一个令我大吃一惊的问题，即五四时期第一篇短篇小说并非鲁迅的《狂人日记》，而是陈衡哲的《一日》。夏先生以自我批评的口气说：

> 通常新文学史上，讲起第一篇现代白话小说，总推鲁迅的《狂人日记》(作者按：一九一八年《新青年》五月号)，连我自己在《中国现代小说史》里也跟着这么说。

现在他根据胡适给陈衡哲《小雨点》写的序言断定陈的《一日》，早在 1917 年就发表在任叔永、胡适主编的《留美学生季报》上。

对于这样一个非常重要的历史性翻案，本来是不能根据第二手叙述作准的，但是作为文学史家的夏志清先生在这些地方却比较大意。他并没有去核对《留美学生季报》，只是在括号里简单带过一笔，说是《季报》看不到，不能确定该期出版月份，就是这样一笔，给我留下了疑问：第一，这份《留美学生季报》究竟是一份什么样的刊物，它的发行量有多大，在当时留美学生中有多大影响？第二，陈衡哲的《一日》，是否发表在 1917 年的该刊上，胡适的记忆是否有错？一般说来，这类错误很少，但也往往发生，鲁迅在把《一件小事》收入《呐喊》时，就把年代在篇末记错了。

本来身在美国的夏先生最有可能查个水落石出，然而夏先生不查，就给文学史上这段公案留下了一个问号。再说，这篇小说即使的确发表在 1917 年，比鲁迅的《狂人日记》早，它能不能说是小说，艺术质量如何呢？是不是够得上中国现代白话小说的开山之作的称号？夏先生认为《一日》在艺术上是相当成功的，和差不多半个世纪之后留学生小说的代表作於梨华的《小琳达》相比，“毫不逊色”。

但是作者陈衡哲自己却在《一日》的题记中写道：“这篇写的是美国女子大学的新生，在寄宿舍中一日间的琐屑生活情形，它既无结构，亦无目的，所以只能算是一种白描，不能算为小说。”

也许，作者是过分自谦了，好在夏先生把《一日》附在文后了。

捧读之余，我不能不同意陈衡哲自己的说法，这根本不是小说，而是一篇流水账。

《一日》共分九节。分别标出题目曰：“早晨”“课室中”“午刻”“下午”“晚上”等等。每一个题目下面所写的事情只在时间的推延上与上面的题目有联系，在内容上则毫无关系。

例如，第一个题目“早晨”写两个女生早上睡懒觉，到早餐时还不起来，其中一个去晚了，听同桌的女生讲了昨晚学校的一个新闻。到了第二节“课室中”，女生连同新闻都没有了下文，写的是另外一个女生请教师原谅她因生病不能交作业，但教师令大家课堂上一起写，写后众人都不用交，只收了那个声称有病的女同学的卷子。在“下午”这一节中写的是美国女学生在宿舍中谈论学校生活很苦，很奇怪为什么中国学生却远渡重洋到这里来受苦，连夏天都不回到家里去，等等。

通篇虽然都是用通顺的白话文写出，基本上是对话，好像是独幕剧本，但又分了五六个场景，几乎没有什么叙述语言，更连起码的连续性都没有。

很显然，这样的作品不但小说够不上水准，而且连“白描”（散文）也很勉强的。

因为作者还没有能够用叙述语言把一天中的生活用统一的情绪把它贯串起来。其原因是作者显然还没有形成以情绪为线索的自觉，也没有叙述和描写的能力，正因为这样，作者只能用时间分割的幼稚方法，划分空间场景，以回避外在的和内在的连贯性和人物内部感觉的逻辑性。

把这样稚拙的作文当作现代文学的开山之作，我不知道夏先生一贯拥有的艺术鉴赏力到哪里去了？

巴金的祖父并不专制
——读陈思和的《巴金传》

一个很受尊敬的前辈作家对我说过，他曾发誓不看时下出版的作家传，尤其是评传之类的东西，原因是此类传记都缺乏传记本身的严肃性。许多传记写的都是活人，传记的作者和传主之间有密切的交往（不然不能获得那么多的资料），有良好的人际关系。另外一种是传主已故，资料由其家属提供，作者与家属之间常常有一种不言自明的默契甚至明白的交换条件，那就是把传主写得光彩一点。我在旧金山就碰到一位朋友，他是陈宝琛的后代，他整理了陈宝琛的遗稿，特别是奏章，在台湾出版了。他很认真地对我说，有一篇奏章足以证明陈宝琛并非亲日派失节者，相反他倒是提醒过溥仪，对于日本方面要把他当作“奇货”的“祸心”要有所警惕。

他给我看了那一篇奏章的片段。

他说的自然属实，但是，这是一个孤证，相对于陈宝琛的许多行为、文字来说，这一点材料还不足以推翻现有的历史评价。

幸而他没有求我为陈宝琛作传，否则我实在不知如何自处。

为活人作传更是免不了受到拘束的。

但是眼前，又摆着一本传记，是活人的：陈思和的《人格的发展——巴金传》（由上海人民出版社和台湾业强出版社出版）。

陈思和就是和王西彦的儿子王晓明一起主持过“重写文学史”专栏而闹得满城风雨的，因而我急欲一睹他如何重评巴金。

他并不指望自己能超越其他人写出巴金“唯一的真实”，他说，“任何人都回天乏术”，无法用文字来“重现”一个活生生的生命的真实。陈思和追求的是写出他对于巴金的思考、理解和困惑。书中坦率地承认，任何一个作者都无法再现传主的全部生命真实，充其量只能完成自己对传主生命的某种解释，这是传记作品在指导思想，或者说在哲学思想上的一大进步。新一代的学者已经有了一种共识：那就是不可能有一种用语言表现出来的人的生命和社会机理的一揽子的客观的本质，充其量只是主观对客体的一个侧面的一种选择，一种解释。

这种解释在《巴金传》中有许多精彩得令人想一读再读的部分，例如，陈思和指出，由于《家》的巨大影响，又加上巴金本人在不同时期的回忆，已使读者把《家》中的高家与巴金的家混为一谈。在许多读者印象中巴金的童年和青年时代是生活在一个专制王国中的，但是陈思和经过考证分析，他的解释是，巴金的家庭，只是一个普普通通的旧式家庭："这里没有什么特别的罪恶，也算不上专制。"在《家》中被当作专制代表的爷爷，却应该属于比较开明的老人。

陈思和认为，巴金在回忆童年生活时确有"小题大做"的成分，他认为这是一种"文学上的夸张的修辞手法"。

为什么生活在一个并不十分专制的家庭中的巴金，十五岁之后就如痴如醉地沉溺在无政府主义的宣传之中？

陈思和的解释是：理想对于他较之现实更为重要，从本质上说，他是一个理想主义者。

在陈思和笔下，写得最生动而且深刻的是：解剖巴金人格分裂的那些章节。

在这个热情的理想主义者，在现实生活面前看到自己理想的无政府主义的太阳的陨落。恰恰在他的人格面临分裂之时，他走向了文学。一位叫作李辉的评论家在《读书》杂志上为文推崇陈思和的这本书说：巴金"被动地选择了文学作为发泄痛苦和困惑的手段。人格的分裂，反而导致他在文学上的成功。生命中这轮新的太阳升起，却又是他不愿意看到的另一轮太阳陨落的代价"。说得是很透彻的。

巴金文学上的魅力，"不是来自他生命的圆满，恰恰来自人格的分裂"。

这就是陈思和对巴金的生命的一种解释，虽然不见得全新，但是却代表一种新的潮流，这种新潮的最大意义在于对传主偶像化的老套子的挑战。

关于重写中国文学史

关于重写文学史的论题起初是华东师范大学中文系教授王晓明和复旦大学中文系教授陈思和提出来的。他们在《上海文论》上开辟了专栏，吸引了不少学者参加讨论。

他们所讨论的本来是现代和当代文学史。最近这个论题引起许多不同的看法。最值得注意的是上海《文学报》第505期上施蛰存先生的意见。施先生是老前辈，20世纪30年代以编《现代》文学杂志并创作现代派小说，标点出版古代白话小说及明人小品而闻名，他的意见非一般泛泛之谈。

他认为重写文学史之说似乎不妥，因为写文学史从来没有“专利权”，每个文学史家都可以自己写一部。从黄摩西的《中国文学史》以后，曾毅写过《中国文学史》，谢无量写过《中国文学史》，王国维写过《宋元戏曲史》，鲁迅有《中国小说史略》，郑振铎有《中国俗文学史》，龙沐勋有《中国韵文史》。这么多文学史都有自己独立的价值，谁也不是对别人著作的重写。

只有一部文学史可以说是重写的，那就是刘大杰的《中国文学发展史》。这部文学史最初是上海沦陷于日寇之后，作者在几个私立大学的讲义，抗战胜利后，作者在国立暨南大学任文学院长兼中文系主任，把这份讲义重写了一部分，即出了第一版，在1950年又略加改写印出了一个新版本。

施先生认为作者自己改写才叫重写。这种论断可能与王晓明教授的原意不完全符合，这并不能引起我的兴趣。引起我莫大兴趣的是刘大杰先生数度对《中国文学史》的改写。

我在20世纪50年代中期进入北京大学中文系时，当时上《中国文学史》的课程，有好几本参考书，一本是林庚先生的《中国文学简史》，另一本是李长之先生的《中国文学史》，还有一本是容庚、詹安泰先生的《中国文学史》，但这三本最多只写到隋唐部分；而且，都多少有一点简单化，文字也有一点枯燥。只有刘大杰先生的《中国文学发展史》是完整的，从先秦一直写到了晚清，而且文采风流。

刘大杰先生本身是个作家，他对作家的生平、文人生活的奇闻逸事涉猎颇多，而且他又有一种强大的逻辑组织力量，能把对作品的分析和对文人生活的描述结合起来，因而读起来兴味盎然，我还记得当时一些同宿舍的朋友读罢归来赞美刘大杰先生的文采和艺术鉴赏力的情景，同时，那些古代文人的奇闻逸事也就深深印入我的记忆之中。什么司马相如患着糖尿病，李白醉后跳入水中捉月而死，杜甫晚年贫困，得一友人款待，食牛肉过多，腹胀而死等等都成为初入文学研究领域之门的我们开玩笑时的谈助。

由于受到刘先生文笔的影响，我在很长一段时间中对当时翻译过来的缺乏作者的艺术欣赏和激情的《俄国文学史》以及苏联人写的《欧洲文学史》读不下去。我总对他们那种干巴巴的所谓“分析”持很强烈的怀疑态度。文学本来是感性的、形象的，而苏联人写的文学史却成了枯燥的“人民性”“爱国主义”“艺术特点”之类的条文。

正是因为这样，刘大杰先生的《中国文学发展史》是很受欢迎的，但不知为什么，当时北京大学图书馆中《中国文学发展史》所藏甚少。在文史楼的必读参考书阅览室中只有 1948 年出版的两三本，必须把借书证押在那里才偶尔能借到。我下一届的一个同学彭庆生竟然下决心把这三部七八十万字的大著抄下来。

自然，后来由于“大跃进”，我们都停了课，下乡去劳动了，这个同学大概是没有抄完。

直到我毕业，在大学里教几年书，并且又一度在“文革”中下放到农村中去，偶然在一个中学的图书馆中发现了刘大杰先生在“文革”中改写了的《中国文学发展史》。但令人非常扫兴的是，刘先生竟拿他晚年有限的生命去迎合“四人帮”“评法批儒”的需要，把古代作家硬性划分成法家和儒家任意褒贬，当我读到他把曹丕当作法家大加赞扬，把曹植列入儒家而大肆贬斥时，实在没法读下去了。

在德国大学图书馆读《〈女神〉汇校本》

在德国马克思的故乡，有所特里尔大学。近年来增加了许多亚裔青年，不论在大学里，还是在街道上，时常会看到东亚人的脸。但是，一个来了两年的北京青年告诉我，现在不敢随便打招呼了。原因是有许多并不是中国人，而是韩国人或日本人。有一次我和一个朋友在著名的“黑城门”（这是德国最老的古迹，是两千年前古罗马的文明遗址，也许是德国最引以为骄傲的了），就有一个亚洲人来和我们打招呼。一答话，原来他是韩国来的，把我们当成他的同胞了。

然而，在大学图书馆中却几乎没有朝鲜文的书，只有日文和汉文书，汉文书不外两类：一类是古典文献，资料性很强，例如影印的《四部丛刊》之类。另一类就是中国现代和当代文学及其有关研究论著。此外，中国语言学的论著（如王力的《汉语音韵》）也不少。在汉文书籍中，首先引起我注意的是一本不起眼的小书，叫做《〈女神〉汇校本》。

一看这个名字我就有点惊奇。这显然是一本学术资料性的书，我在国内都很难买到，在这里居然占了一席之地。

我国传统的文学研究对于版本的考订是十分细致的，以至于在一部分学者（如俞平伯先生）看来，所谓文学研究的任务，主要就是考证作者的生平和书籍的不同版本，校勘其间的不同。这种传统由于 20 世纪 50 年代对俞平伯先生的《红楼梦研究》的粗暴批判而遭到不加分析的藐视，以致 50 年代以后成长起来的一干研究者，包括李泽厚、刘再复，都多少有点轻视基本历史文献的考订。笔者还记得在 1959 年纪念五四运动 40 周年之际发表了邵荃麟（当时中国作家协会的主要领导之一、权威的理论家）论“五四”新文学的论文，其中特别指出，“五四”新文学的社会主义因素，其主要例证就是郭沫若在 1919 年末作的《匪徒颂》就歌颂了马克思、恩格斯、列宁。文章发表出来以后，大家只有认真学习的份儿，有谁敢把它当作学术文章去研究呢？直到一年以后我和谢冕等一起写新诗发展讲话，殷晋培告诉我，邵荃麟根据的《女神》不是 1921 年上海泰东书局的原版本，而是 1928 年后经过郭沫若删改的版本。这时郭沫若的思想已与 1919 年有很大的不同了。我当时未免吃惊，这么大的权威，为文怎么可能这么粗糙呢？其实，当时此类事并非个别。很显然，由于对学术资料的毫无道理的轻视，严重地降低我国当时学术研究的水平。

这个问题，直到“十年浩劫”之后才被严肃认真地提到日程上来加以解决。在郭沫若逝世以后新版的《郭沫若全集》，编委会在这方面做了许多艰巨的工作。我猜想这本《〈女神〉汇校本》实际上是为《郭沫若全集》第一卷所作的一个必要的准备。

编者桑逢康做了大量过细的校勘工作，这是很值得感谢的。

桑逢康在中国现代文学研究界是一个名不见经传的人物，但是他却做了一件功德无量的事。他把《女神》自出版以来的所有八个版本都拿来细加校对了，对不同版本的文字差异都以详尽的注解附录于原诗之后。就如上面我提到的《匪徒颂》问题，1921 年的版本原来是这样的：

倡导社会改造的狂生，瘐而不死的罗素呀！

倡导优生学的怪论，妖言惑众的哥尔栋呀！

亘古的大盗，实行波尔显威克的列宁呀！

很显然，当时郭沫若虽已知道列宁是革命家，但是还弄不清他的“波尔显威克”（布尔什维克）和罗素的社会改造与哥尔栋的优生学有什么区别。根据这条材料是很难得出郭沫若对社会主义的革命性质有了什么理解的。邵荃麟的秘书如果细心一点，事情就不会这样糟了。然而在今天看来是一个小人物能够做到的事，可在当时，一个大人物却没能做到。也许，在今后的哪一天，某一位德国的年轻的汉学家要写郭沫若早期诗作的论文，他就不会像 50 年代的中国学者费死老劲而又充满了犯常识性错误的危险了。

这不是个人的水平问题，而是历史的水平问题，当历史的水平上升之时，个人自然也就在不知不觉之中上升到前人未达到的水平。自然，这是就一般情况而言的，对个别历史人物，情况就不那么简单，这是不可以一概而论的。

戴望舒为什么不能算是一个浪漫主义者

美国大学的文学课程也有一种程式，说得不客气一点，他们的分析方法，也有一点老一套甚至是公式化。

这种老一套或公式化，都来自他们的文化学。

文化学本来挺有意思，但是有些教授满足于文化学的分析。不论是《阿Q正传》《林家铺子》，还是张爱玲的《秧歌》，都用文化学的分析方法。用文化学的分析方法固然可以找出一种比阶级分析更为概括的方法，它的着重点是民族心理的共同性，而光写出民族共同心理特点的作品可能是概念化的。没有个性就没有文学，对于这一点，他们没有很好地考虑。

另外，他们也没有很好地考虑过艺术本身的问题。

这一点我很有体会，特别是讲到戴望舒的作品的时候。

我在讲授过程中，提出了一个问题，使所有在座的英语系大学生面面相觑。

我的问题是：所有戴望舒的诗都可以归入抒情诗之列，为什么一般文学史家还有诗学家都不约而同地把他归入象征主义者之列呢?

不但大学生无法回答，而且他们的教授也没有想到这个问题，戴望舒的作品为什么不是浪漫主义的呢?

我举他的成名作《雨巷》为例，连戴望舒的第一个发现者叶圣陶都只说到他的这首诗开始了新诗节奏的新纪元。这话经常被文学史家所引用，当作权威的评定。其实叶圣陶说得牛头不对马嘴，戴望舒是不主张诗的音乐性的，他在《论诗零札》中明白宣称“诗应该去掉音乐的成分”。

其实关键在于象征主义诗人认为像浪漫主义诗人那样直接把感情倾泻出来是很容易概念化、抽象化的，于是他们诉诸感觉，用感觉的变幻来代替感情的直接抒发。浪漫主义者的感情是强烈的激情，而象征主义者则是一种宁静的体验，不过他们不把自己的感觉作主观的表达，而是为这种主观感觉还有感觉以下的宁静的情绪寻找一种“客观的对应物”。

戴望舒在《雨巷》中所显示的就是把主观的情绪变成客观对应物的技巧。

他独自行走在狭窄的雨巷，希望遇到一个拿着雨伞的、像“丁香结着哀愁”的、有着“太息一样的目光”的姑娘。这个姑娘的动作是徐缓的、无声的，哀愁是淡淡的、朦胧的，而这一切正是戴望舒自己的特点。

我告诉他们理解这首诗的关键词句是姑娘拿着油纸伞独行在雨巷，“就像我 / 像我一样”无声地、缓缓地走在孤独的哀怨之中，这正是客观对应的连结点。

这个女性的形象，正是戴望舒自己内在的、无声的忧愁的外在对应物。主观与客观性别不同，但是情感、感觉的特点则是统一的。

这种内在情绪的外在感觉化，特别表现在他后来在日本人监牢中所写的《我用我残损的手掌》中。本来，人面对世界抒发感情，可以运用眼、耳、鼻、舌、身等多种感觉，但是戴望舒却别出心裁，把他对祖国半壁河山沦陷和大后方仍然在抗战的整个感觉不是通过眼、耳、鼻、舌、身等全部感觉来传达，而是把它集中在一种感觉（触觉）中的一个部分——手的感觉来表现。所以他强调了对于灰烬、对于血染的泥土的触觉感受，他摸到了河水的凉意和长白山透骨的冰寒，特别是黄河泥沙之滑，江南秧苗的柔，用这样的感觉来表现他对沦陷于日寇之手的人民的感受是很有象征主义的特点的。

象征主义回避直接抒情而以感受状之。正是因为他有这样的感觉的特点，他的诗才是象征主义的。

有一位很有修养的教授，叫许芥煜，他翻译了一本《20 世纪中国新诗》，比北京出的《中国文学》英文版上翻译的要强得多。但是他也没有弄清戴望舒诗歌的象征主义性质，反而说戴望舒晚年写的大体都是“抒情诗”，这就把问题弄混了。这说明，要真正讲通戴望舒的艺术是多么的困难，这里需要有对诗歌艺术本身的理解。任何一种理论只是在有利于理解艺术本身的规律和结构的意义上才有价值。马克思主义的阶级分析方法的缺陷是达不到艺术形象、结构的深层奥秘，因而新一代的理论家，包括很风行的文化学理论，所遇到的仍然是无法回答艺术本身的问题。看来，只有回到艺术形象本身的分析中去才有希望。

徐志摩的诗和现代作家的包办婚姻

美国大学生和教授，有时对中国的现代新诗表现出不太理解的样子，特别是20世纪20年代的浪漫主义诗歌。这是因为在20世纪初，浪漫主义诗歌在美国诗坛已经不时髦了，那种把感情强化、极化的抒情方式，经过西方100多年的发展，已经使他们厌倦了。本来sentimentalism在20世纪初被我们早期的作家翻译成“感伤主义”，也就是多愁善感的意思。其实这个词在当代英美语言中已带一点贬义，现在有人把它译成“滥情主义”，是不无道理的。

但是在五四时期和20年代，中国人的多愁善感对于扼杀人情的礼教还是有一点革命的启蒙主义功能的。

只有在这样的文化背景下，才能对外国人，特别是被60年代以来的“性解放”弄得对真正恋爱有点茫然的美国大学生，说清楚徐志摩那种浪漫主义的激情的时代价值和社会意义。

我举“这是一个怯懦的世界，容不得恋爱”为例，向美国大学生解释说，徐志摩这样的诗句是有一点反抗性和创造性的。他讲出了许多人，甚至文学革命大师都能讲的话，但是可贵的是他以他的生命为这句诗作了注解。

主张自由恋爱，反对包办婚姻是当时小说、诗歌、戏剧的共同主题，但是许多主张自由恋爱的文学前驱恋爱却不能充分自由。胡适是喊得最凶的一个，但他的婚姻是包办的。结婚以后，他的妻子并不能使他满意，他真正的意中人是另一个。后来，胡适和她在杭州有一次会晤，被妻子发觉，以大闹一场而终，从此胡适不敢造次。郭沫若也是一样，他最早的婚姻是包办的，他去日本后，陷入了一次恋爱，并且生下了儿子。可是道德的苦闷常常使他想着自杀，直到五四运动以后，他才高呼反抗，以火山爆发式的情感欢呼毁灭旧世界和旧自我，让新世界和新自我像火中复活的凤凰一样享受温馨的欢乐，但他居然一直没有和那包办的妻子离婚。最奇怪的是鲁迅，他对旧礼教的批判是最彻底的了，但是他也有一个由他母亲包办的妻子。还是他在日本留学的时候，突然得到母亲病重的消息，他星夜赶回绍兴，不料是张灯结彩，在等待他作新郎。他并不喜欢那新娘，但为了不违抗母命，他只委屈自己做了一个孝子，但几天以后他就走了，从此就把这个新娘还给了他母亲。在他和许广平有了相当密切的关系以后，他本是可以和他的挂名妻子离婚的，但这位名叫朱安的女士趁鲁迅的兄弟周作人、周建人都在场的时候，双膝下跪，要求不离婚，永远让她服侍周氏老太太，至于鲁迅与谁再去结婚，她决不干预。鲁迅除了同意以外，还有什么办法呢？鲁迅后来去了南方，待到四一二反革命政变以后，他本是可以回到北京的，但这位朱安女士的存在，很可能是他和许广平定居上海，而把母亲和朱安放在北京的一个原因。

讲了这么多，我才转到徐志摩身上来。

当他发现自己另有所爱时，便非常果断地提出了和他的发妻张幼仪离婚，而不管无穷无尽的社会批评。那时连他的恩师梁启超都曾写了一封长信谴责他“把自己的幸福建筑在别人的痛苦上”。

但是他顶住了，他把给张幼仪的信公布出来，可真有点大无畏的精神。很可惜后来他追求陆小曼，此人乃一交际花，在结婚后仍耽于社交，并且吸毒，还与一个医生有染。这使徐志摩十分痛苦，遂离开上海的家庭，应聘于北大，往来于空中交通，不幸于 1931 年死于空难。

徐志摩的诗绝大多数是他灵魂冒险的记录，他的诗相当成功，但是他的自由恋爱却是失败的。

对此，美国大学生，尤其是女学生十分有同感。

后来我提起，在中国作家中，包办婚姻也有十分幸福美满的。例如茅盾与孔德沚白头到老；叶圣陶对他包办的妻子十分满意；而闻一多的包办妻子连字也不大认得，他还从美国写了长诗去给她，让她用手去摸字，说明便可感到他们心跳的一致，可惜这诗被他父亲截留了。当我说到“截留”（intercepted）时，美国女大学生惊叫起来。我说，这种美满有时像你们美国的买彩票，一下子中了三个头奖，于是课堂里所有女学生一下子都欢呼起来。

世界上没有什么十全十美的事，包办婚姻之弊早已为人类所痛切地加以批判；而自由恋爱走向极端，又有可能导致光有自由而没有恋爱了。因而 60 年代以后，西方青年乃有试婚之举，但试婚的消极性似乎更大。人类在这个问题上，至今仍然在摸索。

丁玲为什么对沈从文那么刻薄[①]

我不知道出于什么原因，对于丁玲总是怀着某种别扭的印象，虽然这主要不是由于我对她的作品有什么偏见。说实在的，对于她的早期作品，尤其是《莎菲女士的日记》，我是很喜欢的。我甚至认为，这本日记体小说给了茅盾在抗战期间用同样是女主人公的口气写的日记体小说《腐蚀》以重要的影响，那个女主人公在心理气质上就是有点莎菲女士的特点。这一点似乎被现代文学史的研究者忽略了。

我对丁玲怀有别扭之感，主要是因为我对丁玲为人的印象，我的主要根据，是在1949年以后，她正春风得意之时对沈从文的歧视。

本来在30年代，沈从文和丁玲、胡也频曾经志同道合献身于文艺，而且共同组织过“红黑社”，出版《红黑》。胡也频被捕后，沈从文曾经奔走营救，为文抗议；丁玲出狱以后，沈从文还去看望过她。在沈从文当时写的记述丁玲和胡也频的文章中，他对丁玲和胡也频献身于革命的行为表示了由衷的钦佩，虽然沈从文自己并不想投身革命运动，但是，丁玲在50年代初期成为文艺界领导，在党内和文艺界都有相当的发言权之时，眼见沈从文从北大教授的位置上被拉下来，备受歧视，苦闷得一度自杀，而且从此结束了创作生涯，她却袖手旁观。沈从文即使按当时的标准，也绝对没有什么大的政治问题。然而，丁玲作为沈从文当年的好友，曾经在患难中得到人家关照的，却完全忘掉了往日的情分，既没有以正常朋友的身份去拜访沈从文，也没有为沈从文的狼狈遭遇讲公道话；相反，她在1952年为开明书店出版的《胡也频选集》写的序言《一个真实人的一生》中，很不客气地说到沈从文——“一个常处于动摇的人，又反对统治者，又希望自己能在上流社会有些地位”。

① 写这篇文章之时，我只是对丁玲的为人品格有不满，后来，得到了更多的历史资源以后，才知道在胡也频牺牲以后，曾与冯达同居并双双被捕，后冯叛变，丁出狱后曾短期与之继续同居。在延安政治审查中，一度成为疑点，而沈从文在《记丁玲》的文章中，恰恰又提到丁玲避之犹恐不及的政治软肋。因而在公开的文章中表现大义凛然，就流露某种洗刷自己的意图。

这种话说得极其刻薄，完全不像曾经是密友的身份。

丁玲这样对沈从文完全是不通情理的，这时沈从文只是国家文史馆的小职员，甚至是讲解员。丁玲不可能不知道沈从文的尴尬处境，但是她却理直气壮公然地表示了她对沈从文的藐视。

这不仅是丁玲个人的缺乏人情，而且是一种历史的风尚，当时，对于朋友、亲人稍有不合政治时尚者，则“划清界限”，避之犹恐不及。这在台湾和大陆是异曲同工的。丁玲当时正红得发紫，身为中共中央宣传部文艺处处长，又获得了斯大林文艺奖金，处处觉得自己高人一头。沈从文当时已为文坛放逐，所以，在为文时稍稍损他一笔，实在是其庸俗的政治优越感的表现。在这里就隐藏着丁玲为人的自私。

由于是用最神圣、最光辉、最容易被时人接受的词句讲述出来的，因而就连这种显而易见的庸俗的优越感都被读者忽略了。

正是这种庸俗感使我对丁玲在 50 年代的许多文章产生一种反感，甚至在她 1957 年被划为右派遭受非人的痛苦后，我仍然对她难以释怀。因为她直到 80 年代后期，在回忆文章中仍然对沈从文发了许多苛刻的议论，且不说那些议论完全站不住脚（这一点已经由《沈从文传》的作者凌宇作了澄清），就是在她得意时，对许多朋友（包括胡风）的伤害都毫无忏悔之词，从中也可见丁玲的人格与巴金相去甚远了。

美国女权批评家看萧红

在美国，女权主义是一股很强烈的思潮，特别是在大学里，不论是在招生方面还是在任用人员方面都有保护女性权益的法规。在文学批评方面则有女权主义流派。前些年，美国女权主义批评开始被介绍到内地，一时也热闹了一阵，甚至中国社会科学出版社还出版了一本女权主义文学批评的论文集，但很可惜都是翻译的。在一些前卫性的文学理论刊物上出现的女权主义批评文章大部分也是介绍性、述评性的。

这使我感到极大的不满足。在我看来任何一种外来的思潮，绝不能光凭介绍和鼓吹就能在中国生根、发芽、开花，它必须在批判（或者时髦一些的说法：解构）中国的著名的、经典的文学作品的历史过程中重新创造出自己的话语体系，才能真正富有生命力。

一个非常偶然的机会，我认识了加州大学柏克利分校比较文学系的刘禾副教授，并且拜读了她发表在北欧一个权威刊物上的论文——《文本、批评与民族国家文学的启示》。

这是一篇完全站在女权主义立场上重新阐释《生死场》的力作。刘禾又主张“民族国家文学”，认为中国现代文学与中国进入现代民族国家的过程刚好同步。在她看来，中国进入现代民族国家的形式是由辛亥革命引入的。现代文学不仅是现代民族国家的产物，而且是为民族国家产生主导意识形态的重要基地。

这样的文学往往具有国家民族主义的特点，而且以男性意志为中心。刘禾认为任何一部重要的文学作品的重要性，不仅在于它作为“民族寓言”的象征，而且在于它如何被文学批评接受，作为杰作或经典的过程中。

刘禾不喜欢现代文学批评常用的那种“伪哲学”的抽象演绎，她选择了《生死场》作为一个生动的文本，来解读民族国家文学观念的内部结构。

刘禾不同意胡风和鲁迅在《生死场》的序言和后记中所称颂的“中国农民爱国意识的觉醒”，也不同意茅盾在40年代从民族主义的立场出发对萧红的批评。刘禾认为茅盾所说的社会、民族战争是以男性为中心的，在茅盾的话语系统中只有一个敌人，而在萧红的世界中则有两个：帝国主义和男性父权专制。因而在萧红的《生死场》中，她所描述的“生”与“死”的意义，主要体现在个人的身体，特别是女性的身体，而非民族的兴亡上。她批评鲁迅未能充分考虑到《生死场》主要表现的是农村女性的两种身体体验——生育与死亡。

所以最生动的描写并不是作品中所占篇幅不大、也不重要的，许多批评家都已感到十分薄弱的立誓抗日杀敌的群众场面，在这一点上，萧红作为女性，她甚至和萧军在《八月的乡村》中男性民族主义的倾向是不同的。

刘禾的分析相当细致，具有现代解读学的特点，许多地方是十分雄辩的，特别是当她引用《生死场》中产妇所承受的肉体痛苦时：

> 受罪的女人，身边若有洞，她将跳进去，身边若有毒药，她将吞下去，她仇视着一切，窗台要被她踢翻。她愿意把自己的腿弄断，宛如进了蒸笼，全身将被热力所撕碎一般。

而同时，萧红不无意味深长地指出：“在窗外墙角下，谁家的猪也在生小猪。”作者还分析了王婆自杀的惨状，特别强调身体的残损，这些都不同于萧军的风格，既未表现为英雄行为，又不是反抗社会。在这里，触目惊心的是男权主义的可怖后果，更为惊人的描述是美丽的月英瘫痪之后，所遭受的是她丈夫的折磨，弄得下身都生了蛆，而不是像萧军笔下，妇女的身体遭到日本侵略军的摧残。

刘禾并没有完全否定《生死场》中的民族国家意义，她只是认为《生死场》虽然没有正面去肯定，去鼓吹国家民族主义，但却表现了民族主体意识产生的进程。作品中的赵三过去不过是一个家长，“从前不晓得什么叫国家，从前也许忘掉了自己是哪国的国民”，最后他发现了自己作为“中国人”的存在，由此找到自己的生命意义。这个“自私的”农民变成爱国者和金枝失去丈夫以后的下场相比，说明男性和女性成为“中国人”的过程十分不同。在小说中，作为寡妇的女人只有两个下场，一是加入到“弟兄们”的行列，失去自己女性的身份而不能享受女人的自尊，二是为了生存而在男性的身体侵犯中挣扎。

仔细地解读刘禾的文章，我才渐渐感到中国女权主义批评开始在中国文坛上扎下了自己的根，虽然，她的解读还未达到解构男权主义本身的程度。另外，她对抗日战争激发的民族国家意识的否定很显然是比较牵强的。她文章的价值，也许就是提供了一种女权主义的视角而已。

女权主义者可否宽宏些

在美国大学里，女权主义真是太盛行了，一般地说，都还停留在实际利益的保卫和争取的水平上，使我惊讶的是在这个只有200多教职员的大学里，仅仅在英语系的布告栏里就有三种女权主义的活动通知，大都是一种定期座谈的性质，但也有一种很特别，叫作“性虐待幸存者”小组在征集会员。这是一种保密性的同盟，凡在少年、青年时期受到性虐待、性强制、性侵犯，在成年以后感到精神痛苦、损伤的都可以去参加，预期精神痛苦在她们的秘密小组后得到缓解。

很奇怪的是，会员征集人数只限在八个人左右。

我和一位女副教授谈起她们的女权运动似有缺点，她问：“什么？”我说：“缺乏理论色彩。”她深有同感，她说理论的书是有的，大学里就有不少妇女学的课程，可是理论已经落到了实际需求的后面。她问我问题的关键何在，我说，这主要是缺乏历史的深度。女权主义历史短，美国的历史也短。这么短的历史很难有高的理论水平。

她发现我讲英语时常在该说 She 时说成 He，有时话已说出口了，又回过头来纠正。我告诉她，我这里就有一个潜意识的历史深度问题了。

这种把女性的 She 说成男性的 He，是从我的潜意识里蹦出来的。因为在汉语里第三人称就没有男女之别，都只写成一个“他”。把这个字的部分拆开来就是“人也”。“他”的定义就只是人，不管男人还是女人。

所以在最原始的汉人心目中，男女是平等的，平等得没有必要分别男女。

她十分鼓舞，拿出笔来就要往下记。

我说：且慢，这只是问题的一面，问题的另一面就可能叫你非常不愉快了。我在纸上写了一个“女”字。我说这个字是从汉字的“人”（一个侧立着的人）发展而来的。一个侧立的人，腿往下弯一点，再用一根绳子把身体捆起来，这个“人”就成了“女”，我用甲骨、金文、篆书给她写在纸上。她大为惊讶，问我为什么把人捆起来就成了女的，难道男的就不会被捆起来吗？我告诉她，在原始蒙昧时代，两个部族相争，抓到男性俘虏一般杀戮，只有女性才留下来，用来繁荣这个部落。由于当时天灾相当严重，人类难以抵挡。我开玩笑说，又没医疗保险，连阿司匹林都没有，再加上战争十分残酷，一场仗打下来死伤十分惨重，即使是战胜者也面临种族绝灭的危险，因而除了牛、羊、粟、麦的再生产以外，人的生产就特别重要。

这时“女”字就创造出来了。

但是这样的女人很容易溜掉，因而得有一个人把绳子牵着，在“女”字旁边加一个“又”，就成了“奴隶”的“奴”，这个“又”字，本来是一个人的右手。

后来奴隶并不一定是女人了，而且男的奴隶变成了劳动力，“会说话的工具”，但奴隶的“奴”还是那么写：反过来，一般妇女，良家妇女，甚至贵族妇女，有时还会自称“奴家”。

历史遗留在文字和语言中的东西和现实世界的实际情况发生矛盾时，现实的原则总是占了上风，人们很自然地略而不计了，而语言和文字的遗迹就只是对学者来说有意义，对于一般老百姓来说，其历史意义则变成了学问。自称奴家的贵族妇女并不一定是奴隶，自称寡人的天子也不一定孤独，所有这一切矛盾，只对历史有意义，对于现实来说，没有什么多大的实际意义。如果在语言上纠缠下去汉字需要改革的比英语多，比如：妖怪的“妖”是女字旁的，娱乐的“娱”是女字旁，难道女人都是妖怪、女人就是男人的娱乐工具吗？为什么中国人把本来只有一字的“他”增加出来另一个“她”？现实原则总是高于语意的遗迹，你们美国人已经把 chairman 改成了 chairperson，但是你们对于 history（历史）就是没办法，为什么是他的（his）而不是她的（her）？如果你改成 hertory 人家就看不懂了。

女权主义者对于历史是否可以更宽宏一点呢？

这位女副教授虽然不完全同意我的意见，但仍然大喜，要求我把乱涂在一张纸上的那些汉字给她保存。

女作家不是一个性别观念

在西方，女权主义不但是一个政治运动，而且是一种文学批评的流派。正因为这样，中国当代女作家特别受到西方重视。我手头正翻阅着一本美国出版的《中国女作家》，是1989 年出版的。这是一本论文集，不同作者研究的对象从丁玲、张爱玲、李昂、陈若曦、谌容到张洁，连在我看来，在文学史上不会留下痕迹的张抗抗都有专题论文，至于昙花一现的张辛欣，更是被作者倍加推崇。不过我总觉得，外国人研究中国女作家总是带着西方文化的色彩，他们用女权主义观念来看中国妇女的命运，往往有隔靴搔痒之嫌。这是因为在中国，女作家的心灵中最重要的并非女人如何活法，而是作为一个人如何活法（我说的是中国当代文学，而不是五四文学）。外国人研究谌容，把她当成一个女作家自然并无不可，但是谌容在她的最成功的作品中，并没有提出妇女的命运问题，她并没有把妇女的命运当作她一系列作品的主题，作为她追求人生和艺术的中心。她在《人到中年》中塑造的陆文婷，其实并无多少女性的特点，相反的，我倒感觉最突出的是社会责任感淹没了女性特点，可以说，这在中国当代女作家中是一个很普遍的现象。这是因为在中国，最迫切的社会现实是男人和女人同样不能回避的，所以许多女作家几乎是情不自禁地和男作家写着同样的主题。

一般女作家没有自己特殊的主题，特别是没有她们自己写得特别漂亮的天地。凡她们能写的，男作家都能写，不错，在她们笔下，女性主人公的心理和感觉会细腻一些，但是在男作家笔下，女主人公往往有别样的光彩，而且总的说来，总是男作家写女主角比女作家写女主角成就更高些。

这不仅是当代文学特有的现象，也是古典文学普遍的传统。绝大部分古代男作家都是描写女性的能手（可能《三国演义》《水浒传》《西游记》是例外）。在这方面，古代女作家似乎看不出什么优势来。这种情况一直继续到五四，乃至当代，把女性写得最动人的作家并非女性，这对女作家来说大概有些悲哀。

这可能与性别的潜意识有关，也许只有在异性的心灵观照下，许多微妙的感觉才会激发出来，如果用弗洛伊德的泛性学说去研究曹雪芹的潜意识，我想，倒是一个很有趣的课题。

但是，这不等于说女性作家就没有她们特殊的成就了。我的意思只是说，要真正称得上一个女作家，必须有女作家的自觉。她至少要立志写出男作家写不出来的东西，提出男作家提不出来的问题，特别是从女性为中心的角度表现出一种女性感觉的和思绪的价值世界。

这样才称得上一个真正意义上的女作家，或者说，这样才够一个当代女作家的分。

女作家不应该是一种性别的概念，而是一种心理价值观念。

从这个意义上讲，丁玲也许还称不上一个女作家，即使她的《莎菲女士的日记》也还不能算是一种女性的价值观的心理世界，正等于鲁迅写了祥林嫂，并不能成为女性作家一样。至于张爱玲，虽然在思想上、艺术上和丁玲相去十万八千里，但也仍然没有提供一个女性的中心世界和女性的心理世界。等而下之的谌容就更不用说了。

唯一的一个例外是张洁。她不但在现实中是一个真正的女人，而且在创作上是一个真正的女作家。

从她的《爱，是不能忘记的》开始，她就廾始形成着一种以女性为中心的价值观念，并在《方舟》《祖母绿》中形成了一种非常固执的女性心理价值世界。正是因为这样，张洁成了西方汉学评论界研究的热门。尽管张洁说过，她的作品在西方被解释得比中国更好，然而我在看完了《当代女作家》中张洁这一章的时候，并没有感到他们有什么新发现，阿立松·巴来不过把一些西方的叙述等观念往张洁的作品上硬套而已。他始终没有看出张洁的心理价值系统与其他中国女作家在本质上的不同之处。他知道张洁是杰出的，但是在寻找杰出的理由时迷失了方向。

爱情悲剧的根源在社会还是在自己

最近读张辛欣的早期小说《我在哪儿错过了你》，突然想起了许多妇女婚姻题材的小说，不过三四十年的工夫变化太大了。

首先想起的是20世纪50年代的《青春之歌》，那是轰动一时的名著，女主人公林道静和第一个恋人、丈夫，由崇敬、热恋到分手，其原因很单纯，由于政治和道德的观念越来越不相容。这是50年代后期的一个典型模式，爱情与政治的关系是如此之密切，几乎一切背离了这个模式的小说、电影都要受到责难甚至批判。

自然，这只是模式之一，另一种模式是爱情与劳动的统一，最著名是诗人闻捷那轰动一时的《天山牧歌》，小伙子只要有一颗劳动奖章，姑娘就死心塌地爱上他了。对于这一点，诗人郭小川始终是表示怀疑的。他曾经不止一次地对青年们说过，爱情生活没有那么简单。果然，他后来就写了《白雪的赞歌》。在这篇叙事诗中，他写了一个区委书记的妻子在丈夫上任前后，如何克服了自己对一个医生的自发感情，虽然只写了很有限的动摇。但是，由于偏离了当时的政治模式——劳动决定一切而一出来就遭到了批判。

熟悉五六十年代当代中国文学史的读者大概不会忘记当时最流行的妇女英雄形象，大抵都是一些失去了女性特点的“铁姑娘”和“假小子”之类的人物。

女人首先是个政治的人、劳动的人，在这一点上，她们和男人建立了平等的基础。

这种模式的影响，甚至在新时期的文学中也没有立刻消失，“伤痕文学”和“反思文学”不过是从另一个方面重复了50年代的主题。那些在自己的恋人在政治上遭受危难仍然能顶住社会压力不背弃自己的感情的人成了英雄，而那些较弱者则成了批评的对象，轰动一时的《天云山传奇》，可以说是这类作品的代表。

把人的情感，或者文雅一点，人的审美情感强调到决定一切的程度的作家首推张洁。

在她早期的得奖小说《谁生活得更美好》中，所提出的人的价值和尊严的准则是人的独立、人的自尊、人的文明、人对自己和他人的尊重。虽然，她在后来的《祖母绿》中也写到由政治运动带来的爱情的悲剧，女主人公由于爱而牺牲了自己的政治前途，经过多年的苦难，却又发现，男主人公是一个虚伪的自私者，她只好把无私的爱献给自己的未婚子，然而这个唯一的孩子又死了，于是她的爱就只能寄托在抽象的人类和世界上了。

这是张洁这一代女作家不同于50年代女作家之处。然而，她们对悲剧的根源还是从人的社会存在、人的外部环境中去探寻的。只是她们找不到答案。

到了张辛欣这一代就不同了，虽然她们也曾用了很大的心力去探索婚姻与爱情变幻的根源、开始，她们甚至把目光在外部环境上扫视了一番，在张抗抗、王安忆作品中很明显都有这种探索的痕迹，但是她们很快把目光转向女性心灵的深处。当张辛欣还没有引起文坛充分重视的时候，她在《我在哪儿错过了你》中就提出，男女主人公相爱不能成功，原因全在于女主人公太男性化了。“上帝把我造成女人，而社会生活，要求我像男人一样。我常常宁愿有意隐去女性的特点，为了生存，为了往前闯，不知不觉，我变成了这样。”这是女主人公的自白，然而我们在小说中看到的并不完全是社会逼迫她男性化，而是她的“天性中不肯轻易低头的血性冒上来”，不可控制地拒男主人公于千里之外。这是违反她本人的感情倾向的，她已爱这个男主人公爱到“心里放不下的程度”，但这并没有使她在她所追求的戏剧艺术上对男主人公有丝毫的让步，丝毫的温柔。从50年代到80年代，作家的探索恰成鲜明对照，原来是女性以男性化（在政治化、劳动化的基础上）发出光辉，而到了80年代男性化的女性却陷入了四顾茫然的失落感之中：“我们彼此相隔的，不是重重山水，不是大海大洋，只是我自己！”

张洁笔下女主角的国籍

在进入课堂之前，有一种设想：美国大学生对张洁的小说一定有许多地方不能理解。比如说，为什么在《爱，是不能忘记的》中那生死不渝的女作家和她所爱的人居然连手都没有握过，单独在一起的时间都没有超过二十四小时，这可信吗？其次，在《方舟》中那三个单身女性为什么受到那么强烈的歧视，这在美国可能是少见的吧？因为美国单身女性太多了。没想到，讨论一开始，他们，尤其是女学生说，张洁所写的那些情况是女性共同的命运，不完全是中国女人才有的。

我觉得奇怪，我说，离了婚的女人受到歧视，这是中国女人特殊的不幸，难道美国也这样吗？美国那么多单身女人，活得不是很好吗？你们有平等就业法，可以保障女性在就业机会方面不受歧视。她们都笑了，说这都是事实，但都是反抗的结果。在实际生活中，女性所受到的歧视，在本质上和你们中国的轻视妇女、大男子主义是大致相同的。

她们很欣赏张洁的《方舟》，有一个女大学生问：这个《方舟》（ark）在中国有没有特殊的、传统的意味？我告诉她，这个典故来自《圣经》上的“诺亚方舟”，意思是说，三位女主人公的公寓套房被洪水所包围，这个洪水就是对女性，尤其是对离婚女性，或者婚姻上出现波折，乃至经受婚后感情危机的女性的偏见和歧视。

她们欢呼起来说：对呀，我们也同样被这偏见和歧视的洪水包围着。有一个女大学生特别举出张洁在《方舟》中所写的一个警句：“没有离婚的女性是一个男人的性对象，而离了婚的女性就成了大家的。”另外一个女学生则引用了张洁的另一句话：“她本来只知道生得丑是一种不幸，没有想到长得美也是一种不幸。”的确，这正是美国的现实，性骚扰已成了一个社会敏感性问题。从最高法院大法官的任命到大学里严格规定教师不得与学生约会，都说明美国女性比中国妇女更严重地被当作性对象，我真是没有想到她们也有张洁所写的那种被洪水包围的感觉。自然，除了正常的理性分析以外，她们都多少有点美国女权主义的强烈倾向，所以一位教中国现代和当代小说的女副教授大概认为张洁是最重要的作家。一学期的课程，鲁迅、茅盾各占一节，而张洁却占三节。

说到《爱，是不能忘记的》，我提出这该是中国特有的现象了吧，两个人相爱连手也没有握过。她们又叫了起来，这样的事在美国也多得很。美国女人不但有家庭观念，而且有许多道德的考虑，甚至经济的考虑：比如有一个女副教授由于受到系主任性骚扰，反抗不成反而失业了，好容易才到俄勒冈州立大学找到一个位置，但那个系主任从加州打来电话说了许多坏话，于是她就失去了这个位置。由于没有稳定的工作，因而也就没有医疗保险，生了病靠丈夫的医疗保险。这时，她就不能不依附丈夫生活了，就谈不上情感上的独立性了。

她们讲的自然有理，都是从美国女权主义者立场上去理解的。在我们中国，没有“性骚扰”这个特殊的概念，可在她们看来在《方舟》中充满了“性骚扰”，她们明知张洁否认自己是女权主义者，可是她们还是把张洁当作她们在中国文学界的代言人。但是，我还是坚持，张洁写的仍然是中国女性的命运。从精神压力上看，两国的不同是很显然的。

由于中国妇女在受教育的机会方面不如男子，因而在社会竞争上免不了某种劣势。她们完全承认这一点，但是仍然认为虽然区别存在，但这只是表面的，实质上却是相同的。她们说，你们中国女人有时候因为生了女孩子而受到压力或虐待，可我们美国女人却没有打胎的权利。形式上是不同的，但性别歧视在根本上是相同的。我不再和她们讨论下去，因为这属于和情感层次不同的法律问题，范畴不同概念就转移了。

张毓茂笔下的萧军

张毓茂先生的《萧军传》终于出版了。几年前在一本沈阳出版的《芒种》杂志上看过一些片断，都是写萧军青年时代兵营生活的。光那些章节已经使我感到，他是另一类作家，他不属于鲁迅、郭沫若、茅盾那样学贯中西的学者型、思想家型作家，他也不属于巴金、老舍、曹禺那样有良好的文化素养和艺术准备的作家。他没有受过多少正规教育，第一次在家乡念小学，由于顽皮，主动退学了，第二次入小学，在长春，又因反抗教师的专制被开除了。小小年纪，就在中国传统的民间传奇中受到侠义精神的熏陶，而在人世间却只看到不平，因而他浑身就萌发出一种个人冒险的反抗精神。从这一点上，他有一点像杰克·伦敦，但是杰克·伦敦少年时代卷入斗殴大都是为自己争夺财富，而萧军的个人冒险，则基本上是为了仗义救人，他的整个生命充满了"绿林气"。这一点在他离开了骑兵队进入讲武学堂的宪兵训练处以后，显得特别引人注目。他的落拓不羁的性格，使他不时遭到刑杖的毒打，这一切他可以忍受，而却不能忍受一个同伴受到一个长官的打骂，他举起铁锹差一点结果了那个来头很大的军官，因此而遭到牢狱之灾，不得不离开部队了事。

他这种略带绿林气的反抗精神，使他在那个兵匪不分的世道里处处不能合群。对于这一点，他的父亲有一句话说得很准确，那就是："书，你也不用念了。学生意，你会把掌柜的气死。学手艺，你会把师傅打死。"

他又善于武术和击剑，俨然是一条绿林好汉。

这种气质，在五四以来的作家中是绝无仅有的。本来，他的早年不完整的学校教育和军旅生涯和沈从文有许多相似之处，但沈从文后来跑到了北京，虽没有学籍，却在北京大学学了一些课。后来，写小说出了名，居然被胡适看中，还当了大学教授，虽然，他第一次去上海中国公学讲大学一年级的课程，竟然呆呆地站了十分钟，一句话讲不出来，只得拿起粉笔，在黑板上写了一行字："我第一次上课，见你们人多，怕了。"可是只有小学学历的沈从文后来终于成为大学教授，而且在 1949 年以后还改行研究中国古代服装，写出了一部《中国古代服饰研究》，成为名副其实的学者。

而萧军则不然，他虽然也成了名满天下的革命作家，但他身上那种绿林豪气始终没有改变。

这种气质的不同，在他们不同的婚姻和恋爱过程中，就更为奇妙了。沈从文在课堂上发现了张兆和，就没完没了地给她写情书，也不管人家理不理睬，一写就是两三年，弄到张兆和到校长胡适那里去告状也不罢休。最后，有情人终成眷属。

萧军在认识萧红之初，也有沈从文同样程度的浪漫。当时，萧红为她所拒绝的未婚夫所骗，在哈尔滨的一家小旅馆中，欠下了几百元账，面临着被卖入妓院的危险，这时以飞天大侠、绿林豪侠姿态出现的萧军前来解救她。二人遂结为伉俪。但是萧军在成为丈夫以后却没有沈从文那样文人的细致优雅，不久以后遂与萧红分手。

萧军的个性，不论在社会上、在家庭中，对于破坏旧规范，是一把所向无敌的剑，而对建设新秩序、新规范，却不能不碰得锋口破损。

为了文字上的争执，在上海，他曾与张春桥一个小兄弟打了一架，把对方打得落花流水。

他到了延安，虽然受到毛泽东的礼遇，但是他的刚烈暴躁时常使他与周围的同事发生冲突，有时是意气用事的口角，有时是斗殴，甚至在参加不参加延安文艺座谈会的问题上也反反复复和毛泽东闹一些别扭。当时，毛泽东还没有 50 年代以后那样大的权威，因而还能对他宽容，把他当作座上客，和他通信，称兄道弟，所用语气极为亲切。但是到了 40 年代末期，萧军到东北，他的个人反抗性格一如既往，对于一个要建设新秩序的政权来说是很难容忍的。从他在《文化报》上写的文章来说，他的立场基本上没有错，但他的锋芒和意气却是与当时狂热的政治气候不能协调的，于是他遭到了整肃。他不是个理论家，因而他不可能像胡风那样用系统的语言表现自己。他不是学者，也不能像沈从文那样用韬晦、用沉默来保护自己。虽然，他不打架了，但他仍然在重压下，不检讨（要知道胡风都检讨过），他仍然用孤独的反抗来坚持自己做人的原则，直到满头白发了，世人才发现了这个作家身上有一种充满孩子气的绿林气概。

说实在的，他的这种孤傲的精神，我有时甚至觉得比茅盾的沉默、巴金的痛苦、老舍的自杀更单纯，更加充满人格的光辉和政治的幼稚。

陈寅恪的学术悲剧

三联书店出版的《陈寅恪的最后二十年》在读书界颇为走俏，不论是在香港还是在内地，都有一点奔走相告的味道。早在20世纪50年代后期，我还是大学中文系的学生，就听周扬在报告中说过：像陈寅恪这样的学者不能像对一般知识分子那样要求他进行思想改造，中央请他到北京来工作，他提出的条件是：不学马列。当时在我印象中，这是一个大师式的学者，连周扬都不得不对他的“顽固”网开一面。因而当香港天地图书公司的孙立川先生和我提起这本书已经出版的时候，我立即问他有没有不学马列这回事，他说有。

买了一本来看，果然。那是1953年他对中国科学院聘请他当历史研究所第二所长的答复，不但自己不学，而且全所都不学，还要毛泽东和刘少奇“给一允许证明”。开证明之事当然不了了之，但是中共中央对于陈寅恪的特殊照顾可见一斑。在“反右”前粗暴地冒犯了他的党委书记龙潜受到党内警告处分。在“反右”期间有人提出要把他划为右派，也遭到中共广东省委的拒绝。在物质条件极端困难的60年代初，他的生活破例地得到广东省委书记陶铸的特批，可以说是全国知识分子中最好的关照。在知识分子中间，他可能是唯一享受到多位中共要人如陈毅、康生、胡乔木、周扬先后登门拜访的殊荣的。后来在他健康状况恶化时，广东特别为他安排了专职护士；为了方便他在基本失明以后散步，还在他家门前特地修了一条白色的水泥路。

他在“文化大革命”前安然地进行研究长达十余年，可以说明中国共产党知道：中国毕竟只有一个陈寅恪。从1926年起他就在清华国学院和梁启超、王国维、赵元任齐名，四大教授毕竟只有他一个留在了新中国。奇怪的是和他一样拒绝了蒋介石接往台湾的飞机票的朱光潜却没能免于思想改造，而他所得到的尊重大大超过了俞平伯、冯友兰、钱锺书。凭良心说，这好像是个奇迹，实际上是他的学术地位得到确认的必然结果。

但是，令人遗憾的不仅仅是他没能逃脱“文化大革命”的浩劫，而且是在学术上也没有做出和他的学养相称的成就来。他精通十数门外语，对于中国的古典文献耳熟能详，在助手的帮助下，他口述为文，征引文献，十之八九没有错误，即使专攻文献者也不能不佩服他，赞叹他的“一口准”。本来在1949年以前，他20年的隋唐史的研究基本上改变了千年来没有一本“通论其渊源流变之书”的状况。人们完全有权利预期他在60岁以后，不以断代史为满足，在更广阔的领域中施展他的才华。然而从新中国成立到“文化大革命”以前这段时间里，他却把主要精力集中在《论再生缘》和《柳如是别传》上，虽则他以诗证史的方法不可低估，但是对于一个中国现代史上不世出的文化大师而言，未免过分厚积薄发，给人大材小用之感。

这自然要归咎于历史的转折太过迅猛，同时也不能不看到陈先生表面上过分的矜持实际上不无脆弱的个性。他以“自由的意志，独立的精神”为生命自然是值得仰慕的，但是双目失明使他的雄心大受挫折。由孤高自许、愤世嫉俗，转而走向“著书惟剩颂红妆”，实际上把学术研究当作了身世悲凉的寄托。《陈寅恪的最后二十年》的作者陆键东先生虽然抑制着对此的遗憾，但是也不能不指出：由于“更多地渗透着个人身世之慨……纯粹意义上的学术已退居其次”。“生命意识中的悲凉之调，明显改变了陈寅恪以往切入历史的角度。他对历史的考证，他对已被湮没的历史场景的再现，全都服膺于抒发这种‘孤怀遗恨’的历史痛感。”这是说得很中肯的。

陈寅恪的学术悲剧自然是一种时代的悲剧，但是和冯友兰先生的难免趋时的悲剧恰恰相反的是，陈先生过分封闭了，不仅仅拒绝了赶时髦的浪潮，而且封闭了自己的才华。

相形之下，朱光潜先生所走的道路又另具特色。他作了一个现在看来也许是过分的“自我批判”之后，就从他所擅长的德国古典哲学，尤其是辩证法出发，继续了他的学术生涯，并且理直气壮地和当时号称马列主义美学的代表蔡仪、李泽厚展开论战。平心而论，朱先生1949年以后所作出的学术贡献丝毫不亚于他年轻的时代。从这个意义上来说，陈先生的学术悲剧又不完全是时代的，同时又是他个人的。

人格之神品兼铭文之庄雅

——读陈寅恪《清华大学王观堂先生纪念碑铭》

海宁王先生自沉后二年，清华研究院同人咸怀思不能自已。其弟子受先生之陶冶煦育者有年，尤思有以永其念。佥曰，宜铭之贞珉，以昭示于无竟。因以刻石之词命寅恪，数辞不获已，谨举先生之志事，以普告天下后世。其词曰：

士之读书治学，盖将以脱心志于俗谛之桎梏，真理因得以发扬。思想而不自由，毋宁死耳。斯古今仁圣所同殉之精义，其岂庸鄙之敢望。先生以一死见其独立自由之意志，非所论于一人之恩怨，一姓之兴亡。

呜呼！树兹石于讲舍，系哀思而不忘。表哲人之奇志，诉真宰之茫茫。来世不可知者也，先生之著述，或有时而不章。先生之学说，或有时而可商。惟此独立之精神，自由之思想，历千万祀，与天壤而同久，共三光而永光。

碑铭不过二百九十字。如泥于碑铭之规格吹求，则与其说其精致，毋宁说不无瑕疵，词句重复显而易见："思想而不自由，毋宁死""见其独立自由之意志""独立之精神，自由之思想"。不足三百字之铭文中，竟占三十字，实属罕见。然而近一世纪来，无人作如此之挑剔，其因盖在再三强调，有类于司马迁释屈原《离骚》"一篇中三致意焉"。此文价值不在文字，而在境界："独立之精神，自由之思想。"概括不着痕迹，对称句法朴素无华，而成格言，实乃人格与文格之双重升华，非难能可贵之足以形容。考其刊刻之初，未见惊叹，嗣后亦不闻称颂。而于近70年后，上升为经典，实乃历史之庄严选择。

先生于20世纪50年代拒就学术显位，公然要求最高领导人手书承认拒学马列之权利，不计得失，不惧艰危者，乃为学术本当如是，故其神不见悍然，只见坦然、怡然、自然，为其独立之人格，自由之思想作最雄辩之注解，不自由，死尚不惧，余者何惧之有？宠辱不惊，行藏自在，其为精神之神品，良有以也。

先生驾驭铭文体致，从容自如，首用古文散句，标西人“不自由，毋宁死”之格言，以中国传统话语“仁圣”“同殉”释之，其言古朴，其情激昂，以“脱心志于俗谛之桎梏，真理因得以发扬”为高标。不取卒章显志而以首章秉义，骨气奇高，先立地步，继之则以“呜呼”领出多重对仗，兼得铭文之庄重与风华，情理交融，庄雅兼备。一读不尽其义，默之叹之，不亦宜乎！

何其芳未尽其才

近读香港三联版《何其芳集》，惊喜与惋惜交加。我曾经是何其芳的崇拜者，20 世纪 50 年代在北京大学中文系学习时，又曾听过他多次报告，且在听吴组缃先生讲《红楼梦》以后，又偷偷挤进高年级的课堂去听他讲《红楼梦》。他当时几乎不再写诗，但是仍然是我们这些醉心于诗的年轻人崇拜的偶像。我听过他关于如何写诗的报告，那时的诗是以苏联政治抒情诗人马雅可夫斯基为样板的。这位革命鼓动诗人的著名诗句是：

无论是歌

无论是诗

都是炸弹和旗帜

歌手好声音

可以唤醒阶级

何其芳自己的诗，尤其是早年的诗却不是这样的。那时正好是 1956 年，上海新文艺出版社重印了他 30 年代的诗集《预言》。有同学在会上问到他对这本《预言》的看法，他很坦诚地说，那是他还没有觉悟到要革命时的诗，他自己并不满意，但新文艺出版社的编辑部说，现在有些读者就是喜欢不革命的诗。他笑笑说，他只好同意重版，至少让读者可能了解到一个诚实的远离革命的青年的苦闷。

在这以前不久，发生了一件事，何其芳很难得地在《人民文学》上发表了一组诗，叫作《回答》。他从 40 年代前期以来长久不写诗，许多读者不可理解，何其芳就用诗作了“回答”。他在诗中诚恳地感到歉疚，对读者的殷切的期盼，他感到光阴虚度，感到“翅膀沉重”。诗中有一节说：

鬓间的白发警告着我四十岁的来到

我身边落下了树叶一样多的日子

为什么我结出的果实这样稀少

……

我的翅膀是这样沉重

像是尘土，又像有什么悲恸

压得我只能在地上行走

也要努力飞腾上天空

在那50年代中期，诗是以轻盈的牧歌、豪迈的颂歌和英雄的战歌为主潮的。在诗中出现“沉重”“悲恸”，感到年华虚度，是冒犯天条的，一些天真的读者便在报刊上对何其芳表示了不满，甚至严厉的批评。我记得其中一篇的题目是《我们不要这样的“回答”》。当时何其芳先生在报告中公开地表示：他不能接受这样的批评，一个人对自己的工作做得不够满意，为什么不可以难过？难道工作明明做得不好，而又豪气冲天倒是值得称赞的吗？他的话给我一个印象，这个人虽然身居领导地位，但为人却是忠实而诚恳的。

其实，他那一组《回答》，今天看来，可以说是他在1949年以后最出色的诗。他又恢复到《预言》时代的某些艺术感觉中去。一个核心的暗喻为主体意象（树），引出互相关联的派生意象（树叶、果实、土地、风霜、雨露、阳光），这正是他在《预言》中常用的艺术方法。何其芳的《预言》大体写于1931年他在北京大学哲学系读书的时候。他和卞之琳一样，并没有走郭沫若、徐志摩的浪漫的、激情直泻的道路，他的艺术感觉显然更多地受到象征派的熏陶，又与同样受到象征派影响的闻一多以丑为美不同。他总在宁静的回忆中辨析着温和缠绵的缺乏欢乐的忧郁，而且总是把这种难以捉摸的情绪化为对应的感觉。如在《欢乐》中，他用疑问的口气追索：“告诉我欢乐是什么颜色？”以下用白鸽的翅、鹦鹉的红嘴作答。这就把不可视的情感变成了可视的，接着又把不可听的欢乐变成了可听的：一声芦笛，簌簌的松声，潺潺的流水。他的感觉由于一系列隐喻和明喻的连锁性显得精致，如：

爱情原如树叶一样

在人忽视里绿了

在忍耐里露出蓓蕾

在被忘记里红色的花瓣开放

这里写的是真正的爱是产生于无意识的，等到有了意识，却又难以发展，弄到绝望了，却又成功了。何其芳精致的思绪和比喻性意象，即使在50年代英雄主义高扬的时代，也没有失去魅力，虽然它有点狭隘，而且也有点雕琢。何其芳于30年代末走向社会。他说：“从此我要叽叽喳喳地发议论。”“我再不能歌唱爱情。”要“埋葬自己”。到了延安以后，他的诗风大变，变得明白晓畅，失去了《预言》的丰富的、微妙的、精致的感觉，他的直抒仍然是诚恳而动人的。他对延安的平凡生活写出由衷的热爱：

而且我的脑子是一个开着的窗子
而且我的思想，如众多的云
向我乱纷纷地飘来
而且五月
白天有太好太好的阳光
晚上有太好太好的月亮

在毛泽东发表那著名的讲话以前，他是“歌颂光明派”（和丁玲、王实味暴露黑暗不同），他在艺术上已经进入一个新的阶段，以后他的知识分子情绪和他所拥护的“工农兵方向”发生矛盾，他又不能像田间、艾青那样勉强自己去作接近民歌的尝试，于是他只好搁笔了。而当他在 50 年代力图恢复他的创作青春时，他却遭到了误解，从此以后，他就不以诗的创造者的形象出现了，他的大部分才华都浪费了。

钱锺书不成熟的短篇小说

钱锺书先生的长篇小说已经名满天下了，散文也在海内外获得激赏，唯独短篇小说至今不见学人提起。这可能是因为钱先生的短篇数量太少。笔者目前只在香港新书局出版的《人·鬼·兽》中看到四个短篇《上帝的梦》《猫》《灵感》《纪念》，外加一篇序。这么一点篇幅，难怪评论家多少有点忽视了。

细读之后，总的印象是：这几个短篇在艺术上并不是很成熟，但是在钱氏才能发展的过程中却有不可忽视的重要性。这些短篇大都写在 1944 年，《围城》则发表在抗战胜利以后。在这些短篇以前，钱氏还没有写过小说，对于小说，尤其是短篇小说在艺术上和散文的区别还不能说区别得很清楚。因而，在这四篇小说中的三篇充满了散文笔调。其中《上帝的梦》和《灵感》简直就可以当作散文或者杂文来看。钱先生的个性中充满了幽默和机智，每当为文，性情往往不能克制，自然流露的结果是表现了钱先生自己的个性，而很少是人物的。钱先生对于人物的揶揄充满了学者的睿智，精彩的片断层出不穷。例如他把私人秘书比拟为人格和地位的放大镜，“有了他以后，一个人自然会觉得是大人物”，这自然是对上层知识分子的讽刺。又如说到男女同校的问题：“李太太明知道在这个年头儿，不收女人的学校正像收留女人的和尚寺一样的没有品。”这两处都是反语，说得相当刻薄，完全是钱先生愤世嫉俗的自然流露，从中可以看到钱先生尖利的散文笔调。不过作为小说，人物本身各自的精神世界的刻画受到影响，而且过分冗长的对话（其实是钱先生的议论居多）使小说多少有点枯燥。从艺术上来说，钱先生似乎还没有把自我和人物很好地拉开距离，钱先生的才气不但压倒了人物，而且压倒了小说艺术。

对才气的缺乏克制又使这些短篇小说结构松散，篇幅都相当冗长。纯粹从形式上看，反而显得才气不足。不过，在最后一篇《纪念》中，我们看到了钱先生的直接的愤世嫉俗和尖酸的讽刺有所收敛。这样就使人物的心灵活动有了广阔的天地。在《纪念》中，钱先生仍然把矛头指向中上层的知识分子，尤其是女性。女主人公曼倩在抗战期间将就着平庸的婚姻，混着庸俗的日子，由于无聊而克制不住和自己丈夫的堂弟做着感情的游戏。起初想是作为“有趣的消遣”，在勾引与调情之间，做着感情捉迷藏的游戏。人物的心理变化甚为丰富，可以说是极尽起伏跌宕之能事。

最为精彩的是写曼倩在看到情人与一个女郎同游以后产生的妒忌，但到发生了性关系以后又“害怕他再来了”。等到一次空袭情人死于空战，女主人公竟无一点痛苦，相反觉得这种事“当不得真”，并且“领略到一种被释放的舒适”。从这里可以看出钱锺书式的冷峻，他处理这种题材毫无浪漫之感。在小说的结尾，钱先生暗示女主人公怀了孕，但是她对这个未出生的孩子也是毫无感情，和过去的偷情一样，已经死亡，她宣称即使孩子生了出来，她也不会爱他。钱先生这么不动声色地揭示着一个美丽而且有教养的女性的灵魂的空虚，在当年巴金式的浪漫激情风靡一时的时候，实在是难能可贵。

钱先生显然尽量节约着外部动作，用极其细腻的刀笔解剖着女主人公内在感觉的微妙变化，只有在这里，读者才看到了钱先生作为小说家的才气。同时，钱先生又没有放弃他散文家的讽刺格调。也许这正是散文家的才气和小说家的才气互相斗争之后的一种平衡。没有这种平衡，日后钱锺书是写不出《围城》那样的杰作来的。

如果我的这个说法没有太离谱，那么，今天的读者，包括因演出《围城》而大红大紫起来的葛优、吕丽萍都要感谢《纪念》。如果没有《纪念》这样的过渡，则钱先生散文家气质可能仍然压倒小说家的气质，在那样的情况下，《围城》可能因过多的杂文式的反讽而逊色。

《围城》的厄运与幸运

钱锺书的《围城》曾一度受到冷落，原因是作品写于 1946 年，而当时，在中国现代文学史上已经有了以赵树理为代表的写工人、农民、士兵的新方向，而钱锺书笔下却全是一批没有反抗现实、投身革命愿望的知识分子。自然在五六十年代出版的《中国现代文学史》上不可能占有任何地位。

我在读高中的时候，在旧书摊上买到了 1946 年至 1947 年在上海出版的杂志《文艺复兴》，主编是郑振铎、李健吾，那上面连载着钱先生的《围城》。那是 1953 年，我 17 岁，对于钱先生的讽喻笔调完全看不懂，好像是没有看完，也没有留下任何印象。后来进入北京大学中文系，整整 5 年，没有一个教授和同学跟我提起《围城》。我相信，绝大多数同学甚至并不知道有这本书的存在。

《围城》受到艺术界的注意是在 70 年代末，主要是哥伦比亚大学教授夏志清先生的功劳。他在他的《中国现代小说史》给了《围城》相当大的篇幅。至于一般文艺爱好者接触《围城》，则是在根据《围城》改编的电视连续剧成功地演播以后，到了 1991 年《围城》累计印数达到 59 万。《围城》在文学史上的地位猛然高升。但是，在艺术上真正赞赏《围城》的评论家或者对《围城》这部小说入迷的读者似乎并不多。虽然，在一些现代文学史教材或者某些学院气很重的文章中对《围城》的评价用了许多辉煌的字眼，可是，在我看来，《围城》最大局限是它缺乏一批自发的爱好者。作为小说之所以受到这样的重视，自然主要是靠它的艺术感染力，但同时，毋庸讳言，也由于它长期受到不公正的压抑。

现在不公正的压抑解除了，《围城》能不能成为文学史的经典就要凭它自己固有的艺术价值了。

一个很值得思考的问题放在读者面前：《围城》能经得住未来岁月的考验，保持它艺术的魅力吗？

要回答这个问题，就得问一问，《围城》给中国现代文学史带来什么新的心理奇观。如果钱锺书所写的都是他以前的作家所展示过的，那么，《围城》不管多么轰动一时，它也不可能顶得住时间的严峻考验。

在《围城》里最为独特的是对知识分子的揶揄和调侃。这种揶揄、调侃，早在鲁迅的小说中就出现过了，在《幸福的家庭》中为温和的同情，而在《高老夫子》中则为尖酸的讽刺。在艺术上这两篇都比较单薄，缺乏鲁迅最成功的作品中那种常见的深厚和博大的气象。后来，鲁迅的这种风格为张天翼所继承，但张天翼最好的作品如《华威先生》都不是以深厚见长的。他之所以不深厚，原因在于他过分着重于社会讽刺，而对人心灵本身的复杂结构缺乏探究的兴趣，往往抓住一点可笑的现象以嘲讽了之。另外一个对知识界小人物有所讽喻的是老舍，但是同样有漫画化之嫌。但是，他自然是独树一帜的，原因是和巴金、茅盾对知识分子的热情赞颂和客观分析相比，他更有喜剧性的趣味。

钱锺书显然比张天翼更深刻，更执著于描写知识分子自身的生存状态。他的方鸿渐，既不像巴金笔下的充满社会责任感的热血青年，又没有茅盾笔下的随社会革命运动时而辉煌、时而灰暗的心灵变幻，然而又不像张天翼笔下的知识分子那样虚荣，那样陷于口头与行动之间的矛盾。

应该说，钱锺书笔下的知识分子，虽然带着喜剧色彩，可并未因不适度的夸张而变得简单化。他最根本的特点是对于知识分子爱情题材的反浪漫、反滥情倾向，他的爱情主题中没有理想人物，没有为热情而献身的英雄主义，当然也没有被社会压碎的小人物，有的只是知识分子的虚荣和空虚。在对爱情人物的冷峻方面，他在中国现代文学史上是前无先导的。

喜剧对比和细腻的心理层次的展示使得钱锺书在表现中国知识分子方面超越了鲁迅等前人，而且在20世纪50年代至70年代几乎没有一个作家能在冷峻的喜剧性上望其项背。正因为这样，《围城》可以肯定会经得起未来岁月的考验，在中国现代文学史上占有重要的地位。

《围城》是男性沙文主义的代表作吗

这几年来在国内引进了不可胜数的西方文论的流派，大都以译介为主，也有用之于文学评论的；但有不少处于相当幼稚的阶段，其特点乃是生硬地搬用西方文论的术语，尤其是20世纪80年代中期，“新名词大轰炸”曾经甚嚣尘上。到了90年代初，这种情况有所好转，文风不那么生涩了，但仍然缺乏真正的学术生命，原因是，意会者乃至信奉者都缺乏西方文论本身的那种独立的批判精神，宏观的大而化之的转述甚易，而要真正和中国文学的历史经验结合起来，就相当不容易了。光是用那些理论来解释一下中国文学的任何一部经典就都是一项极艰巨的工程。因为任何理论都不可能是完备的，不可能没有漏洞，这是因为任何理论家所根据的文学经验都是有限的，他的文学观点又都是对于这些经验的一个方面、一个层次的切入，不可能毫无遗漏地作全面的网罗，形成天衣无缝的构架。

一切理论都以必要的遗漏和重大的歪曲为必要条件，因而对任何理论的迷信，不管是东方的还是西方的，都是幼稚可笑的，在引进任何理论之时，最初级、最起码的工作就是拿这些理论和这些理论家所不具备的中国经验相验证。在确认其深刻的过程中，发现其局限，从中找到自己的批判性的、创造性的出发点。

这种创造性的理论自觉，在中国当代新老文论家中是并不普及的，但是这几年来，中国文论家毕竟有些进步。最近在移到香港出版的《今天》1993年第2期上看到了一篇论文:《女人“围”的城与围女人的“城”》中就表现了一种新的倾向，用作者倪文尖的话来说，就是“不满足于坊间一味向外看齐以及相当空泛、浮夸的”文风，而致力一种微观的文本分析，力求解开在某些文学名著文本背后的深刻的奥秘。

倪文尖经过相当细致的分析后得出结论，在钱锺书的《围城》中，作者不自觉地流露了某种男性沙文主义。在整个情节构架中，以一个男性为中心，在他的周围设置了四个女性。第一个女性鲍小姐是主动以肉体引诱了方鸿渐。第二个女性苏文纨则是单相思，她不过是方鸿渐并不认真的情绪宣泄的工具，同时又是引出第三个女性唐晓芙的“结构性工具”。至于第四个女性孙柔嘉，则既无鲍小姐之肉欲引诱，又无苏文纨世俗的社会地位的优势，更无唐小姐的天真纯情；而是以她善于装傻，满脑子鬼主意取得了对男人的控制。因而倪文尖先生认为，《围城》并不完全像作者所说的那样表现为一种人生的困境，没有实现愿望的要努力实现（城外的人要攻进去），而实现了愿望的又要冲出来（城里的人要突围），而在全部情节和叙述的视点背后都在显示一个男人被女人“围”进城的故事。

倪文尖先生用了女权主义文学批评的策略，对《围城》作了叙述学的分析，无疑是很独到的。他比之那些满足于用女权主义、叙述学的术语来自炫，来吓唬老百姓，来输出文化自卑感的同行们，是有才气的。不管怎么说，倪先生多少有一点自己的发现，多少进入了一些唯西方文论马首是瞻的朋友们无法达到的某种深度。

但是，倪先生在根本上还是没有摆脱当前引进西方文论过程中令人烦恼的生搬硬套的倾向。倪文尖说在方鸿渐周围安排了四个女人去包围他，是男性沙文主义，那么在同一本书中，换一个角度看，在苏小姐周围不是也可以说安排了方鸿渐、赵辛楣和另外两个跑龙套式的男人？对鲍小姐用侧面有限视角写她的放纵，被倪文尖先生斥为剥夺了鲍小姐的“话语权”，那么同样用侧面有限视角写了一见女人就色眯眯的李梅亭，不也是没有从人物本身的角度来正面展开他的感知过程吗？如果要讲男女平等，为什么不可以说钱锺书的潜意识中还有女性沙文主义的积淀呢？至于说，所有女性都被作者男性眼光加以审视，成为男性性感受的对象，这就更片面了，既然是写男女关系的，不从男性视角观女性，难道可以设想，从绝对中性的视角表现，会更有艺术感染力吗？再说，连物理学上都没有“绝对中性”的仪器，小说中难道可以想象“绝对中性的视角”吗？

从这些方面看，倪先生的才智还有局限，其原因在于他对女权主义和叙述学有太多的热情，而缺乏对它们的漏洞的审视。正因为这样，对于符合女权主义批评的东西，他看到了，而对于不符合女权主义的东西他就变成了盲者，或者用他的术语说那里就成了盲区。

归根到底，女权主义本是一种政治运动，是为了争取女性参政和就业的平等权利的，把它搬到文学上来是要遇到很多困难的。近来，女权主义者也许感到了这一点，把女权主义变成“女性主义”，要把这样的命题变成科学，可能要有几代人的努力，光有一些机智的感想是不够的。

《围城》为何长期未列入经典

读几个版本的中国现代文学史有时真叫人感到好笑，同一个作品，可以在一个版本里只字不提而在另一个版本里被捧上了天。中国文学史家的艺术感受力和判断力究竟是怎么回事，实在令人费解。远的如沈从文、张爱玲且不说，只说近来对于钱锺书先生的《围城》，一轮又一轮的溢美之词，已经叫人有点怀疑中国读者对于“一窝蜂”现象的批判力已经所存无几了。

钱先生的《围城》自然有它艺术上独创的地方，最主要的是对于中国知识分子的心理透视别开生面，钱先生既不像巴金那样把知识分子的热情、理想放在他所向往的社会革命中去检视；也不像鲁迅、张天翼那样，从思想启蒙和道德的重建立场出发，对知识分子加以严峻的剖析和讽刺。自然，作为留学生文学，他又不像郭沫若那样是以浪漫的宣泄为能事，更不像张爱玲、白先勇那样充满了挽歌的悲哀。

钱先生并没有纯从革命的、道德的、社会的价值方位来透视他的人物。他没有赋予他的人物以道德的、理想的光环，也没有对人物加以政治的和道德的审判。从这一点上来看，钱先生更接近沈从文的审美价值观念，更把审美价值的独立性看成是艺术的生命。如果不是这样，同样的题材让巴金、茅盾、老舍、张天翼去写，时代背景又是抗战期间，民族战争的胜负又那样直接地影响了主要人物的命运，而且成了情节发展的动因之一，不知道会有多么强烈的政治色彩。然而这一切都没有成为钱先生审视他的人物心灵结构的屏障。钱先生把政治背景、战争乃至于环境仅仅当作地平线上的一缕风烟，始终不让它进入人物活动的近景或中景。正因为这样，钱先生对于知识分子的虚荣和庸碌，对于其爱情的空虚和失落都有冷峻的剖析，这正是革命作家和社会人生派作家所不能到达的境界，也正是钱先生的私有领地。

从这个意义上来说，钱先生的审美价值观念最富于独立性，是没有依附性的，但是

《围城》的价值并不仅限于此，钱先生的风格还在于他是鲁迅以来少有的幽默作家。《围城》行文的风格，融和调侃、机智、风趣、嘲弄、庄重的叙述于一体，在中国现代文学中构成独此一家的叙述。

正因为这样，夏志清先生在他那本用英文写的《中国现代小说史》中给了它以极高的评价。近十年来，内地的文学史家追随着夏先生，一个接一个地对《围城》赞不绝口，尤其是 1991 年《围城》被改编成电视剧并获得成功以后，评价就更直线上升。似乎《围城》一下子成了现代文学史上的经典著作。

其实，《围城》固然有其独创性，但是它绝不可能列入现代文学史上经典著作之列。要成为经典著作，至少得具备两个条件。

第一，它在文学史上确乎起过重大影响，不但在出版的当时影响重大，而且在后来产生了一系追随者，《围城》并不具有这样历史性的影响。正因为这样，钱锺书和张爱玲一样不可能列入中国现代文学史经典作家之列。《围城》最初连载于 1946 年创刊的《文艺复兴》，主编为郑振铎和李健吾。在当时可以说并没有什么影响；到了 50 年代，不论在大陆还是在台湾、香港也都没有什么追随者。

第二，有许多文学史上的经典著作，在当时是并没有多大影响的；也有不少在当时很有影响，后来却湮没无闻的。这就要看它在艺术上有没有开一代新风的实绩了。说实在的，钱先生的叙述，从文学发展历史的价值来说，并非无懈可击。钱先生的特长是幽默，但这种幽默有三个缺点：其一，它几乎完全靠一种特殊的比喻，造成一种渲染效果，与钱先生叙述的暗示力是矛盾的，而且这种幽默比喻大都以无类比附造成怪异之感，反复运用，失之单调。其二，这种幽默仅限于叙述以及部分对话，除个别场景（如为方鸿渐与赵辛楣撮合婚姻）以外，并不涉及情节的构成和场景的整合，因而这种幽默是浅层次的：没有喜剧性的情节，光靠叙述，不能摆脱表面性。其三，钱先生的幽默往往过分尖刻，因而虽超越于滑稽，但近于讽刺，还缺乏幽默大师之雍容。因而不管时下论者对《围城》多么溢美的推崇，但是在读者中，仍然缺乏《围城》艺术的入迷者。

柏杨和林语堂对中国人的批判

前几年柏杨先生的《丑陋的中国人》在读书界颇为轰动了一阵子，赞赏的和攻击的截然分成了两大阵营。一位在香港的学生给我带来了一本香港版的，除了本文以外还附了柏杨先生其他一些杂文。翻阅之余，颇觉失望，以柏杨先生如此之高名，写这种纯属感想的文章居然能引起这么大的风波，实在不可解。

后来美国加利福尼亚大学柏克利分校中国研究中心的玛丽博士来访，我与她偶然谈起柏杨。她问我对《丑陋的中国人》有何看法。我直率地说："我很惊讶这样肤浅的感想居然出自一位研究中国历史的学者之手。"她说："我也觉得柏杨的观察很不深刻。不过，我印象中他不是历史学家，而是新闻记者。"我并不怀疑自己的记忆，但也不便细究，便说："他好像并不了解中国文化。"玛丽博士说："他根本也不了解美国文化。"我们因分享如此相似的观点而更加亲近起来。

玛丽博士早在去年回美国去了，可是关于中国人是丑陋还是美好的问题一直萦回在我脑际，非常偶然地在书肆上买到一本林语堂的《中国人》，翻阅之余，不禁感慨系之。林先生毕竟是大家手笔，在他眼中的中国人比之在柏杨先生的演说中不知要丑陋多少倍，但是读起来没有读柏杨的演说词那样令人窒息之感，原因是柏杨先生过分迷信自己演说的口才，滥用演说家的煽动性，追求现场轰动效应，而其思想的锋芒并未深入到中国的历史哲学典籍和文化生活传统中去。林语堂先生则不然，他对于中国古代历史典籍的熟悉和对于中国现代社会风习的洞察都是柏杨望尘莫及的。正因为这样，林语堂对中国民族的批判是更大胆、更深刻的。也许这是因为这本书是 1934 年用英语写成的，读者对象是西方人，他不必披上一件爱国主义的外衣。不过更重要的是，他觉得在那国难当头的年代，应该把中国的"麻烦都公之于世"，因为他没有对中国失去希望，所以他就比"那些小小的爱国者要伟大得多"。

正因为此，他的这本英文原名叫做《我的国家与我的人民》的书就有点冒天下之大不韪的气概。他十分明确地指出中国人性格的特点是："遇事忍耐，消极避世和超脱老滑。"所谓忍耐就是对暴政的忍耐，在四川一些地方，赋税提前征收了三十年，这是西方人，乃至基督教徒都无法忍耐的，可是中国人却不但忍了，而且自古以来就把忍耐作为崇高的美德。林先生举宰相张公艺回答唐高宗问他九世同堂治家成功秘诀，他以笔书一百个"忍"字。由于在法律上得不到保障，哪怕是血气方刚的青年，在经历了一番单独冒险热心公众事业以后，就都变得"聪明起来了"（所谓"学乖了"），日益老成温厚起来。林语堂先生很善于举例，为了证明消极避世，他举出中国最成功的记者都是那些没有自己观点的人，而两位最大胆的记者，邵飘萍与林白水则在1926年未经审讯惨遭枪杀。

林先生对这一点的分析还远溯至魏晋文人逃避现实的"清谈"。由此便产生了他眼中的中国人的第三个特点："超脱老滑"，这主要是指老子式的无原则退让以"保全自己"。

林先生自然不像柏杨那样强词夺理，但是像任何一个学者那样，他不可能没有片面性，在他的书出版了半个世纪以后，我们可以看出，林先生看到的并不全面，事实上除了林先生看到的遇事忍耐、消极避世、超脱老滑这一面以外，中国人还有充满阳刚之气的积极进取的一面。

半个世纪的中国历史并非忍耐与避世的历史，恰恰相反，中国人在这个历史阶段不乏忘我的英雄、献身的勇士。林先生看到的可能是一个正在逝去的那一部分，而正在诞生，正在获得生命之活力的那一部分林先生却没有看到。这是林先生的局限，但是林先生毕竟是先行者，不管怎样，我们只是后见之明，因而绝不敢苛求于前人。

张志忠的《莫言论》

海明威曾经说过作家最好的早期训练是“不幸的童年”，鲁迅先生曾说过：有谁从小康之家堕入困顿的吗？在那里他可以看到人世的真面目。这是因为不幸的生活比幸福的生活更能冲击童稚的心灵，留下更为深刻的烙印，而这种烙印在心灵中随着时间的推移，会越埋越深，直到作家成长起来，它就成为一种深层的精神矿藏。

正是因为这样，汪曾祺把小说称之为童年的回忆。

张志忠的《莫言论》更加印证了这种说法。

莫言出生在山东农村，童年在中国农村最严峻的经济困难时期中度过，加上又是所谓“富裕中农”的成分（这在当时是被看成有自发资本主义倾向的阶层），莫言的小小心灵中留下了经济困难和政治歧视的惨痛记忆。他在一篇小说中写过富裕中农之家如何战战兢兢地苟活的心态，而在另一篇小说中，他还写过在饥饿中长大的农家青年参军后饱餐白面馒头的兴奋。

这一切还都不是莫言的特殊心态，因为这是和莫言同样年龄的青年作家的共同经历。作为莫言特殊经验的是他的家庭，特别是他那有一点专制的父亲对他精神的压制。

他父亲虽有一定文化，还当过农村供销社的会计，但他的家长专制主义，使他对孩子的爱，变成了对莫言童年的欢乐和生趣的全面剥夺，正如鲁迅所说的“真挚的爱的另一面往往是最苛虐的酷政”。

《莫言论》的作者是莫言毕业的解放军艺术学院文学系的教师张志忠，他显然对莫言的童年有相当深刻的了解。他非常准确地分析了莫言的生长环境以后指出：“无爱的家庭和现实生活中的重重阴影，给敏感多忍的莫言留下了浓厚的悲观主义和烦躁不安。”在最无忧无虑的、最自由的幼年，莫言就受到了摧残，他变得沉默，把残忍的现实阴影深深地藏到心灵深层去，他在现实世界得不到欢乐，便向内心世界，到幻想世界去寻求安慰。

莫言的同学朱向前在一篇文章中这样描述他："一颗天真烂漫而又骚动不安的心，一副忧郁甚至变态的眼光，寡言而又敏感多情，自卑而又孤僻冷傲，内向而又耽于幻想。"

这样灰色的童年生活还培养了他性格的另一面——强烈的叛逆性。莫言回忆："上小学的时候，我就纠集过一伙人反对老师，还办过一张小报儿。"而且因为把老师称为"奴隶主"而受到处罚。

《莫言论》的作者张志忠分析他这种叛逆性格的心理根源是"外力的压迫，使他感到窒息，使他为保护自己产生强烈的反抗情绪"，而在反抗过程中，他时时感到自己的弱小，这就变成了自卑，而莫言的致力于创作，就是对于自卑心理的反抗。这显然是受了弗洛伊德的门生阿德勒的影响，也许，张志忠不免有照搬的嫌疑，但是一种改变自己弱小的现实地位的冲动无疑是真实的。莫言对这一点讲得特别坦率，他说："我的写作动机一点也不高尚，当初就是想出名，想出人头地，想给父母争气，想证实自我的存在并不是一种梦幻。"

我觉得这一点是很值得强调的。莫言的创作充满了叛逆性的冲击力。不论是对文学还是对于人生，莫言的反抗性特别"野"，他总想通过他的小说破坏一些在他看来十分强大的既成规范，至少也要给那些泛着抒情光彩的题材煞一下风景。他的红高粱系列小说，就好像是一瓶瓶陈年醇酒，然而就是这种著名的醇酒，他又告诉读者，居然是由于一个人撒了一泡尿才名满天下的。在他的作品充满了那么多的价值破坏欲，就连他的故乡，他的祖先，也不能幸免。他说："我曾经对高密东北乡极端热爱，曾经对高密东北乡极端仇恨，长大后……我终于悟到：高密东北乡无疑是世界上最美丽、最丑陋、最超脱、最世俗、最圣洁、最龌龊、最英雄好汉、最王八蛋、最能喝酒最能爱的地方。"

正是这种童年的特殊心理历程决定了日后他作品那种奇特的审美价值观念。

《笑的历史》：以资料性取胜

《笑的历史》显然不属于西方美学名著之列，它一开头就以一种颇具调侃意味的语调讲述关于笑的研究著作在西方可以说是车载斗量，仅在巴黎法国国立图书馆就有二百多种。涉及笑的生理学、心理学、伦理学、技巧学、病理学，无所不包；一些专家致力于研究儿童的笑，另一批专攻大猩猩或黑猩猩的笑；还有一位（姓名的译音看来像是个中国人）所研究的课题是鸟类的笑，不过他的结论令人失望：鸟类是从来不笑的。欧洲人是那样重视笑的研究，以至法国的《大百科全书》用了长达 1.76 米的纵栏篇幅来解释笑，而哭泣一栏只有 24 厘米。

作者毫不掩饰他对欧洲各国笑的研究的怀疑，他花了整两节的篇幅介绍了五花八门的结论，包括那些在哲学史上大名鼎鼎的人物和对于东方人来说十分陌生的名字。例如一位名叫罗克尔的医生引用另一位名医的话说，笑与喷嚏相似，是一种呼吸与排气的现象；而达尔文在他那很严肃的经典著作中研究了猴子的笑、孩子的笑、白痴的笑、野蛮人的笑，他得出的结论是，笑其实是一种“精神的呵痒”“其作用与皮体的呵痒极为相似”。作者甚至还介绍了在法国中世纪，笑曾作为一种医疗方法被记载下来，其中一例是这样的：医生们对卡在王子喉咙里的鱼刺束手无策，而一个农民一个劲地扮鬼脸，逗王子笑，结果王子在情不自禁的大笑中把鱼刺吐了出来。

作者除了对这种奇闻逸事性质的历史材料有兴趣以外，对严肃的学术历史也十分重视，例如他也介绍了柏格森的“笑是冷漠的，笑的最大敌人莫过于激动”。还有法国现代诗人保尔·瓦莱里的“笑就是拒绝思考”，波特莱尔的笑是“傲慢与谬误”“是软弱的征兆”。

尽管作者对欧洲笑的研究史如数家珍，但是他对其中绝大多数都表示不信任。作者好像不是一个理论家而是一个幽默家，他认为研究笑，花这么大的工夫，得出了如此纷纭的结论，这本身就是可笑的。他以一个寓言式的笑话表示了他的这种疑虑。

一个小孩子在巴黎模仿山羊叫很成功，成为这方面的专家，在家里备受称赞。后来这位年轻的艺术家被带到农村，第一次看到了羊群，他侧耳倾听羊的叫声，微笑着摇摇头，原来他认为其中有一头羊叫得很不好，于是他对那头羊说："羊，你叫得不对！"作者以此表示一切研究笑的人都有这个小孩子那样的高傲和自信。

正因为这样，他介绍众说纷纭的笑论都有点姑妄说之的意味，他认为关于这场笑的庞大工程不过是一场积木游戏，学者们不过是在原有的思想基础上，不断地补充。这好像一座摇摇欲坠的金字塔，越探越高，终有一天会在人们的笑声中坍塌。

作者毕竟也是笑的研究者之一，所以他不可能对研究本身抱绝对虚无主义的态度。正因为此，他对一个名不见经传的法国作家马赛尔·帕尼奥尔的理论大加赞赏，那就是笑产生于对"别人的惊奇"而不是当事人自己的"意外"。

由此，他引伸到柏格森的理论：笑不可能是孤独的，而是发生在人与人之间的，是社会的产物。他得出结论说，如果是孤立地研究个人的笑，那它本身就是可笑的。"社会的笑，公众的笑，这是唯一可供研究的笑。"本来这个结论并无骇世惊俗之处，但是作者对历史材料的熟悉达到如数家珍的程度，又加上他专门挑出一些耸人听闻的轶事和论述来加以渲染，特别是作者的文笔多感性的描绘，且又富于谐趣，它本身就是很逗人笑的，读来十分轻松。

作者虽然在探讨笑的理论，但很少用抽象的理论语言，他也无心追求理论的深度，所以他并不以学者的姿态出现，而处处以"导游"自居。这在西方美学著作中是十分罕见的。

余光中对朱自清的苛评

余光中先生不但是个有成就的诗人，而且是个有造诣的学者。他的诗早已名满天下，但他的学术成就却鲜为一般读者所知。这次朋友推荐我读他的《论朱自清的散文》，甚为震动。

我的感觉很复杂：一方面，我不能不为他的立意新颖、深邃而体验到一种心灵的解放，一种从长期以来视为定论中看出其疏漏的喜悦；另一方面又不无感到，余先生对于先贤的苛刻，正是由于他自己不能从自己的某些成见中解放出来的缘故。

不过，我主要的感受仍然是对余先生的仰慕，他的见解，不论是我可以接受的，还是我难以接受的，都不是轻率的标新立异，而是深思熟虑的结晶。例如说，他不同意郁达夫的说法："朱自清先生既是一个诗人，又是一个散文家"，他的散文"贮满着诗意"。余先生认为，要说散文中的诗意，徐志摩更充分一些。他甚至认为朱自清先生的诗作虽也引起过文坛的注意，可半个世纪以后再看，"没有一首称得上是佳作"，"朱自清本质上是散文家，他的诗是出自散文之笔，和徐志摩正好相反"，"相对而言朱自清的散文里，倒是有某些段落，比他的诗更有诗意"。

这些本来是很公允的见解，任何一个对现代文学作品有所涉猎的青年学生都不难有同样的"原初感觉"，但是这种见解很少见诸内地的学术论文之中。原因不但是一种回护，而且是一种对历史主义方法的粗糙、幼稚的理解。正因为这样，这种情况不但发生在对朱自清的早期新诗的评价上，而且发生在对鲁迅、沈尹默、徐玉诺、郑振铎、叶绍钧等人的早期新诗的评价上。奇怪的是对于胡适早期新诗，则往往又用非历史主义的方法，离开了当时新诗草创不易，打破旧诗美学传统，想象规范的艰难，作刻薄的挑剔。

余先生由于处于不同的政治文化环境之中，几乎是先天地免去陷入这种偏颇的可能，但是余先生却有另外一种偏颇，那就是对朱自清的散文的历史贡献避而不谈，把它从当时的历史条件中割裂出来加以挑剔。

虽然从最高的科学要求来说，余先生的方法是有片面性的，但他的见解仍然是很深刻的，这就是黄子平先生曾经强调过的："深刻的片面。"一切的思想认识的发展，都是以某种片面的形式，与片面的缺陷联系在一起的，而且余先生的见解是从纯艺术的微观分析得来的，在当今空话泛滥的批评界来说，实在是弥足珍贵的。

我觉得最精彩的莫过于余先生对于朱自清散文的分析。他认为朱氏散文中最好的美文是《温州的踪迹》中的《白水漈》，比"浪得盛名"的《荷塘月色》"高出许多"。余先生认为《荷塘月色》因果关系交代得过分清楚，太认真了，破坏了直觉的美感。"有碍想象的飞跃""分散感性经验""过分落实""放不开"。这些批评从根本道理上来说，都不能不说是挺地道的，虽然，余先生所举的例证并不十分有说服力。他指出《荷塘月色》中的第三段："路上只我一个人，背着手踱着。这一片天地好像是我的，我也好像超出了平常的自己，到了另外一个世界里。我爱热闹，也爱冷静：爱群居，也爱独处。像今个晚上，一个人在这苍茫的月下，什么都可以想，什么都可以不想，便觉是个自由的人。白天里一定要做的事，一定要说的话，现在都可以不理。这是独处的妙处：我且受用这无边的月色好了。"余先生认为"这一段无论在文字上或思想上，都平庸无趣。里面的道理，一般的中学生都说得出来"，"而排比的句法，刻板的节奏，更显得交代太明，转折太露，一无可取"。凭良心说，我无法接受这一段文章普通的中学生都写得出的论断。在我看来，不但一般中学生，就连大学生，不论是台湾的还是大陆的，美国的还是德国的，都极少能对"独处的妙处"有这样精致的表述。不论在中国文学史上还是在西方文学史上，我们还没有看到对"独处的妙处"作这样的阐明。这是一种电光石火瞬息即逝的感觉，一般大、中学生，甚至一般作家是抓不住而且说不出的。这是对生命体验的一种发见。不要说在 1927 年是难能可贵的，而且在今天也不是缺乏散文禀赋的作家所能写得出来的。

余先生对于朱自清散文的批评就是一个流派对另一个流派的批评。这自然有互补的合理性，但余先生的武断却削弱了这种合理性。这是很难避免的。

余先生是站在挑剔的立场上批评朱自清的，又加之余先生素养甚高，故有时挑剔得十分精彩，例如余先生列举了朱自清在《荷塘月色》中共用了十四个比喻，但除了把荷叶和荷花的清香比成"远处高楼上渺茫的歌声似的"以外，"大半浮泛、轻易、阴柔，在想象上都不出色""十四个比喻之中，竟有十三个是明喻"，而好用"女性意象"如"美人出浴""舞女的裙"之类，意象尤其糟，"引起庸俗的联想"。所有这些虽不乏可议之处，但颇具启发性，与我们常见的批评相对照有某种互补的合理性。

挑战文坛权威
——从《十作家批判书》谈起

《十批判书》本来是郭沫若批判先秦思想家的一部著作，最近，陕西师范大学出版社出版了一本《十作家批判书》，批判的对象是中国当代十名当红作家——钱锺书、余秋雨、王蒙、梁晓声、王小波、苏童、贾平凹、汪曾祺、北岛、王朔。批判的对象是十分走红的文坛真正的明星，不像影视明星那样具有泡沫性，这自然就引起了海内外传媒广泛轰动。这有两方面的意义。首先，是商业性的成功炒作。其次，在学理上，很可惜，其严肃意义一时间并未引起充分的注意。《太原日报》文学副刊在北京开了一个座谈会，除了少数青年表示理解以外，一些著名文学评论家大抵都以为这本书的批判态度不够严肃。

公平地说，书中有不够严肃的文章当然是事实，例如，把余秋雨散文的文化智性与诗性相结合的创造性成就，简单地归结为“煽情”而一笔抹煞，轻率地归结为“文化口红的游荡”；把梁晓声对当前文坛的严肃的道德批判，贬之以“道德激情的作秀”，嘲笑他的相当警策的《中国社会各阶层分析》是“力不从心”，等等。

但是本书大部分文章中所显示出来的一种生气勃勃的精神，也就是陈寅恪先生所强调的“思想的自由、人格的独立”的精神，是从改革开放以来就一直冲击着文坛，正是中国当代文坛生命力的表现。由于中国的特殊文化传统，权威崇拜的意识特别深厚，思想解放和学术发展比之西方更突出的特点是，从权威的重新阐释、解剖开始，不是康有为式的托古改制、曲解经典，就是对权威进行直截了当的批判。正因为这样，五四时期胡适才在《尝试集》中写了那首终于被挖倒的“威权”，而郭沫若则振臂高呼“我是一个偶象破坏者”。1980 年，朦胧诗大辩论的时候也是这样。在《新的美学原则在崛起》中，第一句就是“在历次的思想解放和艺术革新的潮流中，首先遭到挑战的总是权威和传统的神圣性”。

正是因为这种历史规律的作用，在 90 年代，王蒙的权威才遭到无情的挑战，当王彬彬还是一个无名小卒的时候，批判了王蒙“聪明地”“躲避崇高”。王蒙起初轻薄地嘲弄对方由于发表文章困难而以批判名人来出名，后来连王蒙自己都感到后悔。目前这本书中对王蒙的批判只是换了一个角度，说他“在世故中把玩‘批判’”。分析比当年是深化了，但从根本上来说，只是继承了当年的主题。至于对余秋雨的批判虽然有诸多不当，甚至有尖刻、轻率之感，但是，这也不是作者朱大可的首创。对于余秋雨的批判目前发展到几乎有点走火入魔的程度，但是，对于一个伟大国家的思想论坛的活跃来说，仍属正常。一切思想的发展都不可能是直线的。用黄子平先生 80 年代的一句话来说，总是有点“深刻的片面性”的。钱锺书、王蒙、余秋雨、梁晓声、汪曾祺受到的赞扬已经太多了，肤浅的溢美之词使人感到肉麻，人们已经见怪不怪了。

书中涉及的多数作家的权威和成就早就受到过质疑。只是相当一部分质疑都限于在学术论文中，读者是有限的。例如对于钱锺书，早有一批上海的博士生在论文中，对于他的脱离现实、居高临下，提出过严肃的批评，只是没有在大众媒介上有足够的反应。这本《十作家批判书》开宗明义，第一篇就拿钱锺书红极一时的《围城》来开刀，那标题就相当醒目:《中国现当代的一部伪经典》。

钱锺书的《围城》被当成经典是近年的事，早在 90 年代初，笔者在香港一家报纸上就发表过《〈围城〉为什么不能列入经典》的文章（见三联书店版《孙绍振如是说》)。当然，“伪经典”，用语不够庄重，但是，最为可贵的是学术的探索精神。

从夏志清先生把《围城》说成可能是近代中国文学中“最伟大的一部”讽刺小说以来，还没有一个评论家，在艺术上对《围城》的弱点进行过艺术分析。文学史家们先是出于政治工具论的局限，对之视而不见，继而走另一个极端，对其艺术上的弱点，麻木不仁。这本批判书中提出的许多观念很值得深思。例如，钱氏这种模仿西方“流浪汉（The picaresque style）小说体”串连人物的方法，“中间既无曲折，又无呼应”，是不是包含着艺术上的失误？小说以幽默见长，但是，就故事情节的整体来说，除个别章节例外，却缺乏喜剧结构。一味靠不伦不类的比喻取胜，对于小说艺术来说，这是不是一种缺陷？作者还认为钱氏“理智大于感情”，小说的构思“局部大于整体”。主题是结婚好比围城，在城外的人想进去，在城里的人又想逃出来。可是主人公方鸿渐则恰恰相反，他本不想进入婚姻之城，而是被别人拉进去的，等等。所有这一切都是有理有据，而且还引用了徐讦和吴组缃先生类似的批评。

当前中国文学评论中文化评论、反本质主义批判、新历史主义批判的声势压倒一切，文学批评的任务据说就是作哲学文化和历史文本的分析，艺术分析据说是每个读者自己的事。在这样的时候，出现这样严肃艺术批评，实在是令人鼓舞。

如果要说本书还有什么不足的话，就是漏掉了一个更该批判的权威——陈忠实，如果能用分析钱锺书的方法来分析《白鹿原》艺术上的失误，那无疑将更加振聋发聩。

《废都》：灵魂对肉体的败北

这一阵，老是听到文学界的同仁说，今年是文学的淡季，发行量上不去，但是突然出现了一本《废都》，作者是颇有知名度的贾平凹，居然大为轰动，6 月份第一版印了 37 万册，才过一个月第二次印刷又印了 11 万册。全国各大报纸纷纷刊载文章评论《废都》，文艺界内部也议论纷纷。在北京，据说买《废都》要排队，而在福州压根儿就买不到。好不容易找朋友转了好几手弄了一本来看，40 万字的长篇花了我整整三天，仔仔细细念了一遍，总的印象是有点失望。

这本书有极其严肃的一面，那就是写西京古都的文化风俗和文化界名人的笔墨，作者用他非常精练的叙述语言刻画了他们空虚的心灵以及心理的和社会的环境，其中不少章节写得相当精彩，这是一方面。作品的另一方面则是写主人公庄之蝶的性生活，写得相当露骨，直接写到做爱的有几十处。本来有了一系列正面的描写，已经够惊人的了，可是接着又出现几个方格，下注：作者删去几百字、几十字等等。这就引起了很多非议。许多论者认为这是故弄玄虚，也有的认为这是一种商业广告的变形——吊那些低层次读者的胃口，对于贾平凹这样一个有成就素称严肃的作家是极不相宜的。的确，这种做法不可避免地降低了这部作品的品位，但我总觉得光是这样简单地批评一个引起全国广泛关注的现象似乎不够深刻。

贾平凹在《废都》中有关性的描写和“省略”，固然有不够严肃的一面，但是也有比较严肃的一面。

首先，关于主人公庄之蝶的性行为，作者在行文中十分强调一个对比，那就是他和他的妻子牛月清的性生活总是很难成功，以致连一个孩子都没有，而和他的外遇唐宛儿、阿灿及至柳月却完全相反。这是由于他和他的妻子牛月清之间缺乏情感，甚至动物性都很少；而在别的女人身上则除了动物性以外，还有某种精神的寄托和交流，因而他的性生活就分外地泛滥。

作者也许是有意通过这种对比，向读者揭示某种人生体验的奥秘，不管这种奥秘是多么不深刻，但是你却不能说他不严肃。

其次，作者为主人公庄之蝶设计的结局是鸡飞蛋打。他的妻子坚决要与他离婚；他最钟情的情妇唐宛儿被她的原夫绑架回乡；而阿灿则在把自己的面容毁了以后，再也不和他相见；那个与他偶尔有染的柳月又嫁给了市长的儿子；而他最早的情人和他打了一场名誉官司，他又彻底失败了。因而他变得颓废，最后等于是精神崩溃，在出走西京时中风，倒在了候车室里。

这个结局是很严肃的，很显然这是一个名人的精神毁灭的悲剧，其意味是相当深刻的。

但是，许多读者，包括很有欣赏力的读者，似乎都没有为这个悲剧所吸引；相反，他们的主要注意力被贾平凹那种大胆的性爱描写所转移了。这是由于贾平凹一心追求《金瓶梅》式的感官刺激，有时似乎有点忘乎所以了。其实他在这方面缺乏深邃的理解。远一点说，他的作品不如劳伦斯的《查泰莱夫人的情人》那样富有社会批判性；近一点说，不如米兰·昆德拉对人性的深层探索；就是比之张贤亮的《男人的一半是女人》，也缺乏超越的诗意。

对于《废都》的评价之所以这么纷纭，是因为作者的故作玄虚的删节和性行为描写的空前露骨，但是，这一切都只有商业性的实用价值，于作品的艺术价值只有某种干扰，而无助益。

为了对《废都》作出比较切合实际的艺术成就的评价，我想暂且撇开其中性行为描写的干扰。因为在我看来如果作者在删节时再忍痛割爱，删彻底一点，或者在再版的时候，删一个洁本出来，我想完全不会损害本书已经达到的艺术水平的。

撇开一切干扰不谈，贾平凹这本书最没有争议的部分要算它的叙述语言了。和当前一些新潮派的小说家追随西方叙述风格的潮流相反，贾平凹独树一帜，他追求的是中国古典白话小说的叙述风格。这种风格既有一种唤起传统文化趣味的功能，又有一种展示当代市井语境的趣味，更难得的是有时颇具幽默感。贾平凹语言是很丰富的，他对现代书面语言、古典雅言和口语显然有过相当精细的琢磨。他在本书中曾借庄之蝶的太太朱月清为了退一件小商品和售货员吵架的事表现了他的语言才华。朱月清问："吵起架来用书面语言还是用粗话？"庄之蝶让她用书面语试试。朱月清说："你们强词夺理，混蛋，小王八羔子，操你娘的！"庄之蝶说："……操你娘应该说操你母亲的，这就文明了！"正是因为在语义上这样辨析毫厘，贾平凹才显现出了独特的语言魅力。

贾平凹对传统小说趣味的追求看来十分着迷，《废都》中甚至有些模仿的痕迹，最明显的就是贯穿首尾的那个似疯非疯的收破烂的老头子了。他顺口念出来的歌谣都有尖锐的社会讽刺的意味。这显然是从《红楼梦》中的“空空道人”那里套来的，但可惜的是这种模仿太坐实了，缺乏“空空道人”那种恍惚迷离的神秘感。

另外，贾平凹对于西京古都的社会文化背景似乎十分着迷，从赌博、算卦、婚礼、丧礼、集市、鬼神之事再加上现代人际关系，人情的物质化等等，都有出神入化的描写。一个最突出的例子是为了让庄之蝶和他的情人唐宛儿去集市买一只鸽子，他居然花了好几页的篇幅把集市上所有的土产包括蟋蟀之类都描写了一通。这种不厌其烦，自然表现了作者对西京风俗、地方文化价值的重视和玩味；但是这种百科全书式的描写其文化价值和小说的艺术价值产生了矛盾，因为许多文化场景和人物心理、情节的发展并非有机统一的，而是游离的。至于作者最着力刻画的主要人物，从性格来说，虽有一定广度，但过分集中在男女之事上面，因而显得和作者的原意有些出入。本来，从肉欲的放纵导致失败，在这种失败中透露出他精神的毁灭，故此书名叫做《废都》，其意味是一片文化废墟上的精神破产。但这仅仅是小说结尾时透露出来的意味，可在具体行文中，作者对于性关系的描写又缺乏某种超脱性，因而显得很矛盾。贾平凹似乎在“灵与肉”之间彷徨，这个主题在新时期文学中早就有了张贤亮的《灵与肉》作为先导，后来又有《男人的一半是女人》作为后继，都不失一种严肃的探索，主导方向是灵对肉的控制不可缺乏。到了贾平凹这里，灵的神圣性已经不足以和肉欲对抗，只剩下逃脱到空门中去的一条路。可那个逃入空门的尼姑慧明也打了胎，并且在用“生发灵”。这样一来，连逃脱的净土都没有了，成为名副其实的心灵的“废都”。

在对待灵魂道德的问题上，贾平凹走得很远，可跟他相对照的是刘心武。刘心武为了他的道德的义愤，不惜牺牲艺术审美超脱性；而贾平凹为了他所追求的文化价值，甚至商品价值，牺牲了他的道德责任感。两种牺牲都是不理想的。

《废都》应把两个女人合并为一个

这十几年来，中国文坛引进了西方许多流派的文论，这给正统文论以莫大的冲击，也给中国当代文论带来新鲜的活力，一批应运而生的新一代的文论家给中国当代文论创造了空前繁荣的局面。中国当代文学评论从来没有出现过如此繁荣的景观。面对同样一个作品和文学现象，评论家从未有像今天这样的多元选择，从基本前提到理论范畴都令人眼花缭乱。中国当代文论总体水平的提高是有目共睹的，但是，由于短时间的大量引进，未免有点泥沙俱下，鱼龙混杂。许多青年评论家还沉浸于获得新的视角和使用新范畴（或话语）的兴奋之中；对于新理论新话语的不足，则一时未免有所忽略。反过来说，他们对于传统文论那些宝贵的基础常常表现得粗心大意。

西方文论的好处在于它在宏观上的自由开阔和多元选择的出奇制胜，但是也有弱点，那就是往往耽于思辨，常常以脱离创作实际而自炫，而实际上是自我禁锢，甚至是自误。因而在美国大学里，文学创作课程的讲义，要么是玄学意味颇浓的纯粹思辨，要么是连经验性的系统化都不足的作品分类选编。在这方面，我们的传统文论中本来有些介于纯思辨与创作实践之间的理论，例如说，人物性格，尤其是长篇小说的人物性格，应该是相当丰富的，在丰富的多方面的表现中又应是有机统一的。早在20世纪50年代，何其芳先生就提出过人物性格应该有一个主要突出的特征，这种特征几乎可以成为人物全部性格的标志。例如阿Q的"精神胜利"，哈姆雷特的迟疑，堂·吉诃德主观理想主义的执著。为了使这种特征突出，往往可以反复表现。无论是贾宝玉的女性崇拜，还是奥勃洛摩夫的慵倦，莫不如此。这个理论自然算不得完善，但也颇能在艺术形象内部找到一些颇为深刻的联系，对文学史的研究有直接的意义。例如，高鹗续写《红楼梦》，原来反对学八股文参加科举考试，且厌恶获取功名利禄的贾宝玉在出家前又去考了一个进士，还为贾家生了一个儿子，这就不统一了。在引进新理论、新话语的时候，许多年轻和一些并不年轻的评论家多少有一点过度地喜新厌旧，他们在接受西方文论中生动活泼的东西的同时，把西方文论中那种在空洞的概念、术语、范畴中绕圈子的作风也批发了过来。这样做的结果就是他们的艺术鉴赏力受到很大的限制，有时在某些特殊的环节上，其艺术辨析力可悲地落到历史水平线之下去。

为了说明这一点，我不得不举一个简单而又复杂的例子。关于《废都》的评论已经多得没法说了，争论很尖锐，议论颇纷纭，但是几乎没有什么评论从人物性格的内部有机统一和外部主要特征这个理论高度上去评析《废都》中的人物，作出称得上是发现的论断。比如《废都》着笔很多的一个人物柳月，本来一出场就有一个鲜明特点——她作为农村来的保姆，酷爱读书，小孩子哭闹妨碍她读书，她就非常果断地让小孩子吃安眠药。这个动作抓住了柳月性格深处的矛盾的核心，写得很有才气。但是很可惜的是贾平凹没有意识到可以挖掘它的艺术潜在量，写到后来把它忘却了，就只好让这个有非凡个性特征的人物去干一些一见名人就上床的俗套之事。到作品后部她更是变得俗不可耐，先是和一个书店的青年恋爱，后来又在没有什么压力的情况下嫁给了市长跛脚的儿子。这样一个随遇而安的女人和开头那用邪恶的方式坚持自己追求的人，在性格逻辑上是不统一的。这种艺术上的失误，用西方文论中的不论是存在主义、文化学，还是结构主义、解构主义都是无法洞察的。至于那个阿灿，原来也是一见庄之蝶就上床，后来却因为替姐复仇，假装和仇家恋爱，趁接吻时把仇家舌头咬断。其实这与她开头的表现也并不能达到有机统一。如果把给孩子吃安眠药，咬仇家舌头的动作，结合在一个人物身上，那无疑要光彩得多；再加上最后自毁面容，不再见庄之蝶，在性格逻辑上就和谐、深刻得多了，而这一切的理论基础都不在西方而在东方。用这种传统的理论对作品创作论的分析，把评价和创作结合起来，把批评性的论断和建设性的建议结合起来，我想，不仅对读者有利，而且对作家也有启发，更重要的是，可能为批评家与作家的传统对立带来一些和解的机遇。

性欲成为情节关键的模式

这一两年，在内地文坛，性欲描写正成为热门。闹得最红火的自然是贾平凹的《废都》，直接描写性行为的文字已经空前轰动了，可是还不过瘾，又加上“作者删去多少字”的商业广告式的语言，颇为惊世骇俗。几乎同时引起轰动的则是《白鹿原》，其中也有不少直接的性行为描写。这很快把读者分化为欢呼和抨击的两派。抨击者认为这简直是“堕落”；而欢呼者则认为这是艺术表现“生命的体验”的大突破。在我看来，简单斥之为“堕落”者失之粗暴，盲目欢呼“突破”者也未必懂得艺术。

从艺术史的发展过程来说，一个明显的规律是其表现“生命体验”越来越广泛和深刻。在中国当代文学中，曾经有过一个奇特的阶段，把性的体验，甚至是正常爱情，乃至家庭生活，均视作禁区，弄得所谓“样板戏”中充满鳏男寡女：《红灯记》中李玉和没有妻子，李奶奶没有丈夫，而她的孙女铁梅则是另一个人家的孩子。阿庆嫂、方海珍、江水英通通被剥夺了体验爱情乃至人伦的欢欣的权利。

70 年代末 80 年代初期，这种教条遭到粉碎。爱情、家庭成为表现社会冲突的核心题材。到了 80 年代中期，爱情题材逐步向性爱过渡。张贤亮的《男人的一半是女人》是第一部正面直接描写性爱，而不回避某种生理的感官刺激的作品。但是总的来说，张贤亮还是从社会政治角度来揭示人物的性心理和性生理特征的，此后先锋派小说家淡化了政治、社会背景去表现、去解剖、去探索人的性心理和结构，更多地从人的自然属性去表现人，但是他们很少直接去描写性行为，而是对性心理加以探索，这样就有了王安忆的“三恋”。而余华则有直接涉及性爱的细节，但是并没有正面地、连续地把性行为场景的中心，性行为本身是文化的象征意义。如在《米》中，主人公在实行性事时，把米塞入女方阴道，这只是一个细节，主要目的不在性事，而在一种荒诞的文化象征意义。在王安忆、余华、刘恒的小说中，即使以性爱为情节核心，以性爱为人事关系变幻的内驱力，生理的刺激往往为文化意蕴所湮没。到了 90 年代初，在贾平凹、陈忠实笔下，性事的生理意义被当作人性的一个核心来表现了，性本能、性行为在某种意义上取得了决定人性文化背景的重要性，因而正面描写性行为似乎成为一种时髦。性行为不但成为某些场景的中心，而且成为情节发展的关键。在《废都》中，庄之蝶与其妻因情感隔膜，而性事不谐。在《白鹿原》中，原本是族长继承人的白孝文夜遇田小娥，也因心理负担而性事不果。这种现象似乎不仅仅见诸小说，日前观一梨园戏《董生与李氏》，亦有二人交媾之时因言及李氏亡夫彭员外而导致性事失败之事。

这似乎是性心理探索时期很难避免的一种幼稚病，本不值得大惊小怪，作者以为独创，其实已陷入公式。当然光在情节上陷入模式，还不一定导致彻底失败。《废都》之败，是在同样的意味上不断地重复性行为的描写，在这一点上，贾平凹不如张贤亮。张贤亮在《男人的一半是女人》中写到性事从不和谐到和谐，他把关键放在双方情感的协同上，但是在性事和谐以后，张贤亮没有停留在性生理的层次上，达到性生理和心理和谐的章永璘却离开了他所爱的女人，追求更高的政治和人生目标去了；而贾平凹和陈忠实却没有这种超越生理感官刺激的精神能量。

另外，从才气上说，张贤亮在关键时刻描写性事用了许多象征和隐喻的美好语言，淡化了生理刺激，有利于情感的自由升华；而贾平凹除了正面的叙述以外，没有别的艺术手段。陈忠实虽然不像贾平凹那样任意运用性刺激，他也运用了许多比喻，但是他的比喻太贫乏了。不管他用了多少形容和渲染，他的喻体差不多离不开两个类型，第一个是“火”，第二个是“水”。描写黑娃的性事，翻来覆去地运用“燥热”“焚毁”“电击”“崩破炸裂”“爆裂”等与火有联系的字眼。用完了火以后就用“水”为喻体，不厌其烦地用“汹涌”“鼓荡的潮水”“融化成水”“潮溢起来”。写到白孝文新婚之夜，仍然反复用“焚毁”“轰然倒塌”等等。这说明陈忠实的才华在这方面实在很有限。

这一点不论从作家的语言还是从想象力来说都是缺陷，而我们的文学批评在这方面关注得太少了。究其原因，不在于评论家没有感觉，而在于：在西方文论中，他们找不到相应的话语。从这也可以说任何一种话语均有遮蔽性，就是西方话语学说也使我们的评论家在以上话语的评论方面麻木地“失语”了。

关于朦胧诗和美国意象派的一段历史公案

有一个问题，看起来已经过时了，可是并没有解决，由于时间久了，大家就把它忘掉了。可是这次在德国特里尔大学图书馆读 1985 年哈佛大学出版的《毛泽东以后的中国文学和社会》的第四章，发现这个问题不但中国人忽略了，而且美国的汉学家也忽略了。

第四章的作者是郑树森（笔名 William Tay），是对比较文学和中国当代文学研究有素的学者。在这一章中，他专门研究了朦胧诗，首先引起我兴趣的是，他不把研究的重点像一般学者那样放在北岛、舒婷身上，而是放在顾城身上。

顾城在我国文坛一般被认为是一个“被幻想宠坏”的孩子。他的诗并不以深度见长，是经不起深刻的研究的。

读到后来才看出作者的苦心，原来是这涉及一段颇为有趣的公案。当朦胧诗在 20 世纪 80 年代初出现时，顾城的《弧线》和《感觉》曾经引起很大争议。为了方便读者自行判断，我这里把《感觉》引述如下：

天是灰色的
路是灰色的
楼是灰色的
雨是灰色的
在一片死灰中
走过两个孩子
一个鲜红
一个淡绿

这首诗由于缺乏当时已习惯了道德的、社会的意蕴而使许多读者甚至评论家感到“朦胧”“气闷”，因而产生了一种批评，说顾城是受了西方现代派的影响。然而顾城的父亲顾工，在朦胧诗讨论的热潮中写了一篇文章出来作证说："文化大革命"期间，像大多数同代人一样，顾城几乎是在文化沙漠中成长的，因而顾城从来就没有接触过什么新月派、现代派的诗作。

可是郑树森先生在仔细分析了顾城的诗作以后，得出结论说，顾城的一些诗和 D.H. 劳伦斯、爱米·洛威尔对光色变化的追求如出一辙；但是，郑先生同时指出，在内地对于劳伦斯和洛威尔所属的意象派是在近几年才有零星的译介。因而郑先生认为，这种影响有时很难说，对于自成一格的艺术作品，不能仅仅从外部实证主义的方面进行解释。

这本来是一个很新鲜的也很深刻的见解。然而，很可惜的是郑先生并没有对之加以充分的阐释，便转移了论题，说在西方，意象派这种实验已经不能引出当时所产生的陌生化效果，而顾城的实验在中国却招来了种种的否定的批评。

问题的关键在于：顾城究竟受到美国意象派影响了没有？如果没有，那就是顾城完全自发地与意象派大师殊途同归。这不是没有可能。诗歌的发展有其内部规律，有时这种规律注定了诗歌艺术的发展，即使没有外部影响也会照样发展变化。但是，一般来说，这种能承担起开一代诗风，独立地给诗歌艺术以历史性贡献的都是诗歌史上少见的大师。在中国诗歌史上只有屈原能够享受这份殊荣，连李白、杜甫都有明显的师承；而顾城在中国新诗史上，属于他的时代已经过去，他已作出了他的超水平的贡献，但是，他很显然不属于诗歌史上开辟一个新时代的大师。

像这种非大师的诗人，一般说总是有其师承的。

影响和熏陶本来是很复杂的，不论是顾工还是郑树森都把这个问题看得太简单了。

郑先生所根据的材料就不完全，西方的意象派并不是到了 20 世纪 80 年代初才开始介绍到中国的，早在五四时期文学研究会的刊物《诗》（叶圣陶编）就介绍了意象派，胡适的文学改良理论中的"八不主义"，诸如不用典，不避俗字、俗语等，都是意象派宣言中已有的。30 年代和 40 年代出版的文学刊物中登载了不少意象派诗人的诗作。我国诗歌艺术的前驱有许多是受了意象派感觉变异影响的：远的可以追溯到 30 年代的徐迟，近一些的就是 40 年代的九叶诗人，包括杜运燮、穆旦，甚至当年在这些诗人影响之下的李瑛后来也不否认他在感觉上受过意象派的熏陶。再加上有那么多台湾诗人的作品流入大陆，因而顾城（包括舒婷）他们这一代人受到的影响是间接的、曲折的，而完全自发的那种可能是微乎其微的。

在维也纳争论中国朦胧诗

1987 年 7 月，由奥地利的路德维格 · 波茨曼学院中国和东南亚研究所发起的中国 80 年代（他们又称之为“毛以后”的）诗歌戏剧和文学讨论会在维也纳举行，这是一次国际学术讨论会，除了中国作家以外，还有美国，特别是德国汉学家，两年后会议的论文选本在波恩黄凤祝博士的书店出版了。

这是一个英文本，不知出于什么样的考虑，取了一个非常奇怪的书名，叫作《还是走好》。用行书汉字印在封面上，旁边还有一幅中国画，画的是一只猴子抱着一只偷来的桃子，在回头张望。也许编者寄寓甚深：中国作家在 80 年代已经偷食了过多的禁果，不可过分贪恋。如果我的推想没有错，则这本论文集的政治色彩是否太浓了一点呢？我有点怀疑。我素来对于西方汉学家过分热衷于在中国当代文学中寻找政治价值有些警惕。

但是通读这本二百多页的论文集，我不能不承认，这本书的学术性是相当强的。首先引起我兴趣的是一位叫 Dominic Cheung（也许是著名的张错）的论文《现代中国诗歌中的朦胧和明朗》。此人出语有点不凡，他不像国内一些诗评家那样对于朦胧诗的代表人物不敢直率地批评，他倒是很不客气。他在引用了徐敬亚在《崛起的诗群》中关于朦胧诗的种种表现方法，特别是运用意象和象征的主张之后，毫不含糊地指出，这种主张有好处也有坏处，在摆脱了旧的限制以后，滥用自由也可能导致混乱，象征和意象用得得心应手（If they are tamed），可以产生惊人的美，但是，如果用得不好，则可能产生可怕的后果。在他看来，年青一代的诗人在大量运用意象和象征的实践过程中所暴露出的弱点远比他们取得的成绩要大。他说，个人主义发展到极端就不能不导致晦涩。一个好诗人应该在寻找语言的过程中求得自己的意向和读者的接受能力之间的妥协。接着他就直截了当地批评了北岛的《雨中手记》，认为在艺术上完全是失败的。他说，诗人看到了他象征意象的强烈鲜明的色彩，但是时间的混乱和河流与生命象征的混乱使读者无法理解。这位批评家的语调是相当自信的，有时甚至武断，但也并非完全没有分析。他承认由于朦胧诗的多样分化，已经产生了明朗与晦涩的两极，这就进一步支持了诗的内容和形式不可分开的事实。他指出朦胧诗人所缺乏的，所应该争取的正是内容与形式的统一。虽然内容的政治和社会性质有可能限制意象和想象的丰富。接着他批评了顾城的《城市是一张面孔》。他说，除了最初三行说到脸上受伤和由之所产生的眼泪以外，其他的意象都与脸孔无关，即使最后一行说到头发，但也只是联想到头而不是脸。不用说，这位真诚而直率的学者是忠于艺术的。在他看来，诗的意象必须有机地统一，顾城的诗不能统一，所以说是失败了。他对朦胧诗也不完全否定，根据他的"有机统一"原则，他完全肯定了舒婷的《银河十二夜》。

他的这个原则并没有直接引起批评，至少在本论文集中没有记载，但是间接的批评则很明显出现在德国汉学家叶尔夫刚·顾彬的论文《北岛》中。顾彬自然更了解北岛他们这一代诗人，他在论文中并非无意地提到由于中国特殊的社会条件，北岛的诗越来越打破了传统的时间与空间的顺序，意象似乎没有什么联系，因而在内地有些批评家把这种诗称之为"没有结构的诗"。但是，顾彬绝不能同意这种批评。

为了反驳这一点，顾彬居然打破写作学术论文的常规，选择了北岛四首诗（《界限》《无题》《孤儿》《雪线》）逐一加以分析，以说明北岛的诗不是没有结构，而是存在着一种"内在的秩序"（inner order）。不过顾彬的着眼点并不在意象的有机统一与否上，也许在他看来，北岛的诗其"内在的秩序"不完全是技术的（形式的或者是艺术的）。顾彬所作的分析是哲学的与艺术的统一。例如，北岛在诗中，常常关切人的生存状态，因而他的诗中意象，如河，标志着新与旧的界限，而河岸往往是永远也不清晰的未来。理解了这些哲学意蕴，就不难把北岛诗中意象和谐地统一起了，不过很可惜，顾彬只解释他能够解释的，显然，还有他不能解释的，正如 Dominic Cheung 所指出的那一首，也许还要留待别人去补充。

顾城真正的死因是什么

顾城在杀死他的妻子以后，自己上吊自杀了。先是从《美国之音》，后来是从舒婷口中得知这令人震惊的消息。我想象不出，像他那样宣称只会写诗，其他什么都不会（连买公共汽车票在内）的人，怎么会用斧子去砍死自己的妻子。这个妻子谢烨曾经是他的“手”，没有这只“手”，他几乎连做饭都不会。据舒婷说，一个在德国定居的华人追求他的妻子，一直追到新西兰。他于是决定和妻子分开。然而就在决定分开以后，他又凶暴起来，并且把她砍死；然后到一个地方去自杀，他的姐姐并没有阻止他，于是他在一棵树上吊死了。

我想起了他的诗，他的成名作——《一代人》：

黑夜给了我黑色的眼睛，

我却用它寻找光明。

这首诗早在 80 年代初就脍炙人口。前几天看电视台转播的台湾大学与复旦大学的辩论赛，获胜的复旦大学最佳辩手在作总结时还引用了这首诗作结语。

他的确是一个寻找光明的诗人，但是他找到光明没有呢？好像是没有。老实说，在寻找的过程中，他绝对没有想到自己的灵魂最后堕入黑暗。从某种意义上说，每一个诗人都是寻找光明的。唯一的区别就在于他们寻找什么样的光明。顾城在这方面有许多表白，如在《我们去寻找一盏灯》中，他说：

走了那么远

我们去寻找一盏灯

你说

它在窗帘后面

被纯白的墙壁围绕

从黄昏迁来的野花

将变成另一种颜色

从这里看，他寻找的光明很单纯，单纯到有一点抽象，因为它并没有明确表现有什么样的黑暗来阻碍着他。虽然，在早期，他偶尔也有一些较有社会人生意味的诗，如《不要说了，我不会屈服》，但是这样的诗很少。即使在这样的诗中，英雄为之牺牲的理想也仍然是某种大自然的象征——

我需要天空

一片被微风冲淡的蓝色

让诗句渐渐散开

像波浪

传递着果实

或者是——

想用一间银白的房子

来贮藏阳光

想让窗台

铺满太阳花

和秋天的枫叶

想在一片静默中

注视鸟雀

让我的心也飞上屋檐

他的理想好像集中在人与自然的和谐，这就自然有了一种人的自由，而且他很少考虑到社会现实，虽然他有时也有对现实恶劣的印象（例如引起很大争议的把长江上的船帆和"尸布"联系在一起），但是他总是习惯用人与自然的水乳交融来表现他对人生的某种宁静的理想。也许正因为这样，他才跑到新西兰一个小岛上去孤独地面对陌生的大自然而不感到凄凉。

他的理想世界中包括爱情，这种爱情和大自然一样单纯、美丽、洁白，可以说，具有某种童话色彩。例如他在《我是一个任性的孩子》中说：

我想画下早晨

画下露水所能看见的微笑

画下所有最年轻的

没有痛苦的爱情

画下想象中

我的爱人

她没有见过阴云

她的眼睛是晴空的颜色

她永远看着我

永远，看着

绝不会忽然掉过头去。

他的爱情理想虽然有浪漫主义诗歌所特有的绝对化的逻辑，但却不是浪漫主义的。因为他并不需要像浪漫诗人那样去和社会环境作拼死的搏斗才能解除纯洁爱情的障碍。他只是相信那样一种美好的境界天然地存在着，虽然他明知社会环境的复杂，但他并不太愿意多加注视，他最着迷的事情是他童话式的想象。他说：

我是一个任性的孩子

我想除去一切不幸

我想在大地上

画满窗子

让所有习惯黑暗的眼睛

都习惯光明

他有任性地超越现实的心灵，他有不习惯于正视现实的黑暗的眼睛，他的整个人，乃至全部诗情都从幻想中而不是从现实中获得生命。他不善于探索现实的黑暗，尤其不善于分析人心的黑暗。

也许他习惯于把幻想的童话的纯洁代替现实，所以他忍受不了现实，他向大自然逃避。但是，对于不幸的爱情呢？他却无法逃避。当一个人无路可逃时，如果他不是一个真正虔诚的宗教徒，那么即使他原本是一个善良的人，也挡不住灵魂深处冒出凶残的邪恶来。他说他用黑色的眼睛去寻找光明，不幸的是，他最终找到的是自己灵魂中的黑暗。

顾城不仅是被幻想宠坏了，而且也被评论界宠坏了，尤其他的朋友（如舒婷）和海外评论界居然没有什么人认真地解剖过他的诗——缺乏思想，指出他的肤浅。

真诚的现代派和虚伪的现代派

近年来，内地诗坛逐渐趋于平静，前几年风行一时的许多旗号、流派失去了声势；许多新潮诗的倡导者和追随者相继陷入苦闷。他们自费印行的未公开发行的刊物先后夭亡，而他们自己的队伍也逐渐零落了起来，我认识的一个狂热的新诗潮——后现代主义的追求者，这几年不写他那种没有地方发表的诗歌了，而致力于旅游业，而且还发了一点小财。说起过去那种狂热，他有点害羞的样子。

他说，他并没有忘记诗，只是暂时不去想它。

他拿给我一篇诗论，文中引用了已故台湾诗人覃子豪的一席话：

现代诗给予读者的困惑，并不足以成为诗本身发展的阻力：然现代诗给予作者的迷惘，才值得忧虑。多数诗人寻得新的创作契机，然而，却有不少是伪诗的制造者。

这些话颇引起我的共鸣，我总觉得诗可以有各种各样的定义，不同流派也可以有不同的艺术标准，但是最根本的一条必须是共同的——那就是诗人的真诚。

现代派的崛起就是因为看腻了后浪漫派的感情戏剧化的夸张模式，模式化、戏剧化之所以令人讨厌，其原因就在于脱离诗人的真诚情感。现代诗人们反其道而行之。浪漫诗人追求美，可世界上美并不那么取之不尽，用之不竭，相反却充满了丑，于是现代诗人便去追求丑。与舒婷同时崛起的诗人梁小斌告诉我：“舒婷在厦门鼓浪屿的‘别墅’（其实不是别墅，而是普通居民住房）里，墙上挂着吉他，自然可以浪漫，可我连职业都没有，我浪漫不起来。”他曾寄给我一组诗，其中有一首写他乘火车，座位对面一个人，咳嗽了一声，他感到此人喉咙中有一口浓痰，他等待那人把痰吐出来，可那人却把痰咽到肚子里去了。

我不能不承认，他发现了浪漫诗人所忽略了的世界，我也不能不承认，他的这种感受是十分真诚的。后来，我收到上海城市诗人宋琳的一首诗，写他在刮胡子的一分钟时间中的感受和联想，都有相当的独到之处，他对于生活中，对于自己身上并不美好的潜沉在意识深处的东西的体验都是相当深刻的。诗句最后一句写他自己在城市中流浪一天归来，“就像一口痰回到了痰盂”，那种自我暴露的情致是相当真诚的。

但是，并不是所有新潮诗人都具有这样的真诚性，他们之中的大多数把生活和诗分成了两个世界，在生活里他们狂热地追求现代物质生活的感官刺激，可是在诗里却写他们超凡脱俗、返归自然，醉心于道家的清静无为，甚至是禅宗的佛家境界，好像对生活，他已经厌倦到不如自杀的程度，但是在实际人生中，他却活得挺有滋味。这样的人如果是个别的，倒也罢了，可是这几年越是写些“生存的困惑”的主题，便越使评论家不敢小觑，没人敢批评。生存的确是有令人困惑之处的，但真正达到那种哲学境界的人是极其深刻的思想家，而不是一些新潮派中赶时髦者。

当赶时髦者发现他所热衷的东西已经不时髦的时候，他们就有点颓唐了。这就是覃子豪先生所说的，现代诗给予作者自己的困惑。

走老路，不甘愿；走新路，又苦于人格分裂。二者同样是令诗人痛苦的。

这种痛苦，在西方还较轻，在中国内地实在是非常严重。因为在西方（还有我国香港、台湾地区）物质生活已经相当富足，有时富足到令人厌倦的程度，生存的目的、生存的价值就成了问题，因而所谓西西弗斯的徒劳，自然引起广泛的共鸣。可在中国内地，人们正在为满足生活的基本需求而奔波，哪里顾得上去想什么生存的困惑。正是因为这样，后现代诗本身就缺乏基础，从某种意义上来说，这是一种超前消费，甚至可以说是一种为诗而造情的“伪现代主义”，而不仅仅是覃子豪先生说的“伪诗”。

顾城杀妻、自杀的心理学分析

自从顾城杀妻并自杀以后，关于他的死引起了持久的争论。对顾城同情的一方，以福建省诗评家陈仲义为代表，反复引用心理学原理说明，诗人的特殊心理素质容易走向自杀，拘泥于道德和法律的视角就把问题的讨论变得肤浅了。

起初，我是很不理解我朋友的立场，至今我仍然坚持对顾城的谴责，但是顾城的自私和灵魂的黑暗之所以以这样惊人的形式表现出来，却不能否认与他神经质的心理状态有关。

看过谢烨母亲对他日常生活的描述的读者如果稍具医学常识，不难看出顾城确有神经狂躁症状。

在最近出版的美国《新闻周刊》和《科学美国人》上，十分高兴地看到关于精神病与艺术创造的关系，自 20 世纪 70 年代以来已有了系统、深刻的研究成果。依阿华一位女教授对 30 位作家的研究说明：他们之中 80%的人曾一度患有精神病。哈佛大学一位教授追踪 15 名抽象派画家研究的结论是：他们患精神病的比例是常人的 13 倍。伦敦的一位教授研究了 50 名健在的著名诗人，发现其中 1/4 患精神病。他们自杀的比例是常人的 6 倍。至于对已经过世的著名作家的研究的结论则是：他们自杀的比例是常人的 18 倍。

看了这么严肃的科学研究报告，我自然想起了爱伦·坡、马克·吐温、惠特曼、庞德、威廉·布莱克、拜伦、丁尼逊、果戈理都曾患过精神病。海明威把枪对准自己的嘴巴自杀，高尔基年轻时自杀未遂，马雅可夫斯基在创作高潮期开枪自尽，传说中李白投水捉月而死，近年中国当代诗人海子的卧轨自杀……好像诗人、艺术家多少有点活得不耐烦的倾向。

但是这一切自杀似乎都和顾城不尽相同。第一，他们都没有杀人，特别是杀自己所爱（过）的人；第二，他们的自杀表面上是消极的，实质上有理想崩溃的因素，特别是美国的塞克斯顿、普拉斯和贝里曼三个“自白派”诗人，她们是把死亡当作“一门艺术”来追求的。由于普拉斯先于塞克斯顿自杀，后者还妒忌她的这个朋友，她写道：

小偷

你是怎样爬进

先我爬进

独自爬进

我渴望已久的死亡的

塞克斯顿的确把死亡当作艺术来追求。她在诗中，把死亡写得那么美，充满温情：

死亡

你躺在我的怀里像个小天使

你奶色的翅膀不动像塑料制成

头发似音乐

泛着竖琴的色彩

眼睛是玻璃的

脆如水晶

塞克斯顿对死亡和死亡的诗同样忠诚，最后她以酒和安眠药自尽。她至少在人格上是完整的。我们可以不同意她的信念，却不能不赞赏她的人格和诗艺，包括她那些写女性身体的诗，如乳房被抚摸时“发狂”的“奉献”之感和被恋人脱去衣服之“加冕”之感，这都是顾城所不能望其项背的。除了在患有精神病这一点有些近似，两人迥然不同。

顾城的死和文人的堕落

顾城的诗，其实成就有限。在艺术上，他的长处是幻想。他在诗中也会称“是被幻想妈妈宠坏了的孩子”。在顾城死后，我曾撰文说他真正的死因是内在矛盾的爆发，他以一首只有两句的诗（“黑夜给了我黑色的眼睛，我却用它寻找光明”）而成名，但是他在诗中一再表现追求纯粹的、“永不回头”的爱情，而在生活中却同时要求两个女人忠于他，一旦对方追求很起码的自由，他便顿起杀机，不惜血染激流岛，毁灭了对方和自己。

声言追求光明的诗人却死于自己灵魂黑暗的肮脏爆发，这算不得什么庄严的悲剧，倒是具有某种闹剧的性质。

出乎我意料的是，对于这个事件的性质，海内外传媒展开了持久但并不深刻的争论。自然，我并不完全满足于那些限于意识形态和道德、法律色彩的批判，以宣判顾城为刽子手满足，但是我也不赞成一些朋友因为他是诗人就牵强地去寻找一些心理学的、美学的借口来为他开脱。更令人厌恶的是有些当事人，如那个插入顾城与谢烨之间不自然地生活了一段时间的麦琪（英儿），后来居然写了一本书，厚着脸皮来美化自己，或者说得不客气一点：给自己做广告。

所有这一切都使这场持续一年多的争论由闹剧变成荒诞剧。这是我读了四川一家出版社出版的麦琪的《魂断激流岛》的感觉。在这本荒谬绝伦的书中，麦琪写她来到顾城家与顾城发生性关系，起初完全是被迫的，是顾城半夜钻进她房间来施暴的，但她后来却心动了，而这一切又是谢烨和顾城在她来到激流岛之前设计好的圈套。麦琪完全是上当了，但又是舒舒服服地上当了。反正顾、谢已死，无从查核，但这样公然的语无伦次，不但是对广大读者独立思考能力的蔑视，而且是对人类道德良心的嘲弄。[①]中国当代文坛上道德理性的匮乏已经有了像《废都》那样的例子，但还没有达到这样不要脸的程度。也许是中国读者习惯于看着一些文人精神堕落，失去灵魂，精神颓废，因而见怪不怪了，对于这本书连一封读者来信式的抗议都没有见诸报端。

但这不等于说混乱已经澄清，相反，把无耻当做光荣，最近倒有了某种理论化的倾向。

我指的是三联书店出版的《读书》在 1995 年第 4 期上的一篇文章《艺术与伦理的对峙》。作者殷小苓的立论主旨本来并不神秘，那就是艺术的审美情感与道德实践理性不可混同，这本是康德在《判断力批判》中阐述过的经典。但是，殷小苓身居海外，学到了欧洲许多哲学和美学，从《圣经》中的亚伯拉罕杀子，到古希腊阿伽门农王杀女，从克尔凯郭尔的内在绝对自由，到存在主义真理的绝对主观性，乃至陀思妥耶夫斯基在《卡拉玛佐夫兄弟》中所表现的激情的美与道德的善的矛盾，等等。虽然时有自炫渊博之嫌，时有歪曲（如在《卡拉玛佐夫兄弟》中，伊凡·卡拉玛佐夫因为没有信仰，所以认为什么坏事都可以干，虽然他没有杀人，仍然被陀思妥耶夫斯基认定为是最大的凶手，这一点殷小苓完全回避），总算还能表现她读书很用功。可是该文中有一个致命的带常识性的错误却贯穿文章首尾，那就是把假定的艺术形象与现实生活混为一谈。该文特别详细地分析了福克纳的《献给爱米莉的玫瑰》：一个古怪老小姐，找到一个地位低下的北方佬当情人，得知这个家伙无意与她结婚，便杀了他，把他的尸体放在自己的房间，直到多年以后她死了，才被外人发现。这样一个完全凭激情生活的乖张女人的谋杀，被福克纳当做“诗意的崇高”来表现。姑且不论福克纳笔下的这个形象是否就是“崇高的精神丰碑”，退一万步说，就算在福克纳看来是崇高的罪恶，我们中国人难道就只有忙不迭点头不已的份吗？另外，把艺术形象与现实行为等同起来本身就是基本范畴的混乱，何必要到大洋彼岸求助于福克纳呢？中国文学中类似的事例不胜枚举，李逵在江州劫法场是英雄，但连看客也“排头砍去”，如果殷小苓照搬到现实中来，那岂不是成为杀人犯了吗？繁漪是靠激情生活的，但是唆使自己的儿子和周萍争四凤不是太卑劣了吗？这都是艺术的假定，应该以审美价值去判断。然而顾城却不是一个艺术形象，因而他必须为自己的行为负起道德伦理和法律的责任。

---

① 关于麦琪，2015 年澳大利亚华裔作家何与怀有文曰《麦琪：心灵之旅已经结束》：“1 月 8 日，李英，后来情人口里叫的英子、英儿，更后来自称的并公开为大家知道的麦琪，刚过五十岁，去世了，在悉尼一间医院，一个人，静静地，轻轻地，没有几个人知道。灰黑色花岗岩墓碑上刻着英文的墓志，译成中文意思是：‘李英，麦琪 / 华裔诗人、作家 / 刘湛秋挚爱的妻子 / 一段美丽快乐的心灵之旅已经结束。/ 一个带着所有的理解和认知飞向来世的自由的灵魂。/ 你是如此地为人所爱。/ 2014 年 1 月 8 日幸福平静地离世，享年五十岁。’”“悉尼的文友联系上了在中国大陆的刘湛秋。湛秋说，麦琪走前两天晚上，给他发过短信，感觉还好，说什么痛苦都没有。但就在 8 日那天，她却走了。湛秋还说，短期内他不会来澳大利亚。麦琪的事不要过分张扬。麦琪说过，她愿意一个人静静地走。”

搭起了一座似梦非梦的桥梁
——孙玉石在《中国现代诗导读》中解读禅意

我第一次读系统的新诗选本，是在 1955 年。那时臧克家的《中国新诗选》刚刚出版，如饥似渴地读了一通，获得了一个中国革命诗歌的发展轮廓。进入大学以后，尤其是 1959 年，和谢冕、孙玉石等同学也研究了一番现代新诗的发展，并写了一系列关于中国新诗发展的文章在当时《诗刊》上连载，便觉得臧克家那个选本并不太完全。可是直到 80 年代，陆续读到的几个选本，不过是对臧克家的那个本子小作补充，总的说来，我是不太满意的。这一回，朋友从北京带回来孙玉石君的《中国现代诗导读》，首先让我感到满足的倒不是他和他所率领的一批研究生创立现代诗解诗学的雄心，而是他所选的诗作，真使我大开眼界，心旷神怡。除了读者所熟悉的李金发、闻一多、徐志摩、戴望舒、卞之琳、何其芳以外，还把相当大的篇幅奉献给了一般新诗读者，甚至是文科大学生都不太熟悉的废名、林庚、金克木、施蛰存、徐迟。我作诗评多年，老实说，从来没有细读到过废名的诗。年轻的时候只读过他的小说。1986 年孙玉石教授来福建师大中文系为研究生讲“现代新诗”，相当精彩地分析了废名的一些作品，尤其是其中的禅家意识，我的印象十分深刻，但对他留下的一份作品选并没有来得及认真钻研。

不久，来了一个安徽的青年诗人，点名要和我谈话。他出示了他的诗稿，并说现在中国诗歌走在世界诗歌的前列，而他的诗歌又走在中国诗歌的前列。我说，我看不出，很抱歉。他说，你再仔细看看。我仍然说看不出。他便提示说，你看到其中的哲学吗？我说，看到了。他说：“什么哲学？”我说：“中国的禅宗。”他大为鼓舞起来，但是我告诉他这并不是他的新发明，早在 30 年代废名就在诗中写出了禅意。他大吃一惊，他的坦率使我惊异，他连废名的名字也不曾听过。

这次读孙玉石亲自写的对冯文炳（废名）代表作《妆台》的阐释，实在不能不惊叹孙先生用工之细。一首半个世纪之前的朦胧诗，纯写诗人当时即景生情的感悟。其时情境已逝，如电光石火，一去不返，孙先生居然能用他精致的分析，把那些一去不返的思绪和境况复活起来，真是不由得不叫人惊叹。

原诗很简单：

因为梦里梦见我是个镜子
沉在海里她也将是个镜子
一位女郎拾去
她将放上她的妆台
因为此地有妆台
不可有悲哀

孙先生认为这首诗："由几个互相关联的意象构成：'我'，代表抒情主体，'镜子'，代表艺术，'女郎'象征生活中美好事物，而'妆台'则为镜子和女郎的中介物。"在这种组合中，推出了诗人生活与艺术的哲学："因为此地有妆台，不可有悲哀"，这句是索解全诗的关键。从日常生活的逻辑看来，这个因果关系极为不通。孙先生精致的推理不但得力于他的艺术感受力，而且得力于他的学识。他对于 30 年代诗人的创作有许多特别精彩的第一手素材。他的老师王瑶先生特别推崇过他的"考证"能力。他的论断往往不全凭想象和推理，主要靠实证。这一回他引用了废名的小说《桥》中的一句话"女子是不可以哭的，哭便不好看"来展开他的阐释，然后又引用废名的自述："当时我有一种感觉，我确实是一面镜子，而且不惜于投海，那么投了海的镜子是不会淹死的。"孙先生据此说明，这是废名先生献身于艺术虽九死亦未悔的人生哲学。这是一种美的哲学，这种哲学为许多作家所钟爱，但废名先生的特点在最后两句，那是美的价值的实现："一个女郎拾去了镜子，将镜子放在她的妆台上，镜子因而获得了它的价值的实现，找到了自身的意义：即使人生多难，也没有什么可以值得悲哀的了，如果悲哀，那就是对美的亵渎了。"孙玉石先生致力于现代解诗学的创立，他以他微观的洞察力为现代新诗人的审美想象和读者的心理差距之间搭起了一座似梦非梦的桥梁。

影视“强奸”文学以后

钱锺书先生的《围城》名满天下，在内地被改编为电视连续剧上演以后，更是妇孺皆知。这自然不完全是钱先生一个人的功劳。当时名气还不响亮的葛优，在那里演了一个自私自利的教授。已有了一点名气的陈道明所饰的方鸿渐，那种懒洋洋又不随波逐流，每每很想自爱，而又处处倒霉，无所适从，其性格的心理线索比原著还鲜明。至于女主角吕丽萍、李媛媛等后来都大红起来。尤其是后来葛优演《活着》，居然得了国际威尼斯电影节的最佳男演员奖。他在《霸王别姬》里虽只演一个配角，仅仅几个场面，表现确实不俗。作为一个国民党官僚，又是京戏迷，到1949年以后，被宣判死刑，居然在行刑警察推搡之时，他还用京戏中老生之鞋底朝天的方步走下台来，确乎是个艺术家的坯子。至于那个从美国回来不久的英达，也在《围城》中演了一个配角，他那美国式的从容，而不是中国电影演员的话剧式夸张，都和《围城》的风格相近。这么大的演员班底，不但把《围城》通俗化了，而且为《围城》增色不少。可是小说艺术风格损失也惨重，至少钱锺书特有的英国式的居高临下的带刺的幽默叙述语言消失了（除了在旁白中稍有保留以外）。影视毕竟是影视，影视不仅仅是作家的创造，而且是导演和演员的创造；因而在电视中，观众看到的其实并不是真正的《围城》。如果读者不嫌我粗俗，我敢把电视比作小说原作者和改编者、导演、演员、摄影师、美工师、音乐家、化妆师乃至老天爷（外景天气）群交而生的杂种。这还是权威的、名气大的作家的好命，一般名气来不及大起来的、初出茅庐的年轻作家的命运就很惨了，那简直是被影视导演“强奸”。在我看来，文学作品最大的“强奸犯”就是张艺谋。他改编《菊豆》，把本来很重要的从土改到公社化的社会背景删去了，这一删就把一幅社会风俗史图变成了传统文化对人性的徒劳的压抑。至于他将苏童的《妻妾成群》拍成《大红灯笼高高挂》，捏造了一个大院落，苏童写的是南方，大院落可是北方地主庄园。更离奇的是胡想出一个老公到某一老婆屋里过夜，就郑重其事地、仪式化地点灯笼；早晨离去时，又大张旗鼓地熄灯（由仆人用一根长达五尺的筒吹）。这完全是胡编，而且违背原作的严肃风俗画精神。这些花样只能蒙那些对中国地域文化一窍不通又好自作聪明的西方人。最近张艺谋又不满足于此了，居然同时要求几个青年作家写以武则天为题材的小说，每人给三万元，然后由他自由改编。这几个作家在当前中国文坛都是杰出的新秀，苏童、格非、北村、赵玫等，正处在艺术创造、探索的高峰期，可能是出于经济方面的诱惑或压力，不得不屈从。几个人都写了，分别发表，任由张艺谋指挥修改，改编则另给稿酬。那些头角峥嵘、才华横溢、在文字语言创造力上绝对超过张艺谋的一代文坛新秀，不得不舒舒服服暂时扼杀自己的艺术个性。张艺谋的这种发明等于把作家放在等待“强奸”甚至忍受“轮奸”的位置上。这可以说是商业化的电影对文学的最大摧残了，但是由于金钱的神力，从作家到观众，见怪不怪，其怪可爱。

年轻的时候听徐迟先生说，他绝对不看根据经典文学名著改编的电影，不管它是出自外国什么名家之手，什么大导演执导，大明星主演。后来和郭风谈此事，他说得更精彩：“切勿触电！电影是集体的工业，而文学是个人生命的体验，二者是水火不能相容的。”

自然，两位老先生的话都有道理，因为他们对经典名著的鉴赏力在许多地方超过了导演。但是也不无偏颇，也有一些导演的艺术水平超过文学作家的，因而也出现改编电影超过文学原著的例子，如谢晋导演的《早春二月》，至少在艺术上弥补了鲁迅在柔石《二月》序言中指出的不足。不过，也有歪打正着的，即如 90 年代中国最有才华的先锋派青年作家余华、苏童、北村都曾因急于突破传统，把小说写得像天书，情节人物一概没有，成了非驴非马的小说，甚至“反小说”。电影跑出来“强奸”了它一下，这些作家又变得会讲故事了，而且是面目全新的故事，好像又矮又丑的驴子去强奸了一下高头大马，生出来个大骡子。从这个意义上来说，张艺谋也并不那么可恶，不该当作“强奸犯”，因为第一，对方是情愿的；第二，又改良了品种。

关于夏志清对鲁迅和张爱玲的评价

在德国一所大学的图书馆中找到一本夏志清的《现代中国小说史》英文原著，细读一遍，深深感到夏先生的博大精深为海内外一般研究者所不及。

自然夏先生也有局限，而且很明显，正是这种明显的局限使他的这本《现代中国小说史》很难得到根本的认同。夏先生的这本号称《现代中国小说》，modern 既可译为现代，又可译为近代，其实按通行说法应该是“现代”，因为他写的是五四时期以来的小说史。

我想最不能令我国学者认同的可能就是对鲁迅和张爱玲的评价。夏先生对张爱玲可能有些偏爱，这一点光从篇幅安排就可以看出来：夏先生所写《鲁迅》一节只有 27 页，而张爱玲一节却占了 43 页。不管张爱玲的小说在艺术上有多少成就，但从实际发生的影响来说，张爱玲无论如何是比不上鲁迅的，因为鲁迅是结束了一个时代，开创了一个时代，又影响了下一个时代的大师；他又有那么多追随者、赞扬者和批判者，这一切都是历史事实，是有其深刻的历史原因的。作为小说史的研究者，其任务是探索这历史表象下的深刻原因，而不能轻轻放过。至于张爱玲，毕竟她是在上海沦陷之后才开始创作的，撇开她当时与汪伪政权一些头面人物的关系不谈，她的作品的影响至多只限于上海“孤岛”范围之内，连“大后方”重庆都没有什么作家注意到她的存在。

夏志清先生是个学者，他并不掩饰他在政治上对鲁迅的批判态度；但是在我看来，夏志清有非常强的艺术感受力和艺术分析力。本来在正常情况下，一个大艺术鉴赏家往往能不受他的政治见解的限制作出比较公正的评判；但是，非常可惜，夏先生在对待张爱玲的问题上，以自己情感上的偏爱代替了艺术分析。使我感到惊奇的是，连对沈从文先生，夏志清也只给了 20 页，老舍只给了 24 页，夏先生难道真的认为张爱玲的小说在艺术上超过老舍和沈从文吗?

自然，夏先生对于鲁迅作品的艺术性也非一笔抹杀。他虽然语气中保留性很大，但是还有许多分析为我国现代文学史界所不及的，那就是他把鲁迅的小说艺术作为一个发展过程来研究，他不像我国一些论者那样，凡鲁迅的小说都是好的，而且从来都是好的。他的分析原则是理清鲁迅艺术发生和发展、突破和失误的线索，就这一点来说，他的细致和敏锐令人仰慕。

他认为《呐喊》在艺术上不及《彷徨》，他指出《狂人日记》的缺点是缺乏一个现实的情节去解释为什么狂人有被吃的幻觉，《阿 Q 正传》的结构比较机械，而叙述语调则有油滑之嫌，等等。虽然缺乏充分的论证，却不失为一种严肃的艺术见解。特别是在分析到《彷徨》在艺术上比《呐喊》更成熟时，夏先生强调了《肥皂》和《离婚》在艺术上的成就，并且作了相当细致的分析。这种论断与鲁迅自己的看法是一致的。鲁迅说他在《肥皂》和《离婚》中才摆脱了外国作家的影响，在技巧上更臻成熟，描写上更加深刻，热情上更加节制。这些都是当时乃至后来许多读者和评论者忽略了的。在我的印象中，直至今日，现代文学史的研究者仍然把注意力放在《祝福》和《伤逝》上。夏先生对《祝福》的艺术成就还比较欣赏，而对《伤逝》则以非常简单的话，说它陷于感伤的说教而加以否定。这虽然使我感到惶恐，但仍然是一种宝贵的惶恐，因为它将启发我在艺术上更加认真地去思考一些新的问题。

夏先生对张爱玲的小说高度评价，也不完全是出自对她的政治立场的同情，其中也包括着艺术上的某种偏嗜。例如他认为张爱玲近 3 万字的《金锁记》是“中国文学史上最伟大的中篇小说”(《现代中国小说史》，耶鲁大学版第三卷第 98 页)，这就有点出格了。任何一个评论家都可能有偏嗜，但偏嗜到有一点歪曲历史的程度就是偏执了。这样的偏执对于夏志清先生这样一个严肃的学者是不该有的。

张爱玲：大节有亏，艺术不朽

读台湾学者的学术著作往往有意料之外的收获。有时，是一种学术观念引起了我的惊异，虽然不能完全同意，但可以理解，可能想象，因而令人久久难忘。有时，则是一种新的资料的发现，如果是大陆学术界所难以获得的，就更令人兴奋，更加益人心智了。正因为这样，我读台湾学人著作更重视其历史资料。

这次读成文出版社出版的刘心皇先生的《抗战时期沦陷区文学史》，有一种难以言喻的满足。书中的许多资料都有历史的重要性，又为大陆学术界所忽略。特别是该书对沦陷区“落水作家”情况的描述和评判，其严格的民族大义往往使人心折。

虽然半个世纪已经过去，时间已经淡化了“汉奸”一词的贬义，但是看到书中所披露的目前颇受重视的某些作家的历史，心中颇不平静。不久以前我才读过我的老师严家炎先生编的《新感觉派小说》，对其中穆时英、刘呐鸥的作品产生某种程度的欣赏。但是据刘心皇的这本著作，刘呐鸥在抗战中的表现实在可鄙。大汉奸丁默邨接管了上海《文汇报》后，委刘呐鸥作社长，而这位曾经创办水沫书店，出版过不少左翼作家的作品，培养支持过戴望舒、杜衡的新感觉派作家，居然甘心媚敌，结果是报纸还未出版，就被坚持在上海“孤岛”的志士枪杀于赴报社途中。穆时英曾被称为“新感觉派的圣手”，抗战爆发以后，他在香港和汪精卫系统的走卒搭上了钩，卖身投敌，遂自返沪主持《中华日报》的《文艺周刊》及《华风》，并主编《国民新闻》，在该报的《文艺》上宣传反对抗日的“和平文学”。刘呐鸥被暗杀以后，他又接受丁默邨的委任，担任《文汇报》的社长，结果遭到与刘呐鸥同样的下场。

这些历史资料本极重要，可不知为何被内地研究新文学历史的学者忽略了。其实这些资料都在上海当时的报刊上，反而为远在台湾的学者所重视，这不能不说是内地学者的一种疏漏。

这几年，上海“孤岛”时期的新文学史料出了不少，但大多是当事人对于自身工作的回忆，很少有刘心皇先生这样专注于“落水作家”的系统资料的收集者。(自然，刘先生的著作也有缺点，那就是对沦陷区，以及坚守“孤岛”上海的作家的抗战文学活动缺乏起码的记载。)

由于历史资料的缺失，造成许多历史评价的偏颇。穆时英固不足道，他的才能及影响均有限，但是，另一些作家如张爱玲，则似乎被片面美化了。自 1978 年以来，大陆学者对张爱玲的才华给予了相当高的评价。远在美国的夏志清教授在他的《中国现代小说史》中给予张爱玲的篇幅甚至稍稍超出了鲁迅。然而，如果夏教授早知张爱玲在抗战中的立场的话，我想他是绝不会给她那么多溢美的赞词的。

张爱玲固然没有直接去当汉奸，但是她最初的小说大都是发表在汉奸文化系统的“兴亚建国系”的报刊上，并且为这些报刊所捧红。同时，她本人又与当时的汉奸文人朱朴、柳雨生等交往甚欢。朱朴先后任汪精卫的组织部次长、宣传部次长、交通部次长；柳雨生则因为敌伪作宣传，抗战胜利后被正式判刑。张爱玲发表文章的杂志大都是这些汉奸文人的同人刊物。最不堪提及的是张爱玲与汪伪政权的宣传部次长胡兰成同居，过了一段“小夫人”的生活。抗战胜利后胡兰成隐姓埋名，匿居温州，张爱玲曾经去看过他。据胡兰成后来写的回忆录《今生今世》中说：“我出亡至今将近两年，都是她(指张爱玲)寄钱来。”另外，报纸上曾经报道张爱玲参加过日本帝国主义者召开的“大东亚文学者大会”。虽然张爱玲在抗战后声明实际上没有去参加，但是名列此大会者皆汉奸文人，当时她的政治态度可见一斑。

张爱玲在中国现代文学史上有相当的成就，这已经得到海峡两岸学者的公认，但是张爱玲在民族危难关头大节有亏，这也是无可回避的事实。作为历史的研究，首先应该尊重事实，不管张爱玲的历史污点多么令人遗憾，但是我们还得把她作适当的介绍，以便广大的读者和学人对她有一个公正的、客观的评价。

张爱玲独特的嗅觉

还是20世纪60年代，我就念过一本苏联作家巴乌斯托夫斯基用艺术手法写的谈创作技巧的书，叫作《金蔷薇》，对书中的每一道理，作者都以一则相当精微的小说情节引出。这本书即使在“文化大革命”期间仍然广受欢迎，不过以“内部发行”的名义出现。在改革开放以后，又印行好几版。

其实这本书中作者所讲的道理，现在看来是挺简单的，甚至可以说是很粗浅的。例如书中的第一节，就讲对于一个作品来说，细节非常重要。作者先写一个海边酒店中一个穷困的老人和他的狗的故事，然后提出，如果没有故事中那些有特点的细节，这个作品是不能成功的。我记得他还引用了普希金的一句话，大意是好的细节能使作品“大放光彩”。

话说得聪明、生动，但道理却粗浅，正是本书的特点。像许多苏联的“创作谈”一样，作者总是把作品中的细节作为一种客观存在来加以研究，因而总是特别强调作家的观察力。

其实，作品中的细节，究其作为艺术品的一个因子、一个细胞来说，它首先是作家的一种奇妙的感觉，细节本身如果纯系客观存在，就不可能奇妙到哪里去。即使很奇妙的山水，就其奇妙的客观特性来说对于每一个人都是一样的，而这种对于不同的人无差别的现象是不艺术的，甚至是反艺术的。也许科学家会因其准确、客观的观察而走向成功，而艺术家则往往因其在客观对象中找到自己特有的感觉，或者别人没有过的感觉而走向成功。

关于作家成才的理论，已经有了多得无法计算的说法，但是比较简明、比较易为接受的却是海明威的一句话：“不幸的童年。”为什么呢？因为不幸，因为对本来平常的事物有了不平常的感觉。手头正好有张爱玲的《论音乐》，她在这篇文章中谈到她自己的嗅觉非常奇特。她说她喜欢许多别人不喜欢的气味，潮湿的霉味、雨后的泥土气味、大蒜、韭菜变质的气味。人家闻到汽油味就头痛，可她却跟在汽车后面去闻那排出的废气。每当她用汽油洗衣服，都弄得整个房子充满了这种在她闻来是清爽、强烈、叫人欢快的气味，当牛奶煮糊了、木材烧焦了，都使她胃口大开。火腿、咸肉、花生走了油，变了质发“哈辣”的味道，这些她挺喜欢，因为这使她想起过去岁月中霉变了的大米和陈旧的谷仓。在香港沦陷期间，她家用椰子油炒菜，起初她忍受不了那种肥皂味而要呕吐，但后来她发觉这种肥皂味中有一种清凉的香味。战争期间牙膏买不到，她就用粗制的肥皂刷牙也不在乎。

作家的禀赋自然包括许许多多方面，但是不管哪一方面，要成为艺术形象传达给读者，却都离不开其独特的、不可重复的感觉，如果你对潮湿的霉味的感觉和别人一样，即使非常准确地把它写出来，别人也不会被吸引的。如果你从这种霉味中写出张爱玲所特别擅长的美丽的凄凉、凄凉的美丽，读者就可能被你吸引了。如果你和别人一样觉得走了油的火腿、咸肉令人作呕，那么读者并不认为这种感觉有什么特别值得注意之处，如果你从这种走了油的感觉中表现出对往日“走了油”的生活的回忆，关键在于把“走了油”的感觉和那回忆的情绪不着痕迹地统一起来，正等于把肥皂的气味、战争时期的怪异之感统一起来一样，那时，读者许多遗忘了的感觉和情绪就可能被你唤醒了。因而研究作家不能光研究他的思想，因为任何思想都不能赤裸地传达。研究作家，不能不研究其感觉的特点，因为一切的艺术形象都是带着他感觉的特异性的，我们已经有了许多日新月异的艺术理论，但是有一点令人担忧，那就是艺术理论越发展，好像离一般读者越远。这是因为艺术理论太过忽略了艺术感觉的具体分析。

其实，在作家的艺术感觉里，正隐藏作家艺术创造的奥秘。应有一种学问来研究作家的感觉，主要是艺术形象中的那种变化万千的似乎是不正常的感觉。

纪弦的历史污点

自从 1978 年以来，由于对外开放，台湾文学，首先是诗歌对大陆诗坛产生了很大的冲击。记得在 1980 年前后，台湾诗坛的系统介绍已经开始，那时纪弦的名字是与他主持的《诗刊》孕育了台湾的一代诗人相联系的。此后在内地，研究纪弦的论文时时见诸报刊目录。就在前不久，素孚众望的徐迟还为纪弦的诗集写了序言，推崇之情溢于言表。

可是就在这个时候，我第一次从刘心皇先生的《抗战时期沦陷区文学史》上读到纪弦曾经是一个汉奸，而且证据颇为确凿。他不像张爱玲那样只是与大汉奸同居，且为汉奸同人刊物捧红，他是“下了水”的。

我对这事颇感震惊，不免自疑，也许是我的孤陋寡闻吧。正好福建社会科学院文学研究所专门研究台湾诗歌的刘登翰先生来访，我当即告之，不料刘先生也甚感意外。他已完成一篇关于纪弦的论文，这个资料他要补充到论文中，并嘱我为他复印。

关于纪弦的历史污点，在台湾是见诸报端的，在大陆居然成为我的独得之秘，良可喟叹。

早在 1970 年台湾笔会派代表到韩国参加国际笔会，纪弦亦列于代表名单之中，遂引起物议。钟国仁先生投书台湾《大众日报》，文艺界方知纪弦乃当年文化汉奸路易士。

路易士在《三十前集》的自序中说：“拟定集名，大概是在前年春天里的事情，那时我在苏北。”在苏北干什么？他没有说。然而在台湾的苏北人很多，尤其是当年国民党派在苏北负责情报工作的人士，对纪弦的情况是非常清楚的。据他们说，纪弦（路易士）在苏北兼任敌伪之职甚多，主要职务是汪伪的“军事委员会委员长苏北行营上校联络科长”，负责与日本占领军交际。他还兼任了宣传工作，主要任务是代表汪伪政权对苏北百姓作“文化宣抚”。为此曾作两次大规模对青年之讲演，一次是在泰县，讲《“大东亚共荣圈”与和平文学》。“大东亚共荣圈”是日本帝国主义者侵略亚洲的政治口号，而“和平运动”则是汪精卫反对抗日的卖国口号。

路易士在苏北混了一两年，就由汪伪宣传部次长胡兰成把他调到所谓的中央宣传部担任专门委员的职务，主要负责控制上海的文艺活动。

路易士不但担任了伪职，而且还以他的诗为汪精卫的卖国政治作鼓吹。

当时日寇凭借空军优势，对战时的临时首都实行残酷轰炸，路易士居然作诗赞美："炸罢，把这个古老的中国炸毁灭吧。"

路易士到台湾以后，化名纪弦，写作新诗甚勤，而且也有了相当的身份和影响，但绝口不谈路易士。每逢有人说起他就是路易士，便支吾其词，甚至恼怒。待到过了 20 多年，可能是追究法律责任的有效期限已过，他才在一篇文章之中说起自己曾经用过"路易士"的笔名。

纪弦在台湾诗坛本有泰斗之誉，此事发生后，肯定影响到他在台湾青年和诗人中的形象；同样，我相信随着两岸信息的畅通，纪弦的历史污点必然给他在大陆读者中的形象带来极大的损害。纪弦的诗艺如何，自然仍可以仁者见仁，智者见智，但于民族大义，纪弦应当有愧。

任何一个读者、任何一个评论家都不应该因偏爱他的诗艺而无原则地回护其失足落水之过。

当然，反过来也不该因其曾经失足落水而对其诗作采取因人而废言的立场。

刘心皇先生所持的正是这种立场。不过如果把这些落水作家比作宋史上的"叛臣"，明史之"贰臣"，也许难免有胶柱鼓瑟之弊。因为《宋史》中之"叛臣"如张邦昌者，金兵退后，还"手书请元皇后垂帘听政"，奉迎康王，"伏地恸哭请死"；而这些落水作家除了极少数由于心理压力而精神错乱者，竟绝无主动自责自谴的勇气。从这一点来说，他们比张邦昌来说还差了好多。我对于张爱玲及苏青那种表面上气壮如牛的自辩，实质上胆小如鼠，无承担责任之勇气，特别反感的原因就出于此。

时间淡化了历史的记忆，当年的切肤之痛在新一代读者中已经变成对"他者"的观感，但奇怪的是人们对于周作人的大节有亏并未完全网开一面，但对于罪行要严重得多的纪弦却敬礼有加，莫非是因周作人与鲁迅的对比太强烈？如此，则纪弦应该庆幸他没有一个成为民族魂的兄长。

谈台湾女诗人席慕蓉的诗

一个非常偶然的机会，我看到一份大学生文学作品阅读调查表，使我非常吃惊的是台湾女诗人席慕蓉的诗作在大陆大学生中拥有的读者远远超过了读者群最大的舒婷。自然，这仅仅是 1988 年春夏之交的情况，在这以前还没有这种降温的样子。纵然如此，在个体书店中，席慕蓉的诗仍然属于畅销书之列。

特别令我惊异的是广东省著名的诗评家杨光治先生已经出版了一本《台湾女诗人席慕蓉抒情诗文赏析》。这充分说明了席慕蓉受欢迎的程度，我国至今还没有见到专为大陆哪一个当代诗人出过一本诗歌赏析的书，有的只是属于流派的，如《朦胧诗赏析》之类。

找了几本席慕蓉的诗集来仔细研读以后，感觉十分复杂。

最突出的感觉是：诗是写得相当精致的。主要的是那些抒写爱情的诗，我并不奇怪她生活在幸福与备受关怀的温馨环境中却把那么多的才华奉献给了爱情的追忆。不是正在进行中的爱恋，而是已成过去的爱情。不是已成过去的全部爱情，而是过去爱情中的一鳞半爪，哪怕是短暂的一瞬，哪怕是无望的刹那，哪怕是对方完全忽略了的一次心灵的感应，哪怕是因此而付出了青春枯萎的代价，哪怕是对方早已忘却，或者明知不管怎样总归要化为虚无的诗中幻影。然而在席氏，一切瞬时的情感都化为永恒的记忆，成为心灵体验的无尽泉源，显示出最为珍贵的价值。

席氏有时情不自禁地把这瞬时的体验看得比生命更宝贵，不止一次地写道正因为有了这种瞬时的爱情的体验，生命才有价值，生活才值得过下去。

在席氏的诗中，爱情总是不美满，她写得最动人的不是古典式的那种心心相印的浪漫爱情，她的浪漫恰恰在于虽然没有心心相印了，爱情仍然是永恒的、圣洁的。不管心灵受了多么大的伤害照例没有怨恨。她曾引用我国汉代古乐府诗句："只缘感君一回顾，使我思君暮与朝。"她的爱情是一种童话境界中的"无瑕的回忆"，可以说她的爱情是一种美丽的遗憾。“无缘的你啊 / 不是来得太早 / 就是 / 来得 / 太迟。”

当然，席慕蓉最好的爱情诗，写到最佳处，常常超越了爱情而升华为一种更深沉的人生哲理的体验。她时时诉说人生来世上一遭，只为相聚一次，在亿万光年的无限时间与无垠空间中，作为生命只是为了“一刹那的甜蜜与悲凄”。

哪怕在生与死的分界前，最大的遗憾也只是“再也不能相见”，什么都可以逃脱，“无法逃脱的 / 是你的痛苦和 / 我的悲伤”。动人的警句在席氏的诗中俯拾皆是，难怪在台湾她的《新娘》被用作结婚礼服的广告词了。在大陆不少大学生（我想特别是女学生）背诵她的一些警句，如：“我并不是立意要错过 / 可是 / 我一直都在这样做 / 错过那花满枝丫的昨日 / 又要错过今朝。”“翻开那发黄的扉页 / 命运将它装订得极为拙劣 / 含着泪 / 我一读再读 / 却不得不承认 / 青春是一本太仓促的书。”

席氏的诗写得最好、最开阔时往往能达到舒婷那样的哲学的高度，如《失恋的感觉》中写道：“这是无法逾越的界河啊 / 我们像两个国籍的界碑 / 你代表你的神圣 / 我代表我的庄严 ……”这就有点像在大陆婚礼上常为新娘朗诵的《致橡树》中那种人格独立的宣言了。

然而，可惜的是，席氏很少达到这种堪称辉煌的境界。

她总是囿于太多的中国古典诗歌的闺情和西方童话的梦幻。

她幻想着有一种绝对宽容、绝对真挚、绝对无怨和绝对美丽的爱情，然而幻想毕竟是幻想，这是她自己也感到了的，因而她充其量也只是诗歌界的琼瑶；虽然比琼瑶境界要高，但像琼瑶一样不断重复自己。不论从人生体验的深度还是表现方法的丰富来说，她都不如舒婷远甚。

台湾散文研究的新突破

——读楼肇明的台湾散文研究

说也奇怪，有很长一段时间，我对港台文学研究抱着冷眼旁观的态度，原因是这类研究一开始就给我一个并不良好的印象。那是20世纪80年代初期，突然台港文学热了起来，差不多每一个省的每一所有文科的大学的中文系都开设了台港文学课程，有的还匆匆忙忙成立了研究所。一下子卷入这股热潮的人员的素质却是并不理想的。

在内地，文学研究的人才素质最高的当推文学理论，这支队伍中的中年和青年一代均有良好哲学修养和广阔的文化视野，而且是站在思想探索的最前列，其次就要数当代文学和现代文学的研究队伍了。这两支队伍中的佼佼者在全国文学界均有较高的知名度。台港文学研究队伍相对来说较弱，早在80年代初，由于资料缺乏，造成一种低水平的现象：谁拥有一些资料，谁就是行家。到后来，情况稍有好转，但仍然是谁肯花时间去收集资料并加以介绍，谁就挺神气。正因为这样，一些在学术界竞争力不强的人，就很容易流入台港文学研究队伍。

然而，这一两年来，情况有所变化。一大批本来研究文艺理论、当代文学和现代文学的中青年学者转入了台港文学的研究。袁良骏先生、赵园女士本来是研究现代文学的，现在正在或者已经拿出他们的台港文学研究成果。

最近，我收到中国社会科学院文学研究所台港研究室楼肇明副教授的《八十年代台湾散文选》，更证明了我的想法。

我看过不少台湾小说、散文、诗歌的选本，其中大部分缺乏系统性，只有少数是有一定系统性的，但是其序言却往往缺乏学术研究的深度，除了刘登翰君几年前的《台湾诗选》的序言的深度和选诗的广度比较相称以外，很少有一种选本能让我感到满意。

楼先生的这本选本和序言，可以说代表了内地研究台湾散文的最高水平。

首先令我惊异的是，书名标明是“八十年代”，但实际上，台湾40年来所有不同流派的作家都有代表作入选。

早有朋友告诉我，台湾散文有很高的水平，有的甚至认为台湾散文其艺术水平高于内地散文，我半信半疑；也曾浏览《台港文学选刊》上的台湾散文，但是印象不深，草草翻阅了楼先生这个选本，好像系统地检阅台湾散文作家宏伟阵容，深深感到传言非虚。

比选文的系统性更令我满足的是楼先生的序文，楼先生精彩的立论使我不惜花了两个上午细读了两遍。

首先吸引我的是，他对台湾散文历史发展过程的分析。楼先生辨析毫厘的精神十分令人叹服。他指出台湾散文发源于五四散文传统，但由于历史的原因与鲁迅的传统脱了节，恰与周作人的闲适散文一脉相承，又由于梁实秋的影响，台湾散文克服了纯粹闲适倾向，走上了宽广的道路。

楼先生对台湾散文作家中四代人的分析，对台湾散文三个阶段的划分，都是从第一手材料出发，独立作出的论断，既是十分独创的，又是十分谨慎的。楼先生十分强调学术研究的创造性，在创造性中，他特别推崇“原创性”，他自己的研究就充满摆脱了依附性的“原创性”。正因为这样，他的台湾散文的研究，不但突破了内地台湾散文的研究水平，而且突破了台湾小说的研究水平。敏感的读者读到序文最后对台湾散文“乡思”母题三个层次的分析，可以感到他的文化学和解构主义的理论背景，而这正是他从文艺理论和当代文学研究领域中带到台湾文学研究领域中来的。

内地一些研究台湾文学的论著之所以达不到应有的水平，其原因很多。但其中主要的，恐怕是这支研究队伍的素质比之所研究的对象逊色太多，有时甚至给人以“侏儒评论巨人”的印象。好在近年来这支队伍的素质迅速提高，这使我对台湾文学研究的学术前景产生一种谨慎的乐观。

王蒙有没有希望成为诗人

有一个奇怪的现象是许多读者可能常常忽略了的，那就是一个作家往往不能在诗和小说领域同时取得巨大的成就。诗写得很好的往往不能写出好的小说来，小说写得出色的常常写不好诗。古今中外的文学史上在这两方面都讨好的除了普希金、泰戈尔、雨果以外，实在寥寥。就连鲁迅那样的大师，为中国现代小说奠定了艺术基础，他写起白话新诗来，即使放在五四新诗草创时期也不能说是杰出的。再往上推，就说曹雪芹吧，公平地评论，也不能说他的诗和他的小说同样有成绩。《红楼梦》中那些咏物诗，大都在艺术上是很蹩脚的，只是词和曲稍好。艺术形式的奥秘是如此复杂，以致文学史上少有的天才也很少能在诗和小说领域中都能取得杰出成就，正因为这样，小说家去写诗，很少成功的，在现代文学史上，除了鲁迅、老舍乃至巴金都在抗战时期写过诗，如把那些作品拿出来，今天的读者决不会相信竟是出自如此大名鼎鼎的艺术家之手。

故一般小说家都不约而同地对诗歌采取敬而远之的态度，然而王蒙似乎对这种现象表示他的不满、不服。从 80 年代以来，他居然也一本正经地积累起他的诗作来。他显然要在这个领域中检验一下自己的才气和灵气。自然，他之为诗并不自 80 年代起，在这本《旋转的秋千》中就收集着他 50 年代的诗作，但那是小说《青春万岁》中的片断，还算不得完全是王蒙的自我表现，也还谈不上对诗歌艺术形式有什么探索。

王蒙开始认真作诗是在应邀访问西柏林的旅途中，同行的有些年轻的诗人，他自然是想露一手。从这本薄薄的不到二百页的小册子中，我们看到了王蒙是那样机敏地捕捉着在他大脑中瞬息即逝的意念，他的绝大多数诗作，都是捕捉那些电光石火一样的思绪的记录。在柏林墙上他看到了“悲哀而恬静的石块”，从吕贝克教堂的音乐中他听到了“虔诚的心里翻转着恶毒的念头”，从起飞降落之间他感到了美国的一切都是“淋漓尽致”的——从广告到汽车的速度。在与美国作家的接触中他感到：“经验塑造着不同的人，却期待着理解。”

王蒙把飘忽的思绪乃至感觉都当作珍品保存在这里了。虽然有时你感到有点浅，有一点轻，然而有时你又不能不惊叹着，王蒙毕竟是王蒙，他还是有一点深度的，这是由于他的思绪和感觉往往不是平面与单向的，而是突然向相反方向深入的。辩证法在他手里像一只玩熟了的鸟，甚至可以用来作为诗的框架。在这本集中，应该说是有一些真正属于诗的东西的。我认为《无题》《回忆》等均属上乘之作。以《无题》为例：他先亮出一对矛盾的意象："鱼儿在海里是多么自由，鱼儿被红烧是多么难受"，然后一个转折："我多愿意是一只小鸟，栖在树上梳理羽毛。"接着，突然又来一个王蒙式的思路对转："我多么不愿意做一只小鸟，蹲在树枝上叨啄羽毛。"好像是自相矛盾，不讲理，其道理就在字里行间，自相矛盾的判断不过是一种强化了的效果，它逼迫着读者用自己的经验、自己的思想、自己的艺术体验去想象、去补充。这样的诗不是个别的，但也不太多。有时显出了王蒙的幽默，他还真的写了一组《诗的幽默》，然而，在我看来其中绝大部分是散文的幽默，要达到诗的幽默，中国文学还得修炼 20 年以上，而王蒙要成为真正的诗人，严格意义上的诗人，可能还要超过 20 年。因为，在目前他只是站在诗的门槛上，还不能完全摆脱散文的纠缠。

经典小说的败笔

艺术在本质上是创造的、不可重复的，故有人称之为“灵魂的冒险”。这是指其内容。其实，创造即冒险，冒险并不限于灵魂新领域的探索，同时也是艺术形式的探索。而探索就意味着突破，不但突破经典作家所表现的灵魂的边疆，而且破坏权威的模式，甚至亵渎神圣的形式规范。中国小说从只有片断场景到有完整情节花了约 500 年。从光有完整情节而无人物性格，到有人物性格，大约又花了 300 年。从有曲折情节、有性格，到情节局部淡化（如《儒林外史》《红楼梦》的许多章节）又花了约 400 年。“五四”新文学情节变成横断面、纵剖面，到了新时期又有了无情节或无性格，甚至无人物的小说，小说艺术的进化的第一进程都是在向传统艺术的权威性开刀。开刀的痛苦，不但在权威和经典，而且也在读者。作家明明是要争取读者，却又要向由权威经典哺育出来的艺术趣味挑战。挑战者是勇敢的、光辉的，但是文学史上记载下来的大抵都是光辉的胜利者。其实，为了试验新形式、新内容，牺牲了最美好的年华，甚至连歪歪扭扭的脚印也没有留下的作家是众多的。鲁滨逊形象正因为具有探索的象征意义，得到文学评论家的珍视。

珍视有两个原因：第一，他们忠于艺术、不怕牺牲的勇气；第二，他们取得的成绩。但是人们往往忽略了，他们往往也做了许多蠢事，他们所破坏的不是艺术陈腐的教条，而是伤及了艺术本身。就是大艺术家，也难免不干出一点傻乎乎的勾当来。例如陀思妥耶夫斯基在他的经典名著《卡拉马佐夫兄弟》中，写到他理想的宗教境界时，用了上万字的篇幅去作理性的说教，那肯定只能让读者感到受罪的。同样，托尔斯泰在《安娜・卡列尼娜》《复活》中写到他对俄国当年的农奴制度、土地制度、宗教制度的改革设想时，罗曼・罗兰在《约翰・克利斯朵夫》中，写到对于法国知识界物欲横流，即使在艺术家的交往中亦如“集市贸易”时，冗长的抽象议论实在是不艺术的。巴尔扎克小说开头对于建筑物和家具长达千字的描述，读者慑于他们的威名，不敢贸然藐视。但是也有相当多的读者干脆拒绝，翻过去拉倒，就像我们小时候看《水浒传》《三国演义》《红楼梦》，一见那描写风景、人物肖像的赋体铺陈便跳过去一样。老实说，这些经典作家艺术水平绝对在时代的高峰之上，但他们总想玩些花样来突破小说形式的既成规范。托尔斯泰、陀思妥耶夫斯基、罗曼·罗兰是为了扩展小说的思想容量；曹雪芹则以为他的那些赋体描述远胜《三国演义》和被金圣叹大量删去的《水浒传》中的赋，他想向读者炫耀一下，除了八股文，就是这种赋体敷陈，这种陈词滥调的套路，他也能化腐朽为神奇。但是历史却无情地证明他在这方面完全惨败。伟大人物有很平凡的一面，伟大作家的这种冒险所遭到的惩罚则是后世的读者不会因为他们名气大而稍有耐心，强迫自己集中注意力。现代、后现代工业社会的人们经过电视机面前的遥控器的训练，已经越来越不习惯于委屈自己，稍不合意即弃汝而去，哪怕你是天王老子。好在这些经典作家大都胆子有限，他们的抽象议论最多者不过如陀思妥耶夫斯基在《罪与罚》《卡拉马佐夫兄弟》中十几页和二十几页而已；就是最好夸夸其谈的拜伦爵士，在《唐璜》中也是议论一番便有可爱的、美丽的女郎的死去活来的爱情曲折或者浪漫的抒情来维持读者的耐心。

曹雪芹的美学局限

在1993年第10期的《散文选刊》上看到了一个并不太出名的作家毛志成的文章《贾府二题》。读后如醍醐灌顶，大为震动，文章仅六七千言，却是这几年来最深刻的红学研究成果。

在许多方面，作者回答了我自青年时代就隐约存在的困惑。普遍存在于贾府丫环乃至小姐身上的不公平的心态，主要是对上百般逢迎，对下却缺乏同情，这一切显然并没有引起曹雪芹的反感。就是那个被评论家们称为最富于反抗性的晴雯对于地位低于自己的小丫环也动辄打骂，发起狠来竟学王熙凤的样用金器乱戳小丫头坠儿的脸。甚至于林黛玉那样一个绝顶聪明、心地纯良但又敏感处于寄人篱下处境的“正面人物”，也没有表现出对许多丫环的悲剧有过多少同情。相反，在刘姥姥面前，她非常俗气地随大流，一点也不清高地把她比为“母蝗虫”。凭良心说，在我少年时代的第一印象中，林黛玉在这一点上远不如薛宝钗，晴雯也不如袭人。

毛先生触发了我一系列的思绪。如果说袭人身上有奴性，但袭人的奴性还没有达到仗势欺人的程度，薛宝钗在道德上也没有损人利己。按我少年时代起码的平等观念，我不懂为什么曹雪芹要把贾政的小老婆赵姨娘写得那么到处不受欢迎，不受尊重。她的亲生女儿探春在治家才能上是很得作者热情赞扬的，但探春势利到连自己的母亲、舅舅都不承认，把他们当作“奴才”，对这样心灵上的污点，为什么曹雪芹竟一点微词都没有。许多评论家也许要以作者的判断隐蔽，或者用中国史传文学的“春秋笔法”“寓褒贬”来解释，但是对于赵姨娘许多可同情的不平，曹雪芹为什么表现得那么厌恶呢？她自然是半个奴才，但是她不甘于奴才的地位，她要争取儿子贾环能和贾宝玉享受到同等权利，或者缩短一点距离。这有什么不对呢？结果却遭人白眼，包括有地位的丫环的歧视。她在贾府几次“闹事”，包括发现月银里少了一串钱去论理，怀疑丫环给儿子的茉莉粉是假的。这不是心理变态式的

“反抗”吗？为什么类似事情出现在晴雯身上或者林黛玉身上，就是光辉的，而在赵姨娘身上就是卑琐的呢？至于说她和马道婆勾结，诅咒王熙凤和贾宝玉，本来也不可能导致他们两个人生理上有什么损害；但曹雪芹却偏偏莫名其妙地让他们患了一场“猩红热”（据郭沫若考证），以诱导读者厌恶她。

老实说，曹雪芹对于赵姨娘这样的人是有偏见的，这种偏见带着很明显的等级观念。赵姨娘不满于半奴才的卑屈地位，借助于迷信去捣乱，如果是出自西方 19 世纪的或者“五四”新文学运动发生以后的作家笔下，很可能变成为一个反抗恶势力的形象，而绝不会像曹雪芹那样把赵姨娘写得那么不堪，甚至让芳官、藕官、蕊官、葵官、豆官加上晴雯，把她弄得仰面朝天，出尽洋相。用今天的术语来说，就是拒绝以这个受压迫女性视角展开场景，曹雪芹并没有看出其中的悲剧意味，甚至也没有感到其中的喜剧性荒谬，而是一本正经地通过惩罚赵姨娘来表现丫环们的“反抗性”的。

曹雪芹不厌其烦地写丫环们的美感、小姐们的美感是和赵姨娘的这种“丑感”相对的。这种对立的性质是一种安于等级尊卑和不安于等级尊卑的对立。如果从社会等级中把美感彻底解放出来，那么最丑的灵魂应该是在探春那里。可是曹雪芹忙着欣赏探春“理家”的才能，把她写成贾府中第一个财政改革家，她把园子“承包”出去节约了开支，而没有正面展开她的势利带来的心灵惨剧。

从毛先生的分析中可以引申出曹雪芹的美学的局限性。在他心目中，作为小老婆，就应该像周姨娘那样安分守己，满足于等级尊卑的一切限制，而不该像赵姨娘这样有所不平。周姨娘的特点就是自我意识的消灭，把自己的一切感觉、情绪窒息得干干净净，逆来顺受。对这种“活死人”，曹雪芹不但没有反感，而且也没有同情。可是对于把自我情感自动消灭的薛宝钗，他是无限惋惜的，对元春那样身居宝贵却难以享受人伦之乐，他也是同情的，因为她们在社会地位上是主子，而赵姨娘则是“半个奴才”。他对林黛玉的反抗也是同情的，因为这并没有涉及主奴的界限。他对于晴雯的锋芒也是欣赏的、美化的，因为晴雯并不像赵姨娘那样企图改变既定地位而是保持既定地位。从这个意义上来说，曹雪芹对于赵姨娘的态度有点像施耐庵对于潘金莲和潘巧云，不过曹雪芹更加保守，他连对妙玉那样潜在的不安分都有所讥讽，而施耐庵却允许母大虫、一丈青、母夜叉去杀人越货，从这里可以看出曹雪芹的局限不完全是历史的，而主要是阶级的。

宋江形象的悲剧性质
——兼论中国古典文学中的四种英雄形象

一、政治上的投降主义不能完全解释宋江

电视连续剧《水浒传》给广大观众留下了一个相当矛盾的感觉：一方面是在制作的精良上，可以说是古典名著改编的冠军，收视率高达40%，创造了空前记录；一方面又在一个最主要的人物身上犯了一个在美学上低水平的错误，把这部家喻户晓的英雄传奇中的领袖宋江，表现得极其窝囊、猥琐，使人难以接受，甚至反感。这就提出了一个很深刻的问题：编导和演员们辛辛苦苦，难道就是为了获得如此杀风景的效果？报刊上已经有了许多解释，在我看来，《羊城晚报·花地》1998年3月16日10版上章明先生的文章最有代表性。他认为："宋江是一个有错误的悲剧的结局。"基于此，他提出："对宋江应当分析批判，但不能把一念之差铸成不可逆料的大错的悲剧英雄写成奸佞小丑。"

他暗示，这可能是出于某种"政治上的怀旧"，说穿了，就是还没有从"十年浩劫"时期的"批林批孔批宋江"的投降主义的阴影中走出来。

在我看来，这里不仅有"批林批孔"的影子，而且也有与《水浒传》唱对台戏的《荡寇志》的味道。尽管二者有根本的不同，但是，在把宋江的形象加以尽情糟蹋方面是一致的。《荡寇志》把宋江写得"假仁假义"，最后死于两个名叫"贾仁""贾义"的人之手，和电视剧《水浒传》在刻画宋江仁义上的虚伪方面可以说是异曲同工。

我想电视剧的改编者，在思想上可能有一个很坚定的信念，即一百二十回本原著的悲壮投降的结局，只能拿宋江政治上的投降主义路线来解释。除此以外，没有任何其他合理

的解释。章明先生的文章非常雄辩地根据充分的史料和《水浒传》形象的分析提出：这是农民起义的历史局限性所决定的：李自成、张献忠都曾受过招安，黄巢也为招安进行过讨价还价。不受招安，最多也不过是像李逵那样幻想的，“杀到东京，夺了鸟位，晁盖哥哥当大宋皇帝，宋江哥哥当小宋皇帝”，大不了不过是像朱元璋那样重新建立一个换汤不换药的专制政权而已，更何况，以梁山当时的力量根本不可能实现这样的幻想。所以受招安不但是宋江的理想，就是连武松等人在上梁山之前，也有过“有朝一日，受了招安，到边廷上拼个一刀一枪，博得个封妻荫子”的想法。正是因为这样，受招安不但有一定的思想基础，而且有组织基础。

为了缓和起义与招安之间的矛盾，原本《水浒传》中提出了民族矛盾，招安的第一件大事不是电视剧中所强调的征讨方腊农民起义军，而是胜利地抗击辽国的入侵。没有这个民族矛盾的缓冲，宋江的个人权威就会动摇，也就无法统一这支队伍去进行那样惨烈的战争。

很可惜，电视剧的编导可能过分相信金圣叹加进去的晁盖与宋江的不同意见，竟发展到把征辽这个缓冲环节莫名其妙地取消了。这就把宋江写成了一个小丑，而且把梁山英雄写成了一群没有头脑的武打机器。

二、义的社会理想与道德理想

原著反复渲染了对于宋江的个人崇拜，不管是谁，不论在什么地方，一听宋江的大名，马上“纳头便拜”。这不仅仅是艺术夸张，而且是因为宋江代表着梁山泊英雄的一种社会和人生的理想。从表层来说，他们反抗的是贪官；从深层来说，是反抗一种社会和人生的不平。这种不平的根源在于：第一，政治权等级；第二，社会贫富不均。二者都是法律所保障的。贪官不过是在法律允许的范围以外恶化了这种不平而已。

从消极方面来说，梁山英雄反抗的是贪官；从积极方面来说，他们的理想是铲除不平，达到一种平等的社会理想。为了实现这种理想，有两种办法：一种是让那些财富多余的人，主动把钱财奉献出来，这就叫“仗义疏财”；另一种就是具有超人的勇力和智慧的人，主动把力量和智谋奉献出来，劫富济贫，路见不平，拔刀相助。“杀尽不平方太平”。这样就和北宋农民起义领袖王小波提出的“均贫富”有点相近了。

所有能够这样做的人都叫做“义士”。

水泊梁山所建立的就是一个义的王国。不管是忠义堂还是聚义厅，都是以义为最高原则的。在江湖上，被无条件认同的这种义的原则是与官方所奉行的权力和财产的等级制相抗衡的。“替天行道”大旗下所建立的就是这种义的理想国。在这种理想王国中，人人在精神上都像兄弟一样平等，但也不是没有等级，不过不是以财产和政治权力来划分，而是以义的程度。在两类义士（仗义疏财的和拔刀相助的）中尤以仗义疏财者占有最崇高的社会等级。因此，毫无武功的宋江占有了第一把交椅，对于梁山事业毫无贡献的卢俊义占了第二把交椅。这不仅是一种军事等级，而且是一种道德荣誉。它的道德自律远远要超过军事的约束力。

这个理想国走向毁灭的过程，不是由于外部的压力，而是源于这个平等原则的内在矛盾。因为在这个义的王国中，享有最高权威的是最主动地仗义疏财的义士，而这样的义士必然是最大的财主，而财主恰恰又是经济上、财产上不平等造成的。这样的思想矛盾就决定了在组织上占据领导阶层的绝对不可能是像解宝、解珍、阮氏兄弟那样脱离了土地的农民（猎户、渔民），而是像宋江、卢俊义那样的地主阶级的在野派。

农民起义从来就不是一个阶级所能胜任的，向来都是农民、小生产者和地主阶级的在野派的统一战线。这种起义从某种意义上讲，不但在思想上没有自己的意识形态，而且在组织上具有妥协、投降的内在因素。稍有西方文论修养的读者都不难从恩格斯对拉萨尔的《封·济金根》（也是写农民起义失败的剧本）的评论中得到解释：恩格斯在那封著名的信中说济金根悲剧的根源是“历史的必然要求和这个要求在实际上不可能实现之间的悲剧性的冲突”。

这本来并不是一个很复杂的理论问题。改编者如果用武打设计方面所花的 1%的心思来思考这样关键、这样严肃的问题，我想，就不致在耗资上千万元人民币的大制作上弄出这样的致命伤来了。

这还是从一般农民起义的普遍规律来看问题的，就《水浒传》这个具体作品来看，还有一个非同寻常的特点。在《水浒传》原著中，梁山英雄的投降不是像历史上许多农民起义那样在军事上面临败亡，恰恰是在军事上获得节节胜利之时；不是在败亡前夕组织上发生分裂，而是保持了组织上的完整走向投降的。《水浒传》的作者特意安排了他们主动投降的特点，让它戴上英雄主义的光圈。所有这些深刻的方面都被电视剧的改编者忽略了，其结果是改编者把宋江肤浅化，不但把一切罪孽都归咎于他，而且把他写成一个猥琐的小丑（为他设计了一种小女人的脚步）。这就太肤浅了。

不能把历史的功绩归功于个人，同样，不能把历史的挫折归咎于个人，不论是唯物史观还是文化批评，这都是常识。

从根本意义来说，宋江是这个义的平等观、义的道德律、义的社会理想的代表。

列宁说托尔斯泰所有的强调都是“俄国革命的镜子”，同样，宋江的妥协乃至投降的倾向，正像他领导大规模武装斗争的宏大气魄一样，也是中国小生产者的起义者精神的模型。如果不是这种矛盾，而是像李逵一样时时处处坚决，倒是令人难以置信了。

改编者恰恰是在这一点上表现了他们缺乏对于人物的历史深度的理解力。

从艺术上来说，这种矛盾正增加了这个人物的复杂性。这本来不应该是难题，恰恰是为大手笔的改编者提供了大显身手的广阔天地。然而，可能是出于对传统历史教科书上对于农民起义的过分美化的教条的迷信，忽略了马克思主义经典著作反复强调过的：农民不但不是先进生产力和生产关系的代表，而且从某种意义上来说，是“反动的”。如果把他们反抗的正义性和历史局限，甚至是反动性结合起来考虑，就不难理解宋江上梁山之前的反复动摇为什么并不影响他在梁山英雄中的威望，上梁山以后的投降也没有破坏这支武装队伍的团结了。

三、义的帮派性和纪律准则

宋江这个人物之所以重要，不但因为他是梁山英雄平等的、理想的代表，而且是他们军事、行政的现实的代表。除了宋江、卢俊义、柴进等人以外，绝大多数英雄都不是仗义疏财的英雄，而是路见不平、拔刀相助的英雄。后者的道德荣誉感，除了它积极的一面以外，还有它消极的、自发的、盲目的、破坏社会文明秩序的一面。

不少观众和读者都十分欣赏李逵式的革命的彻底性，但是李逵式的彻底性，如果再加上武松、石秀、孙二娘等人的义的盲目性，危险的人身残害就会对于社会文明产生颠覆性的作用。武松醉打蒋门神是痛快的，是大义凛然的义士，但是他所支持的施恩和蒋门神在本质上有什么本质上的区别？如果他最先碰到的不是施恩，而是蒋门神，则倒在他拳头底下的就可能不是蒋门神，而是施恩了。

有良好艺术感受力的读者谅必不会忽略，《水浒传》的定稿者，每逢写到李逵，并不是像对宋江那样烘托其正剧的崇高风格；相反，他的出现往往是伴随着喜剧性的调侃。他任性而天真，他常常自作聪明造成弄巧成拙的荒谬的结果。这对于他的个性来说是美妙的，然而对于一支起义队伍来说，如果不加制止，却是具有毁灭性的。他第一次见宋江借钱去赌输了，抢张顺的鱼，此后劫法场乱杀人，不问情由就砍倒梁山的杏黄旗，都是一种自发性的表现。这种自发性与梁山的军事组织性和纪律性是不相容的，如果不加制约，只能导致梁山事业的崩溃。所以，李逵总是在宋江的眼皮底下任性。与李逵的荒谬性的结果相对应的是宋江理性的目光，这种目光是批判性的，同时又是充满人情味的。这一点与夏志清先生在评论《三国演义》时指出的关公老是在诸葛亮更为睿智的审视之下极其相似。

这不仅是一种思想的深度，而且是艺术的奥秘所在。同样是喜剧性人物的还有鲁智深。他大闹五台山的喜剧性，不但在于他对于佛门清规戒律的冲击，而且在于上有方丈的睿智眼光，下有金老的无可奈何。这双重的目光使得鲁智深的喜剧性显得丰富。在鲁智深上梁山以后，失去了这两方面的目光的交织，鲁智深的喜剧性就丧失了。而李逵的性格，不但没有消失，反而有所发展，就是因为每逢有所冲突，常有宋江睿智的目光代表读者在审视着他鲁莽的行为。

没有宋江人格权威作为理性规范，没有宋江的绝对权威的纪律约束，英雄们在上梁山以后的打家劫舍与土匪、强盗是很难有根本区别的。没有宋江宽容的理解和批判性目光，李逵性格的喜剧性是不可能发出如此的光彩的。

从纯艺术上来说，即使宋江政治上是一个“投降派”的代表，也不能成为在艺术上丑化他的充分理由。作为一个文学形象，一个政治上的“反面人物”，绝不意味着他就是一个猥琐的家伙。反面人物和正面人物属于实用理性评价，只能说明善与恶的区别，但是善与恶属于道德理性，它与审美价值既有统一的一面，同时又有错位的一面。政治上、道德上的恶，并不等于审美的丑。当实用理性价值和审美价值统一的时候，作者是容易把握的；但是仅仅这样，文章就比较好做，也就很难显示出作者的才华。在更为广阔的想象空间里，对两种价值的错位关系（既非统一，又非分裂）的把握，就成为作家才华和创造力的考验了。

电视剧的编导在美学上犯了一个基本的错误。这种错误之所以不可原谅，是因为犯得很肤浅，大大地落后于古典文学和当代文学乃至电视文学已经取得的成就。在这方面，导演的肤浅比之编剧、演员更为触目惊心，居然为宋江设计了女人式的小碎步，在外部动作上把一个深刻的历史悲剧英雄丑化为一个精神上的武大郎，其艺术上的幼稚达到如此的程度真是令人扼腕。

改编者把政治的实用价值凌驾于艺术的审美价值之上的逻辑推行得很彻底：因为宋江是投降的罪魁祸首，所以他的形象就是猥琐的。这种简陋的类似政治标准第一的批评准则，是曾经导致我国几十年的当代文学创作和文学评论公式化、概念化的顽症。对这种理论，我们已经从各方面清算了十几年，“反面人物”已经不像南霸天、胡汉三那样语言无味、面目可憎了，但是从电视剧《水浒传》来看，其流毒还远远没有肃清。在这样严肃的古典名著改编中居然出现了美学上如此幼稚可笑的错误，实在令人深思。在创作中简单地把所谓的“反面人物”当作丑恶的符号，无异于艺术上的作茧自缚。

四、四种不同的古典英雄

二元对立的正面人物和反面人物，是历史留给我们的框框；但是在框框之中，既可以有对立的关系，也可以有从属的关系，更可以有错位的关系。对于错位关系的忽略，在思想方法上严酷地束缚了我们。

对于艺术家来说，任何人物，首先不是正面还是反面的对立问题，而是活生生的人的情绪互相作网络式的错位的问题。即使有什么绝对的反面人物，和正面人物的感觉、情感、思绪也不一定是针锋相对的，除了绝对对立的一面以外，还有相互包容的一面。他和正面人物的意志、才智、想象、爱情的幻想以及他独特的行为逻辑是千头万绪地纠缠在一起的，是一个复合的整体。一句话，他的心灵也应该有立体空间，这种空间之间的关系，并不是互相分裂的，而是互相错位、互相渗透的。如果单纯用政治上的反动和进步来划分人物，就意味着人物的关系只有一种形式，那就是对立，结果就不能不导致人物心灵的平面化、单线化。持有这种思维模式的作家，实际上是对自己的才智实行自我蒙蔽和扼杀。

想一想《三国演义》吧。从阶级分析来说，刘备、曹操、孙权都是军阀，刘备和曹操还是镇压农民起义的刽子手。可是在《三国演义》的主要人物中，特别是曹操，并不是一个精神上的空壳。曹操虽然有政治上乃至品质上的污点，但是他仍然是一个活生生的人物。在他的可爱之中有他的可恨之处。他的政治野心和他的军事才干，他的爱才和他的妒才，他的凶残和他的韬略结合得水乳交融。在复合的情感世界方面，他和宋江同样是立体的。他的凶残、卑劣一面是超过宋江的，但是《三国演义》的作者并没有把他丑化、矮化，相反，有时也给他以性格上的某种光辉。

曹操仍然是个英雄，不过是一个特殊的英雄，多少年来被称为“奸雄”。同样，刘备和孙权这两个军阀，则分别被称为“枭雄”和“英雄”。光是在《三国演义》中，就有了三种英雄。

《水浒传》中又为我们提供了另一种英雄，如果硬要给他命名的话，宋江也许是一个“义雄”。

他以他的精神号召力，被当作一个精神的高峰，一面团结的旗帜。不但《水浒传》中的所有头领，而且千百年来的读者，从来都是认同的。为什么《水浒传》的改编者却写出这样的败笔来呢？

这是因为审美价值与实用理性产生错位、矛盾时，作者的修养出了问题。

我同意《文艺报》上一个评论家的说法，经典名著是大手笔，因而改编也需要大手笔。

我们从电视剧《水浒传》对宋江的处理上，看到的不是大手笔，而是令人想起毛泽东所说的“小脚女人”。

这种小脚女人，来自两个方面：

第一是历史上遗留下来的，政治实用价值压倒艺术价值。

第二是作者在修养上的缺陷，对于审美价值与实用价值发生矛盾、错位时，忽略艺术的根本准则，以及对人的心灵的立体的、复合的理解。

自然，电视剧《水浒传》总的来说，比之当前一般电视连续剧在水准上是要高出一筹的，如果不是在宋江这个关键人物上弄出了这样显眼的败笔的话，本来应该是更精彩的。但是，正如一些观众说的“一泡鸡屎坏了一缸酱”，这句话虽然刻薄了一些，但对电视编导来说，除了奋发提高文化修养、扩大知识面以外，还有什么可以回应观众的热烈期待呢？从观众方面来说，面对耗资数千万元人民币而水准又是不俗的作品，对于它的败笔，难道能像对杨志脸上那碍眼的青痣一样，以礼貌的无视表示我们高雅的大度吗？

杜甫也有平庸之作

近年来我国出版了许多“鉴赏词典（辞典）”。在我印象中最早出现的是《唐诗鉴赏辞典》。我本以为，既为“辞典”，当以唐诗中的具体词句、典故之类为主，拿来一看，原来基本上是对唐诗重要作品的分析。当时，我就觉得名实不能相符，既然鉴赏的并不是具体的词语、典故之类，为什么冠以“辞典”之名呢？但是市场却和我开了玩笑，《唐诗鉴赏辞典》的销路显然不错，自20世纪80年代中期以来一版再版，于是就再没有什么人去追究“名”与“实”的矛盾这样一个书呆气的问题。跟着而来的是《宋词鉴赏辞典》《新诗鉴赏辞典》《现代爱情诗鉴赏辞典》《汉魏晋南北朝隋诗鉴赏辞典》；甚至余风波及散文，《中外散文鉴赏辞典》等等，纷纷出笼。一概都不理辞典的定义，几乎毫无例外地沿袭了逐篇赏析的体例。我不知道今后《现代汉语词典》中关于“辞典”这一条目将要如何解释这种滑稽现象。

说起来也具有一点发人深思：那么多严肃的学者中居然没有一个人发现自己在干着违反常识的事。这说明错误一旦成为风气，就有一种麻醉心智的力量。

这类“鉴赏辞典”之所以引起我不满还因为缺乏统一的体例和整齐的水平。中国的文学鉴赏学，到目前为止还没有形成一种严密的体系，因而鉴赏大抵还处于混沌状态。鉴赏辞典的作者水平又良莠不齐，多数还停留在印象式的观感水平，反正所选作品多为经过历史考验者，故溢美之词，不着边际的赞美比比皆是。例如，杜甫的一首绝句：

两个黄鹂鸣翠柳，
一行白鹭上青天。
窗含西岭千秋雪，
门泊东吴万里船。

明明是平庸之作，也被一些教授像中学教师那样无保留地鼓吹，说这里有色彩的对称，

“黄鹂”“翠柳”本可成对，又与“白鹭”“青天”互对；有数字的对称，“两个”与“一行”；动作的对称，“上”与“鸣”，“千秋雪”被窗子加了框，而“万里船”又被安排在门的装饰之中，可谓匠心独运等等。

这自然没有错，但是极其肤浅。这一切都是写诗的技术，而非艺术。技术为艺术之必需，但用过了头，反而会抑制诗人情感的自由。杜甫这首绝句的毛病就在这里。一共四句，两联都是对子，本来就很呆了，唐诗作者很少有人这样冒险。当时的诗人也许还没有从理论上总结出艺术形式的统一与多变，单纯与丰富之间的矛盾与互补的关系，但是绝大多数作绝句者都不采取这种两联皆对的四平八稳的格式。唐诗绝句中的千古绝唱大抵采取一联对仗而另一联不对仗，甚至两联都不对仗的格式。在句式上，杜甫的这首诗四句都是陈述句，更是呆板。据我统计，唐绝句中有 50％以上在第三或第四句要作句式的变化，由陈述句转为疑问、感叹，或由肯定语气转为否定语气。如王维的《送元二使安西》的后两句是：“劝君更尽一杯酒，西出阳关无故人。”王翰的《凉州词》的后两句是：“醉卧沙场君莫笑，古来征战几人回。”杜牧的《泊秦淮》的后两句是：“商女不知亡国恨，隔江犹唱《后庭花》。”当然也有些以肯定陈述句作结的，但其前两句往往有否定意义，如“春城无处不飞花”之类。

句式、语气的变化，不但是形式或者技术上内在丰富性的需要，而且是诗人情感从对于事物、环境的被动感应中转化为主动、自由、超越的需要。敏感的读者可以看出上述第三、四句转为否定、疑问、感叹的诗句都不再停留在风景和现场环境的描摹上，而是超越了环境，作情感的直接抒发，这些诗最精彩的部分都在这里。如果没有“但使主人能醉客，不知何处是他乡”超越于现场美景，光有“兰陵美酒郁金香，玉碗盛来琥珀光”这前两句，可能就显得很平庸，感觉有点不像李白的大手笔，缺乏李白的才气。

前面所引杜甫的这首诗，虽然有描绘景色的功力，但是他对功力却缺乏节制，以致他本来可以更自由地抒发一下顺江东下的期盼的，但他对两联都对仗的格式过分着迷。他那太熟练的技术却诱惑他作驾轻就熟的描绘性对仗，其结果画面是很精致了，而他的东下的向往却窒息在他的风景框架中，显得有点缺乏超越的能量了。

白居易的败笔

伟大的、杰出的作家也有非常渺小、非常笨拙的时候。认识一个大作家在艺术上的伟大固然不易，看穿一个大作家在艺术上的笨拙也许更不容易。我在大学时代，听教授讲杜甫离开长安，于贫困潦倒之中写出了他的名篇，其中有千古绝唱“朱门酒肉臭，路有冻死骨”。白居易在《秦中吟》中写过“是岁江南旱，衢州人食人”，自然令我年轻的心灵十分震动。但是后来，我读仇兆鳌《杜少陵集详注》，其中有杜甫的《三大礼赋》，我们的大诗人居然写出：“皇帝万岁万万岁！”实在使我感到大杀风景。再后来读白居易的线装诗集，其中竟然有他晚年赞美两位姨太太的诗。这两位年轻的小妾的名字，一个叫樊素，一个叫小蛮，白居易很欣赏她们的身体，诗曰：“樱桃樊素口，杨柳小蛮腰。”以诗句赞美小妾的肉体，对于杰出的诗人来说多少是有辱其诗格的，但可爱的是白居易并没有保密。至于说王实甫在《西厢记》这样的经典名作中，用诗的语言写张生与崔莺莺做爱的具体感觉细节，那又是另一回事，与《金瓶梅》不可同日而语。在唱词中用暗喻，毕竟拉开了距离，令读者有超越的美感。这和曹雪芹写贾宝玉“梦游太虚幻境”“初试云雨情”有异曲同工之妙，不过曹雪芹写得更为间接，更为朦胧，回避了直接描写的生理刺激。对王实甫、曹雪芹而言，这样的描写可以说是对人的生命体验的探索，对艺术表现力而言是一种突破，可以说是相当勇敢的，而且在形象上也不像白居易那样卑俗。

同样描写女性的柳腰和樱唇，在小说中比比皆是。在曹雪芹笔下，有多少女性的嘴唇和腰被他用浓烈的词语加以形容啊。至于 19 世纪以后的西方作家和中国现代、当代作家，类似的描写更是屡见不鲜了。不论是大仲马、巴尔扎克，还是温文尔雅的契诃夫都是描写女性面部和身材的圣手。不但是身材，甚至胸部、臀部，在左拉以及许多美国当代作家笔下也是堂堂正正的。值得深思的是，这样的描写并没有降低其文格，为什么白居易的“樊素口”“小蛮腰”却成了他诗中的“卑格”？

这自然可以从内容、从情感的纯真上去解释，说白居易这完全是一种肉体的美化，没有涉及情感，这自然可以成为一种小道理。因为情感这东西对于拥有“三妻四妾”的当官者来说，和今天的所谓“爱情”观念是风马牛不相及的两回事。李隆基把自己的儿子寿王李瑁的老婆杨玉环抢来，同时又没有和其他妃子（如梅妃）断绝关系，白居易把杨玉环写成处女，而且写两个人爱得死去活来，明明有很严重的歪曲，读者并没有因为看了《长生殿》中他们两口子吵架分居，也不因为看了京戏《贵妃醉酒》欣赏了杨玉环的妒忌、性苦闷，而怀疑《长恨歌》所写的“爱情”是否类似今日的假冒伪劣产品。

相反，公开写偷情的，也有成为名篇的。例如李后主这个风流才子，阴错阳差当了皇帝，他把国家弄得一塌糊涂，但是写“搞恋爱”、偷情却是圣手，那首写他和他太太的妹妹幽会的词，很有点精彩。“刬袜步香阶，手提金缕鞋”，写小周后提着鞋子，光着脚丫子来偷情，似乎也没有像白居易的“樊素口”“小蛮腰”那样令后人诟病。更值得深思的是，曹雪芹写到他重要的男女主人公，如王熙凤、薛宝钗，甚至贾宝玉，往往像《三国演义》《水浒传》（一百二十回本）那样，来上一大段赋体的排比，从头上戴着什么，身上穿的什么，脚上的鞋子是什么质地，腰带是什么样子，眼睛、眉毛、鼻子、嘴唇、下巴，详加描叙，其结果皆成败笔，只能令读者生厌，完全是陈词滥调。正如左拉写巴黎上流社会的聚会，从仕女的衣饰到大厅的装潢，一写就是几百字。巴尔扎克写故事情节发生的环境，光是写建筑、写家具，一写就是二十多页，只有真有艺术水平的读者和完全没有耐心的读者才敢心中骂这两个家伙是下决心折磨读者。

描写男女的身体、偷情的动作、建筑家具的布局，可能是令人烦厌的，也可以是提高人的情趣的，关键在于这背后是什么样的情感、趣味、心智主宰着。如果是深刻的情感、趣味、心智的表现，这就有了审美价值；反之，则没有审美价值。

文化差异犹如聋子对话

诺贝尔文学奖先天的西方文化偏狭性，也许并不是有意识的，可能瑞典文学院 18 个终身院士很正直，但是这样正直只是一种主观愿望，当他们面对文化和语言隔阂的时候，他们的正直就不能不打折扣。

更何况，就算他们总体上是正直的，但并不能排除其中个别人有个人偏见，甚至某种交易。有关这种丑闻的报道，既不可全信也不可不信；但是有一届瑞典文学院的秘书卡尔·大卫·威森否决过托尔斯泰、易卜生、斯特林堡和左拉，倒是比较可信的。

亚洲、非洲作家不可能有欧美作家那样的便利去和瑞典文学院那些大多年迈的院士接触，再加上那些院士先生们根本不可能阅读东方语文，因而就不能不依靠那些并非一流的而且又不十分可靠的翻译，这样的翻译不啻又加深了和这些院士先生们的文化心理距离。

为了解决这个问题，瑞典文学院评审委员会在 1985 年增加了一个懂中文的马悦然先生，但是马悦然先生孤掌难鸣。他说："我们的评审委员会共有 18 人，可以说，各人都有自己的主张、自己的爱好，所以讨论时，非常激烈。要是由我一个人决定，中国作家早就得奖了。"

对于那些不懂中文又非常自信的 17 个委员来说，他们接近中国文学的唯一途径是英文的译本，但很可惜，中国现当代作家的作品译成英文的，既少又差。

第一流作家的英文译本在西方并不畅销。奇怪的是，在中国并不怎么出色的作家，用英文或法文写作，往往有成功者，不时有获各种奖的消息或者溢美的评论见诸报端，但是这些作家在中国内地、香港、台湾都没有什么影响。

这些人当然很难成为未来的中国诺贝尔奖获得者的候选人。

问题在于语言隔阂是如此巨大，按照西方现代的话语理论，任何一种话语都不但是一种语义的载体，而且是生产语义本身的机制，甚至是一种现实的权力体系的表现。当一种话语翻译成另一种话语时，意义常常受到歪曲。加利福尼亚大学副教授刘禾就是这方面理论的重要信奉者，她正在研究鲁迅的“国民性”问题。她指出“国民性”本来是西方国家走向现代民族国家时出现的一个概念，可是被西方早期到中国来的传教士用来概括中国老百姓的愚昧落后的种种表现。这与“国民性”本来的含义（一个民族的共同心理认同）有了很大的区别，这种传教士的书翻成了日文，被鲁迅接受了，又用来作为解剖中国民族消极心理的武器，以达到他的启蒙主义目的。这就与西方传教士的出发点又有了根本的不同。

正是因为中西语言之不同，在翻译过程中，中国文学语言的损失简直如不可控制的水土流失。

根据俄勒冈大学高乐教授和蓝丸迪教授的研究，西方人，比如说美国大学生，很难欣赏中国现代文学作品，他们往往首先要求有能够记得住、说得出的人物的主要特点姓名（中国的姓名他们往往读不出、记不住）和有关的文化背景，由于不同的文化背景难以理解，故文学形象难以接受。

因而中国小说常常被认为是沉闷的，或者简直是不够高明的，甚至连爱丽丝·渥克那样对文化差异很敏感的人，在 1983 年读到鲁迅的《阿 Q 正传》的英译本时，竟也认为鲁迅“以高高在上、屈尊态度对待他的主人公，就像一些美国南方作家当年对待他们笔下的黑人一样”，“事实上，他不能相信农民自己能够理解到他的受压迫、他自己的生活。由于故事特别沉闷，我们不知道中国人如何估价它，姑且撇开可能是鲁迅第一次在小说描写农民不谈”。

在西方（美国）作家心目中，农民的概念和鲁迅心目中的农民完全不是一回事，而翻译是不可能把“农民”的话语的区别提供给读者的。在渥克看来，一个美国农民居然感觉不到自己在受辱、受迫害，这是不可思议的，而鲁迅所强调的恰恰是精神麻木，或者用胡风的话来说是“精神奴役创伤”，这二者之间难免有一种聋子对话的悲剧。

举一个简单例子，1992 年，我在美国文学英语系讲艾青的《手推车》（英文被译成 *Wheel barrow*），我问：你们由此想到了什么？他们答：想到了花园、草坪、手套、草坪中间的小路、孩子的手和父亲的手、星期日……这些都是美国人周末修整花园的细节；凭着这一切，他们怎么可能理解作为送公粮、嫁新娘、送客人，在干涸的河边行驶的手推独轮车呢？光是讲这个社会文化背景，我就花去了一个课时。

问题在于：对于中国语言中的文化意蕴，评审委员会的老先生们可能在某种意义上是聋子，但也不可能是全聋，也许说他们听力不佳更确切些，因而中国作家没有理由绝望，自然也没有理由性急。

方言文化和政治背景的关系

从遥远的美国加利福尼亚大学寄来了一篇论文，是一个专门研究中国语言的美国博士写的。她的名字叫作艾·玛丽，在美国，这是一个很平常的名字，可是论文的题目却很怪，叫作《客家与长征》。从一种方言的角度去研究中国政治斗争可算是够别出心裁的了。美国博士选论文题好挑冷门，这又是一个例证。打开来一看，立论就很惊人。

作者说客家人只占中国人口的3%，可是他们的政治历史重要性却超过了它的人数，她举出的有些例子很叫人诧异。自然，叶剑英、朱德是客家人并不叫人意外，但讲到张国焘是客家人，就有一点新鲜了。更出人意外的，作者考证出宋庆龄的父亲也是海南文昌客家人的后代，这跟我原来的印象实在相去太远了。我在做大学生的时候听过宋庆龄的演说，一口上海官话。起初总觉得玛丽不是中国人，可能有点道听途说，后来和一些朋友谈起，他们居然证实宋查理的确是客家人。而且他们还告诉我，宋庆龄的母亲是上海人。宋庆龄的一口上海话连孙中山都很难听懂，有时他们只好用英语交谈。

尽管事实胜于雄辩，但是我在读着这篇论文时，心中时常有某种抗拒情绪，因为她所肯定的材料和我原来的认识相去太远了。我总是很难相信，像我这样涉猎甚广的中国人，难道知道得会比一个把中国汉字写得像螃蟹爬的洋人少！

这种不服气的感觉等到看到她写到邓小平也是客家人的时候，就实在难以抑制了。我想一定是这位洋博士根本听不出官话和客家话的区别闹出来的笑话，然而过不了几页就看到她引用的是杨尚昆对一个外国记者讲的话，说明邓小平是在天主教会中学中一面学法语，一面学普通话的。

玛丽博士的研究就这样引起了我的兴趣。她并没停留在现象的表面，她进一步分析了造成这种结果的原因。首先，她认为客家人有一种好斗的英雄主义倾向，这是从他们大量参加太平天国起义就可以看出来的。他们可能经常遭受围攻，因而至今福建、江西、广东的许多客家人还居住在易于防备外来进攻的圆形土楼中。

其次，客家人由于是外来户，不得不去耕种那些山地和贫瘠的边缘土地。当佃户的客家农民受到的剥削很严重，在20世纪20年代，他们要把60%以上的收获交给地主。25%的人因而变成无业游民，哥老会等等的组织就在山地客家人流行起来。客家人的另一个特点是比较重视文化。据毛泽东的《农村调查》说，光江西寻乌县就有400名秀才。正因为有这样的文化基础，客家人较之本籍人更容易接受新观念。客家虽然非常重视他们的族谱，但是对祖先的崇拜和中国传统的宗教观念都比较薄弱。正是由于这种原因，客家人在中国革命过程中扮演了重要角色。客家话在革命斗争中成为一种特殊媒介。会讲客家话的政治工作人员能很快地得到农民的认同感，而不会讲客家话的人在农民中就可能造成误解。彭湃最初在农民中讲文明官话，客家农民以为他是来替地主收租的。在长征中客家战士能很快与当地客家农民打成一片。

读着玛丽博士的这篇论文，我不得不佩服美国人收集材料如此有本领，她在中国不过半年，却东奔西走，本来我以为她是去旅游，现在看来她是在收集研究资料。当然，她收集的资料有时也并不可靠，这一点她自己也知道，例如，她以为胡耀邦也是客家人，然而证据不足，因而她把他归入可能是客家一类[①]。有时她也故意含糊其词，例如把王震、宋任穷列于胡耀邦之后，但并不特别说明他们究竟是不是客家人，只说他们是客家人聚居甚广的浏阳人，这种基本上以出生地来推断的情况，在玛丽博士的论文中占了不小的比例。这就给她的立论带来了许多必然性不足的弊端，在我看来，由于她对自己的论题过分热爱，因此不自觉地把客家人的概念扩大化了，失之严谨。

---

① 后来在美国，艾·玛丽向我出示了新出版的《胡耀邦传》，作者证明，胡确系客家人。看来，身为中国人确在某些方面有不如外国人之处，外国人下了工夫收集了资料，而我们都凭着印象和直觉下结论，所以有时免不了过分自信。

美国人译中国古典诗诸多局限

许多美国诗人对中国的古典诗都十分欣赏，但是他们大都不懂中文，即使那些中文博士，他们的水平也都还没有达到可以欣赏中国古典诗歌的水平。

他们所凭借的就是一些中国古典诗歌的英文译本，但是要把中国古诗译成英文太难了。目前产生一种补救的方法，那就是先把汉字逐字与英文对照，然后再以英文译成诗句。

这自然有些好处，我的朋友告诉我，有些大学生在课堂上反映，那些英文的译文还不如那些逐字对照的不成文的英文单词更能触动他们的直觉和想象。

我从一位美国诗人那里借了一本《中国诗歌精华》。看得出来，译者 Gregwhincup 是学过中文的，对于中国古典诗歌名著的一些背景材料是有所涉猎的，因而有许多属于译者第一手的感觉和译法是挺好的。

作者在前言中说：这个译本的目的“是让中国古代这 57 首最伟大的诗歌在西方读者面前复活”。译者采取的方法是让读者自己去面对面地感受中文的原文文本和中国诗人的世界，希望读者一点也不感到陌生、隔膜。

可以说，在某种程度上译者比之前的先行者取得了进展，这是由于逐字对照弥补了英文译文的许多不足。

但是也产生了新问题，有些问题甚至还是惊人的。

正由于逐字对照，读者哪怕对中文有一点小小的理解不足或误解，都会闹笑话。

我不得不举一些例子。杜牧的《泊秦淮》中有个名句“烟笼寒水月笼沙”，这个“笼”字在汉语中有两个词性：一个是名词，是指像竹篮的一种器具；一个是动词，是笼罩的意思。这是连一个中学生凭语感就可判断的事情，可是这位外国翻译家却弄错了，在“笼”字边上注了一个 baskets。在英语里 baskets 即篮子，这是一个名词，不能作动词用，用 baskets 这样的词跟烟和雾联系在一起完全是不伦不类的。他解释说，baskets 他不作动词用，意思是“罩在笼子里”（holds in baskets），还特别声明，笼子是一种浅浅的柳条篮子，而竹字头则意味着是竹子做的。其翻译是“月亮像一个柳条篮子罩着一片沙”，这就好笑透顶了。

幸而翻译者在把全文译为英文诗时，把“笼”字意译为 veil，这就接近于原文了。

译文中这类错误很多。例如，杜甫《旅夜书怀》中的名句“星垂平野阔，月涌大江流”。他在“月”字旁边注了一个 moon，这没有错，可是在“涌”字旁边注了一个 leaps（跳），变成：月亮跳起来。他在全文意译中把“月涌大江流”译成“月亮在大江流水中跳跃”（The Moon leaps in the great River flow）。这就很怪了，既然大江滚滚地流动，月亮的影子哪里还会完整地运动呢？其实在这里，“月”字有月光的意思，诗人在夜中（星垂平野）由于看到月光在水上起伏，才感受到大江流水的汹涌。

由于对中国文字语言的微妙处缺乏感受，译者即使在文字上没有这种可怕的错误，也可能把伟大的诗句译得很平淡无奇。例如“星垂平野阔”，他就译成“星星悬挂着，在广阔的平原之上”，这在文字上好像没有错，但在诗意上是大错，因为这里有个因果关系在文字背后，那就是：由于平原是如此广阔，又由于是夜里，因而天上的星星好像垂落了下来。这是一种艺术家的微妙的发现，可是译者对这种“垂落”之感没有领会，被译成悬挂，就牛头不对马嘴了。

这是由于中国的汉字和语言与英语的距离太遥远了吗？也许是，但也不完全，关键是一个成功的译者应该体会到诗人的精致的心灵和感觉。

冰心静待解剖

1992 年 12 月底，在冰心的家乡福州市成立了冰心研究会。其班底规格之高，颇为惊人。首先，会长是从不兼挂名职务的深居简出的巴金，王蒙、萧乾、张洁都只能屈居副会长。至于顾问，层次也相当高，有赵朴初、楚图南、阳翰笙、夏衍、雷洁琼、韩素音，还有老舍夫人及中国人民的好朋友埃德加·斯诺夫人。

这样的班底可以说是国内作家研究会中之团体冠军。我虽然也名忝常务理事之列，但却带着一点惴惴去开会。出于职业的本能，我总是习惯用批判的、怀疑的眼光去观察身旁发生的事。

在我看来，研究会的班底格次高，说明作家的社会声望高；而社会声望越高，对于研究者的思想束缚越甚。作家本身的权威，再加研究会会长、副会长、顾问们的权威，实际上对研究者的想象力构成了一种无形的规范，研究者的创造自由会受到干扰。

我这样想不完全是杞人忧天，实际上国内许多作家研究会，所出的论文集或研究刊物上大量出现了对作家溢美之词。举一个例子，巴金曾在福建泉州的黎明中学工作过，还写了作品，现在泉州黎明大学就有一个巴金研究所，每年还出几期《巴金研究资料》。研究者持之以恒的苦心十分值得赞叹，但研究文章却不能尽如人意。比如，这个研究所最近出了一本《巴金新诗赏析》。巴金的诗并不多，艺术质量也不高，作为诗来说，还有许多粗糙之处，然而该书中无意作任何客观分析，只是一味欣赏。近年来不少对五四作家的研究，多少都有这样的毛病，仿佛离作家活动年代越久，盲目崇拜越甚。号称研究会，其实已距研究之本义甚遥。

最明显的是对鲁迅的研究，盲目赞美之风可谓最盛，不少文章仍然在走着把鲁迅神化的老路。毛泽东都步下神坛了，都可以一分为二地分析了，连贺子珍和他打架，把板凳抢起来的事在书上印出来都没有引起震动，可鲁迅却仍然高踞神坛之上。谁要认真分析一下他的缺点，加上批评的审视，就会引起轩然巨波。一大堆吃“鲁迅饭”的人就会群起而攻之，甚至弄到刊物的负责人下台，这是有案可稽的。

然而，引起我非凡震动的是在这次冰心研究会的成立大会上，冰心的女儿吴青朗读了92岁高龄的冰心的一封信。题目为《上冰心研究会同仁书》：

> 研究会是一个科学的名词，科学的态度是严肃的、客观的、细致的、深入的，容不得半点私情。研究者像一位握着尖锐的手术刀的生物学家，对于他手下的待剖的生物，冷静沉着地将健全的部分和残废的部分，分割了出来，放在解剖桌上对学生详细解剖，让他们好好学习，我将以待剖者的身份静待解剖的结果，再改正自己。

冰心以“五四”新文学运动最后一位元老的身份现身说法，表现了她高洁的品格。巴金在致冰心研究会成立大会的贺信中称她是“知识界的良知”，她绝对是当之无愧的。

我不知道她是否有暇浏览当前一些作家及作品的研究文章，但是我确知，她对于一味赞扬、神化研究对象，甚至靠研究对象吃饭的风气是不以为然的。

活到92岁的年纪能有这样清醒的头脑，真是难能可贵。她，还有巴金等人的人格，和某些唯恐读者忘记、一味追求赞美和尊崇的泰斗元老构成鲜明的对比。

人总是要老的，有人越老越纯洁，有人却越老越无自知之明，甚至自我膨胀，如把《李自成》放在与《红楼梦》并列的程度，居然在一个全国性的大会上要求像“红学”那样，人工制造一个“李学”。其实，他这样呼吁只能贻人笑柄，而冰心不讳自己的作品中有“残废的部分”，倒越发显出她人格的妩媚。

为余秋雨一辩

余秋雨热已成不争的事实，首先是从台湾热起来，然后是大陆的读者，最后是出版商。目前余秋雨已经出了《文化苦旅》《文明的碎片》《秋雨散文》等多个集子，虽然余秋雨力图避免各集之间的交错重复，但其互见的篇幅已不在少数。奇怪的是出版社居然能达到谅解没有弄到对簿公堂。这也足以说明读者饥不择食的程度，但这只是一方面，另一方面，一些学者却冷眼旁观，听说有好几篇长文在指责余秋雨使用文化典籍的“硬伤”。

在我看来，错误虽然不可否认，但并不损害余秋雨散文的艺术成就。为了深入说明问题，以余先生《三峡》一文为例。

余先生没有像刘白羽的著名散文《长江三日》那样用华丽的文采展示三峡自然景观之壮丽，以抒发自己充满政治鼓动性的豪迈情怀。他几乎没有正面写三峡之壮观景色，而是抓住三峡人文景观的两个重点，一是李白那首著名的《早发白帝城》和表现刘备临终的“白帝托孤”，由此引申出三峡激流中熔铸着两种声音、两种主题，那就是“诗情与战火”，“对自然美的朝觐与对山河主宰权的争逐”，而三峡激流中响着的正是“这两个主题激烈的争辩”。

撇开流行的对自然景观的被动描绘，抓住作者感兴趣的局部人文景观作看来是普遍的人文历史特点的概括是余秋雨的一大特点。这对于众多囿于即景抒情而难得突破的作家来说，可能是一个很大的启发。余先生的《三峡》表面上以作者的智性概括为纲，实际上并不客观。例如把三峡的历史归结为“诗情与战火”（军阀混战的美称）就不全面，难道就没有老百姓在陡壁、激流中求生存的平凡劳动？正是因为它不全面，才不呆板，才有某种偏激，有了偏激就有了情趣，这种情趣又与这种片面的深刻结合在一起，形成了情趣与智趣的统一。

如果把它当作学术论文，对它的说法表示怀疑是很有道理的；但从欣赏散文的角度出发，那样去推敲它就过分死心眼了，太不懂得情感逻辑与理性逻辑的矛盾了。

正因为这样，我们对于余秋雨在文献学上的一些错误就不是不可忽略的了。例如说在李白那时候，诗人在三峡激流中来去只是为了诗情，“身上并不带着政务和商情”，这就错了。事实上李白《早发白帝城》写在晚年，他在安史之乱中参加了永王李璘幕府，这个李璘颇有野心，后来为太子李亨所败。李白在安徽当涂采石矶被另一个领兵的诗人高适所俘。由于在涉及国家是否分裂的关头李白站错了队，因而被流放夜郎；后来“中道遇赦”，从白帝城回家。《早发白帝城》所表现的主要是这种政治上解除压力、“落实政策”的轻松，而不仅仅是“对自然美的朝觐”。余秋雨先生可能没有研究过李白诗文，但一句话的确并不特别有损这篇散文的创造价值。

此外，在写到巫山神女峰的时候，余秋雨把神女的典故说成是她与楚襄王的梦中幽会。在宋玉《高唐神女赋》中本是襄王的父亲怀王的故事，后来的诗人包括李白都阴错阳差地弄成了襄王：“纵为梦里相随去，不是襄王倾国人。”弄错的还有一大串诗人。如李白，还有戎昱：“殷勤好取襄王意，莫向阳台梦使君。”李群玉：“愿托襄王云雨梦，阳台今夜降神仙。”此外弄错的还有权德舆、韩琮、秦韬玉等人。这种错误后来被学者发现了，于是就有了“荆王枕上原无梦，莫枉阳台一片云”之说。

当然，我们希望最好不要出这种错误，但有这一类错误，要改正也不难，难道删去关于李白的一句话，把《三峡》中“襄王”的“襄”字改成“怀”字会从根本上影响读者的欣赏趣味吗？

关于科学价值和艺术价值的差别，似乎还没有在原则上取得共识，以致有不少拘泥于文献的先生对余秋雨的原创性视而不见，作了许多刻薄的吹求，但是不管这种吹求在文献上多么有根有据，余秋雨在中国当代散文史上的地位都是不可动摇的。50 年或 100 年以后的读者看这样吹求得有点过头的评论文章也许会忍不住笑起来的。

余秋雨现象

——从余秋雨的散文和妓女的手提袋谈起

围绕余秋雨发生了如此旷日持久的争论，前几年一片赞扬之声，出版过一本余秋雨评论集，之后则走向另一极端，湖南文艺出版社居然出版了一本《余秋雨批判》，实在是世纪之交中国文坛的奇观。后来，陕西师范大学出版社出版的《十作家批判书》中又有上海朱大可先生的《抹着文化口红流荡文坛》(原名《甜蜜的行旅》，此名为书商所改)，文中提出“一个戏剧性的例证”：“在上海的一次‘扫黄行动’中，警方从某妓女的手袋里查出了三件物品——口红、避孕套和(余秋雨的)《文化苦旅》。”

这个为海内外传媒炒得沸沸扬扬的说法，在我看来，除去其间的无聊和意气，也许从中可以得出严肃的结论：余氏散文已经赢得海内外读者热烈的欢迎，已经是一种时髦，数十万册盗版书成为余氏散文受欢迎的雄辩的证明。其风行如此，已经使得“三陪小姐”也不能不以之装点门面了。

然而，与此相对照，从文艺界内部，出现了对余秋雨的规模不小的非难。首先发难的是一些文史学者，他们挑出余秋雨文章中的文献问题。应该说，余氏的文献引述，并非完全没有问题，余氏本非专攻文史的学者，文献上有些瑕疵，不足大惊小怪。就是渊博如鲁迅，引述文献不确也在所难免。只要翻翻《鲁迅全集》的注解就会明白。说实在的，要改正也不太难。例如：在《三峡》中余氏把楚怀王的巫山神女的典故，弄到了楚襄王头上去。但是，这是古人就弄错了的。当然，从学术来说，此类问题是不能忽略的；但是对于艺术来说，就有商量的余地。年轻的学者田崇雪为余氏辩护云：余氏所作并非学术论文，不一定要取“我注六经”的道路，他完全有自由用“六经注我”的办法来进行艺术创作。

很可惜，对于艺术的自由和学术的自由之间的矛盾(这令人想起20世纪60年代历史学家与历史剧作家的争论)还未深入地展开，超出了学术和艺术的范畴的另一种批评又出现了。

一些作家提出，余氏在“文化大革命”浩劫期间曾经有过错误（参加过当时上海市委的写作班子），为什么不忏悔？这种批评在两点上值得推敲。余秋雨对此曾经沉默了几年，最近在答余杰的文章中，直截了当地提出：他没有参加过上海市委的写作班子。我想如果他参加过，而且有值得吹求的问题，大概在20世纪80年代，他就不会在当上上海戏剧学院院长的严格政治审查过程中过关。即使当年他参加了所谓“石一歌”的写作班子，但是“十年浩劫”开始，他才是一个20岁的大学生，如此的历史责任让一个毛头小伙子来承担，是否恰当？退一万步说，他即使有些做得不够妥当的事，似乎并未触犯法律，亦无道德问题，属于个人隐私之列。文学批评无权提出公布隐私的要求，更不要说忏悔了。

不无巧合的是，1998年的鲁迅文学奖（这是中国作家协会第一次把各项文学奖统一为一个权威大奖）有十名以上的散文作者得了奖，居然其中没有余秋雨。

在我看来，如果散文只有一个人能得奖，这个人就是余秋雨。余氏散文之所以值得珍视，是因为他为中国当代散文带来了一种突破。

中国现代散文从五四以来主要靠三个要素：一是抒情（诗性），二是幽默，三是叙事（戏剧性的和冲淡的）。据周作人的研究，其渊源主要是中国的明人小品和英国的幽默散文。长期以来我们的散文就是在这三种要素和两种渊源中发展；此外就是鲁迅的社会思想批评杂文，基本上是审智的，并不完全是审美的。值得注意的是，在20世纪50年代以后的中国散文史上，诗性的抒情和智性的议论是分裂的，智性的因素在艺术散文中一直没有地位。深刻的智性是逻辑的，而情绪的渲染则是超越逻辑的，因而，把这二者统一于散文是一个艰巨的任务。正是因为这样，我国现代艺术散文的思想容量非常有限，造成了我国当代散文思想比之小说和诗歌相对贫弱的现象。

另外，在一些评论家那里，产生了排斥智性在艺术散文中的地位的倾向，甚至鲁迅的杂文算不算是文学，还有保留。余氏的散文恰恰解决了这个历史性难题，把智性的议论和诗性的抒情水乳交融地结合了起来。在他的游记散文中，摆脱了流行的自然景观的罗列，以人文景观和自然景观的相互阐释，构成一种既不完全是审智的逻辑，也不完全是审美的逻辑，开创了一种激情和智性融合的美学境界，从而把散文这种文体的思想容量空前地扩大了。余氏的这种文化审智和审美结合的倾向已经对一些年轻和并不年轻的散文家产生了影响。在许多散文家的文中，不难看到余秋雨式的历史文化景观，只是后来者没有足够的思想和艺术底蕴，很难达到他的层次。这就决定了他的散文虽然风靡一时，但却不会像杨朔那样有一窝蜂的惟妙惟肖的模仿者。即使如此，还是有一些有追求的散文作家公开承认是受了余秋雨的影响。

关于余秋雨的散文，尤其是他的《文化苦旅》在艺术上的成就，就是对他持激烈批判态度的代表余杰，也和朱大可先生的一笔抹杀不同，是比较肯定的。

事实上，关于余秋雨的散文真正的艺术评论远远是不够的，这一点在当前文化氛围不够正常的情况下，看来要有一点耐心。

前述朱大可君在文章一开始，引用了耸人听闻的说法，虽然朱大可先生曾经是一个严肃的作家，但是在这篇文章中却不能不给人以轻佻之感。

他提出余氏的智性和激情结合的话语，是一种煽情性的陈词滥调。他认为余氏的悲哀在于，其思想立场（民族主义、爱国主义）是属于“老式知识分子”的。在朱大可君看来，余秋雨为中国的敦煌文物为外国人盗窃而痛心疾首是多余的：“如果没有斯坦因等外国人的冒死拯救（无论其动机如何），这些经卷、写本、绘画和唐塑都将不复存在……”“中国的艺术品无论被哪个博物馆收藏，它的创造者永远是中国人，迄今为止，我没有看到和听说过任何西方的博物馆，在展出中国文物时胆敢声称这是他们本民族的杰作。”他认为余氏的道德和民族立场完全是一种国家话语，消解了知识分子个人话语的自由。

朱大可先生认为，余氏的悲哀还在于，一方面拘泥于旧式的民族主义，而另一方面又向大众文化妥协，作为一个畅销书作家，他的文章成了媚俗的口红。

朱先生此言显然有走火入魔之嫌，我想读者自有明鉴。

在我印象中，朱先生原本并不是一个以商业炒作为荣的批评家。早在 80 年代中期，在张艺谋出现之前，谢晋的声誉如日中天，他就以批评谢晋的电影为“煽情电影”而著称，而且提出的问题颇有令人深长思之的地方。

也许商业炒作就是有如此强大的力量，以致朱大可先生也未能免俗。

但是，在对于余氏散文的争辩需要进入一个新的层次的时候，朱大可的文章从商业炒作和文学批评的关系方面，提供了一条思路。

诗里的舒婷和散文里的舒婷

舒婷以诗闻名，她以她真诚的倾诉让一代青年重新感觉、认识他们那失去了乃至有点陌生了的自我。许多评论家都高度评价了她那忠于自我的诗人气质。

但是和她比较熟悉的人有时也不免有一点狐疑。她的诗真的完全像古人所说的那样“文如其人”吗？就我个人的感觉而言，好像并不能毫无保留地作肯定的回答。

经常和舒婷交往的人都感到舒婷的嘴巴尖得厉害，永远喜欢把朋友当作开玩笑的对象。据她自己说，越是好朋友她就越喜欢以讥讽的语言去调侃，即使在正经的时候，也常常以一种苛刻眼光直接表达她对好朋友的批评。所有这一切，在舒婷的诗里是不存在的。在诗里和生活里的舒婷好像并不完全一样。

在诗里的舒婷是温情的、优雅的、沉思的、多愁善感的，好像老是望着大海流泪的；而在散文中，主要是在《心烟》中，我们可以看到那温柔多情的一面。这主要表现在她回忆她所尊敬的人的时候。对她多情而性格纤弱的母亲，她在散文中用的是和诗中同样充满哀伤的情致去回忆她悲剧性的生活片断；而对教她读诗的外祖父和给她讲故事的外祖母，则是带着微笑去回忆的。一切都是美好的，充满着天伦的温馨和亲情的甜蜜，唯一例外是她力主女子“无才便是德”，把她的书藏起来的祖母，她以一种“春秋笔法”，表达了某种含蓄的不满。

这种血缘的温情再加上漳州的旧居恋情以及鼓浪屿的风涛和阳光，其情调和色彩与舒婷的诗是十分相近的。

在这里舒婷是一本正经的、温和的、严肃的，但是除此之外，在散文中的舒婷时常流露出她性格中的另一面，也就是不那么板着面孔的，不那么一本正经的一面。在《寸草心》中，她写了和邵燕祥耍赖皮，在北戴河不肯按时回北京，还有在北戴河旅游期间和几个年轻的诗人一起止不住手痒偷靠近窗子的苹果，“采了一大堆苹果藏在床下，终于被发现，那种尴尬的笑容和我们的年纪、我们的心情同时受到了宽恕”。熟悉舒婷的人在这里可以亲切认出舒婷平日的调皮。

我读舒婷的诗，时时感到舒婷抒情才能似乎过分发达了，发达得使人感到有点单调了。我对我这种观感是否正确是没有把握的。

读了她的《心烟》，特别是《心烟》里的某些篇章引起了我的回忆——平日充满机智的语言、调皮的口吻以及那种在严峻的场合也并不紧张的幽默感——我对自己的观感才开始有一点自信。

尽管舒婷写散文亦如写诗一样严谨，十年才写出了这么一小本，可以断言舒婷的散文在艺术上远不如诗；[①]但是我仍偏爱她的散文，因为这样的舒婷，更像一个普通的、平凡的老百姓，一个活生生的像你我一样的人，而不太像一个诗人。做人要做得像诗人并不容易。已经成为诗人了，要做得不像诗人可能就更不容易了。

---

① 这里对舒婷散文的评价仅限于当时的一本小册子，到了1999年，舒婷已经出了好几本散文，她散文中的幽默成分已经使她在当代中国散文独创一帜，我对她散文的全面的评价，参见本文集之《当代中国散文理论基础》。

王力的幽默和钱锺书的幽默

在大学里听了王力先生两个学期的课程。20世纪50年代中后期，正是先生学术生涯的黄金时代。《汉语史》《汉语诗律学》等等大部头著作不断问世，在社会上声誉日隆。但是课堂上留下的印象却是不同，像许多刻苦多产的学者一样，先生不善言辞，课上得枯燥而且沉闷。幸而有先生的大部头著作在，学生也就放心大胆地开小差。先生治学相当严谨，上一节课所举的例子，不管是印刷上的错误，还是板书的笔误，下一节课，常常自己来更正，也不管底下有没有人认真地修改笔记。其实他所举的那些法语、英语的例子，学生根本没有心思去钻研，但是先生那种认真的程度充满了一种叫人难以亲近的学究气。

直至20世纪80年代中期我才知道，先生的散文40年代曾经闻名于世，苦于找不到他的《龙虫并雕斋琐语》。等到找到了，一读之下，大吃一惊，竟是一本充满了幽默情趣的学者散文。在国统区，其散文与钱锺书、林语堂、梁实秋的散文并驾齐驱，构成40年代幽默散文之高潮。在50年代和60年代出版的现代文学史上，其散文由于与工农兵方向不符，因而讳莫如深；而到了80年代、90年代却成为一大发现，近年出版的几本现代文学史和现代散文史上已经给了颇为重要的地位。

马克思肯定过布封说的“风格即人”，中国也有过“文如其人”的说法，过去被奉为经典。但是在读完了王先生的这本现代散文经典以后，就不能不产生怀疑了。王先生在课堂上那种枯燥、沉闷的学究之气哪里去了呢？在散文中出现了一个轻松活泼、奇趣横生的王力先生，善于导谬之言，长于歪理歪推之术，在悖谬中引出智性的警策之语，在尴尬中偏能作悲天悯人之态。他左右逢源，涉笔成趣，忽而引经据典作歪曲解释，忽而语出机智作游戏笔墨：这十足幽默艺术家的气质与在生活中、在课堂上得到的印象形成反差。作为学者的王力和作为散文艺术家的王力的形象不是一般地有所差异，而是互相冲突，像油与水一样难以融合。这真值得文学理论工作者切实加以研究。

自然，在散文中的王力和在课堂上的王力，其间也有一脉相通的东西。例如，在散文中处处流露出王先生作为学者的睿智，信手拈来的古代诗词和散文，触类旁通的典故和文献，统揽古今，兼收中外，学者的幽默、智者的奇思，水乳交融。这不但显示了先生作为一个权威教授的渊博，而且表现出先生作为一个艺术家情绪的活跃。思路自由，不拘一格，情感丰富，出奇制胜。能兼具学者和作家双重心理素质，在古今文学史上，虽非绝无仅有，但也难能可贵。

从作家学的角度观之，学者和艺术家的思维方式，固然有互相促进之处，但是也不能说没有互相抵牾之时。从历史的发展过程来看，在早期，先生强大的、学者的理性是处于优势地位的。理性思维和基本规范是现实的、遵循逻辑规范的，而幽默却是虚拟的，可以是荒谬的。理性逻辑是一种一元逻辑，起码是要遵守同一律的，不能偷换概念；而幽默则是一种二元错位逻辑，是超越理性的同一律的，唯有超越了同一律，偷换了概念，在理性的、概念的一贯性上失落了，又在另一条逻辑上落实（顿悟）了，才能有失落和顿悟的统一。如果先生光是满足于显示他过人的遵循同一律的才智，充其量也只能写出他早期《瓮牖剩墨》中那些知性很强的篇章。在这些篇章中，学者的理性思辨大抵遵循着一元逻辑，这对于幽默感有一种自然的压抑。王先生不同于一般学者之处，乃是他的幽默感即使在这种情况下，仍然以一半潜在、一半显现的姿态，载沉载浮。

刚刚涉足散文的先生需要在幽默的超越性上积累到足以与理性逻辑抗衡的程度，这是需要一个过程的。在最初一年里，也就是他在写《瓮牖剩墨》那一组散文的时候，他在幽默与智性的矛盾中，情感和意味不足：有时智胜于情，压抑了趣味；有时虽则有趣，但情感的深度浓度都不足，还不能说在一切场合中都能达到幽默的境界。

但是，王力先生并不缺乏幽默感，在这以前他已经翻译过莫里哀的全集，又有在法国留学多年的经历，所以在他的个性中，法国式的幽默大抵处于潜在状态。而且他知道，他写散文是应该追求幽默感的，但是要把这些幽默的趣味在写作的时候唤醒，赋予散文以生命，需要克服学养中那种理性过甚的成分。

为自我潜在的幽默感找到恰当的逻辑和话语，并不是一件很轻松的事，不少作家花了一辈子工夫也只能用自己的舌头唱着别人的歌，仅仅是因为那是最为流行的，然而却不知道那也就是最缺乏创造性的。

在王先生这个时期的散文中，不难看到某些互相矛盾的现象。一方面，他有时写得相当诙谐，涉笔成趣，引述中外文献典故，举重若轻；另一方面，他有时又难免停留在某种怪异现象的描述中，如罗列中国民间的迷信以某种苦行、某种装饰、某种名称来表现老百姓的主观祈望，虽然有某种民间的文化趣味，但是作为散文来说，尽管他历数中国和西方诸多民俗多么丰富多彩，总是免不了带上某些学者的匠气。王力在《谈谈小品文》中就说过："幽默并不是滑稽，滑稽只是笑，而幽默让你笑了以后想出许多道理来。幽默的正确含义是用严肃的态度来逗笑。"王先生在最初阶段，还不能很轻松地驾驭智性的道理和轻松的玩笑之间的分寸，早期的作品不是过分严肃就是过分游戏。尤其是他文章的结构又常常采取分点并列、平面的铺排样式，就相当明显地表现出他对于富有文化价值的资料过分拘泥、不够潇洒。文化价值并不等于艺术价值，在这一点上，王先生也许并不是很明确的。甚至到了20世纪50年代，连号称散文大家的秦牧也都不能很自由地处理。但是王先生的才情毕竟是秦牧所不能相比的，他毕竟学贯中西，在他的心灵深处，中国人的严肃而又轻松和西方人的理智而又俏皮兼而有之。就是在叙述一些文化价值甚至艺术价值的文本时，有时也流露出不少潇洒的笔墨。比如，他在说过西方人用半年的收入去旅游，中国人甚以为怪之后，又说中国农民以半年之收获去过节，大吃大喝，乃至"大泻三日"，中国人也不以为怪。在写到"大泻三日"这样的笔墨之时，读者不难看到先生潇洒的谐趣超越了文化价值的拘泥。大体说来，先生的谐趣在积累了一年之后，在根本上获得解放。在《瓮牖剩墨》的最后两篇，他的智性和幽默开始达到某种程度的和谐，幽默感获得了某种自由。作为这种自由的信号，表面上呈现为智性的观察潇洒的深化。例如在《诅咒》中，他描述那些摩拳擦掌者其实是外强中干的。"拳越摩，心越怯；掌越擦，胆越小。摩拳的唯一作用是使对方害怕；如果对方不睬，也就黔驴无技了。""诅咒和恐吓乃是可怜虫的制造者。"所有这些表现了他作为智者的深刻，在文中他还列举了在墙上写字（如在厕所、教室、膳堂）骂人和匿名写信骂人两种方法的不同：

> 中国旧小说里一向鼓励"明人不做暗事"，大约正因为社会上做暗事的人太多了，像武松、十三妹之流的人物没有几个，所以才值得大大的提倡。匿名信在手段上更进一层；墙上写字，被骂者未必有机会看见；匿名信则被骂者非见不可。在内容上，墙上写字和匿名信也颇有不同。墙上写字往往只骂人，不恐吓人；匿名信却多数带着恐吓的性质。墙上写字往往因为时间匆促，不能畅所欲言，厕所里虽合于欧阳永叔"三上"的原则，适宜于运用文思，毕竟谁也不住在里面；至于匿名信却不同了，他可以花一整夜的工夫，尽量运用他那"骂人的艺术"，去进行他的"神经战"。依我们的想象，匿名信应该特别容易写得好，因为要说什么就说什么，毫无顾忌，也不像写信谏劝尊长那样需要委婉，也不像替报纸上写文章那样处处预防"被抽"。这样，匿名信骂起人来，应该能使陈琳点头，骆宾王逊色，才是道理。但是不幸得很，大约做这种事的都是些"暗人"罢，暗得像个牛皮灯笼，也就不会有什么太漂亮的话的。

这里已经显示王力先生把智性的分析和散文的谐趣结合起来的端倪。

一方面是不登大雅之堂的评述对象。市井小民的恶习和文学史上的权威人物欧阳修、陈琳、骆宾王的散文经典以及国民党统治下报刊文稿被审查官员抽去这样严峻的政治问题居然相提并论，这就形成了不伦不类的趣味。如果光是有这样的笔墨，只能产生滑稽之感。在另一方面又有对于这二者相当微观的、颇有智性的分析。从纯逻辑的角度观之，这样的分析颇有精警之处。深刻的庄重感和游戏风格的结合，产生了不和谐的怪异，这就构成了某种超越于滑稽的趣味和智性的深邃。王先生这种智者的深思给他的文章生色不少。虽然他的文章主要并不以智者的深刻见长，但是这种智者的分析，无疑给他的文章增添了理趣，减少了流于滑稽的危险。

这一点在王先生《瓮牖剩墨》的最后一篇《劝菜》中，已经表现得很有一点分量了。先生的幽默思维之所以得到比较彻底的解放，原因在于他在逻辑上开始“放肆”起来，采取了一种极化的方法，把中国人劝菜，放在两个极端的矛盾的焦点了。一方面是表示极端的客气，一方面是极端不卫生。至于在这二者之间的一切都被先生省略了。先生强调的是：用沾满了自己唾液的筷子轮番劝来劝去，“有时候，一块‘好菜’被十双筷子传观，周游列国之后，却又物归原主”。先生把这叫作“津液交流”还不满足，又加上：“主人是一个津液丰富的人。……上齿和下齿之间常有津液像蜘蛛网般弥缝着。入席以后，主人的一双筷子就在这蜘蛛网里冲进冲出，后来他劝我吃菜，恭恭敬敬地送到我的碟子里。”在这里，先生所使用的是一种把不卫生的习惯推向极端的方法。这种方法的运用能带来某种喜剧性，但是滥用也可能导致过分强烈的生理刺激，徒有闹剧的滑稽感而失之肤浅，好在先生至此适可而止。接着他把矛头从生理刺激转向了精神的荒谬：“然而我并不因此就否定劝菜是一种美德。‘有杀身以成仁’，牺牲一点儿卫生戒条来成全一种美德，还不是应该的吗？”这就把过度的生理刺激，与经典的庄严作了无类比附，就转化为精神上的调侃了。本来可能流于滑稽的，就上升到幽默的层次上来了。所有这一切都为下一辑《龙虫并雕斋琐语》以及以后的几组真正的幽默艺术散文打下了一个坚实的基础。在《龙虫并雕斋琐语》的第二篇《溜达》中这样分析溜达与散步的不同：

> 在街上随便走走，北平话叫做“溜达”。溜达和散步不同：散步常常是拣人少的地方走去，溜达却常常是拣人多的地方走去。溜达又和乡下人逛街不同：乡下人逛街是一只耳朵当先，一只耳朵殿后，两只眼睛带着千般神秘，下死劲地盯着商店的玻璃橱；城里人溜达只是悠游自得地信步而行，乘兴而往，兴尽则返。溜达虽然用脚，实际为的是眼睛的享受，江浙人叫做“看野眼”，一个“野”字就够表示眼睛的自由，和意念上毫无粘着的样子。溜达的第一个目的是看人。非但看熟人，而且看陌生的人；非但看异性，而且看同性……溜达的第二个目的是看物……对着自己所喜欢的东西瞻仰一

番，也就可饱眼福……关于这个，似乎是先生们的瘾浅，太太、小姐们的瘾深。

从理趣来说，这和他差不多同时写作幽默散文的钱锺书先生的作品有异曲同工之妙。这种机智的趣味，其特点是在逻辑形式上是有理的，但是在内容上却又似乎是无理的，正是在这有理与无理之间，产生了一种在逻辑上似正似歪、似是而非的效果，构成了亦庄亦谐的风格。这不难使人想起清代诗话家吴乔的“无理而妙”的说法，同时还有我们相声艺人所说的“理儿不歪，笑话不来”。

这种理趣之所以有“理”，就是因为至少它在形式上是在分析某种潜在的矛盾的。说溜达虽然用脚，但为的却是眼的享受。以下的笔锋似乎散漫，但却在熟悉和陌生，同性和异性，看人和看物的对立中展开。虽然似乎有游戏的趣味，但是你不能不承认它至少在形式上是有根据的。认真地分析大登大雅的现象，看来是玩笑，但是玩笑中带着正经，让你好像对于平时从来不想在上面动脑筋的地方，有了某种启发和领悟。但是这样的分析又不能算是完全理性的，因为它所揭示的矛盾是相当片面的，以攻其一点不及其余为特点。乡下人上街并不完全是下死眼盯着橱窗里的货物的，而城里人，也并不一定只是悠闲地兴尽而返的。至于看人和看物，看同性和看异性，在逻辑上都不是周延的，这里的思路的特点是把事物的某种属性尽可能地对立起来，把或然的并列当成必然的对立，并且就在这不可靠的前提下演绎下去，因而产生一种有理而歪、无理而妙，在有理与无理之间，把启人心智与娱人心绪结合在一起。

王先生的这种特点与同时写作散文的钱锺书先生堪称同调；钱先生在机智和警策方面显然超过了王先生；但是从一个普通的现象上，找出一组普通属性，使之对立起来，并且孤立地层层推演，在这一点上，是和王先生异曲同工的。余光中先生在他的散文选集《听听那冷雨》的代序《剪掉辫子的散文》中说过，好散文有“左右逢源，曲折成趣”的妙处。不过钱锺书先生的推理更加歪，更加带着强词夺理，更加把本来并不一定是对立的现象绝对化地对立起来了。他在《窗》中，这样分析窗与门的区别：

> 我们悟到门和窗有不同的意义。当然，门是造了让人出进的。但是，窗子有时也可作为进出口用，譬如小偷或小说里私约的情人就喜欢爬窗子。所以窗子和门的根本分别，决不仅是有没有人进来出去。若据赏春一事来看，我们不妨这样说：有了门，我们可以出去；有了窗，我们可以不必出去。窗子打通了大自然和人的隔膜，把风和太阳逗引进来，使屋子里也关着一部分春天，让我们安坐了享受，无需再到外面去找……所以，门许我们追求，表示欲望，窗子许我们占领，表示享受。……一个外来者，打门请进，有所要求，有所询问，他至多是个客人，一切要等主人来决定。反过来说，一个钻窗子进来的人，不管是偷东西还是偷情，早已决心来替你做个临时的主

人，顾不到你的欢迎和拒绝了。

要彻底看清王先生的特点也许光看王先生自己的散文还不明显，他的特点通过与钱锺书先生的散文比较“暴露”得更为突出。钱先生更善于将两个互相并列的属性（并不一定是对立的，甚至明显是互补的），用极其机智的语言结合起来，任意地把二者放在两个极点上对立起来。本来门和窗的功能主要是互补的，但是钱先生置之不顾，只是把二者的性能孤立地组成一对直接对立的矛盾，作为全面的矛盾分析的逻辑起点；说门是为了人进出的，窗子有时也可以用作进出。这就先为二者找到了统一的契合点，就这一点而言，表面上似乎并不十分离谱，但是这种契合点却是任意性的。此时的荒谬性还是比较潜在的，因而并不能显示很强的幽默感。接着又把这两点当作一对矛盾：“若据赏春一事来看，我们不妨这样说：有了门，我们可以出去；有了窗，我们可以不必出去。”这两个对立的极端却是更加任意了，但是把这两点作为演绎的前提，却是不可靠的。妙就妙在钱先生偏偏把这不可靠的前提当作毫无疑义的出发点，在两个极端上作片面的演绎。在层层演绎中，从推理形式上看似乎顺理成章，但是从所推出的内容来看，却越推越偏，这两个极端的矛盾层层放大，越来越走向显而易见的悖谬。从门与窗的任意性对立，变成了人事的荒谬。任何一个从窗子里爬进来的人，不管是偷情还是偷东西，都是来做“主人”的。这个“主人”的内涵就是在形式上也是非常勉强的了，通常的房子的“主人”（所有权、使用权）的含义已经被偷换了。正是这种貌似合乎逻辑的形式和实质上是导致荒谬的内容，二者之间的矛盾造成了钱、王两位先生的幽默感。钱锺书先生这种长驱直入的演绎，所向披靡的力度和旁若无人的果断，在中国幽默散文史上可能是首屈一指的。相比起来，王力先生的智性，从纯形式上观之，往往不如钱锺书先生那么多层次；从内容上观之，也不如钱锺书先生那么尖锐而严峻。在智性的趣味上，即使对世道有所讽喻，他对于人性的弱点也不像钱锺书先生那样刻薄，常常只涉及一些一般的社会经济现象，以及无伤大雅的人事，比如物价飞涨的牢骚，很少涉及人心，尤其是知识分子精神上的暗疾。

王先生生性宽厚，很少对周围的人和事，尤其是他所最熟悉的知识分子的心灵缺陷发表什么尖锐的批判。他的批评矛头不是近指的而是远指的，最贴近身边的批评也不过是老妈子之不好对付，不但不能很好地为主人服务，反而要主人看她们的眼色等等。写这样的主题王先生常常用了大量的自嘲，自我调侃钝化了进攻的锋芒，因而王先生的幽默是软性的，即使有所进攻（针砭）也是把矛头指向社会一般的现象，很少集中在某一群特定的人物身上；但是钱锺书先生却不止于此，他对于世道人心深刻批判，入木三分，往往在王先生适可而止的地方穷追不舍，不惜挥洒他的大笔浓墨，大有不挖到痛处决不罢休之势。在同一篇文章中，接下去，钱锺书先生就把这种本来是关于建筑物的特点的认真思考引申到世道人心上来了：

缪塞在《少女做的是什么梦》那首诗剧里，有句妙语，略谓父亲开了门，请进了物质上的丈夫，但是理想的爱人，总是从窗子出进的。换句话说，从前门进来的，只是形式上的女婿，虽然经丈人看中，还待博取小姐自己的欢心；要是从后窗进来的，才是女郎们把灵魂肉体完全交托的真正情人。

形式的正常掩盖着内容的悖谬。在这里，钱锺书先生已经得出了所有真正的情人都是从窗子里爬进来的结论了，而读者仍在正常思维的惯性之中。就在这样的思路中，交织着正常与反常，理性与荒谬，严峻与俏皮，这样的思路，就是幽默感所产生的逻辑过程。光从幽默的逻辑特点而言，钱锺书先生和王力先生是相同的，但是以钱锺书先生的个性，仅仅停留在人生现象的深刻观察上，是绝对不过瘾的，他的心智的焦点是从这一点出发，引申出对于世道人心的某种讽喻，乃至挖苦，才能发挥得淋漓尽致。钱先生在批评离他生活圈子比较远的人事和社会现象时，还比较温和，他的幽默往往是泛指的、调侃的，就是有某种进攻性，锋芒也是钝化了的。这一点我们在上述引文中可以明显地看出来，他所批评的父母亲择婿对象和女儿的择偶对象的不同标准，这是一个常见的、自古而然的现象，除了他话说得调皮以外，在内容上，并没有特别的新发现。光是说到这里，还不能显出钱锺书先生的睿智，不能使钱锺书先生的郁积得到释放，不能把钱锺书先生对于生活和心灵中最敏感的焦点之光发散出来，不把对于社会心理状态的批评拉到他所生活的圈子中来，他的才能就不能得到充分的表现。

在《窗》中说到上面一段话后，他笔锋一转，可以说是神来之笔：

你进前门，先要经门房通知，再要等主人出现，还得寒暄几句，方能说明来意，既费心思，又费时间，哪像从后门进来的直捷痛快？好像学问的捷径，在乎书背后的引得，若从前面正文看起，反见得迂远了。……窗引诱了一角天进来，驯服了它，给人利用，好比我们笼络野马，变为家畜一样。从此我们在屋子里就能和自然接触，不必去找光明，换空气，光明和空气会来找到我们。所以，人对于自然的胜利，窗也是一个。不过，这种胜利，有如女人对于男子的胜利，表面上看来，好像是让步——人开了窗让风和日光进来占领，谁知道，来占领这个地方的就给这个地方占领去了！

钱锺书先生的文章层次特别丰富，真正当得起余光中先生所说的“左右逢源，曲折成趣”，首先从门和窗子的区别转入到进门的女婿和进窗的情人的性质上的颠倒，其次转到文人做学问的投机取巧。二者本来风马牛不相及，经钱锺书先生这样自由地推演一番，顺理成章地统一起来，把矛头指向了同行做学问的不老实了。最后又顺带一笔，用很少有的诗意笔法，突然反转，把女性讽刺了一下。

在钱锺书先生的幽默视野中，司空见惯的人性不但可笑而且还有可恶的一面。他的批判刀刃好像是专对着文人的。他最善于把同行、同辈身上的一些庸俗和虚荣，心灵的污点，用刀子一样的语言去解剖。他似乎是在享受着某种远交近攻的乐趣，不把近在眼前的文人心灵的污点挖苦一下，他的浩然之气是不能得到充分发挥的。越是拉近距离，他的批判锋芒就越是尖锐，甚至是尖刻，他的才智就越是得到充分的发挥，他的笔力也就越是左右逢源、潇洒自如。他的幽默感的强硬的进攻性在这种发挥中显得特别精彩。

在钱锺书先生的幽默感中，还有一点是不可忽略的，那就是他的幽默是没有或者极少自我调侃的。也正是因为这样，他的幽默总是有一种触及灵魂，甚至刺刀见红的特点。这里，我们可以看到钱先生青年时的豪气、傲气，在这种豪气和傲气中，读者可以看出青年钱锺书的愤激。他的幽默是一种硬幽默，其硬度乃是来自他的愤世嫉俗。比如，他批评文学评论家好在文章中教训人。如果让王先生来写，大不了就是以悲天悯人之态，作轻松调侃之语罢了；而钱锺书先生却不会满足于此。他从多方面挖苦那些好为人师的文学批评家，首先把他们和借债不还的人相提并论作了无类比附："有一种人的理财学不过是借债不还，所以有一种人的道学，只是教训旁人，并非自己有什么道德。"这个结论得来非常干脆，但是所有的推理方法却是不能作为论证手段的类比推理。结论的振振有词和论证的软弱之间形成反差，暗示了智性和调侃的张力。如果仅仅限于此，则钱锺书先生的个性还不能充分显示。经过一番曲折的歪理歪推以后，他把这一点发挥到一个无以复加的极端上去：

> 假道学比真道学更为难能可贵。自己有了道德而来教训他人，那有什么稀奇；没有道德而也能以道德教人，这才见得真本领。有学问能教书，不过见得有学问；没有学问而偏能教书，好比无本钱的生意，那就是艺术了。真道学家来提高道德，只像店家同登广告，不免自我标榜；绝无道德的人来讲道学，方见得大无我，乐道人善，愈证明道德的伟大。

把违背常识的反语说得这样振振有词和论证的软弱之间已经把文学批评家损得一塌糊涂了，但是这还不是钱锺书先生的真正妙处所在，钱先生的妙处更在于，他在推出这样一个惊世骇俗的结论的过程中，还有多方面的锋芒。在他的才智发挥得最为流畅的时候，其特点用左右逢源来形容已经不够了，更准确的应该是比左右是刺更甚。他的推理过程相当曲折，几乎在每一个转折处都包含过人的机智，又在每一种机智中都隐藏着讽刺，真可以用某种意义上的"两面三刀"来形容。他首先把文学批评家比作医生，从正面说他们"仁心仁术"，接着又从反面说，可是世上还是有人生病，这样已有对于医术的讽刺了。当然，单方面的讽刺不是钱锺书所能满足的，于是他又从他们的道德上进行挖苦："不过医生虽然治病，同时也希望人害病。"这样的讽刺已经是够尖锐的了，但是钱锺书先生的讽刺才情还是没有发挥到妙处。他随机引申了一下，就来了更为尖刻的：说是医生“配了苦药水，好讨辣价钱；救人的命正是救他自己的命，非有病人吃药，他不能吃饭”。这对于前面的话是个结论，但是对于钱锺书先生的文章来说，还是个引题。他由此突然得出一个结论说：“所以，有导师而人性不改善，并不足奇”。这样的推理方式，从一方面来说，可以说左右逢源，从三方面都能讲得通，多多少少有点雄辩的色彩。从另一方面来说，他用的是类比推理，而类比推理，是不能单独进行论证的。这里就透露出了钱锺书先生幽默风格的另一个特点，那就是左右逢源的貌似雄辩和逻辑薄弱的统一。雄辩显示了智性，而逻辑薄弱则又显而易见的滑稽。滑稽的游戏性质与雄辩的智性深度相结合，就构成了幽默的基础。

但是光有这么一个方面，还不足以将钱锺书先生的才气完全展示出来。接下去钱先生又从动机上来挖苦与他同龄的文学批评家：

> 人生之桥已经走了一半，然而《神曲》倒是无从下笔；谈恋爱，参加抗战，似乎年纪太大；吃素奉佛，似乎年纪还轻；要创作似乎才尽，要研究很欠训练，——到此时，他不写说教的文章，你还叫他干什么？

这已经曲折地流露出对于批评家不仅是在才气上的藐视，而且从政治、宗教、情爱等方面极尽嘲笑之能事了。

王力先生与钱先生不同，他善于用自我调侃来钝化幽默锋芒，他尽量避免刻画文人的灵魂的负面弱点。王先生善于把人性的可笑变成自己的可笑甚至可怜、可悲，在这一点上，王先生和同时写作幽默散文的梁实秋先生堪称同调。

王先生的长处显然不在社会讽刺，也不在于对文化人心灵病态的针砭，他的幽默的特点不是进攻性的硬幽默，而是调侃性的软幽默。

当然，这不是说王先生在那种世道中就没有愤激，不过他的愤世，乃至愤激，都不是外向的，大抵是内向的；就是非外向不可，他的用语也是中性的。例如，他批评托人带信、带物者的情况，就有相当愤激的语言，用取其一点、层层推演的办法无限上纲：

> 归根说起来，现代托人带信只有一个可怜可鄙的理由，就是要节省几个钱的邮票。那么，对国家，他是邮政的走私者，这是不忠；对朋友，他把人家当做一个义务的邮差，这是不义。不忠不义所以是可鄙；为了节省极少数的钱甘心自陷于不忠不义，所以是可怜；为了托带私信而累得朋友受了重罚（在外国确有其事），那就超过了可鄙可怜，简直是太可恶了。

这种直接的批判到了近乎诅咒的程度，似乎很有一点过分，也不尽合乎王先生的个性，但是，已经夸张到了完全不现实的程度了。这只是导致荒谬的一种逻辑假定。就是在这样的虚拟中，王先生也把它和对自己的调侃结合起来：

我提倡一种主义：凡是托我们带信的，我们付之一炬（因为不一定经过一条河，所以不一定要扔在水里）；水果可以供我们在火车上解渴，腊味可以供我们在旅馆里下饭，若遇着不喜欢吃或不好吃的东西，可以扔在路上，自然有人来拾。

表面上的自我贬低实质上表现了胸怀的开阔，只有这样的胸怀，缓和了紧张的对峙，幽默才不至于变成讽刺。

从“低俗”到“高雅”的历史进程
——从对金庸的评价分歧读起

长期以来，人们对于文学评论界多有不满，主要集中在文学批评不说真话，缺乏原则，商业化操作，圈子里胡乱吹捧。与之相对是另一极端：对于有相当成就的作家和作品，包括一些经典性的作品，施之以苛刻的批评。这就是报刊上所谓的“酷评”。前不久出版的《十作家批判书》将中国文坛上最时髦的作家如钱锺书、王朔、王小波、王蒙、余秋雨、苏童、贾平凹、汪曾祺、北岛、梁晓声等都进行了相当严酷的批判。

在酷评风的推动之下，最近中国社会科学院文学研究所的资深研究员袁良骏先生著文对金庸和琼瑶发动酷评。袁先生指责金庸和琼瑶为当前文学的“低俗化”潮流的代表。上海的《文学报》立即在头版头条作为要闻加以报道。

袁先生说，以金庸为代表的武侠小说是一种“陈腐、落后的文学形式”，早已遭到“五四”新文学运动的荡涤。新中国成立以后曾经明令禁止武侠小说创作和发行，可能是“太过严厉”；但是事实证明它“很难旧瓶装新酒”。它的“打打杀杀，血流成河，拉帮结派，恩恩怨怨；它的云山雾罩，天马行空，胡编乱造，不食人间烟火；它的公式化、概念化、模式化，它的拖沓冗长，陈词滥调，都无法适应新时代的要求，它不符合健康优美的文学作品的起码条件。从根本上说，还是旧武侠小说的翻版，仍然摆脱不了旧武侠小说的痼疾。自然，它也就像旧武侠小说一样有严重不良的（对青少年尤其恶劣）社会影响”。袁先生认为低俗潮流的第二个代表是琼瑶的言情小说，也是一种公式化、模式化的产物。起初还有一点新意，但是，写来写去自我模仿起来。这些小说并非社会写真，而是“爱情神话”，批量生产，作家变成了写作机器。“机器一摇，配方一变，又是一部”，自然就不可能有什么优美的笔调和精致的情感，写作成了作家的摇钱树。

袁先生对于文学的高雅（教育）非常执著，他认为武侠和言情小说只能拿来作“茶余饭后的谈资”，属于“低俗”之列。袁先生文学观念的特点就是把雅文学和俗文学绝对对立起来。这种说法不但有失公允，而且也脱离了现当代文学研究的成果。

袁先生大学时代的老师、北京大学的严家炎教授在最近由北京大学出版社出版的《金庸小说论稿》中就发人猛醒地指出："五四"新文化运动和后来的"左"倾幼稚病的表现之一就是自以为雅，不加分析地排斥所谓俗文学，简单地否定侠义和言情小说，导致文化生态平衡的破坏和侠义精神的失落；而以金庸为代表的新武侠小说有其历史的功绩，赋予"侠义""武"和"情"这三大支柱与新文学相通的时代内涵：金庸笔下的"义"富有浪漫主义的激情，金庸的"武"的优势则在于"武功打斗的学养化与艺术化"，而"情"则有一种皮格马利翁效应——潜文体的形式意义。严先生以相当严谨的文风指出金庸是一个自觉追求思想性的武侠小说家，否定快意恩仇，任意杀戮，这一点正是金庸与旧武侠小说截然不同的地方。在艺术上，他第一个以开放态度来处理中华各族关系，纠正黑白正邪二分法的人物模式，揭示权力的腐蚀作用，渗透着个性解放与人格独立精神，具有针对现实的批判锋芒。此外金庸小说还有着生活化的倾向、影剧式技巧，有着传统文化的渗透。所有这一切都使得金庸先生在俗文学的形式中渗入了雅文学的内涵。

雅俗绝对对立，互相不能转化的观念很有代表性。这是因为人们对于"五四"新文学的历史缺乏科学的、冷峻的分析态度所致。严家炎先生作为一个文学史家，具有相当深邃的历史眼光，他指出"五四"新文学对于通俗小说（例如鸳鸯蝴蝶派）的排斥，乃是文学观念幼稚的表现。"供消遣"与"为人生"二者并不是绝对对立的，而是互补的。雅俗共赏是文学的理想境界。正是因为观念的狭隘，导致了我们对于当代文学，尤其是当代大众文学的不理解，乃至盲目地排斥。事实上，从五四时期以来，新文学对通俗小说，固然有影响，但是通俗小说的存在对于新文学也有影响，后者对于前者始终是一个挑战。雅文学与俗文学之间的"永远难解难分的拔河比赛"，一直到今天仍然是一个不争的事实。

雅文学往往从俗文学来，不仅是现实的昭示，而且是中国古典文学的发展规律。从《诗经》到《楚辞》，从汉乐府到五七言律诗、绝句，从宋词到元曲，中国文学史上天经地义的雅文学，其最初开拓都是俗文学。至于《水浒传》《三国演义》《西游记》也无不是从俗不可耐的形态开始其艺术积累的。没有当初的《大宋宣和遗事》《三国志平话》《大唐三藏取经诗话》，也就没有后来流传千古的经典名著。

雅俗文学之间并没有一条万里长城，二者是可以转化的。金庸先生的新武侠小说，正是俗文学向雅文学转化的一个里程碑。从这个意义上来说，把琼瑶的小说笼统地归结为俗文学也是不全面的。其实琼瑶的小说不管有多少缺点，但是与鸳鸯蝴蝶派相比无疑是雅得多了。

绝对高雅化和绝对低俗化对我国文学发展所带来的历史伤害是有目共睹的。如果不把现代文学史近一个世纪的经验教训化作宏观的历史方法，就可能被眼前的现实束缚住想象，在新时代、新潮流面前手足无措。

卫慧现象
——迷途的孩子们

所谓“美女作家”卫慧、棉棉等女性作家，目前正闹得沸沸扬扬。她们的作品从女性视角来表现女性的性生活，引起了轰动。在 Internet 上、在晚报上，甚至在比较严肃的文学评论刊物上，议论纷纷，成为当代文学的一大景观。比较客气一点的，说她们是“传媒明星”，而不是文学明星。贬之者曰“她们是在用躯体写作，而不是用头脑写作”，是一种“自裸”，指斥她们的作品“颓废、荒淫、不求上进，自我放纵”。批评的矛头还直接指向其代表人物卫慧的“言行出格，完全不顾及书的形象和自身的形象”。据网络消息，卫慧曾经参加 1995 年的上海国际前卫艺术展览会，作品为七条白色男裤，上面印着她的照片和小说，这样对男权社会嘲弄的后现代作品，很快被买家买走。

卫慧引起轰动的小说《上海宝贝》，其中的十多处正面描写了女主人公自慰和床上性高潮体验。北京市“扫黄打非”办公室认定其为夹杂有“色情淫秽情节”，已经通知有关方面“不准出售”。春风文艺出版社考虑到社会效果，还将该书版样毁掉。

美国《新闻与世界报导》称卫慧为“中国的小说雅痞”，而《纽约时报》则有报导说：这“是继‘痞子文学’代表作家王朔之后，中国又一个引起广泛争议的作者。她和其他一些类似作者的小说使得中国的评论界激烈争论到底什么是‘文学’”。

评论过分集中在《上海宝贝》性事的正面描述上，可能把问题简单化。就算其中女性自慰和做爱文字都是垃圾，加起来不过一两千字而已，如果可以设想，将其全部删去（或者用贾平凹当年的办法“以下删去 ×× 字”），对于《上海宝贝》这样一本近二十万字的长篇小说的根本精神，也许不会有很大的影响。

公平地说，她所要表现的也许并不是放纵肉欲，相反的，她恰恰是把主人公 CoCo，放在灵与肉的矛盾之中表现的。一方面她爱上了一个男人天天，此人纯洁无瑕，但是却性无能，没有做爱的能力。而另一方面，她又从德国人马克身体上得到了性的满足。值得深思的是，她不但没有因此抛弃天天，相反仍然真诚地和他相爱；但是她又不能克制自己的冲动，一次又一次地投入德国人的怀抱。她的人格就在灵与肉的冲突中分裂了。放纵的肉欲和诗意的、超功利的“爱情”混乱地交织在一起。

从传统小说的审美价值来说，陷入这样的怪圈，无疑是要痛苦的，但是，至少在小说的绝大部分篇幅中，并没有多少痛苦的煎熬。直到天天受了伤害，吸毒了，女主人公的内心矛盾才比较强烈起来，但是这并不意味着她就此结束性放纵。卫慧不同比她早出道的林白、陈染，后者陷入此等困境时，充分强调苦闷，而卫慧则沉溺于感官的享受。

她被列入“另类作家”，她们自己也号称“新新人类”，或者美国人所谓“雅痞”。她们有文化，炫耀纯正的外语，熟悉西方的音乐和绘画，为能够享受西方式的沙龙和 party 而自豪，沉溺于感官的疯狂，灵魂归属的问题不在他们感觉范围之内。这有一点像 20 世纪 60 年代，肯尼迪上台以后的性解放时代的西方青年。除了感官刺激以外，一切的道德准则全都不在话下，但是卫慧毕竟是在中国土壤里生长出来的，表面上看来，她完全抛弃了传统的羞耻观念，但是，在小说的后半部分，卫慧相当明确地表现了她们的苦闷。灵魂归宿的问题提了出来，多多少少有了一点批判色彩。CoCo 和马克做爱的时候，她觉得可以为他去死，而一旦做爱完毕，她就觉得应该去死的是他（第 207 页）；在清醒的时候，她明确感到与情人的性关系是一种“爱欲的陷阱”，她不由得感到一种“虚无”，“心情糟到不能再糟，下了地狱也不过如此罢”（第 240 页）。为了不伤害天天，她不得不越来越陷入说谎、虚伪的怪圈。同时她又不能不谴责自己“无耻”，是一堆“垃圾”。她在克制不了的欲望与心中的恐惧中挣扎。小说的最后一章，最后一句都是“我是谁？”——这是当代西方小说的传统母题。就这一点来说，我们似乎不能简单地把这样的小说归结为一种堕落和荒淫。从严格意义上来说，这不过是一群迷途的孩子，最大的罪人并不是她们，而是书商的炒作，不能用过分伤害性的话语去把她们推向深渊，而应该把严肃文学的大门敞开，呼唤、等待她们回归。

2000 年 5 月 13 日

无痛之痛是为至痛
——评余华小说《十八岁出门远行》

余华的小说近年来名气挺大。然而直到有一位美国教授把她的论文送给我，一看其中主要是论余华的，我才认真起来，但在美国，余华的作品很难找到，不料在俄亥俄州特丽多市的图书馆中居然找到了香港作家西西编的《八十年代中国大陆作家小说选》的第四本《第六部门》，其中就有余华的一篇小说和一篇散文。

匆匆阅读之余，果然感觉不凡。

小说《十八岁出门远行》，写的故事很现实，情节也很简单。主人公的父亲为主人公准备了一个漂亮的红背包，让他出门远行去看看世界。

他走在山路上，找不到旅店，就想搭车。他站在路旁朝汽车挥手，“努力挥得很潇洒”，可是司机看也没有看他就“他妈的过去了”。他就追，“一直追到汽车消失之后，然后朝着自己哈哈大笑”，但是又马上“发现笑得太厉害会影响呼吸，于是立刻不笑”。在接着走路的时候，“心里却后悔起来”“后悔刚才没有在潇洒的手里放一块大石子”。

这里，吸引我的就是余华那种极端随意，随意得有点怪诞的感觉，然而又不完全是怪诞，在怪诞中有某种深沉的发现和启示。

为什么追不到车，起初没有懊丧，反而哈哈大笑？这是因为这个主人公还年轻，还是第一次出远门，对于人生的险恶还没有体验，对于自己生命和前途还没有多少痛苦的思索，因而把人与人之间的冷漠只当做好玩。然而这又不是全部，在觉得好玩之后，或者在更深的意识深处，就产生了仇恨。这在这样纯洁的心灵上居然冒出了悔不该抓起一块石子去砸司机的邪恶念头，这实在是人生的可悲之处。余华的笔力有点叫人惊叹！

余华的小说表面看来，其感觉十分自由。有时很写实，写实得好像作者漫不经心，然而妙就妙在这种漫不经心上。有时则突然滑向一种极端荒诞的感觉，比如说，主人公由于打抱不平，被抢苹果的人群打得很惨：“这时有只拳手朝我鼻子上狠狠地揍来了。我被打出几米远。爬起来用手一摸，鼻子软塌塌地，不是贴着而是挂在脸上了。”在写着这样的事情时，居然连一点疼痛的感觉都没有涉及。

如果用纯写实的价值去衡量或者用传统的“细节的真实性”去追究，恐怕是要作出否定的判决的。然而文章欣赏不能用一个尺度，特别不能光从读者自己熟悉的尺度去评判作家的创造。一旦在你面前出现了与你原有尺度不合，或者与你的心理预期有冲突的作品时，这时你最好别忙着去作那么匆匆忙忙的判断，还不如先审视一下：作家为什么不走那条驾轻就熟的老路？

余华之所以不写鼻子打歪了的痛苦，那是因为他追求的是一种感觉不到痛苦的痛苦：人生荒谬到在鸡毛蒜皮的小事上痛苦不已，呼天抢地，而在性命交关的大事上麻木不仁。

不明白这一点，就看不明白余华这个故事的命意所在。

全部情节的核心集中在司机开车，车上装着苹果，许多乡下人（包括老人、孩子）都来抢他的苹果，把苹果抢光了，车子的轮胎都卸走了，作为搭车的人还在这以前特别问清楚了，车子、苹果都是司机的。然而当主人公（“我”）为了保卫苹果被打伤了，鼻子挂在脸上，可这位司机居然无动于衷，不但无动于衷，而且还站在远处朝我哈哈大笑。

也许现实主义作家要把这车子和苹果都归诸“公共财物”。然而余华不是现实主义的作家，他的追求在超现实的世界之中。他好像开玩笑似的向传统情节的因果性挑战。在小说结尾，他并没有承担给读者揭示谜底的责任，相反，他好像无缘无故地让这个司机跳到了拖拉机上，和那伙劫贼一起走了。在车子里还朝“我”哈哈大笑。

这是现实的悲剧，然而在艺术上却是喜剧。

喜剧的超现实的荒诞是一种扭曲的逻辑，它与现实主义情节的理性逻辑不同。然而这样的歪曲逻辑，启发读者想起许多深刻的悖谬现象，甚至可以说是哲学问题：为什么本来属于你自己的东西被抢了你却感觉不到痛苦呢？为什么自己一大车子东西被抢了而无动于衷，可又把别人的一个小背包抢走呢？

这不是天天都发生在你周围的普遍现象吗？[①]

---

① 这是我在1992年在美国时，限于资料对此文的分析，后来更深入的分析请参阅本文集之《经典小说微观分析》卷。

爱情小说模式的演变

最近读张辛欣的早期小说《我在哪儿错过了你》，突然想起了许多妇女婚姻题材的小说，不过三四十年的工夫，变化太大了。

首先想起的是20世纪50年代的《青春之歌》，那是轰动一时的名著。女主人公林道静对第一个恋人、丈夫，由崇敬、热恋到分手，其原因很单纯，由于政治和道德的观念越来越不相容。这是50年代后期小说创作的一个典型模式，爱情与政治的关系是如此之密切，几乎一切背离了这个模式的小说、电影都要受到责难甚至批判。

自然，这只是模式之一，另一种模式是20世纪50年代早期的爱情与劳动的统一。最著名的是诗人闻捷那轰动一时的《天山牧歌》。小伙子只要有一颗劳动奖章，姑娘就死心塌地爱上他了。对于这一点，诗人郭小川始终是表示怀疑的。他曾经不止一次地对青年们说过，爱情生活没有那么简单。果然，他后来就写了《白雪的赞歌》。在这篇叙事诗中，他写了一个区委书记的妻子在丈夫上前线时，如何克服了自己对一个医生的自发感情。虽然只写了很有限的动摇，但是，由于偏离了当时的政治模式——劳动决定一切，一出来就遭到了批判。

熟悉20世纪50年代和60年代中国文学史的读者大概不会忘记当时最流行的妇女英雄形象，大抵都是一些失去了女性特点的“铁姑娘”和“假小子”之类的人物。

女人首先是政治的人、劳动的人，在这一点上，她们和男人建立了平等的基础。

这种模式的影响，甚至在新时期的文学中也没有立刻消失，“伤痕文学”和“反思文学”不过是从另一个方面重复了50年代的主题。那些当自己的恋人在政治上遭受危难仍然能顶住社会压力不背弃自己感情的人成了英雄，而那些较弱者则成了批评的对象。轰动一时的《天云山传奇》，可以说是这类作品的代表。

把人的审美情感强调到决定一切的程度的作家首推张洁。在她早期的得奖小说《谁生活得更美好》中所提出的人的价值和尊严的准则是人的独立、人的自尊、人的文明、人对自己和他人的尊重。她在后来的《祖母绿》中也写到了由政治运动带来的爱情的悲剧。女主人公由于爱而牺牲了自己的政治前途，经过多年的苦难，却又发现男主人公是一个虚伪的自私者。她只好把无私的爱奉献给自己未婚所生的孩子，然而这个唯一的孩子又死了，于是她的爱就只能寄托在抽象的人类和世界上了。

这是张洁这一代女作家不同于 20 世纪 50 年代女作家之处。然而，她们对悲剧的根源还是从人的社会存在、人的外部环境中去探寻的，只是她们找不到答案。

到了张辛欣这一代就不同了。她们也曾用很大的心力去探索婚姻与爱情变幻的根源。开始，她们甚至把目光在外部环境上扫视了一番，在张抗抗、王安忆作品中很明显都有这种探索的痕迹，但是她们很快把目光转向女性心灵的深处。

当张辛欣没有引起文坛充分重视的时候，她在《我在哪儿错过了你》中就提出，男女主人公相爱不能成功，原因全在于女主人公太男性化了。“上帝把我造成女人，而社会生活要求我像男人一样！我常常宁愿有意隐去女性的特点，为了生存，为了往前闯，不知不觉，我变成了这样！”这是女主人公的自白，然而我们在小说中看到的并不完全是社会逼迫她男性化，而是她的“天性中不肯轻易低头的血性冒上来”，不可控制地拒男主人公于千里之外。这是违反她本人的感情倾向的，她已爱这个男主人公爱到“心里放不下的程度”，但这并没有使她在她所追求的戏剧艺术上对男主人公有丝毫的让步、丝毫的温柔。

从 20 世纪 50 年代到 80 年代，作家的探索恰成鲜明对照，原来是女性以男性化（在政治化、劳动化的基础上）发出光辉，而到了 80 年代男性化的女性却陷入了四顾茫然的失落感之中：“我们彼此相隔的，不是重重山水，不是大海大洋，只是我自己！”

在解除了社会的强制性以后，爱情仍然有悲剧，有情人之间仍然不是都能永恒地和谐。这是因为人性本身就存在着隔膜的根源。

如果把这一点当作一种规律，我们如何去分析林黛玉和贾宝玉、安娜和卡列宁之间的是非呢？除了社会性的成分，在他们的本性之间就没有不能相容的东西吗？设想：即使林黛玉和贾宝玉结了婚，他们一定就能和谐吗？答案不是那么简单。

从小说《伏羲，伏羲》到电影《菊豆》

刘恒的《伏羲，伏羲》最初出现的时候，在圈子内曾经引起过激赏；后来被张艺谋看中，由刘恒自己改编成《菊豆》，一炮打响。刘恒名声大噪，引出了许多对《菊豆》的评论，但是很少有评论《伏羲，伏羲》的。我想，这是一种不公。剧本，剧本，一剧之本，如果没有刘恒的小说和改编本，哪里会有张艺谋的电影？但是，反过来说，如果没有张艺谋出色的导演，也不可能有《菊豆》那种在电影观众中引起的巨大轰动。

倒是刘恒自己说得心平气和，电影主要是导演和演员的天下，编剧不过是提供了一种规定情景。

为了印证这一事，我特地去细读了《伏羲，伏羲》。第一印象就是电影中给人那强烈震撼的染坊的背景，在小说中是没有的。小说中的杨金山并非染坊主，而是一个农民。为了电影画面的视觉效果，电影中的许多惊心动魄的场面被放置在那粗笨的手工业漂染晾干用的立体空间之中，这不但便于产生特殊音响效果，而且便于构成一种特殊的历史文化气氛。

也许有些严厉的批评家要怀疑：这样大规模地展示手工业作坊的粗笨劳动，完全是为了满足西方观众追求异国情调的口味。也许这样的苛求不无根据，但是如果取消了那高高挂起几乎占满画面的布匹和隆隆作声的辘轳，特别是那最后淹死了杨金山的漂染池，那影片不知要逊色多少。

我得到的第二个印象是电影基本上排除了小说中的政治历史背景。原著的故事情节发生在 1944 年到 1964 年这 20 年之间，这期间的土地改革、划分阶级成分、互助合作以及“四清”都在情节的进展中留下了痕迹，尤其是土地改革、划分阶级成分成了相当重要的环节。杨金山由于用 20 亩地换来了王菊豆，自己变成了上中农，而王菊豆的父亲，由于多了 20 亩地成了地主。这种近乎黑色幽默的叙述，在小说中很有风格；而在电影中，刘恒显然服从张艺谋的追求，把重点放在人性本身，尤其是性本能与传统文化的冲突上，完全删去了政治背景。

我觉得，这样改得好。一来，原著中政治历史背景本来就很淡。和伤痕文学、反思文学等不同，刘恒最关心的不是由于外部政治背景所引起的悲剧和喜剧，而是更普遍地存在于人类心灵和人类文化之间的那种冲突。本来已经淡化了的政治背景，到了电影中，很轻松地取消了，好像割了一段盲肠。

可以设想，如果稍稍控制不住那些大起大落的政治运动可能产生的表面戏剧性的诱惑，同样的题材将会产生多少类似《芙蓉镇》式的构思；可那样一来刘恒就不是刘恒，张艺谋也就不是张艺谋了。

我得到的第三个印象是，电影比小说更加戏剧化了。在小说中，杨金山是在中了风以后几年平静地带着复杂的笑容死去的，而在电影中杨金山的死却变成了一场重场戏——他死在漂染池中。

在电影中，杨金山谋害菊豆的孩子不成，转而在情感上争取孩子的爱，以离间他和他生父生母的关系，而在小说中，小孩仇恨自己生父生母的暧昧关系是没有这个原因的。

有些评论家尤其是受西方趣味熏陶过甚的评论家，可能觉得这样的情节是因果十足的庸俗趣味，然而我却绝不这样看。

也许孤立起来看，小孩子几乎是无缘无故地敌视自己认可的父亲之外的另一个可能的父亲，比之由于受了外来影响而仇视更自然。这里可能有更深刻的文化积淀，某一些精于心理分析的理论家还可能得出弗洛伊德式的恋母情结在起作用。

然而这场戏的重要性不仅在这场戏本身，还在于这场戏以外。在同样的场景中，孩子把自己的生父——正在垂危之中，而他的母亲希望他得救——从地窖背来扔到染池之中。

这两场戏的交叠，使《菊豆》的悲剧主题和视光表现力大大地升华了。

如果再考虑一下，在小说中杨金山是不堪忍受儿子的敌视而坐在水缸中自杀的，这就更加容易看出刘恒和张艺谋的用心良苦了。

至于那些丧礼的仪式场面（在西方观众眼中那倒真是异国情调），如果没有这样的人类的爱与恨的宏伟结构支撑，那倒真可能成为纯粹的小噱头了。

喜剧给人物处处遇到好人的权利

中国当代喜剧美学准则存在着双重混乱。

第一重混乱是喜剧准则为正剧准则所淹没。许多作家、观众和评论家都为某种自发的正剧优势所惑，实际上以正剧准则去评价喜剧作品，而对其中的喜剧美学成分不是茫然不解，就是死守正剧的框架，对喜剧作品横加非议。最明显的莫过于对《秋菊打官司》的幼稚批评了。有一种议论认为《秋菊打官司》是不真实的，至少是不深刻的，原因是秋菊所遇到的官员都是好人，包括那个欺侮人的村长，本质上都是善良的好人，没有丝毫贪枉的意念。这种批评代表了一种思维模式、一种思想方法，那就是把现实与艺术的统一性作为最高准则。用这种寻求统一性的思想方法分析一般艺术是片面的，因为艺术与现实除了一致性以外还有矛盾性。正确的批评方法、思维模式，至少应该把艺术与生活的统一性与矛盾结合起来。艺术自然不能歪曲现实，但也不能等同于现实。艺术的生命不仅来自真实性，而且来自假定性，而假定性又因艺术形式和亚形式的不同而不同。艺术家既有权假定让秋菊到处碰到坏人，也有权假定让秋菊到处碰到好人。

秋菊之所以到处碰到好人，并不完全由现实决定，甚至也不完全由作家的主观情感决定。这里还有一个因素，那就是抒情喜剧的形式规范。抒情喜剧是特殊的逻辑，这种逻辑比之正剧对于现实的实用逻辑和科学的理性逻辑有更大的超越性。喜剧情节有导致荒谬、走向反常的特点。不如此，不足以把观众的心灵带入假定境界。不发挥将谬就谬的逻辑，不超越逻辑的同一律，不从形式逻辑的同一律中解放出来，就不可能造成逻辑错位的异常效果，也就不可能把观众从现实的严峻环境中解放出来，从而也就不可能在预期失落的过程中有所顿悟，然后心领神会地笑起来，而要做到对现实逻辑的超越，也就不能不将人事关系简化，环境的细节概括化，尤其是情节逻辑单纯化。喜剧作家既可以像果戈理在《钦差大臣》中那样，将人物关系简化为毫无例外的相互欺骗，也可以像马克·吐温在《百万英镑》中那样让人物遇上一连串的幸运。

对于抒情喜剧逻辑来说，情节因果越是单线化，越是容易达到超越现实的单因直进的层层放大的怪诞效果。拘于现实的多因多果的互相制约、互相交错的繁杂关系，则必然导致正剧效果的递增，从而也就导致喜剧的怪诞效果的递减。

对于喜剧逻辑的单因怪诞连锁递进的特殊规律也许并不是每一个喜剧作家、评论家都无所知觉，但是即使有所知觉也往往停留在经验层次，评论家常常不是自动缴械就是随波逐流，甚至降低自己的水平，讨好低水平的观众。

当代剧作家、评论家和观众对喜剧美学准则的盲目性互相影响，互相推波助澜，造成了一种恶性循环，使得中国当代喜剧美学完全处于以自发性为特点的幼稚状态。

这种低水平状态和广大观众对于喜剧的强烈渴求形成了反差，以致观众饥不择食、食而不化，喜剧小品作家、演员则盲动冒进，劳而无功。之所以会劳而无功，原因就在于他们辛辛苦苦投入了很大的创造热情，但是他们完全没有意识到闹剧小品的狭隘特性，根本无法适应内容比较严肃的轻喜剧故事片和电视连续剧。这正是中国当代美学准则又一重混乱，其特点是闹剧与轻喜剧的混淆。

当一些闹剧小品演员去演电视轻喜剧时，实在令人有惨不忍睹之感，尤其是某些在闹剧中很容易产生交流效果的插科打诨到了比较现实的轻喜剧中就变得夹生、格格不入，令观众木然、惶然，甚至是哭笑不得。可是面对这样的失误，正统派理论家责备演员深入生活不够，解放派理论家又谴责他们趣味不够先锋，其实，都是隔靴搔痒，要害是举国上下对喜剧的各种形式之间的美学准则缺乏必要的尊重。

年表背后的奥秘

我曾在几年前为文，说先师王瑶先生教导我们读注解有时比读本文更重要，因为凡要注解的地方一般都是要查核原始资料，或者就是关节所在。前些日子，我又为文谈过，读作家选集或全集、评传背后的附录和年表的重要性。读诚实的年表，花不了多少时间，可往往比读那空话连篇的“评传”更能感受已经过去了的历史文化气息。

但是读年表也容易上当，因为年表中往往有些空白，只有知情者才知是空白，一般读者是视而不见的。举一个近在手边的例子。香港三联书店出版的《中国现代作家选集·黎烈文卷》的年表，其中 1940 年记载黎烈文到了福建永安主持改进出版社，4 月出版《现代文艺》，在 4 月与 5 月之间有单独而含混的一行——“夏，许粤华来闽”，而到了 1941 年 2 月就“与许粤华结婚”了。这是 1933 年他的发妻因产褥热病故以后唯一的一次婚姻。黎烈文一向倾向革命，在主办上海《申报·自由谈》时，大量发表鲁迅、茅盾、瞿秋白等左翼作家的作品，引起国民党当局不满，被迫离职；1940 年又掩护过中共中央东南局文委书记邵荃麟夫妇。有这样一段光荣历史的黎烈文，1949 年春节还曾辞去台湾大学西洋文学教席回沪，其时淮海战役结束，再过两三个月解放大军就要渡江，奇怪的是他竟没有留在沪上等待解放，反而又回了台湾。年表可以对此不作交代，但读年表的我却不能不陷入了深思。我想这有两种可能：第一，他毕竟只是倾向于革命，当革命真正到来之时，他并没有决心投入。这点似不符合当时的历史潮流。那时连远在海外且未与革命有过深切关系的老舍、冰心都先后投奔革命了，何况黎烈文有一笔为鲁迅提供阵地的老本！第二种可能是另有某种难言之隐。

正好是暑假，没有理由满足于“不求甚解”。

请教一个通人（该先生要求隐其名，并且在细节和某些环节上含糊其辞）才知道，正是因为他与许粤华的婚姻，他不便在大陆居住了。

许粤华女士原系上海文坛上一位颇为活跃的作家之妻，这位作家与鲁迅过从甚密，就是徐懋庸在致鲁迅那封著名而又很唐突的信中所提到的“胡风之诈，黄源之谄”的黄源。这位革命作家去了新四军解放区，妻子便到了福建大后方。1941 年 1 月 6 日皖南事变发生，据传黄源殉难，47 天以后许与黎宣告结婚。但后来又获知黄源不但没有死，而且成了新四军文化机构的一位领导干部（1949 年以后黄源还成了浙江省文联的主席），这就使黎烈文（作为黄源的朋友）不能不远避他乡了。

读年表时若有时间钻一下牛角尖是很有味道的。读三联书店同一丛书的《鲁迅卷》后的年表：1923 年鲁迅与周作人的太太羽太信子发生冲突，周作人于四天后给鲁迅一条子宣布绝交，说，昨天才知“过去的事”，“以后请不要到后院子里来”。许多当事人对此都含糊其辞，究竟羽太信子与鲁迅发生了什么性质的冲突，至今还没有可靠的材料来填补这年表上的空白。

读书和读注解的关系

许多年轻学子读书，尤其是读学术书或论文时懒得去读注解，我觉得是很可惜的。

我年轻时，在北大中文系当学生也是这样，后来听王瑶教授关于李白的报告，就改变了这种坏习惯。

王先生的报告还说了些什么几乎全部忘光了，唯一铭记至今的是，他说：他读书，尤其是读学术论文首先看注解，因为注解都是关键，不是对论争要害的详细说明、补充、辨析，就是对所根据的材料考证或交代，许多尖端的学术问题都在其中。

他举李白为例说，李白的有关材料就是那么多。《新唐书》的传、范传正的《墓志铭》以及《唐诗纪事》等，这些材料都不难找到，有一本王琦注的《李太白文集》就足够了。如果有新材料超出通常的论文以外，那必然有注解，说明材料的来源，那就是这篇文章的关键所在，应该先看这段材料，至于其他部分都在你知识结构之中，可以不看。有时没有新材料，但有对旧材料的新解读或者改订，也必须注意，这也值得细读，可以增补你的知识结构。

如果一篇论文没有什么新材料，也没有对旧材料的新解读，在王先生看来，也就是没有什么新注解，这类文章就不一定值得细读了。所以，他建议未读文章，可先读读注解，如果注解没有东西，就可以放一放。

王先生的教导使我受用无穷，尤其在当今信息空前大爆炸的年代。那么多学术著作，一个人的精力实在有限，总得选择，而王先生提供的这个选择标准是一种高水平的学术标准。

看一个人的学术水平，除理论建构的能力以外，主要是知识结构和背景。一般地说知识结构和背景以及气度在文章的注解中可以一目了然，这可以说是一种最简单的探测学者智能结构的方法。

这种方法不但使我省去了许多宝贵的时间，而且使我轻松地得到许多经过别人淘洗过的材料。有时这种材料在我读的文章中并不太重要，故被安置在注解中，然而换一个角度就有不同的意义。

记得几年前，读一本《海明威研究》，全部是外国报刊上的论文，共有二三百页。现在回忆，大部分都淡忘了，但其中一个注解却仍留在我的记忆中。那是一则报刊通讯，说的是海明威《老人与海》的原始素材之所本。一个渔民出海打鱼数日未归，后来被警察在海上找到了，他正在船上痛哭，原因是他钓的鱼给鲨鱼吃了。

这个故事与《老人与海》中的那个失败了的硬汉子恰成对比，圣地亚哥 80 多天没打到鱼，偶尔打到一条又被鲨鱼咬得只剩下一副骨头。但老人不但没有哭，反而进入他自己的小屋以后平静地睡着了，而且还梦见了非洲的狮子。

由于这条材料的启示，我才更加深入地理解了海明威，读书读到发现先师教导的法门行之有效，实乃一大幸福。

这次在美国读一位女权主义学者对萧红《生死场》的评论，甚觉新异，尤其是文中提出萧红在本质上不但是一个国家民族主义者，而且是一个不自觉的女权主义者。在她的作品中，对帝国主义的反抗和对男权主义的反抗比对抗日民族解放的要求更强烈、更突出，也更艺术地得到充分的表现。

这种见解使我惊异，也使我狐疑，但当看到文中一个注解时，我的狐疑就开始消释了。

那个注解说，在 20 世纪 30 年代，女性作家与国家民族主义、夫权主义的矛盾并非个别现象，英国女作家伍尔芙也经历了相似的矛盾情感。她丈夫是个犹太人，被列入纳粹德国的通缉名单，但是伍尔芙并没有自动把作品当作英国民族主义的鼓吹手段。伍尔芙表示英国妇女在绝大多数历史时期都被视为奴隶，无论过去或现在，妇女没有必要感谢英国。至于民族斗争往往是男性的光荣。如果男性为保卫英国而战斗，伍尔芙怀疑是否也包括保卫英国妇女的全部意义在内。

看了这样的注解，我不但看清了中国女权主义批评的价值观的要害，而且找到了她们的源头。到这时候，老实说，我就有权利、有本钱对她们作比较到家的解剖，并且作出一些解构了。

谈读书的三种姿势

读书的姿势大致有三种。第一种是躺着读，这是陶渊明所标榜的好读书不求甚解，但是他自己并不一定实行的办法；而大多数文学爱好者就是这样读的，其特点是没有固定的目的，真所谓博览群书。这种读书姿势联系着一种态度，那就是读着玩的，读得顺就读下去，读不顺干脆就睡着了也无所谓。这种读法是一种休息、消遣，也许还是一种享受。日积月累自然也可以增长知识，丰富精神生活，领悟人生的意义。但是，除非是天赋特别好的个别人，一般人要想迅速有效地提高自己某一方面的水平，是不可能这样轻松地达到目的的。

要真正提高自己的水平，就得采取另一种姿势，就是要坐着读。古人讲的“正襟危坐”，不但是一种姿势，而且是一种心境、态度，一种目的。那就是求知的态度。通常我们说求学问，为什么要说“求”呢，那是意味着追求。要追求就得十分认真、严肃，注意力非常集中，和躺着相比，这里有强制自己心无旁骛的意味。这是最基本的一种读书方法。不管大中小学的学生都不约而同地采取了这种方法。

这种方法的要领是对于书中的每一句乃至每一个字，都一丝不苟反复钻研，甚至背诵。上下左右联系，前后贯通思考，力求全面、准确掌握。正襟危坐的姿势表现出一种精神，那就是钻研，不满足停留在表面上。一般说文字的表面是很完整的，甚至给你一种天衣无缝的感觉。如果你没有刻苦钻研的精神，即使坐着，也可能是小和尚念经，有口无心。坐着读的关键是开放心灵，让它像海绵一样吸收书中全盘的精义。古人说的虚怀若谷，大致可以形容这种心灵状态。

这种读书的方法虽然很好，但还不是最好，因为坐着钻研，全盘吸收，就意味着你承认所读的书本是绝对正确的，不包括任何错误的，但是这样囊括绝对真理的书是绝无仅有的。一般地说任何作品都免不了有某种历史和个人的局限。毛泽东说过，世界上只有两种人不再犯错误，一种是已经死了的人，一种是还没有生出来的人。对于书，也可以这样说。坐着钻研的时候，也有一个缺点，那就是你的思路是被动的。读书是为了认识世界和人生，主要靠你自己在生活实践中去体验，书本只是一种向导和坐标。因而你要主动地用你自己的体验和智慧去检验它，或者用马克思的术语说，“批判”它。这时候，你就用不着虚怀若谷了，你也不用把书上的每一句话都当作天条，在追求真理的时候，任何的自卑感都是多余的。

这时，你得改变一下读书的姿态，当然绝对不能躺着读，也不能满足于坐着读，你得站起来，把书上的东西用实际情况去检验，去分析，用你自己的头脑去批判。当你发现书中所说哪怕是有一点与实际不符时，你就要揪住不放，因为这就意味着你的认识有了提高，你已经发现了问题，而发现问题往往是分析问题、解决问题的第一步。这就是说在这一点上，你已经比书本的作者稍稍高明了一点。这时你当然还要反复思考，但是千万千万不要轻易放弃，不要有任何的谦虚，这时候用得上孔夫子一句话，叫作当仁不让。这是一个机遇，你和权威平等了，你在真理面前站起来了。也许你当时还意识不到，但是当你日后回想起来的时候你会感到幸福的，甚至你的脸上会出现无声的微笑。

以读《荷塘月色》为例。粗粗地读，可以躺着，觉得朱自清的语言极美。有些人会喜欢他那一连串的排比句，留下了好印象。如果进一步钻研，就不能躺着，得坐起来，仔细玩味全文。反复读几遍，你就会觉得并不是每一句、每一段都同样的好，而是有些段较好，有些段就不那么好。如文章快结束时，有没有必要引用梁元帝《采莲赋》中那么长一段质量并不见佳的赋体骈文呢？当然最好的是那把荷叶和荷花的香气用声音来形容的句子，淡淡的香味像远处高楼上渺茫的歌声似的。还有在月光下，将光和影的效果用小提琴的名曲来开窍的句子。懂得一点文艺理论的人会想起钱锺书先生所阐释的“通感”。至于一个人在月光下，享受那“独处的妙处”，是不是也同样的好呢？这时光是坐着，就不够了，你得站起来。余光中说这一段把话说得这么白，是败笔，中学的水平！你同意不同意呢？我是不同意的。我觉得整篇文章就这一段最深刻、最漂亮。在当时的散文中还没有一个作家把孤独写成是一种自由，一种白天里群居时不可能有的自由？经过仔细的思考以后，你坚定地相信余光中不一定对，而比起那一段引文来说这一段独创性要强得多了。

这时，你就站起来了。

夏志清的《中国古典小说导论》

在傲慢的关公头上安排一双诸葛亮的眼睛

夏志清教授研究中国现代小说史的著作，早在七八年前就有友人从香港为我购得一本台湾的中译本，当时只读了几页，深感自己与书中许多价值观念之歧异。夏教授远在美国，政治、宗教、文化背景与我国相去甚远，因而其中诸多论述，读来甚多隔膜。别的不说，光他在书中给张爱玲的篇幅等于乃至超过鲁迅，就使我大惑不解，以致在当时觉得夏先生虽然是华人，似乎对中国的国情乃至中国文坛的实际情况所知并不真切，其中也许有某种政治、哲学、宗教上的偏见。虽然如此，夏教授的学问仍然使我惊叹。几次想继续读完那本皇皇巨著，都因没有充分的连续性的时间而未果。后来被一位青年学者借去，公然声明爱之过甚不再还我了。我也因无望于集中时间阅读，便含糊地一笑，就算是默许。事隔七八年，突然在书店看到夏先生的《中国古典小说导论》已由安徽文艺出版社约人翻译出版了，喜不自胜。买了一本归来集中精力细读一遍，这次的印象与上次竟大不相同。

也许在古典文学领域中，夏先生的论述和我们心理准备状态，在政治上没有太大的区别，因而即使有不同的哲学文化背景，仍然不难找到共同的思路。限于本文的篇幅，我这里只以夏先生在分析《三国演义》时所举关公一例来说明我的心灵所受到的启发和享受到的喜悦。

在我印象中，自20世纪50年代以来古典文学研究就产生了一种共同的倾向，那就是把研究当成一种挑选，即从作品中挑选堪称精华的东西，或者是用各种方法说成精华的东西，当然这是50年代中华民族的自尊心大为高涨的结果，但这种先验的目的往往变成浮而浅的武断。几乎所有的研究者都在称道《三国演义》，特别是其中关公的形象，但是很少有人诚实地向读者表述过理论上的困惑。

在五四时期，中国新文学的先驱者，包括胡适、茅盾、郑振铎都曾对中国古典小说有过鄙薄的论断。夏志清对《三国演义》是推崇的，但是他在分析关公时首先就引用了胡适认为《三国演义》最后的定稿者“都是平凡的陋儒，不是有天才的文学家……他们想写一个神武的关羽，然而关羽却成了一个骄傲无谋的武夫”。胡适认为关羽是一个失败的、不统一的形象，而夏志清先生则认为关羽是罗贯中笔下一个悲剧性人物，是一个为傲慢自大这一毛病所苦的英雄。如果没有他的头脑简单不顾大局，这个英雄的形象就不会使人难受。作者的高明之处在于把民间传说中神武的英雄和历史上破坏吴蜀统一战线的失败将军结合了起来。特别精彩的是夏先生以精细的目光指出罗贯中一方面在关羽周围安排了那么多敬畏者的目光，一方面又特意安排了“一位不动情的观察者——诸葛亮；正是这一点，引起了我们对关羽理解上的不同”。接着夏先生细致地分析了诸葛亮在把荆州交付给关羽时的有保留的态度以及关羽死后他对刘备所说的“关公平日刚而自矜，故今日有此祸”，并特别指出这是出自不同于民间传说的史家陈寿。夏先生还特别提到关公闻知新投奔刘备的马超被封为“平西将军”后，居然正式给刘备带信表示自己不服气，要丢下荆州的军务去四川与马超比武。这时诸葛亮写了一封信给关羽，说是马超只配与张飞“并驱争先”，根本不可能像关羽那样“绝伦超群”，关羽正由于“极度的虚荣才看不出信中明显的奉承”。夏先生在这里精致的艺术感觉不但超过了胡适，而且超过了五六十年代大陆的许多研究者。其实要说明关羽形象的悲剧构思，最好的例子是华容道放走了曹操，在这以前诸葛亮已经警告过他。夏志清先生也许是故意回避这样的例子，原因是鲁迅在《中国小说史略》中已经举过了。在这点上夏志清和鲁迅是相当一致的。

道德说教和欲望的放纵

夏志清先生的这本书，其实是一本地地道道的比较文化、比较小说著作，虽然没有挂比较文学的牌，可是在比较的深入和独到方面，大大超过了大陆近年某些挂着比较文学招牌的论文或专著。夏先生这种写法大体属于平行比较范畴，亦即不管历史上是否发生过具体影响，任意取其一隅加以比较。唯其任意，容易浮泛，加之是一隅，往往并不能反三，结果是这几年的比较常常是孤立的比较。这是由于比较文学中的平行比较学派，已经泛化为一种方法，而作为方法，比较的特点是集中在所关注的那一点上，因而其最大的缺点是陷于片面，乃至随意。只有那些对比较方法、平行研究的缺点和局限怀有高度警惕的人，才能使平行比较带上某种系统性，这就有学术的严肃性了，但这种系统对作者的要求有点非同小可。老实说，今天大陆上研究比较文学者对于中西文化（包括文学）有夏志清先生这样系统修养的，实不多见，故比较文学在兴旺了几年之后，热心提倡者乐黛云教授，近来居然提出比较文学是否已完成了它的历史使命的问题。

与其说夏先生是在刻意运用一种比较的方法来研究中国小说，不如说他是以一种西方的文化哲学与文学观念来重新系统地审视中国古典小说，这就与我们所习惯的那一套思路与观念大相径庭了。

他并没有把精华与糟粕之分当成研究的首要之义，他从西方化崇尚生命的观念出发，对生命的一切体验都加以客观的分析，因而就不像国内许多古典文学研究者那样过分孤立地重视人与社会的矛盾，而对人的生命本身却无端地忽视了。从这个意义上说，夏先生似乎是更全面的：既重视人的社会属性，又关注人的生命体验，他常从对生命的神秘性的探求的观念来解释中国古典小说。他认为中国古典小说虽然浸透着儒家的道德观念，甚至佛教和道教的思想都被儒家同化了，但是中国英雄并没有像维多利亚时代小说那样虚假的正经，更没有一部像《天路历程》那样纯粹的宗教小说。由于他并没有把中国古典小说（具体说来在“三言”和《金瓶梅》中）那种肉欲的渲染当偶然的例外加以剔除，他就看到了中国古典小说中所表现出来的那种奇妙的心态：一方面是道德说教占据崇高的地位，一方面又放任生命欲望的横流。在他看来，中国古代说书人“完全接受壮丽与丑恶兼容的人生”，在实现自我和毁灭自我之间，渗透着“同情与恐怖”。“在中国，如在世界各地，小说家别无选择，只有把文明人进退两难的窘境记载下来：他们既想纵容自己的七情六欲，同时又想建立一个比较合理的社会秩序，不是在爱情、权力和名誉等永久的幻觉中寻找他的命运，就是把希望寄托在‘天’或‘道’的可能虚幻的永恒中。”读者如果理解了这些，就不难理解他的许多新颖独到的发现了。例如，他认为《水浒传》的作者仇视妇女，凡犯有通奸罪的妇女，都遭到极其野蛮的摧毁，非人道的杀戮；而《水浒传》中男性英雄大体都在性生活方面是禁欲主义者，少数在性方面缺乏克制的造反者，照例是遭到鄙视和嘲笑的。但是正是在这方面禁欲的英雄，在口腹之欲方面却是非常放任的，而且是以放任为夸耀的。夏先生认为在西方古典喜剧作品中和拉伯雷的《高康大与庞大固埃》及亨利・菲尔汀的《汤姆・琼斯》中也有对淫荡的描述，但那是为了与虚伪对立；而在中国，英雄则以大吃大喝作为性禁欲的补偿。

因而在他看来，《水浒传》写得最好的章节和值得一举的不是我们通常熟悉的《林教头风雪山神庙》或者《智取生辰纲》，而是那些因精力极度过剩而闹事的喜剧性场面，而最成功的场面则是充满了喜剧性的花和尚鲁智深在大吃大喝之余，怀里揣着狗腿醉打山门。这个厌恶女色而不顾佛门荤戒的前军官形象，在他看来比拉伯雷的《巨人传》中的约翰修士高大辉煌得多了。

夏先生的这些纯艺术分析自然给我们打开了思考的崭新领域，但是也不可能是尽善尽美到无以复加的。就喜剧性这一范畴（话语）而言，似仍嫌笼统。花和尚大闹五台山固然有喜剧色彩，但归根到底为正剧结构所笼罩。故喜剧性越往后，越是淡化，到黑松林救林冲就变成正剧了。在李逵这个形象中，这种倾向也有突出的表现，不过由于把李逵安排在宋江容忍的目光中，喜剧性更强。在矮脚虎王英这个形象中，喜剧变成了漫画，而且也只是昙花一现。从中可以看出在中国古典小说中，喜剧性总是被正剧性所窒息，因而不可能产生像《唐・吉诃德》那样完整的喜剧性格局。

张爱玲《倾城之恋》：奇迹似的大团圆

在现代中国文学史上，张爱玲的存在是一个很奇怪的现象。一方面20世纪80年代中期以前在我国内地出版的现代文学史上，她毫无地位，连名字也找不到；而另一方面在美国和中国台湾出版的现代文学史上她占有的篇幅却是那么多，得到的评价又是那么高。

这种评价不完全是可以用意识形态来解释的，因为自从20世纪80年代以来，张爱玲的作品在我国内地最权威的文学评论刊物上，也得到了相当肯定的评价。

我想，这是张爱玲的艺术的胜利，不管你怎么不喜欢张爱玲的某些观点，甚至不喜欢那些在恋爱中、在家庭关系中残酷地互相折磨的人物，你不能不承认，在艺术上她创造了一种风格，达到了一种境界，至今还没有人能够进入。

这是我最近读她的《倾城之恋》的一个强烈的印象。

本来，我以为《倾城之恋》的“倾城”是“倾国倾城”之意，读完以后发现不对。作者对女主人公的描写丝毫没有“倾国倾城”的意思。从夏志清先生的《中国现代小说史》来看，夏先生把“倾城”译为“fallen city”，是比较符合作者的立意的。张爱玲在小说即将结束时，把这层意思说得很明白：“他不过是一个自私的男子，她不过是一个自私的女人。在这兵荒马乱的年代，个人主义者是无处容身的，可是总有地方容得下一对平凡的夫妻。”

本来，他们这一对，互相爱着，但是互相不信任：女的怕男人玩够了，一走了事；男人虽向来用心不专，但对这个女人却是真的爱到了十分君子的程度。真正的爱情却因社会地位变成了毒辣的游戏。

这样的爱情，在中国现代文学史上是最少见的。我们在以冷峻著称的鲁迅的《伤逝》中看到，涓生与子君的爱情最后蜕化了，崩溃了，是由于社会的围困和主人公的软弱；我们在老舍的笔下看到虎妞的爱情的毁灭，是由于她和祥子的个性冲突和自然的灾祸；我们在曹禺的《雷雨》中看到爱情的悲剧，则源于社会的矛盾和血缘关系的纠纷；而我们在巴金的作品中看到的鸣凤的死亡，则是由于封建家族制度的荒谬和野蛮。

好像有一条不成文的规律，现代文学史上动人的爱情都以悲剧为结局，不是女主人公的死亡就是男女主人公的心灵分裂，而这些都出自对于中国社会和前途充满热烈的信念和乐观的预期的作家之手。

然而，张爱玲却是比以上任何作家都要悲观的作家，不但对于社会，而且对于人生，乃至对于爱情。她在《金锁记》中所描写的那种鬼气森森的环境和被金钱、物欲所扭曲的爱情，以及被毒化了的母女感情，读来实在令人毛骨悚然。

张爱玲的艺术描写确实令人震惊，你不能不赞叹她，不能不欣赏她；但是，你却不可能把她的才能列入大师一类，因为她太不善良了，太刻毒了。

也许她有点像陀思妥耶夫斯基那样，在描写人的刻毒方面，在揭露金钱使人禽兽化方面可以称得上是大家吧。但是大家总有善良的一面，总有一种睿智引导她去看到没有被人性中丑恶的一面完全迷住，她有时也为丑恶的人性中善良的光辉而喜悦，当然，这在她那里是很难得的。

《倾城之恋》中这两位主角，本来有点逢场作戏的味道，互相折磨、互相心寒，互相吸引又互相排斥，好像是两只刺猬，不过那些刺都集中在最敏感的神经上，既用来保卫自己的自尊，又用来损害对方的热情。张爱玲十分欣赏这两个主人公，尤其是女主人公，但是张爱玲不得不承认，她和他同样是个人主义者。

唯一使他们的感情游戏变为严肃的爱情的机遇却是香港的战火，日寇进占香港，城倾了，环境的变化，使他们内心深处的感情自由地、自然地舒展起来。

一个悲观的作家却写了一个乐观的爱情结局，而且写得并不比那些早已闻名于世的爱情悲剧差，这也许可以说是张爱玲所创造的一个奇迹。

《西厢记》表现女性有什么突破

一个忠于艺术的朋友在办公室里打电话来告诉我，她对于《西厢记》和对于《红楼梦》同样喜欢，但又觉得所欣赏到的大有不同。她让我帮助分析一下，她所欣赏的究竟有什么不同。我说，这是一篇大学术论文的题目，我只能简而言之。对于艺术的欣赏，根据我对艺术美的结构分析，不应该单从客观反映，亦不应光从客观、主观统一去考察，而应该从客观对象、作家个性和艺术形式的三维立体结构去分析。许多人都喜欢引用古希腊一神庙前之铭文“认识你自己”来解释艺术，这比光从认识社会角度去评价好些。艺术的认识对象是人，通过人去认识社会，但是这个道理并不准确。人很复杂，可从多方面去认识：从生理方面去看伦理学，而着重从情感方面去认识则主要是文学的任务。

《西厢记》之不朽，就在于它对女性的情爱的探索有了历史突破。

小说和戏剧的产生晚于诗，因而它们在探索表现人的情感世界时都不由自主地依附于诗（这是因为情感世界太难以认识了），而诗的本性是概括的。把情感效果强化、浪漫化是中外古典诗歌的共同倾向。白居易的“在天愿作比翼鸟，在地愿为连理枝”，说的是爱情永恒，不受空间限制。苏格兰诗人罗伯特·彭斯的“看见她就爱上她，爱上她就爱到底”，说的是爱情不变，不受时间影响。最初的戏剧和小说就受诗的这种影响，所以唐传奇《离魂记》写一个姑娘只见了小伙子一面，就爱得不要命了，魂就跟小伙子飞了，到长沙去同居、生孩子，十几年不变，直到魂归原体，都没有吵过一次架。这和莎士比亚的《罗密欧与朱丽叶》一样，一见钟情，心心相印，生死不渝。这种爱情的特征是从开始到结局，甚至死亡都不变。所谓“天长地久有时尽，此恨绵绵无绝期”，爱情的痛苦不但比有限的生命，而且比无限的时间还要永恒，这就叫浪漫，也叫诗化。

人是不是真的这样呢？艺术家是不是满足于这样的水平呢？自然不是。诗的法度森严而神圣，把人的想象捆住了，要想突破很难。于是在依附于诗的歌剧（诗剧）中，谁能突破，谁就有历史的贡献。

王实甫在《西厢记》中描写一个年轻的姑娘爱上了一个男孩子，主动约人家跳墙来幽会；但等人家来了，却把人家大骂一顿轰走；人家垂头丧气走了，她又吃不下饭，睡不着觉；虽躲躲闪闪，终于还是主动上门去找人家了。这不但在中国戏剧文学史上是一个伟大的独创，而且在世界文学史上也是一大突破，其复杂的表层意向和深层动机的矛盾，比之莎士比亚的朱丽叶表层与深层统一要丰富多了。

正因为这样，《西厢记》中最好的一出就是“赖简”——女孩子要赖皮。这本来在道德上是错误的、不善的，在王实甫以前甚至以后的戏剧和小说中，爱情常是要美化、诗化、浪漫化的。美好的爱情总是善的，但是王实甫这里所表现出来的却是另一种奇观：是不守信用的，美和善并不一定是那么统一的。如果崔莺莺很善，很守信用，把人家约来了就和人家好上了，那还有什么好看，有什么性格之美的发现和创造呢？王实甫在这一点上真是有点了不起。

当然，他也不是没有败笔，那就是追随董解元，把元稹小说原作《莺莺传》中的张生后来把崔莺莺遗弃了，改成了大团圆的结局，那是一个在当时就滥俗的公式。这说明大艺术家也常常不能抵挡世俗的潮流，挣不脱世俗的实用观念的束缚。

不但作家如此，评论家也是如此。许多中国文学史都称赞话本小说《卖油郎独占花魁》和《杜十娘怒沉百宝箱》，但是如要问，这两篇小说哪一篇更好，许多研究者就觉得突然了。其实，《卖油郎独占花魁》仍然是诗化小说，对人物的理解是很简单的。卖油郎辛辛苦苦积累了一笔钱去妓院，仅仅因为他没有乘花魁酒醉而追求肌体之欢，花魁就永生永世地爱上他了，人物情感完全平面化了；而《杜十娘怒沉百宝箱》则不同，即使杜十娘与李甲相好甚笃，但仍然对他留一手，把百宝箱藏着；等到李甲动摇，把自己出卖了，她就不但不要李甲这个人和百宝箱了，就连自己的命也不要了。

两篇小说对女性的理解，哪一篇更深，读者难道还不清楚吗？

曹雪芹和托尔斯泰对人有什么发现

《西厢记》和《红楼梦》的共同点就在于两者都有对人的情感世界的发现。《西厢记》的发现是女孩子主动约会不算数，把所爱的对象大骂一顿也不算数。《红楼梦》的发现也是沿着这条路子，曹雪芹进一步发现，最相爱的人之间最倾向于互相挑剔、互相猜疑、互相折磨、互相无端争吵，没有道理地歪曲对方的话语，眼泪多于微笑，痛苦多于幸福，但还是爱得连命也不要，这才是一种真正意义上的爱情。在曹雪芹笔下，那种一见就好，大抵是以诉诸肉欲为目的，不是贾瑞、贾琏之类，就是宝玉的书僮茗烟与一小丫环在过道里的苟且。所有这些缺乏情感基础的肉欲，曹雪芹都十分宽容地以喜剧风格处理之。在这一点上，曹雪芹与意大利的薄伽丘在《十日谈》中的风格有异曲同工之妙。薄伽丘对那些克制不住肉欲的少男少女和教士也是以幽默风格调侃的。

欣赏《红楼梦》，不能孤立地去苦思冥想，应该广开思路。抓住一条线索，将上下古今经典中的同类的，进而是异类的线索加以比较，没有把某条线索抽出来的魄力，就没法比较。布和萝卜怎么能比较呢？它们都有纤维质，只要把这个拿出来，就可以比出好多东西来了。自然，在薄伽丘笔下也有惊人的刚烈的女性。国王的女儿和国王的侍卫相爱，哪怕国王把侍卫杀了，她也不变，居然把浸满她情人的血和酒喝下去。对于这样一爱就爱到死的刚烈女子，王实甫写不出，曹雪芹就写得出，他写出了尤三姐爱上了柳湘莲，得不到理解，抹脖子了事。这两个女子都是把爱情看得比生命更重要的。薄伽丘和曹雪芹都用悲剧风格来表现其崇高，同样强调她们的悲剧是外部社会等级和成见逼迫的结果。

不过在写另一类女性时，薄伽丘的喜剧性才华似乎高于曹雪芹，而曹雪芹的悲剧性才华则远胜过薄伽丘。薄伽丘不可能写林黛玉那样回肠荡气，用刻骨的猜疑来自我折磨和摧残的情感悲剧来。在 17 世纪莎士比亚之后，19 世纪西方小说艺术高潮到来之前，没有一个艺术家能洞察到女性这么多心理层次的曲折，以至于毛泽东说《红楼梦》是古代中国开始没落的时代对世界的伟大贡献。当然这种创造性的成就后来又被西欧的一系列文学家超过了。托尔斯泰笔下爱情的幸福追求不仅与痛苦相连，而且与恐怖的紧张相融，最后，安娜为了得到渥伦斯基更多的心灵关注，不是去正面追求，而是以自己的死去“惩罚”他。最有趣的是书中一个次要角色已准备好在林中散步时向一位女士求婚了，但是冥冥中有一种奇怪的力量，使他一再推迟，直到走到某一处树桩时，他忽然莫名其妙地觉得已经失去了最后的机遇了。尽管女士仍然在等待，朋友们也希望着，然而他的感觉却不可逆转，连他自己也不明白这是怎么一回事，其他的人在感到事情不成了以后也都有点莫名其妙。过了很久，这个人物才自己悟出来，原来是自己不能忘却已经失去的爱人。

过去的爱情会潜藏得这么深，深到连自己都意识不到，然而其力量又是那么强，强到连自己意识明确的动机都抵挡不住，这就是托尔斯泰的伟大深邃之处了。在托尔斯泰笔下，人的意识、动机、目的并不是某种单纯的意向，可以决定自己的语言和行动。它是一个多层次的复合结构，那埋得很深的，起初最不强烈的，才是最有决定力量的；而那表面的，看来是最明确的自我选择，往往是假象。以安娜为例，她一见渥伦斯基就要躲开他，后来又不由自主地投入他的怀抱，在怀了他的孩子难产时，她本来已经决意忏悔，让丈夫卡列宁与情夫渥伦斯基和好。这些都是她主动作出的抉择，可是一旦她身体复原了，卡列宁一接触她的手，她就不能忍受了，她就背弃了自己的诺言，这是一种什么样的神奇力量啊！托尔斯泰是个道德至上主义者，他主张道德的自我完善。因而他起初写安娜，觉得这是个邪恶的女人，可是越是写她反反复复，抛弃丈夫、孩子又和情人闹别扭，托尔斯泰越觉得她美，这种美就是人的心灵深处生命的伟大力量的发现和体验。最后，他眼睁睁地让这种生命在它与自身作对的逻辑中走向毁灭。这就是悲剧，这是很庄严的，我们这些后代人每读一次都不能不经历一次灵魂震颤。很可惜，我们许多作者在处理人物时，往往喜欢在托尔斯泰跨过去的低台阶上徘徊一辈子。

美国人眼里的《林家铺子》

我国文学界目前对于茅盾的评价开始纷纭起来，不像过去那样都一致赞扬，一个主要批评意见是：茅盾小说的主题有某种理性化的倾向，用20世纪70年代的话来说，就是有点“主题先行”。这个说法在目前已是一种贬词，意思是相等于政策图解。

这种意见来自一代比较年轻的学者，他们的文学价值观念不但与陈涌那样老一辈的评论家不同，而且与刘再复那样的中年评论家也不同。这也许是黄子平先生所说的“深刻的片面”，片面是片面，可也相当深刻。茅盾自己说过他的作品《子夜》，就是对于30年代中国社会性质大论战的回答。当时以王学文为代表的一方认为中国的社会性质是半封建半殖民地，不能走资本主义道路。茅盾同意这个观点，故在《子夜》中写了个吴荪甫，虽有法国资产阶级那样的魄力与能耐，但在帝国主义和军阀支持的金融资本家的打击下，不能不归于失败。

这个概念自然是比较贫乏的，但形象毕竟大于概念，正等于苹果的形象比苹果的概念要丰富得多一样。吴荪甫的形象在中国现代文学史上是一大创造，可概念的某些局限也不能讳言。因而，在来到美国南俄勒冈大学英语系之前，我对茅盾的艺术评价是有一些保留的。

桑德拉副教授这一回选了《林家铺子》和学生讨论。她所注意的重点和我们很不同，主要是人性和社会的矛盾。当时国家利益与购买日本货有冲突，但那些善良的人，则完全没有自觉的意识。她说，这在各国都是一样的。有些学生联系到当前在美国也有一些人抵制日本汽车，可作用不大，课堂里哄堂大笑起来。

美国人对《林家铺子》感到兴趣的还有家庭关系。林老板的困境，林小姐的苦恼和林太太的简单的爱，都纯朴紧密地联系在一起，互相不理解，但又只相信自己家的人。

我告诉他们，在中国旧式商店中，像寿生那样的店员，并不像美国商店中的职员。中国店员是由学徒出身的，首先是师徒关系，后来才是老板与雇员的关系，在中国传统观念中师徒与父子关系并列，“天地君亲师”的牌子是中国儒家或儒教的无形偶像。

从社会关系来看，他们在面临破产的关头，矛盾就淡化了。师徒关系最后变成了翁婿关系，寿生变成了女婿，实质上是父子关系。这在英语里比汉语更清楚，英语女婿的本来意思是“法律上的儿子”（son-in-law）。

他们对于阶级分析不感兴趣，但对于这些家族、社会、人伦关系的分析则大为惊叹，所以他们认为茅盾这篇小说是个“杰作”。但我认为《林家铺子》写得不够简洁，除了个别场景和人物放到幕后以外，大部分人物和场景都作正面描写，因而显得冗长。

为了启发美国大学生在这方面作些思考，我问他们：“如果同样的故事，让你们的欧·亨利来写，会不会简洁一些？”桑德拉副教授说：“当然，茅盾的描写不够简洁，欧·亨利会机智一些，但欧·亨利肯定不如茅盾深刻。”这个回答出乎我的意料。

我本想再问：如果让契诃夫来写呢？但是已经下课了。我们只好边走边谈，我问她，茅盾的这篇小说放在现代世界短篇小说名著中会是第几流的，她说是第一流的。我自然并不同意她的意见。

我本想告诉她，茅盾自己说过他的许多短篇实际上是压缩了的中篇，但是考虑到我关注的重点是艺术，她考虑的是文化背景，便没有谈下去。

回到办公室以后，我想了很久。中国人和美国人在价值观念上好像不可能完全达到一致，因为美国人太看重异域情调了，把文化传统、文化心理当成一切的一切，这也是有一点偏颇的，但这也许仅仅是一部分美国学者的偏颇。

东西方文化在自杀问题上的较量

近年来由于医学、科学的发展，在内地已经有了植物人存活多年的纪录。周扬就以一个没有人的思维和知觉的病体在医院躺了两三年之久。安乐死的问题已引起了有关学人的关注，各种见解已经开始见诸报端，据说邓颖超女士对安乐死持肯定意见，但是在法律上还没有相应的规定。据传北方一个省份，有一个儿子毅然承担致植物人的父亲于安乐死的责任而被判刑。

安乐死的问题与自杀的问题在范畴上是同一的。本来这在现代西方，文化和思想障碍比之在中国要多。这主要是因为西方世界的基督传统。按基督教义，中世纪欧洲对于自杀者的制裁非常严厉，不但要拖尸示众，财产充公，而且遗体都不能埋葬在教会墓地之中。虽然自培根到 18、19 世纪的启蒙主义者对此宗教陋习进行了抨击，但是作为文化传统的惯性力量至今仍然没有消失，证据之一就是在英国自杀仍然是不光彩的事，必得偷偷摸摸地进行。

虽然如此，长于思辨的欧洲人对于自杀和安乐死却在理论上有了丰富的积累。英国著名历史学家汤因比（1889—1975）与日本佛教团体创价学会会长池田大作（1928—2023）的对话，无异于一场东西方文化在自杀问题上的较量。总的来说，由于欧洲文化在这方面的理论积累相当深厚，所以在一系列关键问题上都占着上风。

汤因比从传统的人道主义立场出发，认为剥夺他人的生命固然是最大罪恶，但是在深思熟虑之后结束自己的生命却是个人的自由。

当然，汤因比对此命题并不满足，他还作了相当具体的分析。第一种情况：如果此人精神失常，就应该去阻止他的自杀，因为，在他的神经冲动过去以后，他是能够渡过难关的。第二种情况：此人精神并未失常，只是对生活失去了希望。在这种情况下，有两种可能：第一，他的失望只是一时的头脑不清醒，这自然要去帮助他清醒，包括阻止他去自杀；

第二，若他在头脑清醒以后仍然希望去死，则不能不满足他的愿望。这就涉及安乐死的问题。

汤因比认为，即使一个正常人，在丧失生活能力之时，或者意识到自己的存活必然成为别人的包袱时，如果他选择了安乐死，那就是他的神圣的自由权利。这在学理上和法理上都没有太大的争议。问题在于，当这个人精神上已经失常，而且痛苦相当严重，不但无法救治，而且无法减轻，在汤因比看来，这时任何结束他生命的踌躇都是怯懦的表现。他甚至想得很具体，说这时应该成立一个专门委员会来作出安乐死的决策。

汤因比的这些意见显然带着西方传统的理性主义和实用主义色彩，自然不能使充满东方温情主义的池田大作信服。池田大作提出，汤因比此说固然有理，“为解除痛苦而助人死亡或自己选择死亡，也是人道主义的一个合乎情理的结论”，但是他又担心这种理论和实践会导致轻视生命的严重后果。特别是一些老人到了只能依赖他人照顾而不能对别人作出贡献的时候，也许就会觉得活着本身就是一种罪恶。

这本是东方人所关心的问题，也是人口逐渐老龄化的西方人所面临的困境。在池田大作看来是个大问题，而在汤因比看来几乎不是个问题，因为从西方人的价值观看来，活着而成为别人（社会）包袱时，和人的尊严是不相容的，特别是独占了优越的医疗条件却实在无效之时。在这种情况下，拒绝其安乐死的要求，也就意味着侵犯了人的最宝贵的权利——人的尊严。

这一点，西方文化背景和东方文化背景是大不相同的，东方文化的敬老、孝道都源于与西方不同的价值观。一个东方老祖母若瘫痪了也不会以自己依仗儿孙的抚养为耻，而一个西方（特别是美国）老祖母如果让自己的儿孙看护而不付给一定的工资，那就可能有丧失尊严的痛苦了。所以读汤因比与池田大作之对话，有时会被他们之间的互相补充的精辟见地所动，有时则常常为他们之间的互相不理解而感到悲哀，但是，一场聋子的对话有时比一场智者的论辩更有启发性。

外国人笔下张洁的身世

许多作家都不太愿意谈自己的私生活，可一些记者们偏偏对作家（尤其是女作家）的私生活特别感兴趣。这就形成了一种对立：一方是全力守卫，一方是竭力进攻。这往往造成许多不愉快。如果这个作家在文学史上不太重要，这种事自然是过眼烟云，不会有人再记得；但如果这个作家有一点重要性，这事便没有了结，甚至直到作家死后，仍然少不得要给翻出来，弄个水落石出。

凡重要一点的作家都不免会碰到这样的事，他总有些不想披露的事，但是作为学术研究又都有弄清的必要。死后去研究当然省了许多麻烦，但也带来许多麻烦，比如说查无对证，众说纷纭，令人莫衷一是。远的如李清照改嫁问题，近的如丁玲究竟在南京有没有自首的问题。日后的研究自然要以生前留下的资料为依据，而这些依据往往并非直接的，年代越久，这些非直接的资料越宝贵，且往往越宝贵的资料越有点渺茫的色彩。

张洁在中国当代文学史上肯定是属于去世后仍然要被研究的对象。她在作品中写了那么多的婚姻与爱情的矛盾，这与她自身的经验有具体关联，是人们私下议论的问题，但是却缺乏准确的材料为据，其原因是她非常强烈地反对在作品以外去寻根究底。她总是那样坚决而谨慎地保护着自身的某些身世的细节，她似乎对那些于此有兴趣的意向都表示嫌恶。

但是，也有例外。

最近我读到爱尔丝·恩特瑞德的《张洁和她的作品》就大感意外，这篇于 1987 年在奥地利维也纳“毛泽东以后的中国文学讨论会”上交流的论文竟包括了连国内文学界也颇为鲜见的张洁的身世的可贵资料。据作者说这是以她与张洁长达数月的少有的私人访谈为基础的。

中国研究者是不可能那样深地接触到那些经历的。张洁坦率地说她母亲在她生出来过百日的时候，就被她父亲遗弃了。这一点国内文坛并非无人知晓，但是张洁的父亲当时在东北军中服务，并且是由于投奔延安才离开张洁母女的，所知的人就相当少了。张洁母亲因此而不得不带着张洁投奔在天津的张氏家族，并在那里当了保姆，直到这个家里的一位小妾与少爷私奔前夕，才告诉她们张洁父亲早就从延安到了香港。张洁母女到达香港并找到他以后，“非常不愉快的是她们发现他和她们已经是一种另外的关系了”，这句话说得很含蓄，很显然他父亲已经与别人结婚了。

张洁的父亲当时是搞统战工作的，生活在进步文化人的圈子当中。萧红、端木蕻良和骆宾基也在这个圈子当中。当时骆宾基正与萧红同住。1941 年珍珠港事件以后，进步文化界人士转移到桂林，张洁的母亲带着 5 岁的女儿也来到桂林。在萧红逝世之后，骆宾基就寄居在张洁家并且由张洁母亲负责照应他的生活起居。张洁至今仍然记得骆宾基坐在自己房间像烟囱一样抽烟，骆宾基对张洁走上文学创作之路自然起了极重要的作用。后来张洁的母亲为了远离战区，就把女儿带到了陕西山区农村，在那里，张洁一直生活到 1954 年。张洁很少说她和她父亲在 1952 年相见的事。那时他父亲已经从香港回到北京，由于晚了一点，不能安排更好的位置，只在人民文学出版社当了总编辑，而在反右派斗争中，受到严厉批判。张洁从他那里得到的仅是“右派分子”女儿的无形负担，以致她不能加入共青团。

张洁在 1964 年与一个歌唱演员结了婚，这位演员把她从河南调到了北京。作为一个离了婚的女人，张洁在精神上所受到的羞辱在张洁后来的作品，特别是在《方舟》中留下了深刻的烙印。

这一切本来是很平常的，思想开放的张洁却仍然对国内文坛讳莫如深，只对外国人倾诉，可见张洁内心对国内文化环境的反感。从这一点出发，我本不该把这些材料翻译成中文，但考虑到日后，张洁逝世以后，少不了有学者要考证，要争辩，我这里提供的一些资料，也许可以免得他们不必要地浪费精力。

历史还梁思成以公正

有一个非常奇怪的现象可能是读者完全忽略了的，那就是中国的建筑学远远不及文艺学发达。新中国成立以来文坛上涌现了一批又一批，一代又一代的文艺学家，他们的名字，他们的主要见解至少在青年学生中是熟知的。但是建筑学家就没有这种幸运了，就连最具权威的梁思成先生，有几个青年知道他是中华人民共和国国徽的设计者呢？一个青年作家挨了什么批，得了什么奖，新闻媒介马上就热烈地反应起来了。可有谁知道梁思成 50 年代中期为什么挨了批呢？“文化大革命”以后出世的青年人，当他们走进北京仿古的琉璃厂、大观园和天津的食品街，他们是否意识到这种搬用古代建筑形式是由于缺乏建筑理论而造成的混乱而又空虚的表现呢？“文革”以后，中国内地兴建了那么多的大楼，大多数是直接模仿香港或者说是间接模仿西方的。连杭州、绍兴那样本来很有特色的江南水乡也造起了许多全国千篇一律的并不真洋气的洋楼，那些号称对外开放、竭力吸引境外旅游者的城市难道就用这样一点没有中国文化传统的东西给人家看吗？

照搬古代的琉璃瓦、大屋顶和照搬玻璃马赛克成了中国当前城市的通病。中国建筑理论的贫乏和不普及形成恶性循环，更可怕的是这是一种舒舒服服的恶性循环。大家眼睁睁花了那么多钱造出了一些既缺乏现代意识又缺乏传统文化的建筑，还觉得挺得意的。

就在这个时候（1988 年），中国建筑学界的泰斗梁思成和他所领导的集体获得了国家自然科学奖一等奖，《梁思成文集》获得了全国优秀技术图书一等奖，可谓双喜临门，中国向来不受重视的建筑学总算借梁先生之名被推到学术界头等重要的地位上了。但是令人感喟的是社会上的反响还不及毛阿敏在南斯拉夫一个没有什么地位的国际通俗歌曲赛事中获得了一个三等奖那样轰动。何况这时，距梁先生逝世已经十余年矣，而梁先生生前则一直是背着“资产阶级唯心主义”“形式主义”“复古主义”的恶名的。

编入文集第三册的《中国建筑史》（1943 年）和《中国雕塑史》（1930 年）堪称中国建

筑和雕塑的经典之作。先生生前奔波中国 15 省，对 2000 多项古建筑进行了实地调查、测绘和记录，其细致精绝令人惊叹。

本来，说句老实话，中国的建筑理论遗产就不及西方那样丰富，既没有早期维鲁特那种总结建筑法式及操作规范的《建筑十书》，也没有以史带论的英国弗雷彻爵士的《建筑史》，更没有专门探讨建筑美学的专著《走向新建筑》（柯布西埃），梁先生的筚路蓝缕之功自当引起分外的珍视。然而不幸的是，就是这样一个忠实于我国传统艺术，把自己最宝贵的年华献给了将现代建筑技术与传统建筑文化结合起来的人，却在 50 年代中期，因为在他设计的西颐宾馆中多用了大屋顶和琉璃瓦而受到了批判。这已经是令人悲哀的事，更令人悲哀的是自此以后梁先生对自己的才能也似乎失去了信心。1958 年，他在一次学术会议上竟把自己 15 省的奔波劳作所得的学术成果自贬为“一些失意在野的政客官僚的消遣品”，以至于目前《梁思成文集》收集的多为 50 年代以及以前的作品，似乎以后的近 30 年，中国建筑学的成就没有超过他的。自然，梁先生的理论和实践，也有过消极的一面（如“大屋顶”的滥用），但是，批判他的“大屋顶”却是粗暴的，结果批掉的正是对中西建筑文化交融的科学探索精神。因而不久以后在国庆 10 周年的十大建筑中大屋顶又卷土重来，而在 30 年后的今天缺乏现代意识及材料特点的“大屋顶”“小亭子”又常常不和谐地出现在当代中国的街道和宾馆之中，难道有识之士不该向中国建筑学发出 SOS 的讯号吗?

不妨借鉴美国新闻记者的笔法

有时候读一些语言上缺乏力度的小说，实在是累人，几个小时读下去，没有几句令人耳目一新的句子。虽然，那些并非不聪明的作者不是不懂要弄一些修辞手法，但是，总是缺乏某种特别的情致、深刻的智慧作后盾。因而，对于读者的心灵也就缺乏足够的激活力。

这时，我就不由自主地想到这样的语言简直像新闻通讯；但是，转而一想，新闻通讯就不需要文采吗？固然，我们中国的新闻记者，直到目前为止还没有一个是以文采著称的。说老实话，我虽然每天免不了读新闻，但几十年来，我竟记不得任何一个精彩的句子。

外国记者的新闻通讯我读得很少，但是在记忆中稍事搜寻就不难想起一些精彩的语句。比如 50 年代后期，我在内部发行的《参考消息》上看到一个西方记者形容苏联人和美国人的谈判为“聋子的对话”，就留在记忆中，40 多年过去了，至今仍未忘却。

我时时感到，我们的新闻文体语言风格太呆板了，官样文章太多，个人风格太少。也许有人会说，新闻、报刊文体只能如此，它容不得个人风格。其实，这是一种误解。

在西方，尤其是在美国有许多报刊文章的作者，语言是很考究的。有些人甚至认为在文学家那里可以有李白所说的“日试万言，倚马可待”的才子，但是在新闻记者中却不可能有这样的成功者。他们大体都是贾岛式的苦吟派，“两句三年得，一吟双泪流”。比如一个总统要任命一个什么人当大法官，此人的背景如何，要准确而又独特地用“电报式的文体”传达出来，而不能像作家那样自由抒情，他除了苦吟以外没有别的出路。美国的新闻媒体是多元的，读者对于新闻从业人员的监督和批评是很严格的。就连宗毓华那样的新闻节目主持人，只因脱口而出讲了个美国听众可能莫名其妙的阿拉伯激进组织“哈马斯”，就遭到华盛顿电视评论员的严厉批评。

美国记者绝不满足于在中国记者中流行的“照本宣科”式的写作方式，例如《纽约时报》前驻北京记者纪思道 1993 年 5 月发表一篇比较中国和美国教育的文章，他并没有傻乎乎、直愣愣地把种种区别系统地罗列一番，而是这样说：“美国的中学教师死去升天之后，可能发现自己是在中国最好的中学教书。……中国的学校里难道没有暴力活动吗？当然有，那是学生在上生物课解剖青蛙。”他不说中国中学里没有美国中学里那么多血腥的枪杀，而是耍了一个花招把话说得很俏皮。升天后来到中国的中学，就把本来遥远的空间距离缩短了。他还作了心照不宣的混淆：解剖青蛙与凶杀。这就产生了挖苦，由挖苦引发幽默。这种手法在美国报刊上比比皆是。例如一篇报告说：“如果查理大帝是美国人，美国波士顿圣保罗中学的 500 名孩子们一定会为他建造一座塑像，或者将他们的一次比赛命名为‘查理大帝杯’手球赛。”

也许这种美国式的绕弯子并不特别稀奇，但是，也可以说明，美国新闻记者在读者面前要表现出某种机智，至少回避呆板。

回避呆板也并不一定就意味着回避直接叙述，有时他们以直接的议论见长，有时就完全不加议论，不作解释，完全借用数字或别人的语言来表现自己的倾向。例如，纪思道先是非常直白地说：“中国一方面在最好的学校里培养出一批优秀的科学家，一方面在农村造成一代半文盲。”接着指出，国家在城市给每个中学生投资 200 美元，但在农村却没有这些拨款。

作家要有自己独特的话语

作家之所以无愧于语言的艺术家的称号，不仅仅因为他必须为通常智性的话语渗入情感的因素，而且还因为，他必须完成一个更为艰巨的任务——把公共话语转化为表达自己个人的思绪和情感。

语言符号的意义是社会性的，对于作家来说，现成的语言，包括传统的艺术语言，对于他独特的情绪和思想都是一种严峻的束缚，这种束缚表面上是一种自由，因为作家只有进入这种语言的框架、语言的圈套才能表述自己起码的思绪。这就构成了一种理所当然的感觉。社会现成的体制和群众约定俗成的心理定式，造成了一种别无选择的感觉，这就是当代西方文论中占主流的一种学说——权力话语；这种学说认为：统治人的思想，蒙蔽了作家，使之丧失自我，妨碍作家找到自己的最为深刻的根源正是这种公众的、流行的、天经地义的、自然而然的话语。作家要获得表达自我的最基本的前提就是对于权威的话语——文学语言加以重新审视，对之进行文化语义的“颠覆”，从而找到自己独特的话语。

正是因为这样，每一种新的文学潮流产生之时，都不能不从文学语言的革新开始。

从韩愈的古文运动，到文艺复兴时期抗击僵死的拉丁语，把口头的方言转化为书面语言；从“五四”新文学运动，以白话代替文言作为书面语言的正统形式到新时期对于政治、革命话语的重新定位，都是最为明显的例子。就是没有明显的语言革命，基本词汇和语法结构没有根本的变化，也可能产生文学话语的颠覆。朦胧诗的出现就是伴随着一种话语的革新。传统的话语本来是天经地义的，向来是一种“习惯”。顾城在《学诗札记》中这样描述这种习惯是如何窒息思想情感的：

诗的大敌是习惯——习惯于一种机械的接受方式，习惯于一种“合法”的思维方式，习惯于一种公认的表现方式。习惯是感觉的厚茧，使冷和热都趋于麻木；习惯是感情的面具，使欢乐的痛苦都无从表达；习惯是语言的套轴，使那几个单调而圆滑的词汇循环不已；习惯是精神的狱墙，隔绝了心海的潮汐。习惯就是停滞，就是沼泽，就是衰老，习惯的终点就是死亡，当诗人用崭新的诗篇，崭新的审美碎了习惯之后，他和读者获得再生——重新感知自己。①

正是因为对现成的话语进行了颠覆才有朦胧诗的艺术世界的开拓。经过了二十年的实践，红旗、大道、鲜花、东风、骏马、烈火等固定的政治象征话语的统治才趋于结束。舒婷、北岛、顾城、西川、于坚才以各自个人的、多元的语言为诗坛开拓了新话语境界。舒婷才可能把木棉花这种本来已经固定的联想（革命、烈火）转变成既可以是热烈的意象——英勇的火炬，又可以是个人的低回——沉重的叹息。如果不是经历过话语的颠覆，顾城只可能把长江上的白帆和生气勃勃的景象，如千帆竞发联系起来，而不可能把联想的终点引向“尸布”。

历史的惯性以某种权威的姿态出现，因而特别牢固，要挣脱联想的习惯渠道是艰巨的，非有大才者不能完成这样的历史任务。就是在有限的领域里突破一下现成的套路，形成自己的风格也是需要才华的。正是因为这样，俄国形式主义者才把艺术的奥秘多少有点简单化地集中在所谓语言的“陌生化”上去。

余光中先生在《听听那冷雨》的前言《剪掉散文的辮子》中十分强调散文的“独创的句法和新颖的字汇”，“对于文字敏感的作家，必然有他专用的字汇，他的衣服是定做的，不是现成的”。南帆的散文之所以能够在众多散文家里脱颖而出，就是因为他创造了自己的“专用字汇”，使本来已经熟悉到丧失感觉的词语突然发出陌生的光彩。在《枪》中，光是在描述“枪”这样一个普通的机械，他就让许多被用得像磨光了的铜币一样的词语焕发出新异的棱角。除了他，有谁会这样说：“拉动枪栓的咔嗒声如同一个漂亮的句号。”“一支枪的扳机在食指轻轻勾动之中击发，一个取缔生命的简洁形式宣告完成。”“躯体与机器（按，指枪）的较量，分出了胜负，这是工业时代的真理。”“枪就是如今的神话。”他还非常严肃地将枪和男性的生殖器相类比：“两者都隐藏着强烈的侵略性、进攻性；射击的快感与射精的快感十分类似。”“男性的性器官制造了生命……枪的唯一目的是毁灭生命……是对于男性器官的嘲弄。”

他的关键词语基本上是普通书面语词汇（句号、取缔、真理、神话、快感、嘲弄），并没有复杂修辞手法，但是这些普普通通的词语不但获得了新异的感性生命，而且有了思想的深度。他说，面容固然是个人的标志，手不一样也是个人的标志：难道手书、手稿、手诏不同样是不可更改的个人的凭证？手书、手稿、手诏，这样干巴巴的词语，一下子就获得了如此深邃的生命，关键在于：它们从表层到深层，从内涵到外延都发生了变异和更新。

① 转引自孙绍振：《新的美学原则在崛起》——《诗刊》1981年3月号。

在《说病》中，他对病了的躯体作了感性的描绘以后，这样说："病人意识到，这副躯体是临时租用的，亏欠租金的时候，就会受到某种警告，使用不当就要被收回，灵魂不能从心所欲地使用躯体。上天入地，躯体自有自己的重量。""生病是躯体独有的权利，谁也没有办法剥夺这种权利。"他所谓"使用""租用""警告""收回""权利""剥夺"，所有这些抽象词语的感性和智性一样获得了更新。

他在论述了躯体是自我的载体和个人私有的界限以后，接着说，传统的文化总是贬低肉体而抬高灵魂。在此他做起了翻案文章：肉体比灵魂是更加个人化的。肉体只能个人独享，不能忍受他人的目光和手指的触摸；而精神可以敞开在文字中，坦然承受异己的目光的入侵。从这个意义上说，"躯体比精神更为神圣"。只有爱人的躯体才互相分享，互相进入肉体。他得出结论说，"爱情确属无私之举"。

"私有""神圣""无私"，原本的智性意义大部分被颠覆、解构的同时，新的智性就带着新的感性渗透进来了，这是一种智性和感性的解构和建构的同步过程。不言而喻，肉体的共享还有绝对自私和不神圣的一面。这一切被南帆略而不计了（也就是颠覆了），由于颠覆的隐蔽性，读者和他达成了一种临时的默契。这种默契就是以"不智"为特点的，这种"不智"，就意味着一种潜藏的审美感性。他接着说：一旦爱情受到挫折，躯体就毫不犹豫地恢复私有观念，"他们不再让对方触碰自己的书籍、手提包或者服装"，而在争吵时尖叫起来："不要碰我！"如果没有了情感，却仍然开放躯体，就是"娼妓"行为。

尽管没有感情仍然开放肉体，有着许许多多的可能性，例如，许多没有爱情的家庭里性生活并没有停止，没有爱情的偷情，乃至美国式的性开放，相当普遍地存在。但是，南帆的"不要碰我"和"娼妓"的话语阐释，是如此具有超常的启示性和经验的召唤性，读者与其斤斤计较，不如欣赏他难得的任性。临时的话语就在这新的层次上巩固了，审美感知也就完成了其"走私"的任务。

由此可见，对于一个作家来说，所谓自己的、特有的词语并不是凭空去发明，而是在现成的话语中进行隐蔽的语义颠覆和重构。具备这样能耐的作家，就有成为大家的可能。

恶性欧化及其他①

最近读了《鲁迅研究月刊》1994 年第 4 期上的一篇论文，叫作《经典的意义》，作者高远东先生。先生看来对于西方文论是学有专攻的，但是读这样的文章，我深感痛苦，主要倒不是高先生的题旨对我有什么刺激性，应该说高先生的主要观念我是很同情的，但是高先生的文风则实在不敢恭维。我不知道高先生为什么要这么不厌其烦地折磨读者。为了让我的读者也体验一下这种受折磨而感到的屈辱滋味，我这里随便摘引高先生文章开头的一句话：

> 有感于詹姆逊影响的氛围性及其把鲁迅作为第三世界文化经典解读内涵的不同文化信息和问题语境，也由于处于世纪之交的当代青年读者理解鲁迅及“五四”一代人作为精神遗产和价值资源而留给我们的思想和作品的隔膜和特殊困难，尤其是青年学界对于“后现代”社会和文化经验的“被殖民幻想”和“模仿式会心”作用，使得鲁迅及其小说作为一种过时的话语规范隐入历史而日益古典化，因此有必要充分顾及当代中国文化发展和现实取向及詹姆逊理解第三世界文化状况的第一世界视景，就鲁迅及其小说所体现的第三世界文化生产方式的典范意义作出本土立场的辨析。

我相信没有一个读者有这样大的肺活量能把这一句话（近 300 字）一口气念到底，即使换了几口气把句子念完了，也很少有读者能把作者的主旨抓住。

这样的话，从根本上来说，不像是中国人说的，而是从洋人那里模仿来的，而且不是高水平的模仿，是拙劣的学舌。

本来，高先生的意思并不复杂，他无非是要说鲁迅的作品作为第三世界的文化代表有其经典意义，但是由于历史的变迁，当代青年理解起来有相当的困难，加之近年引进的“后现代”文论的影响，更加深了隔膜，尤其是詹姆逊从第一世界文化立场对鲁迅的解读有

① 发表于《中华读书报》1994 年 10 月 5 日。

许多文化误差或偏见，所以有必要从第三世界本土立场来对鲁迅加以辨析。

自然，高先生的文句还有好些附加成分，但是从书面语言表述的精练来说完全是可以省略的。比如说“处于世纪之交的当代青年”，“处于世纪之交”就是多余的；“理解鲁迅及五四一代人”，“五四一代人”，是可以暂时不在这里说的；“留给我们的思想和作品的隔膜和特殊困难”，其实用“留给我们的隔膜”就足够了，思想主要是在作品中的，只有在思想和作品不一致的情况下，才有必要把二者并列在一起加以强调，至于“特殊困难”就是“隔膜造成的”，更是可以省去。

从表面上看，只是修辞的常识问题，好像不值得小题大做，但是，统观高先生全文，这样的叠床架屋比比皆是，不但成了一种文风，而且成了一种追求，这就不是修辞的缺陷，而是对思维和语言特性的一种误解。

任何一种思维都有别于直觉，直觉是全面的，但不能传达，而要用语言符号传达就只能作单向的深入，例如说“这是一片叶子”，就是单向句，不全面的，因为叶子也可能是商品、不透明体等，当我们说“这是一片叶子”时，没有必要同时交代它是否有商品价值和透光性。正如当我们说“我摘下帽子”，也没有必要详尽地交代：“我的一只手越过肩头，从头顶上方摘下了我蓝色的帽子。”

任何一种思维都以必要的牺牲为前提，也正因为牺牲了对于主要目的不重要的成分，思维才能集中起来单向地深入。一切语言都不可能传达全部信息，只能通过必要信息唤起对方的记忆，让对方的经验来补充被省略了的成分。因而，任何一种表述并非越详尽越好，而是越简洁越能激活读者的经验和记忆越好。所以，契诃夫才说，“简洁是天才的姊妹”。

一个高水平的作者最起码的表现就是游刃而有余，或者说，在勇敢的省略中抓住要害；不谙于此者往往企图把过分沉重的任务让句子去承担，以为有关信息越详尽地交代越好，其实是非常幼稚可笑的。

目下有些年轻的文论作者似乎喜欢在句子上加上累赘的形容，以为他们运用那些西方“话语”本身就是一种水平的显示，其实是他们缺乏清醒的批判（或解构）意识的结果。比较熟悉西方文论本是好事，但是食而不化却造成了自我蒙蔽。按解构主义来说，对于任何一种学说的大前提都是应该解构的，但是我们一些奉解构主义为圭臬的学子们却不去解构（或者批判）一下解构主义本身。按福柯的学说，一种权威的学说所使用的话语本身就是一种统治权力，福柯因而拒绝了他所反对的权力话语，但是对于我们来说，福柯这样的权威，他所使用的话语，如果我们全盘接受过来是不是也意味着受到他的话语权力的统治呢？我们的创造力是不是也因此而受到窒息呢？

我们有些年轻的学子在这一点上是很不清醒的，他们还没来得及把人家的话语加以消化，使之成为自己的血肉，就急于大发议论了，其实是满足于用自己的舌头唱别人的歌，这正是福柯所十分反对的。

可怕的是这种“失语症”不但没有引起我们的痛苦，反而在一些学子心中引起了自得之情，这实在是十分悲壮的。这真使我想到了明清八股中“代圣人立言”的遗风了。如果把这种学风或者文风叫作“洋八股”似乎有点过分严重，但是，在这方面作些启蒙主义的呼喊似乎很有必要。其实任何西方文论大师都很强调自己的独创品格，绝不会以模仿任何权威的话语、文风而自骄骄人；而我们有些朋友在这方面恰恰有悖于他们师承的大师。这本是一种幼稚表现，然而由于种种原因，这种幼稚被当成骄傲的资本。

前不久，我看到一个年轻的朋友的一篇文章说，语言是一堵墙，这自然是话语遮蔽理论的表述，但是令我奇怪的是，当你说“语言是一堵墙”的时候，你所使用的是不是语言呢？如果是，那么你的语言不是也粗暴地统治了我，同时也歪曲了你自己呢？其实，这位作者说语言是一堵墙时，他并不觉得自己的话语有任何阻隔交流的性质，却认为别人的话语一点沟通的性能也没有。

这种武断而偏执的话语，本来既不合逻辑，又不合常识。连三岁小孩都知道除了语言这座桥以外，他没有任何办法传达他的饥寒或满足。如果不绝对藐视常识，就应该承认：语言首先是一座桥，只有被搞乱了的语言才会变成人与人之间的墙。

我们的一些年轻朋友目前在写学术文章时常常忘了这一点，他们在模仿西方一些文论的话语和文风时，常常粗暴地践踏汉语的一些基本规范。在他们的笔下，汉语变得疙里疙瘩、啰里啰唆，好像不是中国人写的而是从外国佬那里“硬译”过来的。其中包括许多生吞活剥的西方文论术语。由于不高明的硬译，弄得玄而又玄，令人不知所云。例如我在文章开头所提到的那篇文章，短短两三百字就出现了“氛围性”“问题语境”“被殖民幻想”“模仿式会心”等等似是而非的说法。

这也许是出于硬译，也许是出于生造，不管属于哪种情况都是一种低水平的表现，都是对汉语词条规范的一种破坏。

其实，真正高水平的西方文论，在西方也并非都是句子结构复杂得叫人喘不过气来，概念玄虚得叫人摸不着头脑的。在许多由英语写成的文献中，对于专门术语都有同谓语结构加以说明，至于西方文论中那些十分玄虚的文风，在他们国家里也常常遭到非难。最近美国科罗拉多州大学历史系教授利默利克在美国大学出版社协会的一次演讲中就严厉地批评了出版物中纠缠的话句，让人喘不过气来的文风。难道我们不该因此而清醒一些吗？

抄袭和模仿的历史公案

人们对于文学艺术的欣赏就是多方面的，最根本的当然是欣赏文本。朋友相聚，只要是有一点文化修养的，绝对不会满足于相互传递影星逸事；而交流阅读文坛新作的心得，则有利于聚会品位的提高。陶渊明所说“奇文共欣赏，疑义相与析”，乃人生一大乐事。至于能将争议热点相告者，则更能活跃情绪，但是，此等聚谈有一大缺点，就是所涉及的资料常常限于报刊炒作正热的，不但数量有限，而且时间距离太近，难以作较为宏观的概括，如能追溯历史渊源，则不难进入宏观的审视，激发思想的火花。

鹭江出版社新近出版的《中国文坛纷争公案》有鲜明的主题：中国文坛上关于模仿与剽窃之争。对于广大读者来说，这不是一本以猎奇为满足的书，它所提供的资料不但有当前报刊的热点，而且还有历史的公案。

当前的文坛纷争由于报刊众多，一般读者无法得到全面的资料，本书的最大优点，就在于把分散性的资料收罗齐全。20 世纪 90 年代末，文坛官司纷纭。以纪实性作品《走下神坛的毛泽东》而出名的权延赤被控抄袭了阎涛的一部作品的官司打了八年；另外两位解放军作家为一个题材的作品对簿公堂，经过两次宣判，事情还未最后了结；一位“自由撰稿人”专门以伪造名人逸事为务，被揭露之后还要状告有关报刊。

在诸多官司中，如系纯粹抄袭的，是非自明，但是何为抄袭，却扑朔迷离。最为引人注目的当然是北大副教授张颐武和著名杂志策划王干指斥韩少功的《马桥词典》“抄袭”（报刊用语，原文是模仿）南斯拉夫作家帕维奇的《哈扎尔辞典》，遭到韩少功和支持他的一些朋友的反击，引发了一场持续两三年的文坛官司。

人们的注意力都被官司的进程吸引了，而抄袭、模仿和受到影响之间的关系，作为一个理论问题，却未能得到充分的阐明。本书所收集的另外一些历史公案，则比较严肃地涉及了这方面的问题。对于老作家叶蔚林的几次抄袭事件，批评者都比较具体举出了材料，如他的小说《遍地月光》和俄国作家蒲宁的小说《通宵晚霞》在语言、景物、人物、对话、心理描写方面的相似之处。还有他的获奖小说《没有航标的河流》和契诃夫的《草原》的几近雷同之处甚多。他还大量抄袭了山东作家的小说，均有文本作根据。

从资料性和学理性来说，关于抄袭的指控比之张颐武等批评韩少功的文章就要雄辩得多，对本书的读者作出自己独立的判断也就有价值得多。

在我看来，编选的成功与否取决于资料的原生性。资料越是原始，读者越能从中得出自己的结论。从这个意义上说，在所有资料中，最精彩的是有台湾学者指斥郭沫若的《十批判书》抄袭钱穆的著作《先秦诸子系年》有关文章。双方都是学者，为文均有充分的学术论证，不像一般报刊文章往往难免“游言无根”。台湾学者的态度是比较严肃的，反驳台湾学者的文章更是证据确凿。我相信公正的读者对于双方的立论并不一定有充分的兴趣，而对于论证过程中，尤其是反驳的一方，有关证据的分析，既有学术含量，又有相当雄辩的论述，一定留下更为深刻的印象。

这是一场比较严肃的学术论争；但是严肃性往往与趣味性不一定成正比。所以国内一般读者对于这样的论争就不及文坛官司那样关注，其中的资料更难熟知了。

相比起来，本书收集的鲁迅与陈源的争论，除了严肃的原则性以外，多多少少有一点个人意气，其趣味性是很强的，但是学术性受到了影响，然而，作为中国文坛上的历史档案，其文化价值是不可低估的。

编者在封底上提示本书的价值：“学理的论争、人格的较量、法律的诉讼，是非曲直，尽在其中；真相的揭露、冤情的澄清、道德的界碑，真假良莠，直呈于此。”虽然用的是商业化的炒作语言，但并无失实之处。不同的读者在这本书中，不难从不同的角度，找到自己的共鸣点。

先锋诗歌在冲击

先锋诗歌被商业化所困扰的报刊视为发行毒药，诗歌的版面在许多文学刊物上，已经压缩到几乎接近于零的程度。2000 年 3 月号的《上海文学》和长春的《作家》，居然拿出 10 多页的版面来为中国先锋诗人提供亮相的空间，实在是令人振奋。

两家联手，声势浩大，重要的先锋诗人都亮相了，但不知道为什么没有西川。

这里不但有朦胧诗早期的诗人北岛、杨炼、多多，而且还有稍后的宋琳。对于他们的诗作，国内的读者多少有点久违了。不过从他们发表的新作来看，仍然不改其固有的作风：从日常、平淡、琐碎的感受出发，在反戏剧化的宁静中，追求智性的深度。

北岛仍然是深邃的、尖利的，突如其来的哲理（直到谷粒入仓 / 这思想不属于谁），有着惊心动魄的效果，似乎更加沉醉于某种程度的晦涩之中。是长期脱离汉语语境，还是对于故土的疏远呢？想来会引发读者的思考。与之相反的是宋琳，同样是旅居欧洲大陆，平常的感觉不改其深沉，甚至有点浪漫的余绪，却多了一点明朗。一直坚守在诗国的于坚，仍然奢华地挥洒他的感觉，醉心于日常感性话语的阐释；在故意罗列的纷繁的琐事中，充满了煞风景的反讽。

从平常的感性中寻求纵深的洞察，正是 20 世纪 90 年代先锋诗人们的共同倾向。当然，很少人去重复北岛式的突如其来和惊心动魄。太精致的话语不是新一代诗人的追求，比之精心修饰，他们更倾向于从朴素的粗糙中去。这在翟永明的诗中也可以看出来。她的笔下甚至出现了："国营企业的烂账" 和 "邻国的经济萧瑟" "小姐们趋时的妆容 / 睡倒在一个'贱'字上"。几乎所有的诗人都是逃避戏剧性的，但是越是日常的，就越难以深入。这是大家所面临的难度。

当然，诗人比之小说家更有出奇制胜的特点。脱离诗歌探索，下海十年的麦城却给人一种好样的感觉。他似乎相当轻松地从冷峻的反讽，上升到格言的高度。他的《必须》充满了反语，又几乎都是格言，这连圈子外的读者读起来也不需要太费事。但就是麦城的诗作，也有着巨大的阅读难度。《上海文学》特地配发表了雷鸥长达六页的阐释麦城诗歌的文章。

这无异于一种警示：就是像麦城那些并不特别晦涩的诗作，也还充满阐释的歧义。看来先锋诗人与大众的阅读的隔膜这样一种矛盾是否能够有所缓和，还不能抱乐观的态度。

宋淇论《红楼梦》环境描写之“逐渐透露法”
——读《香港红学论文选》

《香港红学论文选》，天津百花文艺出版社出版，没想到会在德国一所大学的图书馆中被发现。

匆匆翻阅了一遍，其中的文章和内地的一样，大体分成两类，一类是考证文章，一类是艺术分析文章。

自然，香港的艺术分析文章和内地的基本上是相同的，但也有不同之处。香港的学者受西方小说理论的浸润，时常自然而然地运用西方现代小说叙事学术语来分析中国古典叙事经典。其中宋淇先生的文章特别引起我的兴趣。宋先生的《论怡红院总一园之首》与众不同之处是，一方面他运用了中国传统的小说评点语言和观点（以脂砚斋的评点为代表），同时又用了一些西方小说理论的“全知观点”“反讽”，将二者结合起来，而且糅合得很自然，不像内地一些青年学子陷于生硬搬用西方小说理论术语。宋先生认为就是用西方的“现实主义”“自然主义”来形容《红楼梦》也是困难的，“因为《红楼梦》的出现比西洋的正规小说为早，而且脱胎于一个迥然不同的传统”。所以，他对《红楼梦》的艺术分析，往往不拘于西洋的概念和范畴，同时也不完全囿于中国传统的评定小说的术语，他常常有自己的，看得出是深思熟虑的评价。例如他认为《红楼梦》描写人物和环境的方法是一种“逐渐透露法”，这种方法的特点是：

> 犹如一幅《长江万里图》，一路缓缓展开，一路缓缓呈现，不能一览而尽。巴尔扎克的小说常采取开门见山的手法，将背景详细描写出来。《高老头》的第一章，在故事发展之前，先花上二十几页的篇幅细述伏盖公寓的每一间房和每一个房客，以致读者几乎可以照书把人和地画出来。这种常见于十九世纪欧美小说的描写法是和《红楼梦》大异其趣的。

宋先生所说的这个现象是大家都早有体会的，但是表述得如此清晰，不带任何玄学思辨的色彩，如此亲切自如，在我所涉猎的文章中还是少见的。

接着他就不着痕迹地运用西方小说理论的范畴，对《红楼梦》中怡红院的艺术描写加以过细的分析了：

他（即曹雪芹——作者按）采用特殊人物的观点，分四次从他们眼中把怡红院描写出来。这等于先勾勒轮廓，然后在不经意处添几笔，补成一幅完整的图画。除了第一次他必须用宝玉的眼睛来看怡红院之外，他避免用众姊妹或本院丫环的眼光来观察怡红院，因为她们经常进出或者居于内，早已看熟，没有新奇的感觉。所以第二次，他利用贾芸来探视宝玉，从他的眼中粗加描写一下。第三次则乘刘姥姥二入大观园之便，根据她的看法着意描写一番。第四次利用平儿理妆，从她眼里，暗中打量怡红院不易为人见到的一面。至于第六十三回《寿怡红群芳开夜宴》，是全书的最高潮，与其说描写怡红院的客观环境，不如说表现诸人在怡红院的主观欢乐情绪，用的则是“全知观点”。

应该说，这种观点并不十分新鲜，因为在脂砚斋的评点中，早就指出这种写法，叫作中国画的“皴染”法。如甲戌本第二回的总评写荣国府的曰：“此回亦非正文本旨，只在冷子兴一人，即俗谓‘冷中出热，无中生有’也。其演说荣府一篇者，盖因族大人多，若从作者笔下一一叙出，尽一二回不能得明，则成何文字？故借用冷子兴一人，略出其文，使阅者心中，已有一荣府隐隐在心，然后用黛玉、宝钗等两三次皴染，则耀然于心中眼中矣。此即画家三染法也。”

这里明确点出的是先以冷子兴介绍，后用黛玉、宝钗的眼光看“两三次皴染”，当然，以后还有以刘姥姥的眼光喜剧性的再次皴染，等等。

未写荣府正人，先写外戚，是由远及近，由小至大也。若使先叙出荣府，然后一一叙及外戚，又一一至朋友、至奴仆，其死板拮据之笔，岂作十二钗人手中之物也？今先写外戚者，正是写荣国一府也。故又怕闲文赘累，开笔即写贾夫人已死，是特使黛玉入荣府之速也。

通灵宝玉于士隐梦中一出，今又于子兴口中一出，阅者已洞然矣。然后于黛玉、宝钗二人目中极精极细一描，则是文章锁合处。盖不肯一笔直下，有若放闸之水、燃信之爆，使其精华一泄而无余也。究竟此玉原应出自钗黛目中，方有照应。今预从子兴口中说出，实虽写而却未写。观其后文，可知此一回则是虚敲旁击之文，笔则是反逆隐曲之笔。

宋先生在这里提出了一个很重要的观念，那就是同样一个环境若用人物熟知的，相同的眼光去感觉便可能单调而枯燥，而用非熟知的、不相同的主体感觉去表现则可能丰富多彩。宋先生在文章中用了详细的材料来对之加以实证，可以看出宋先生读书之细致和艺术感受力之强，读后使人亟想有空时重读。之所以要重读，倒也不完全是为了欣赏，同时也为了进一步探讨，其中包括宋先生未尽之意和未能充分阐述罄尽之处。

例如，为什么用不同人的不同眼光，多次不同的感受，加以“逐渐透露”，是一种有利于强化艺术感染力的门径，而不致导致繁琐累赘？和西方小说，特别是巴尔扎克小说的那种全知观点的叙述相反，这种叙述方法究竟有什么长处？另外，作为一种方法，它究竟有没有短处？如果，它像一切事物一样，不可能没有局限性，那么这种局限性是什么？这和巴尔扎克式的叙述的局限性是应该受到同样重视的，很可惜宋先生好像对于观念加实证甚为热衷，而对于观念本身却无兴趣深入分析。

其实，曹雪芹“皴染”的反复，而无巴尔扎克那样繁琐，其原因在于，每次“皴染”皆有不同情调，冷子兴这演说，乃是纷繁全貌的概述，然亦非绝对客观，其中冷子兴的言语，带着世俗的观念的慨叹，贾雨村的评论则带着神秘历史哲学的阐释，而林黛玉的观感则在受尽宠爱（来自贾母）时，保持自尊和惊异（王熙凤），情动于衷（贾宝玉）反而忧虑（黛玉独自哭泣）。

评语认为通灵宝玉这一道具是通篇情节的“锁合处”，多次皴染。好在锁合处各有不同色调：先是宝玉在“士隐梦中一出”“又于子兴口中一出”“然后于黛玉、宝钗二人目中极精极细一描”，聚焦于木石姻缘和金玉良缘的错位。“预从子兴口中说出，实虽写而却未写”“是虚敲旁击之文”“反逆隐曲之笔”，直到“出自钗黛目中，方有照应”，也就是虚实“锁合”紧密。宋淇先生的聪明在于把这种不同人物观感皴染怡红院，但是忘却了不同人物的眼光的不同处。艺术生命在写人，而不是状物。

“冷月葬花魂”和它的论据

——再读《香港红学论文选》

在《香港红学论文选》中读到宋淇先生的《论“冷月葬诗魂”》，真是一大惊异，同时也是一大享受。

宋淇先生读书之细，细到一个字的差别（“冷月葬花魂”，还是“冷月葬诗魂”）都抓住不放，令人想到胡适之先生所说的那种“有考据癖的人”。学问与粗枝大叶是无缘的，当年胡适之先生写了《差不多先生传》，就是为根治国人某种“好读书不求甚解”的顽症的。反对粗枝大叶，反对满足于“差不多”的精神，是应该好好继承的，宋淇先生的这篇文章使我想起了五四先贤的宝贵精神。

考证文章，重在证据，与纯思辨的大而化之的理论发挥不同，因而对于不同版本的校勘就成了过硬功夫。宋淇先生从几种不同版本的《红楼梦》中发现“葬诗魂”与“葬花魂”的差别，也许算不得功夫过硬，令人惊叹之处在于他在《脂砚斋重评石头记庚辰本》中发现了林黛玉的诗既非“冷月葬花魂”亦非“冷月葬诗魂”而是“冷月葬死魂”，而旁边有人将“死”字点去，改写为“诗”字。

这可以说是一大发现。

更精彩的是宋淇先生由此运用他的睿智，发挥惊人的想象力推断出了相当令人信服的结论：“‘死魂’不能成立，可是有了‘死魂’这个词，我们就此可以推测到原文大有可能是‘花魂’，因为‘死’字与‘花’字在草书形象上很相近。”

可宋淇先生还不满足，又从许多方面加以论证，举出一系列理由来，其中大部分都有助于作者的立论，但是其中作者认为最重要的一点理由却在事实上给作者带来了麻烦。

宋淇先生认为曹雪芹心目中理想的女孩子均以诗才见称，但无论是林黛玉还是薛宝钗“从未以诗人自许”，“曹雪芹笔下的女孩子，在本质上，仍是女性的，她们仍然守她们的本分”。在这一点上，《红楼梦》都是极端保守的，仍然保留了农业社会的基本想法，一切都以“男耕女织”为依归，以下就十分细致地引证《红楼梦》中有关妇女都离不开针线的描写，包括薛宝钗、林黛玉在内，作者一再在描述过程中，或指出，点出，或强调她们在女工方面的巧艺。

这些自然都是事实。但是宋淇先生只证明了女工在曹雪芹思想中有相当稳定的重要地位，并不曾找出一条材料证明，曹雪芹把女工之重要放诗艺之上，虽然林黛玉在对酒令时泄露了出自《西厢记》和《牡丹亭》的诗句，薛宝钗劝她说，“就连作诗写字等等，并非你我分内之事”，而且林黛玉也同意了她女孩子只该作些针黹纺织的事才是。

但是，这能不能说是曹雪芹的理想呢？这也许是薛宝钗的理想。

可曹雪芹是不是很同意这种理想，宋淇先生就没有论证了，其实真要论证的话，把宋淇先生这样不太长的论文篇幅全部用上都不够。

自然，林黛玉当时口头上也同意了，可就林黛玉的整个性格来说，她是不是真的属于薛宝钗所追求的这种范畴呢？如果真的在人生理想上，薛宝钗和林黛玉自此以后没有冲突，那么一部《红楼梦》恐怕要重新解释，而宋淇先生可能要写出十倍的文章来才有希望把这个问题说得稍稍清楚一点。

这里有个对人物的全部性格特点的基本判断问题，这是进行具体例证时不能忽视的。不管在具体描述上有多么复杂的情况，甚至矛盾的情况，曹雪芹的美学理想表现在人物的情感特点上。薛宝钗作为一个身体健康女性，她在许多方面都不比林黛玉差，可是曹雪芹却引导读者更喜欢林黛玉，其原因在于薛对人对己都无情（“任是无情也风流”），而林却是情感多到把自己送上死路的程度。她们的情感对立在诗中是表现得最充分的。正因为此，《红楼梦》的作者才让她写了那么多诗。忘记了这一点也许就忘记了《红楼梦》的根本。

探索小说形式的潜在可能性

——序吴励生《声音世界的盲点》[1]

如果你曾拘守小说和情节的婚姻关系，你读完这本小说，可能对你自己的小说观念会产生某种怀疑；如果你曾有过一种观念，以为小说就是刻画人物性格的文学形式，那么在阅读这本小说的过程中，你会感到你的小说观念经历了一场洗礼。

这部小说，在当今的商品潮冲击波所震撼的艺术世界里，是一个反抗，或者是对商品潮权威的一种挑战。它的全部意义，不是在固有的、现成的小说的稳定模型中，作又一次的批量生产；恰恰相反，它是一次名副其实的探险。在这里所显示的不是小说曾经和正是什么样子，而是小说可能是个什么样子。

在这本《声音世界的盲点》里，不是没有情节，相反有很惊险的情节：丈夫和妻子的离异和妻子的自杀，在家属大院中的谋财害命；由令人哭笑不得的分房纠纷，而导致一个工作人员对于一个部门负责人的故意伤害，此人即本书的主人公，因而锒铛入狱。

作者吴励生看来非常藐视那么轻易地取得效果的常用手法，这本小说号称《声音世界的盲点》，其正为盲点，不是别的，正是曲折的链锁的，一环紧扣一环的情节。吴励生不准备迎合读者从读《水浒传》的儿童时代就养成的习惯，而是和读者的习惯开一个严肃的甚至是严峻的玩笑。严格地说，这不是一次玩笑，而是对于小说的一种试验，同时也是作品和读者关系的一种调整。读者一旦习惯了某种成熟的艺术形式，就产生一种二律背反的效应，一方面这种成就及其权威性又窒息了读者的自由和艺术家的想象。它以一种轻松愉快的方式统治着艺术家，诱使艺术家进行着重复性的生产，迫使读者的心灵变成某种单一模式的容器，而对于在这些模式以外的潜在可能性一概成了艺术家和读者想象的盲点。当习惯了一环扣一环的情节的读者读意识流小说时，会不会感到有些受折磨？这种折磨并不是

[1] 发表于《文学自由谈》1993年第3期。

完全没有必要的，正相似于当人类第一次抽烟、第一次喝酒、第一次做出臭豆腐来那样，后来的享受证明最初阶段的折磨并非无谓的浪费。

同样，在艺术史上，当一种文学形式熟透了以后，常常遭到新的草创形式的挑战，虽然这种草创形式可能是稚拙的、披头散发的，但后来的历史证明，更有生命力的恰恰不是那熟透了的形式，而是那披头散发的形式。如果读者还记得：元曲远远谈不上精致的俚俗词语，宋元说话人的那些充满不通的语句和错别字的底本，甚至五四时期如流水账的新诗，是如何终于在艺术上发达起来甚至是爆发起来，就不会奇怪，为什么一代又一代的艺术家把那么多的精力花在对传统的权威形式的挑战上和对新形式的探险上了。

说实在的，吴励生在这里进行的是一种不折不扣的灵魂的探险，也许还不仅仅是探险，几乎可以说是一种冒险。当他那么轻松地把故事的连续性切断，把空间和时间的自然衔接关系打乱，完全不用任何承接或过渡的词语，把不同时间、不同空间的人物、事件自由地组合起来，可以想象得出：他不指望讨好所有的读者，而突如其来的空间转移，则可能得罪一些把小说当作纯粹消遣的读者；自然，他所瞩目的是那些很细心、很有耐心的读者，也许这些读者在他故意留下的时空裂缝中，能够发现他从一个生活场景向另一个场景过渡时并不完全是自由的，这里自然有主人公相似联想的成分，也有生活本身相近的成分，有时它近乎意识流面向内心，更多的时候，它更接近于生活流，在内外交流的关节点发生转换。他的联想花样并不单调，但也许不能称作丰富。如果多用一些相反联想来转换场景（王蒙在《风筝飘带》中就这样处理了）可能就多彩一点了。

也许这正是作者故意回避情节常规形态的缘由，因为情节本身是一种因果的链锁结构，而作者所要表现的恰恰是非理性的、非逻辑的荒谬；但这又不完全是荒谬，因为对于作品中每一个人来说，他们坚持自己的立场，却不是发疯。每一个人都不是把本身的判断建立在自己的有意识的盘算上，而是在自己自发的，因而也是自然的、自由的感觉上。正是每个人的自发感觉是相当饱和的，所以在这乱纷纷的声音世界中，在令人眼花缭乱的感觉天地中，每一个人的生命都有某种单纯鲜明的个性和复合的丰富性。

在自然科学中，一次的成功往往以一百次的失败为先导；在艺术中，每一部作品的失败对未来的成功都有铺路的意义。问题在于，要准确地判断是成功还是失败。有时，由于时代或个人的局限，往往在一个很长的历史时期中，把失败当作了成功，这就是所谓的“盲目”了，或者用这本书的语言来说的“盲点”了。如果吴励生对于自己的失败和成功同样清醒，不为个人的和历史的盲点所误，那么他可能是有希望的。

顺境中的阿 Q
——读《阿 Q 后传》①

林礼明先生完全懂得任何小说情节的产生不过是完全把人物打出常规，如把白骨精送到傻唐僧面前，把醉武松送到老虎面前，其目的不过是揭示其表层精神状态之下的深层奥秘。这种情节的检验机制，为全世界作家所通用。在西方小说学中，这种机制被左拉称之为“实验小说”，也就是把人物的心灵放在环境的变化过程中去审视，正如自然科学家把物质放在试管中加温、通电、投入试剂一样。

检验的结果，无非是两种情况。第一种情况是，在新的环境中，某个人物似乎变成了另一个人，也就是说，他的深层心理结构与他的表层心理不完全一致。像林冲由逆来顺受变得义无反顾；像《复活》中的聂赫留朵夫由一个纯洁的大学生变成一个放浪的军官；像《第四十一》中的玛柳特加本来十分仇恨白军，可一到了荒岛上，却与白军俘虏恋爱。虽然表层心理与深层心理反差强烈，但是二者仍然互相联系、互相补充、互相统一。正如列夫·托尔斯泰所说，这个人变成了另外一个人，可他仍然是他自己。不过，在读者看来，这个人物变得更深邃了。另一种情况是在新的环境中，他还是老样子，不管是倒霉还是走运，他的表层心理和深层心理没有多大变化，正如唐·吉诃德、哈姆雷特、诸葛亮、林黛玉一样。林礼明先生让阿 Q 从刑场上复活，让他经过种种磨难终于走上好运，当了一支“革命”军队的指挥官，而且逢凶化吉、遇难成祥，居然率领“革命”大军开进了他曾经落魄的未庄。

当阿 Q 由逆境转向顺境时，林礼明先生面临着选择，是让阿 Q 的顺境心理和逆境心理形成反差呢，还是追求统一？林礼明先生选择了后者：阿 Q 还是那个阿 Q。他进入未庄当上了土皇帝式的 Q 司令以后，他的所作所为仍然和他当年在土谷祠里设想的一样，把秀才

① 发表于《文学自由谈》1994 年第 2 期。

娘子的宁式床占为己有，在未庄的女人中挑选自己最中意的，抛弃了患难与共的吴妈，娶了宿敌赵太爷家的小姐赵妹子。在他一系列看来任意荒诞的行为中，林礼明所强调的集中在一点：阿 Q 虽然在《阿 Q 正传》的最后一章匆匆忙忙被枪毙了，可是阿 Q 精神并未因此而消亡。在以后几十年的中国现代文学上，阿 Q 的幽灵不时地出没游荡。敏感的读者可以在茅盾笔下的老通宝身上看到阿 Q 式的保守和顽固；在张天翼笔下的知识分子身上也有阿 Q 式的自我欺骗和自我麻醉；在沙汀笔下的那些没落地主联保主任，赵树理和周立波所擅长刻画的那些身陷贫贱而又虚荣心很强的老式农民身上，都有阿 Q 精神血统的印记。直到新时期，许多新进作家，凡写到农民形象的，往往也不由自主地涉笔于阿 Q 精神的某一侧面，不管是高晓声的陈奂生在旅馆沙发上的一跳，还是余华让他可怜的主人公期望在自己孩子牺牲后获得空前的荣誉，最后终于变成灾难，在这些人物的声音笑貌和言谈举止中，我们都不难看出某种阿 Q 式的悖谬逻辑。

阿 Q 精神，阿 Q 相，阿 Q 式的行为和思维逻辑，在中国现代、当代文学中，不但没有死亡，相反，他的幽灵越来越显示出某种生命力。所有这些阿 Q 式的幽灵都有一个特点，那就是都是倒霉角色，可是却又偏偏向往自己走运，出风头，获得非分的财富和荣誉。他们之中没有一个是生活战场上的成功者，所以他们改变自己精神状态和物质享受的追求都是显而易见的空梦。

正因为这样，这些人物虽各有其光彩，但多少也有些类似，多少出于同一想象的渠道。如果跳出这想象的历史惯性让阿 Q 不当倒霉鬼，让他成功，让他握有权势，让他威风凛凛，让他不可一世，他会变成个什么样子呢？

阿 Q 所谓的“革命”，不过是和赵太爷换一个位置，不过是一种旧式农民的改朝换代的翻版。作者的用心十分明显，那就是忠于《阿 Q 正传》原作的精神，不但忠于鲁迅对于阿 Q 精神的批判，而且忠于鲁迅对于中国历代农民“革命”的批判。在这一点上鲁迅在《圣武》中有十分严厉的批判。长期以来，在一些历史学论著中，农民起义被过分美化甚至理想化了。林礼明先生颇有一点理论的勇气，把对于阿 Q 精神的批判集中在对于旧式农民“革命”上。鲁迅说，“阿 Q 似的革命党”的目标不过是为了自己“兽欲方面的满足”，堂而皇之地掠夺“子女玉帛”，滥用权力。在这方面，林礼明先生写得最淋漓的是“阿 Q 军占领未庄”一章。这部作品另一个值得称道之处是大体保持了原作的喜剧风格。阿 Q 的行为语言均以一种悖理的逻辑出现，这自然是原作早已存在的。与原作稍稍不同的是林礼明先生多少用了一点魔幻现实主义技巧，使作品稍带闹剧色彩，在阴曹地府所接受的“正歪理论”为这种闹剧色彩提供了一个良好的伏笔。

可以说，凡是作者能对“正歪理论”大胆发挥的部分，喜剧性的感染力就较强。相反，一旦作者离开了闹剧风格，而一本正经地作正剧的刻画时，作品就比较逊色，这在正面描写吴妈的章节中比较明显。也许，这是《阿 Q 正传》原著中所含暗示较少，而作者本身又发挥过多的缘故。不过，尽管如此，这部后传仍然充满趣味性。虽然作者不敢与鲁迅的经典之作相比，但是读来仍然有林礼明式的机智，颇能令人掩卷深思。

西安事变与周恩来形象

20世纪80年代中期看过一部叫作《西安事变》的国产电影，在银幕上第一次把蒋介石当作有个性人物来处理，很令人鼓舞。但是，凭良心说，尽管许多溢美的影评充斥于报刊，我仍然感到影片中周恩来的形象相当单薄。

在影片中，他几乎没有什么自己的内心生活；他对人对事的特殊的、纯粹属于他个人的东西十分稀少。唯一有所透露的是到了影片结尾，张学良决计护送蒋介石去南京，周恩来赶到机场企图劝阻，而飞机已经起飞，算是流露了一点周恩来对张学良特别的个人情谊。不过，张学良为什么突然决定飞往南京，周恩来为什么表现得那样惆怅，在影片中交代得不十分清楚。

至于在政治斗争方面，周恩来从一开始就是很正确地提出和平解决西安事变的方针，因而不管外部事变多么紧张激烈，周恩来的内心世界始终是风平浪静的。这正是内地许多革命历史题材之影片的通病，以政治宣传价值代替艺术形象之审美价值，是许多影片显得平庸的原因之一。

其实当时中共党史的研究已经有了某些突破。不久以后我就看到有一篇论文提出了一个问题：西安事变之和平解决是不是由中共独立作出的决策。该文认为应该回答：是。虽然我早就在党史研究界风闻，在西安事变发生之初共产党中央是主张把蒋介石送交全民公审的，而且见诸由毛泽东署名其首的通电，在这以后又获悉共产国际斯大林不赞成杀蒋，相反怀疑张学良为日本特务所利用，而周恩来就在这种情况下乘上了张学良派来的飞机来到了西安。虽说，在出发前接到了共产国际的回电，但是由于密码搞错，无法译出，周恩来到达西安后中共中央要求重发。

上面提到的那篇研究党史的论文认为，周恩来完全是独立地作出了政治判断，不过，该文作者也顺便提到他从苏联塔斯社关于西安事变的新闻导向中感到了苏联的态度。

当时的电影评论界也曾有人隐隐约约提出，如果把周恩来放在历史的复杂真相中加以表现，其形象可能会更丰满，但是这样一个重要见解并未引起必要的重视，以致至今许多表现革命历史题材的影片不断重蹈《西安事变》的覆辙。

十年过去了，中共党史的研究有了巨大的突破，许多当年的禁区（如红四方军东渡黄河败绩的责任问题）和绝密资料都已经公开。叶永烈先生在《档案与史学》上发表的《西安事变——一页隐蔽的历史》可以说解开了文学界与史学界的一个哑谜。

原来在西安事变发生的第二天，中共中央就举行了常委扩大会议。叶永烈根据当时的会议记录，指出毛泽东、朱德、博古都主张公审蒋介石，其目的自然是置蒋于死地，只有周恩来与张闻天不主张与南京政府对抗。张国焘在后来的回忆录中承认，当时没有一个中共高级人物会想到西安事变可以和平解决。在向共产国际汇报以后，十三日，共产国际复电指出，西安事变是日本的阴谋，张学良身边有日本间谍。中国抗日要求的是团结而不是分裂，西安事变应该和平解决。十六日，共产国际总书记季米特洛夫来电指示，内容与复电一致。对于这个指示，毛泽东是想不通的。就在这种情形下，周恩来发挥了他强大的政治智慧，对毛泽东从审蒋杀蒋的立场向保蒋转变起了决定作用。

周恩来在西安给毛泽东发过两封电报，其一，提出：保蒋安全；其二，南京亲日派意在灭蒋自代，正在巴黎养伤的汪精卫将立即返国。蒋介石的立场因此也有软化的表现，宋美龄、宋子文转向抗日这一系列的新信息，促使毛泽东不得不一改自己一向刚毅的性格，决心接受周恩来的建议，保住蒋介石的生命安全，以免亲日派得逞。如果当时《西安事变》的作者有叶永烈今天这样的自由，那么周恩来和毛泽东的关系、周恩来和张学良的关系就会比当时银幕上表现出来的要复杂丰富得多。深深了解毛泽东对于斯大林不驯服的周恩来在决定如何说服毛泽东的问题上，需要多么谨慎而坚决，而突然改变对蒋的态度给张学良带来多么大的困惑，周恩来难道就没有一点感情变化？

从英雄到罪人

——读《汪精卫传》有感

“慷慨歌燕市，从容作楚囚。引刀成一快，不负少年头。”

如果对中国现代史的典故不太熟悉，面对这样的诗，谁会想到是出自大汉奸汪精卫的手笔呢？但是，事实就是事实。汪精卫并不是一生下来就是一个天生的汉奸、卖国贼，他曾经是一个颇有英雄气概的革命家。在孙中山为代表的革命派与康有为为代表的改良派在东京进行革命还是改良的论战中，他曾经是革命刊物《民报》的一员战将，在摧毁改良派思潮方面曾经以犀利的文笔作出过不可小觑的贡献。他曾经相当真诚地献身民主革命。在1910 年前后，孙中山先生领导的革命处于低潮时期，汪精卫急切希望革命高潮早日到来，提出由他用行刺当时的摄政王载沣的壮烈牺牲精神来唤醒国民革命的觉悟。当时，孙中山先生数度劝阻，他仍然坚持组织暗杀团。被捕以后，他写了长达数千言的供词，痛斥清政府所谓“预备立宪”的骗局。在狱中写成《被捕口占》四首，上面就是其中最著名的一首。

也许，在许多青年读者看来，一个大汉奸居然曾经能有这样一番英雄行为，这有点不可思议。历史是复杂的。汪精卫不但在辛亥革命前夕颇为显眼了一阵，就是在孙中山在广州建立革命大本营的时期，也曾经被认为是左派。在蒋介石发动中山舰反共事件时，他至少还是站在反对右派的立场上的。到了 1924 年，孙中山先生临终弥留之际，他还是孙中山遗嘱的执笔者。甚至到了蒋介石发动四一二反革命政变的前夕亦即 4 月 11 日，在武汉的《中央日报》副刊上他还发表了《革命的往左边来，不革命的快走开去！》。

汪精卫在抗日战争的前期即堕落为汉奸的丑恶历史把他钉在历史的耻辱柱上了，作为一个民族的罪人，中华民族的子孙将永远唾弃他，这是不容置疑的；但是作为历史，我们却不能不提出这样一个疑问：为什么一个年轻时期不无真诚的左派革命家，后来却堕落为汉奸。其原因何在？这是一个非常有趣但又十分严肃的问题。

上海师范大学教授王关兴先生在他所著的《汪精卫传》中，引用了许多当时和后来的历史资料，有人认为是蒋和汪在抗日和投降上，合唱双簧。这一点，到目前为止还没有足够的资料可资证明。有人认为是汪患了极端的恐共症，他曾经撰文说，为了防共，非早日投靠日本不可。这自然也有一点道理，但是，最主要的在于以下两点。

其一，是他的政治野心，不甘居于蒋介石之下。他长期担任国民党副总裁之职，但是没有什么实权。他始终是从与蒋介石争夺领导权的立场出发来决定他的政治态度的。这一点在孙中山先生逝世之前就已经显出了苗头。在四一二反革命政变以后，他和蒋介石两个人，一会儿这个上台，一会儿那个下野，不管事情多么复杂，总是离不开争夺国民党内最高领导权这样一个关键。

虽然对于他年轻时候的壮举，直到现在为止，我们还没有可靠的历史材料足以证明是某种表演，但是，从他后来的表现来看，他的政治权力欲，也有一个从良性到恶性的发展过程。在早年，他追随孙中山先生，尤其是对康有为、梁启超的改良派在《民报》上作理论批判的时候，的确是相当有光彩。这时，他的政治权力欲还来不及获得恶性膨胀的机会。在孙中山先生逝世以后，他俨然以孙先生的唯一合法继承人自居。这个时候，他的政治野心就时不时地与广大人民矛盾起来。尤其是在他眼看资格比他嫩的蒋介石居然扶摇直上，他的全部心计就集中在权力的获取上，一切都为了争权夺利，不顾甚至出卖人民利益和蒋介石作权力的交易就很自然的了。

拿他的堕落和当年的军阀吴佩孚比较一下是很有意思的。吴佩孚自从北伐以后，离开权力争夺甚久，沉溺于佛学，没有任何东山再起的念头，所以在抗日战争期间居然能拒绝了日本帝国主义的引诱，得以保全晚节。

其二，汪的民族自卑感是导致他堕落的根本原因。他从抗战一开始就是抗战亡国论者，声言“战必大败，和未必大乱”。他对中国人民的力量从一开始就缺乏信心。在早年，这种缺乏信心的积极的表现就是铤而走险，到了革命危机关头，就消极地表现为软弱动摇，这可以从他在中山舰事件中对蒋介石的态度看出来，对于蒋的霸道，他完全是怯懦的，弄到最后甚至是逃跑到法国去了。他作为一个民族资产阶级的代表，在他身上，有着太多的害怕人民群众的劣根性。这种脱离群众的本性，到了民族危亡的关头，则表现为对民族前途完全丧失信心，最后滑到出卖国家民族的泥坑中去。历史无情地向我们昭示：一个政治权力欲极强的人，虽然在某种条件下，也能做出英雄一时的事情，但是在历史的紧要关头，他是很难控制住他为了个人的政治野心而走向遗臭万年的下场。

汪精卫的悲剧，作为历史早已成为过去，但是作为一个教训，似乎至今还有发人猛省的价值：不管什么样的英雄人物，一旦在历史转折关键和民族利益发生的矛盾，就要面临严峻的考验，如果把民族利益视若等闲，对民族精神失去信念，就可能堕入深渊（像昨日的周作人们，今日的李登辉们），不管他本人有多少主观的借口，也不管有什么人出于什么动机去为他们辩护，历史也不会对他们有任何宽容。

1998年1月1日

在谈鬼的书中发现哲学

中国的神话不成系统，但是中国记载鬼话的书却颇为丰富：当然以现代科学眼光观之，大都荒诞不经，充满迷信色彩，有时甚至莫名其妙，由此不难看出作者之愚昧。也许正因为作者自惭智商不高，故此类书，常常托大文人之名，比如《搜神后记》托陶渊明之名，《汉武故事》托班固之名。另外一种情况则是拉一个名人作挂名主编，例如欧阳询受命辑类书《艺文类聚》等等。自然，也有像苏东坡、纪昀那样的大文人，好谈鬼，苏氏为取乐而已，而纪氏则认真得有些傻气。今天我们读他的《阅微草堂笔记》那些鬼话连篇的故事实在不能不令人觉得可笑，对于他那因果报应、劝善惩恶的说教未免又有点可气。

对于古代人那种傻气，还是应该原谅的，反正当时的科学不发达，这不能苛求。

同样的鬼故事，不同的人，读出来的味道是不一样的。20 世纪 60 年代初，中苏交恶，毛泽东一肚子火，不便公开说，他瞧不起赫鲁晓夫对美国总统肯尼迪和美国核武器怯懦态度，便授意当时社会科学院文学所负责人何其芳选集一本《不怕鬼的故事》用来鼓舞国人。这自然是古为今用，为政治斗争服务，虽然事过 30 年，回顾当年的历史，有明日黄花之叹。

但是，同样的鬼故事，一到一些庸人手中，就俗不可耐了。

近日读到一本《特异功能三百例》，真是令人啼笑皆非，本来是小说家的杜撰却变成了一本正经的“科学史料”。比如书中引《搜神后记》中的《还刀》：一个叫杜子恭的，很有些法术，向人家借了一把刀，没有还，人家儿子来找他要，他说马上还，可还是没有还。那位刀主人乘船到嘉兴，忽然有一尾鱼跳到船上，刀就在鱼肚之中。还有《独异志》中的故事，就更荒诞不经了。说是一个文人干宝的父亲逝世的时候，他母亲偷偷地把一个侍女推到墓窟中去了。十年以后，母亲死了，开墓合葬却看见那个侍女还伏在父亲的棺材上，过了一会儿，竟然活了。不要说它不科学，闷在墓里十年还没有烂掉，就说特异功能，究竟是谁的呢？是干宝的母亲的还是这个侍女的呢？不用说，这本书的编者徒有编书的愿望，而无说鬼话的能耐。

自然，中国古代那么多鬼书、鬼话，也并非全是垃圾。在这本《特异功能三百例》的编者手中，垃圾也只是垃圾而已，但在文化水平、智能结构不同的学者手中，垃圾也可能包含着珍珠，看来是荒诞的故事中往往有深刻的哲学意味。

近读《文汇读书周报》上李庆西的文章《我在何处》深有启发。李庆西是中年评论家，文章颇有影响，他的《我在何处》核心就是对一个鬼故事的分析。故事出于《齐东野语》，说是有一道长炼丹求长生，一日入定，对道童说：我离此十几天就回来，不许动我的身子。几天以后有人叩门，道童说，师父远去未归。那人说，我早知道你师父死了，回不来了，留下这具皮囊总是要臭的，不如烧了吧。道童上了当，就烧了。等到道士的魂回来，找不到自己的肉身，就直绕屋子呼叫："我在哪里？"这样闹了一个多月。直到有一个老和尚来此，问道："你说寻'我'，你却是谁？"于是道人不叫了。

李庆西先生不孤立地看这个故事，他联系到中西哲学史上一系列关于自我的范畴，从笛卡尔的"我思故我在"，到弗洛伊德的"本我"和"超我"，到中国晋朝殷浩的"我与我周旋久，宁作我"，引申出一个悖论：中外哲学家都说人的本性被社会、世俗的功利、道德歪曲了，因而就不是真正的"我"了，因而都不约而同地在找回自我，但是用什么找寻自我呢，当然用真的本我去找寻了。然而，既然自我失落了，才有必要找寻他回来，如果用自我去找，则必须他已经回来了。如果真的回来了就不用找了，如果他尚未回来，就没有去找的主体了。

这是一个很深刻的理论，李庆西以他的哲学观念，在一个本来讲佛家（和尚）对道家（道士）拨乱反正的故事中，看出了更深刻的意义，可以说既深化了这个故事，又充分表达了他自己的睿智，说他是点石成金也不为过，拿他和那些把古代的鬼话当作特异功能的资料的作者相比，不是可以悟出一点读书的门道来吗？

中国茶文化的光辉与局限

这几年，西方的文化学一度席卷了中国内地的文坛，一时应者云集，着实热闹了一番，但没过多久，新鲜感就失去了，连最初的提倡者都有点疲倦了。究其原因，这些鼓吹者用的都是演绎法，无条件地把人家的大前提拿来，恣情肆意地加以逻辑的推演。虽然这些论者多少都懂得一点后结构主义，或解构主义的理论，在理论上也强调过对于任何一种大前提都有批判、解构的必要，但是在实际上，他们只用来解构传统的大前提，而不用来解构新引进的大前提。

要使文化学真正在中国生根，除了对它的每一个结构加以重新审视以外，更重要的是把它和中国文化的一系列特点结合起来，加以丰富和发展。只懂得照搬一些现成的结论，举一些零碎的例子，是最没有出息的。全面加以分析、系统地检验一种外来的学说，是一代人，甚至几代人的任务，当前迫切需要的是，首先从一个角度、一个方面作系统的检验。

袁和平本是小说家，小说写得疲倦了，抓住中国的饮茶文化进行了系统的整理，作了历史的论证。这一工程光是收集书面的典籍和人文风习、历史传说，就够浩大的了，这比泛泛地作一篇中华饮茶文化论要难多了。

何况袁和平所做的远远还不止这些。

他在书中还把中国的饮茶文化作了逻辑的分析，以相当完整、相当严谨的系统，论述了中华饮茶文化的各个重要侧面，尤其是它与佛教、禅宗的关系，与中国士大夫的关系，与名山大川及有关神话传说的关系。尤为有趣的是，他还比较了中国和日本饮茶文化的异同，在此基础上，他引伸出中国饮茶文化的衰微、流变以及饮茶文化的前景。

从整体的理论构架来说，章节的安排颇具匠心，既是一种逻辑展开又是一种历史的发展，在方法论上已达到逻辑与历史的统一。

我觉得写得最吸引人的章节之一是茶与佛教、禅宗的关系，我最重视的不仅是他的实证材料，而且还有他在历史现象之间寻求逻辑联系的努力。他从佛家打禅的半昏睡状态与茶的兴奋作用之间找到一种因果关系。他还指出中国士大夫在不能“兼济天下”之后，走上“独善其身”的道路，于是乎闲适，于是沉醉于茶的非实用的韵味，求得精神的解脱，在“穷则独善其身”和茶的闲适之间他发现了某种逻辑联系。这说明作为小说家的袁和平完全具备逻辑思辨的能力。

写得最为精彩的是茶与酒的关系。袁和平认为，饮茶的特点是优雅与宁静，而饮酒的特点则是喧闹与豪迈。饮酒多为吉庆之时，如婚寿喜诞、缔盟祭祖、出征祝捷的庄严场合，而饮茶则是在恬淡宁静的个人交往之间。特别精彩的是袁和平提及饮酒的“划拳”，酒被当一种惩罚手段而强制一方饮尽，而茶则温文尔雅多了。

其思想深度则表现在：写到中国茶文化传入日本，变为“茶道”，成为一种仪式，一种精神训练方式，成为一种哲学的体现，成为一种民族精神的认同，而中国的茶文化仍然停留在风习的表层。袁和平认为日本的茶道，表现了一种“求真理的基督式的献身精神”，而中国士大夫的“茶韵”，特别是陆羽的茶韵只是“祈求保佑顶礼”。

应该说，写到这里，袁和平对于中国茶文化传统才有了一点批判精神，而在这以前，袁和平由于专心致志于茶文化的研究与创作（他的《佛手》就是写茶文化的），多少有点过分执着，过分崇拜中国的茶文化。只是在与日本的茶道作比较时，才发现中国士大夫在茶韵上是过分地壮志销磨了。然而日本的茶文化就那么十全十美吗？那么多繁文缛节，不也是对人的一种统治吗？在这里表现出袁氏的批判精神还不够彻底。

书读一半，剩下一半去猜想

朱苏进是一个颇为活跃的军旅作家，早在20世纪80年代，他的小说《射天狼》就获得了全国的中篇小说大奖。

在几年的不通音问之后，突然发现了他一本书《面对无限的寂静》，这并不是他所擅长的小说，而是一本谈读书的随笔。不过是随便翻翻，其中的警句便纷至沓来，令我颇为震动。

读书是为了求知，从培根以来就是这样说的，“开卷有益”，更是成了我国民间的成语，我们在这样现成的话语面前，思维的触角像裹上了塑料一样丧失了一切思考力。但他却对此生发出勇敢的挑战，他提出读书的目的就是为了自己思考，而不是被动地接受作者的思想。他非常机警而形象地表述了他这样的主张：“一个教授问他的学生，今天你做什么？学生的回答是：读书。教授又问，明天你做什么？学生的回答仍然是，读书。后天呢？回答还是：读书。教授不但没有表扬他，反而愤怒起来：那么你还有什么时间思索呢？”

这种发人深思的看法，在当前信息爆炸的时代，应该说，很有启发性。现代城市人，是那么忙碌，读书的时间是那么少，可是即使抽出了宝贵的时间，往往又为读书而读书。只不过是往自己的记忆仓库里装货，而不是利用书本中的信息来发展自己的智慧，开拓自己的创造力。在这一点上，他说得特别精彩：“如果读书的目的仅仅是增长知识，那么你即使终生读书，其知识储量，也不一定比得上电脑里的一块硅片。更可怕的是，你的大脑只是他人的跑马场，将心灵沦为盛满知识的容器。我们吃饭，不是为了变成饭粒，我们喝水，不是为了变成水珠。”

他对读书提出了一个很高的要求。真正的读书不能满足于被动的接受，更重要的是在接受以后要对书本有所超越，能升华到主动的创造的境界。他对所读的书，选择的标准是很严格的。他毫不掩饰地藐视市场上许多“拙劣的书”，就是杰出的书，他不仅不无限崇拜，而且常常怀疑其权威。在这一点上，他很有一点符合中国的古话，尽信书不如无书。他说：“在读书以前，希望每一本书都是一个意外。然而在读之后，才知道每一本书都值得怀疑。”这并不是狂妄。因为一切文明和进步都不能不是从对于天经地义的成规的怀疑开始。对于权威的无限崇拜只能窒息人类固有的智慧。出于这种自觉，朱苏进以为：即使读杰出的书，也不能不是和作者对话，这种对话不是一味顺从的，而是充满了思索和挑战的。他反对没有思索的读书。在说到这一点的时候，他的语言之犀利实在令人振奋；“读书最重要的是在于思索。读书是花朵，思索才是果实。思索不但能使你与别的人拉开距离，而且也使你与书本拉开距离。没有思索的阅读，就好像一个人没有胃脏而只有一张巨大的口腔。整个人便是一条孜孜不倦的过道。这种过道，将所有的美好的书贬值为垃圾。”这种艺术家的语言，无论如何是一些学究式的书评家所讲不出来的。你可以说他说得太尖刻，也可以说他说得太偏激，但是你不能不佩服他说出了我们感觉到但却被世俗之见所窒息的宝贵的思绪。

他的思想的好处不仅在于尖锐，而且在于深刻。他不满足于思索，而把问题提到要害上，关键在于，在思索中，向作者挑战：“如果一本书不引起我的激情，也不能引起我的反抗，那么不管别人怎样称赞它，也不管它果真多么卓越，对我仍然是一本废纸。”

他之所以这么强调挑战（反抗），是因为，他所渴望的不是当一个继承总结传统文化的学者，而是做一个有突破性、创造新的文化水平的作家。一个作家的潜在能量，不是浮在其心理表层的，而是深深埋藏在作家潜意识的底层的，好书有一种刺激性把这种潜在的心理能量激发出来。“一部好书能使人产生巨大的冲动，恨不得立刻写点什么或者做点什么，甚至在很长时间里无法再读其他的书。”他的创造欲望是如此强烈，就是读了有创造力的好书，他也警惕太好的书，让他产生自卑感，堵住了你本来可以创造、突破的许多潜能。因此他提出一个非常奇特的说法，叫作“抵抗”好书。

拿这种读书的态度来要求一般读者，好像有点要求太高，但是从读书的根本的目的来说，难道不是为了创造书上没有的东西，而是为了重复书上已经有的东西吗？但是，历史的积淀的惰性是如此之沉重，眼下绝大多数的读者，都不敢想像自己读书，是为超越它。其实，正因为不断地超越，人类社会的文明才能持续地进步。如果满足于在前辈的水平上滑行，世界还有什么希望呢？人们忘了这一点，这不是因为人们太愚蠢，而是因为，创造太困难，所以就产生了一种现象：把自知之明和自卑感混为一谈了。正是因为这样，朱苏进式的读书方法才具有启蒙的意义。只有在这样的意义上，我们才能充分地理解他这样的话：“永远有一本只读了一半的书，后一半用自己的猜想去完成它。”这不是要求太高了吗？不。这是一种呼唤，一种启示。对每一个读书人来说，都有警示的作用。尤其是当我们读到这样的句子："有些人是句号，他虽然读完整本书，但是他说不出比书本更多的东西，因为书的终点就是他的终点。有些人是省略号，书读完后，他却停不下来，他沉默地、不可遏制地飞行到比书的尽头更远得多的天际，始终一言不发。"

我读过许多谈如何读书的文章，但是却没有这样一本书给我这样巨大的神经震撼，这主要是因为，通常我们读书，尤其是读比较好的书，都不由自主地有自卑感，可以说，在精神上我们是跪着读的，但是真正的读书法，应该先是坐起来，和作者平起平坐，然后，是站起来，俯视他。阅读的过程，就是一个在灵魂上提高自己的过程。

当代爱情诗的新态势[1]

——《中国当代爱情诗鉴赏辞典》序

由于“后新潮诗”的出现，中国新诗已经进入了一个完全混战的阶段，形形色色的主义和旗号不下百种，一个个都热衷于展示自己的观念、方法、成绩优于任何一方，都以自己成为诗国的哥伦布而自豪。凡在西方曾经风行一时的流派、主义，在中国都先后出现了追随者，每一种新出现的追随者都有一千条理由去藐视其他追随者。

这正是价值观念、美学观念、诗学观念发生大破坏、大解放、大损失、大丰收的历史时代的特征。多少天经地义的感情被重新感觉，多少经典的定义被重新审视，多少光辉的神圣的信念被亵渎，多少基本的诗学原则被粉碎，甚至连诗本身都受到怀疑，而去追求某种意义上的“反诗”时，也大有人在。

对于许多诗歌爱好者来说，诗变得不像诗了。

这里自然也有历史的进步，但也不可避免要做出牺牲，但是，对于一个把诗当作生命的一部分的人来说，无论如何不能忍受这样一种现实，那就是在历史的转折关头，在所有文学形式中，诗的牺牲是最大的。

这不但由于形式、风格、语言、流派的更迭过速，各种流派过度的排他性，而且由于市场经济所调动起来的人的热情常常是散文的，而不是诗的。

也许，20世纪的90年代不同于20年代，30年代，50年代那种诗的年代，它是散文的年代，也许可以说，它是一个以诗遭受牺牲为特点的年代。

但是，诗的牺牲并不是没有例外，在我看来，这个例外就是爱情诗。

在许多变得失去诗意的题材中，爱情诗仍然生机勃勃。不管价值观念翻了多少跟头，不管多少人藐视真诚，可他总免不了要体验一下真诚的爱情吧，把这种感情诗化也许是人

① 发表于《海内外文学》1993年9月28日。

类永恒的冲动。因而爱情诗在当代诗歌创作中仍然占着很高的比例，它的作者队伍仍然是相当庞大的，也许比之小说和散文作家队伍宏大得多。光是由福建漳州《南方》杂志策划编辑的《中国当代爱情诗鉴赏辞典》（1988—1992）不算规模最大的，居然有九百多名作者寄来他们的得意之作，可以想象在与商品潮的搏斗中，爱情诗并没有败退更没有全军覆没，相反，这支队伍倒是奇异地壮大了起来。也许在我们的星球上，这是一支最壮观的创作大军，他们在超越实用价值和庸俗观念的升华中，做着全世界最大规模的情感探险，这种探险。在西方诗人疏远了爱情的浪漫主题之时，显得特别英勇而灿烂。

在这支队伍中，自然少不了那些在诗坛已经确立了位置的作者，这里有舒婷、蔡其矫、傅天琳、韩东、蓝角，也有崭露头角的新秀：刘火中、红雨点、山妹、曾义、郝永攀、阿晖、阳铃子、木子、陈志燕、刘德吾、田立阜。

对蔡其矫来说，早已过了爱神造访的年龄，但他回忆半个多世纪以前的“陌生的感情”，以特别宁静的笔调写过去的欢欣与苦难、幸福与死亡，是意味隽永的，这样恬淡的“爱情诗”还不多见。至于舒婷的《勿忘我》，从书页中一片勿忘我花瓣写起，令人想起普希金那首写一片夹在书页中的玫瑰花瓣的诗篇，二者风格迥异，但是在色彩的斑斓上又是异曲同工。不过，作为当代诗人，舒婷的思绪似乎更为纷纭，想象更为多元。最后从“勿忘我”想到“我又忘了谁”，就更为自由而丰富了。总的说来，舒婷的诗风以浪漫、多情取胜。浪漫的抒情逻辑是美化的逻辑、激化的逻辑，舒婷的爱情诗是忧伤的，是一种美丽的忧伤。蓝角的《春天》无疑是舒婷同调的，不过比舒婷更多一层童话的纯净性，更天真一些。在情调的美化上值得一提的还有曾义的《阿布扎布》，也是以营造美丽的而又不确定的意象为主的。阳铃子追逐的是飘忽的意象美，而把感情放在意象之外。这些都属于纯情风格之列。

当这个世界的许多引人瞩目的国家的诗人正在怀疑爱情是否还存在的时候，在中国这片土地上居然还有舒婷和她的追随者们不倦地歌唱着浪漫的美丽的爱情，这本身就是个奇迹，不论从中国人的眼光还是从西方人的价值观来看，这种纯情的世界都珍贵无比。但是，光有这种典雅的爱情，是不是也给人一种恍如隔世之感，或者用新潮评论家的语言来说，“落伍”之感呢？崇高的纯洁的美，在人间永远是永恒的珍宝，但永恒对于艺术的发展可能成为一种“蛋壳”。正因为这样，我更欣赏舒婷的朋友傅天琳的《旁枝》，在这里她写的是爱情的“旁枝”，写了传统的“误会”，而且是有意的“误会”。她躲躲闪闪，写如何剪断“无端”生出的“旁枝”，说白一点，就是还没有成为三角的三角恋爱。这里有浪漫的纯情，但又有不浪漫的潜意识里的动心，而且有一种进入“蛋壳”的感觉。写得最好的是割断以后的感觉“这世界死在自己的季节里”，写得最深的是“请你原谅，我又自尊又虚荣的感情”。诗人说，她咬破了“昨日的蛋壳”，从诗对人的探索上说，她实际上是咬破了“浪漫的蛋壳”。

既有剪不断理还乱的浪漫，又有煞风景的“虚荣”，这样的爱情总算有了一点市场经济时代特点。

傅天琳并不是孤独地咬破了“浪漫之壳”，和她同时一大批写着纯情诗的男女诗人都以各自的方式在突破着浪漫的情感模式。山妹在《花冠》中用了那么多浪漫的意象，甚至从象征命运的掌纹中引伸出许多宿命的神秘，但是诗人仍然表现了不满足于美好幻觉，而作出了把幻觉“还原成人”的努力。至于刘德吾也许是第一个用樟柬象征爱情的，也许他和红雨点一样，只是为一个新的意象所激动才写诗的，而不是为了某种感情或记忆。但写到后来毕竟把落叶当成为了爱情而“狠狠抛下”的东西，把纯情与严峻的对立结合了起来，就有深度了。

许多年轻的诗人都表现了一种共同的倾向，那就是在感觉中渗透着某种严峻的智性，这种智性有时越过感情直接从感觉升华，如陈志燕、阿晖等。陈志燕的“我们向相反的方向走向对方”就很精辟。这里没有情感的渲染，但其中智性的成分却十分震慑人心，甚至可以说有某种哲理的概括力，越是相互背离，越是相互接近，不论从哲学上说，从地理学上说，从诗学上说都是无可争议的。

至于刘火中的《告别》则更为精彩，他的一些感觉是传统的，但是他好些语言又是超越现实的，把思念设想为“二匹马穿过我的身子”，走向“黄昏和黄昏更远的地方”，“星星在我的头顶上将我围困，比你的眼睛离我更近啊”透露出浪漫的气息。但他并不耽于浪漫，而是追求浪漫中的平淡，平淡里还能感到“鞋子中的沙子”。刘火中不像传统诗人那样怕煞风景、怕丑，也不像后现代诗人那样怕浪漫、怕美，他好像站在两者之间，不过稍稍偏向美这一边。一方面他把他的对象想得很美，一方面又把她想象成“一座坟”，反正他感觉到的就是一种混合情感，这并不妨碍他表达思念的痛苦。最后一节，他这样写：

最后一次，大风劈开
我的身子，哒哒的马蹄
在伤口中渐行渐远

这让人想起了台湾诗人郑愁予的“哒哒的马蹄是美丽的错误”。也许刘火中是受了郑愁予的启发吧，但是由于马蹄与伤口的意象结合起来，就是一种创造了。伤口之痛孤立地看有现代医学意味，而马蹄哒哒则充满古典的联想。二者复合起来，不但感觉上强化了痛楚的尖锐性，而且在联想上沟通复合的意味，再加上“渐行渐远”，并不是通常那种强调痛感升级，而是显示一种弱化淡化的过程，于结束感中产生延长的余韵。正是在这样的诗作中，我感到了才气，既不同于古典的，又不同于舒婷的，而是属于 20 世纪 90 年代的才气。

至于有了影响的韩东，他的思绪感觉，跨度更大，更错综，因而更具有一种当代爱情诗的独立审美意识。正是在这一类爱情诗中，我看到了当代诗歌的艰苦卓绝的开拓者的群像。但是他的艰涩，他的故作玄虚也妨碍他获得更多的共鸣。这自然不是他一个人的问题，而是一种追求的问题，这也许是一种牺牲，也许是一种代价，但无论如何我想不应该笼统地称赞他是绝对的创造的。